# GARDE MANGER

garde

a arte e o ofício da cozinha fria
# manger

Instituto Americano de Culinária

4ª EDIÇÃO

tradução de Anthony Cleaver, Juliana Cleaver Malzoni e Julie Cleaver Malzoni

THE WORLD'S PREMIER CULINARY COLLEGE

Editora Senac São Paulo – São Paulo – 2014

ADMINISTRAÇÃO REGIONAL DO SENAC NO ESTADO DE SÃO PAULO
Presidente do Conselho Regional: Abram Szajman
Diretor do Departamento Regional: Luiz Francisco de A. Salgado
Superintendente Universitário e de Desenvolvimento: Luiz Carlos Dourado

EDITORA SENAC SÃO PAULO
Conselho Editorial: Luiz Francisco de A. Salgado
                    Luiz Carlos Dourado
                    Darcio Sayad Maia
                    Lucila Mara Sbrana Sciotti
                    Luís Américo Tousi Botelho

Gerente/Publisher: Luís Américo Tousi Botelho
Coordenação Editorial: Verônica Pirani de Oliveira
Prospecção: Andreza Fernandes dos Passos de Paula, Dolores Crisci Manzano, Paloma Marques Santos
Administrativo: Marina P. Alves
Comercial: Aldair Novais Pereira
Comunicação e Eventos: Tania Mayumi Doyama Natal

Edição de Texto: Maísa Kawata
Preparação de Texto: Augusto Iriarte (Revisionário)
Revisão Técnica: Murilo Carvalho
Coordenação de Revisão de Texto: Marcelo Nardeli
Revisão de Texto: Luiza Elena Luchini, ASA Assessoria e Comunicação
Projeto Gráfico Original e Capa: Vertigo Design NYC
Foto da Capa: Ben Fink http://www.benfinkphoto.com
Coordenação de Arte: Antonio Carlos De Angelis
Editoração Eletrônica: Fabiana Fernandes
Impressão: PifferPrint

Traduzido de: Garde Manger: the Art and Craft of the Cold Kitchen
Copyright © 2012, The Culinary Institute of America
Fotos © 2012, Ben Fink

Todos os direitos reservados. Esta tradução é publicada sob licença.
Editora Senac São Paulo
Av. Engenheiro Eusébio Stevaux, 823 – Prédio Editora
Jurubatuba – CEP 04696-000 – São Paulo – SP
Tel. (11) 2187-4450
editora@sp.senac.br
https://www.editorasenacsp.com.br

© Tradução brasileira: Editora Senac São Paulo, 2014

**Dados Internacionais de Catalogação na Publicação (CIP)**
(Jeane Passos de Souza – CRB 8ª/6189))

Garde manger : a arte e o ofício da cozinha fria / The Culinary Institute of America; tradução de Anthony Cleaver, Juliana Cleaver Malzoni e Julie Cleaver Malzoni; revisão técnica de Murilo Carvalho. – São Paulo: Editora Senac São Paulo, 2014.

Traduzido da 4ª edição americana.
Título original: Garde Manger: the Art and Craft of the Cold Kitchen
Bibliografia
ISBN 978-85-396-0609-2

1. Gastronomia  2. Cozinha fria (técnicas e receitas)
I. The Culinary Institute of America.  II. Carvalho, Murilo.

14-206s                                        CDD-641.79

**Índice para catálogo sistemático**
1. Gastronomia : Cozinha fria    641.79

# SUMÁRIO

Nota do editor xiii

Prefácio xiv

1 O garde manger profissional 1

2 Molhos frios e sopas frias 15

3 Saladas 85

4 Sanduíches 159

5 Alimentos curados e defumados 201

6 Salsichas 251

7 Terrines, patês, galantines e roulades 299

8 Queijos 365

9 Aperitivos e hors-d'oeuvre 443

10 Temperos, biscoitos e conservas 573

11 Apresentação de bufê 611

12 Receitas básicas 637

Glossário 667

Bibliografia e leitura recomendada 681

Fontes 685

Índice de receitas 686

Índice temático 700

# RECEITAS

## 2 molhos frios e sopas frias

### vinagretes
Vinagrete básico de vinho tinto  27
Vinagrete balsâmico  27
Vinagrete de trufa  28
Vinagrete gourmande  28
Vinagrete de limão e salsinha  29
Vinagrete de sidra de maçã  29
Vinagrete de curry  30
Vinagrete de mostarda e nozes  30
Vinagrete de chipotle e xerez  31
Vinagrete de chalota assada  32
Vinagrete de tomate-cereja  32
Vinagrete de tomate  33
Vinagrete de beterraba  33
Vinagrete de tangerina e abacaxi  34
Vinagrete de goiaba e curry  34
Vinagrete de amêndoa e figo  35
Emulsão de grapefruit  35

### molhos à base de laticínios e ovos
Maionese básica  36
Aïoli  36
Molho rémoulade  37
Molho russo  37
Molho deusa verde  38
Molho creole de mel e mostarda  38
Molho cremoso de pimenta-do-reino  39
Molho roquefort  39
Molho rancheiro com baixo teor de gordura  40
Molho de queijo maytag blue com baixo teor de gordura  40
Molho de iogurte e pepino  41
Molho de tahine  41

### molhos vinagrete
Molho verde  42
Molho de manga e limão-siciliano  43
Molho de mamão papaia e feijão-preto  43
Molho fresco  45
Pico de gallo com chipotle  45
Molho de conserva de gengibre  46
Molho de grapefruit  46
Molho de pimenta poblano defumada  47

### coulis, purê e outros molhos
Caponata de alcachofra  48
Caponata de berinjela  49
Peperonata  50
Piperrada  51
Sofrito  51
Pesto  52
Pesto de hortelã  52
Pesto de tomate seco  53
Molho coquetel  53
Molho asiático para dip  54
Molho cumberland  54
Molho de amendoim  55
Guacamole  56
Baba ganoush  57
Cervelle de canut  59
Homus  60
Tapenade  60
Muhammara  62
Molho romesco de avelã  63
Manteiga de alho e salsinha  63
Coulis de pimentão vermelho  64
Molho de huckleberry  64
Molho de damasco e de pimenta ancho para churrasco  65
Molho para churrasco à moda do sudoeste  66
Aspic  67
Molho chaud-froid  67

### sopas
Gaspacho andaluz  68
Sopa fria de pepino com dill, alho-poró e camarão  69
Faux caviar  70
Sopa fria de tomate assado e manjericão  72
Sopa fria de cenoura  73
Vichyssoise  75
Sopa fria de edamame  76
Purê de ervilha fresca com hortelã  78
Sopa fria de melão-cantalupo e champanhe  79
Sopa fria de cereja morello  80
Bisque de coco e abacaxi à moda do Caribe  81
Borscht claro e frio  82

# 3 saladas

## saladas verdes
Salada jardineira Parson  107
Sala primavera de ervas  108
Salada de maçã e endívia enrolada em prosciutto  109
Salada de amendoim à moda da Geórgia  110
Salada de espinafre baby, abacate e grapefruit  111
Salada grega com queijo feta e pão sírio integral  113
Caesar salad  114

## saladas de vegetais
Lagosta e alface-de-cordeiro com salada de batata e suco de vegetais  116
Salada de beterraba assada  118
Salada de batata assada e lascas de erva-doce  119
Salada de pimentão assado marinado  120
Salada de coração de alcachofra  121
Vagem com prosciutto e gruyère  122
Salada de lascas de erva-doce  123
Salada de milho assado e tomate  125
Coleslaw  126
Salada de tomate marinado  127

## saladas de batata, de macarrão e grãos, de legumes e de frutas
Salada de batata mediterrânea  128
Salada de batata alemã  130
Tabule  131
Salada de nozes e lentilha  131
Cuscuz israelense com arroz e trigo integral  132
Salada de feijão-branco com manjericão  133
Salada mista de feijões e grãos  134
Fattoush  135
Salada panzanella de outono  136
Salada de macarrão sobá  139
Salada de cuscuz e vegetais ao curry  140
Salada de feijão-preto  142
Salada de papaia verde à tailandesa  143

## saladas compostas e saladas quentes
Salada de frango e crème fraîche  143
Salada de caranguejo e abacate  144
Queijo de cabra assado com alface, figo assado, pera e amêndoas torradas  147
Salada de abacate, tomate e milho  148
Salada de asa de frango "buffalo wings"  149
Salada de feijão-branco e polvo baby grelhado  150
Salada de lagosta com emulsão de grapefruit e azeite de estragão  152
Salada de caranguejo-vermelho com gelée de yuzu  154
Salada quente de folhas, grapefruit e vinagrete de tangerina e abacaxi  155
Salada de pato defumado e macarrão malfatti  156
Salada de franco frito à moda do sul  157

# 4 sanduíches

## sanduíches quentes
Mini-hambúrguer de vieira com crosta de bacon  164
Mini-hambúrguer  165
Mini-hambúrguer de cogumelo com cebola caramelizada  166
Croque monsieur  167
Sanduíche de caranguejo de casca mole  168
Panini de berinjela e prosciutto  171
Recheio de berinjela marinada  172
Sanduíche reuben  173
Chucrute refogado  173
Falafel em pão sírio  175
Confit de pato com maçã e queijo brie na baguete  176
Mini-hambúrgueres de lentilha e cevada com molho picante de frutas  178
Sanduíche de frango grelhado com pancetta e rúcula na focaccia  180
Club sandwich de peru  181
Sanduíche de lagosta à moda da Nova Inglaterra  182
Pan bagnat  185

## sanduíches frios
Bahn Saigon  186
Muffuletta  188
Sanduíche de salada mediterrânea  189
Sanduíche aberto de salada de frango ao curry  189

## minissanduíches e crostini
Bruschetta com tomates assados no forno e queijo fontina  190
Bruschetta de figos e nozes  191
Minissanduíche de salada de ovo  192
Canapé de salmão defumado  192
Minissanduíche de manteiga de roquefort e pera vermelha  193
Minissanduíche de agrião  194
Minissanduíche de pepino  194
Salmão marinado com erva-doce, alcaparras e crème fraîche no pão pumpernickel  196

Sanduíche de rosbife, queijo brie e cebola caramelizada  197
Abacate, queijo brie, brotos e bacon campestre no croissant  198
Pepino, agrião e queijo brie com chutney de damasco em pão de nozes  199

## 5 alimentos curados e defumados

### curas
Salmoura básica para ave  214
Salmoura básica para carne bovina e suína  214
Salmoura básica para frutos do mar  214
Salmoura básica para peixe  215
Gravlax  215
Cura norueguesa de beterraba e raiz-forte  216
Salmão curado ao estilo pastrami  218

### alimentos defumados a frio
Camarão defumado  219
Salmão defumado  220
Salmão curado com erva-doce  222
Salmão defumado estilo do sudoeste  223
Beef jerky  224
Filé-mignon na pasta de pimenta  226

### alimentos defumados a quente
Esturjão defumado a quente com aroma cítrico  227
Truta arco-íris defumada a quente  228
Peito de peru defumado  230
Pato defumado  231
Peito de pato moulard defumado no chá ao estilo asiático  232
Jarrete de porco defumado  233
Bacon básico  234
Lombo de porco defumado  235
Tasso (porco defumado ao estilo cajun)  236
Presunto inteiro defumado  237
Contrafilé bovino defumado no forno  238
Sobrepaleta suína grelhada à moda da Carolina  239

### alimentos curados
Pancetta  240
Carne bovina seca ao estilo romano  241
Sardinha curada  242
Confit de pato  244
Confit de pato com crosta de noz-pecã com pudim de pão, salada de miniespinafre e vinagrete de chalota e alho  246
Confit de bacon e uva  248
Rillettes de porco  249

## 6 salsichas

### salsichas de moagem básica
Salsicha para o café da manhã  268
Salsicha de pimenta-verde  269
Salsicha de carne de veado  270
Salsicha italiana doce  271
Bratwurst alemã  272
Merguez  273
Salsicha ao estilo de Szechuan  274

### salsichas defumadas a frio e a quente
Kassler liverwurst  275
Salsicha de cordeiro picante  276
Salsicha de verão  277
Landjäger  278
Salsicha de pato defumada  280
Linguiça andouille cajun  281
Chouriço colombiano  282
Salsicha Frankfurt  283
Mortadela Bologna  284
Kielbasa Krakowska  285

### salsichas escalfadas
Salsicha francesa de alho  286
Salsicha bratwurst suíça fina  287
Mortadela  288
Salsicha de frango e vegetais  290
Braunschweiger  291
Salsicha de frutos do mar  293
Salsicha de maçã e sangue  294
Salsicha de pato e foie gras  295
Salsicha de alho  296

### salsichas secas e fermentadas
Chouriço seco  297

## 7 terrines, patês, galantines, e roulades

### terrines
Pâté grand-mère  320
Terrine de campanha (pâté de campagne)  321
Patê de fígado de galinha  322
Smørrebrød leverpostej  323

Terrine de pato e presunto defumado  324
Terrine de camarão defumado e lentilha  325
Terrine de salmão defumado e mousse de salmão defumado  329
Terrine de pato com pistache e cereja desidratada  330
Terrine de lagosta e vegetais de verão  333
Terrine de camarão com salada de macarrão  334
Terrine mediterrânea de frutos do mar  336
Terrine de frango e lagostim  337
Essência de frutos do mar  338
Terrine de veado  339
Terrine de frango e foie gras em gelatina  340
Terrine de cordeiro tostado, alcachofra e cogumelos  342
Terrine de cogumelo portobello grelhado  344
Terrine de cogumelo  347
Terrine de faisão assado  348
Terrine de frango poché  349
Terrine de salmão poché e limão  350
Terrine de vegetais assados com queijo de cabra  352
Terrine de mozarela, prosciutto e tomate assado  353
Terrine de foie gras  354
Terrine ao estilo camponês  356
Terrine de moleja e foie gras  357

## pâtés en croute
Pâté en croûte de peru  358

## galantines e roulades
Galantine de pato assado à moda asiática  360
Roulade de lombo de porco  361
Galantine de frango  363

# 8 queijos
Ricota  386
Fromage blanc  388
Crème fraîche  389
Mascarpone  390
Camembert  390
Queijo de fazenda envelhecido  392
Queijo fresco semilático de leite de cabra  393
Mozarela  394
Queijo tomme  396
Queijo ao estilo alpino  398

# 9 aperitivos e hors-d'oeuvre
## aperitivos
Queijo de cabra com ervas na massa filo  455

Carpaccio de carne bovina  456
Salada crua di tonno  458
Escabeche de atum  459
Strudel de erva-doce e chouriço  460
Strudel de frutos do mar com azeite com infusão de lagosta  462
Empanada de porco e pimentão  464
Entrada de vegetais grelhados com vinagrete balsâmico  465
Tomates marinados com mozarela  466
Peito de pato defumado ao estilo niçoise  467
Confit de pato com alface frisée e vinagrete de chalotas assadas  468
Torta de pato defumado  469
Refogado de barriga de porco crocante com lentilha francesa e vinagre balsâmico envelhecido  470
Nhoque de ricota  471
Quesadillas de camarão e abacate  473
Bolinho de camarão com molho rémoulade  474
Rolinhos de caranguejo com azeite com infusão de pimentão, gengibre frito e cogumelos glaceados no tamari  476
Vieiras tostadas com alcachofra e peperonata  477
Salada de lagosta e trufas  478
Roulade de foie gras com salada de beterraba assada e peito de pato defumado  479
Mil-folhas de gelée de melancia, caranguejo e abacate com vinagrete de tomate  481
Creme de chalota assada  482
Creme de sálvia e favas com tiras de aspargos e limão meyer com ovo crocante  485

## sorbets e granités
Granité de pepino  487
Granité de aipo  487
Sorbet de tomate e manjericão  489
Granité de limão-siciliano  489

## hors-d'oeuvre
Gougères  490
Palmiers de parmesão e prosciutto  492
Palitos de queijo  492
Profiteroles  493
Rolinhos filo de aspargos, prosciutto e parmesão  495
Pudim Yorkshire com ragu de pato  496
Confit de pato e bolinho de feijão-branco com geleia de cebola cipollini  498
Geleia de cebola cipollini  499
Rillettes de pato em profiteroles  500
Barquettes de mousse de salmão defumado  500

Tortinhas de creme de cogumelo selvagem  501
Hors-d'oeuvre de bacon, alface e tomate  502
Canapé de steak tartare  503
Espetinhos de camarão e bacon  503
Tortinhas de tomate seco e queijo de cabra  504
Canapé de aspargo e prosciutto  505
Canapé de prosciutto e melão  507
Canapé de figo e prosciutto  508
Tâmaras enroladas em pancetta e rechadas com queijo manchego e hortelã  511
Mousse de queijo azul  512
Mousse de truta defumada  512
Almôndegas com molho dip de pimenta  513
Negimaki de carne  515
Brochettes de cordeiro com pesto de hortelã  516
Satay de carne bovina  518
*Pinchon moruno* (shish kebab estilo mouro)  519
Minipizzas  520
Pissaladière  522
Quesadilla pequena de lagosta tostada e vegetais  523
Empanada de picadillo de porco  524
Wonton frito  526
Espetinhos chineses  528
Wonton no vapor com camarão  529
Tempura de camarão  530
Croquete de risoto  531
Bolinhos de risoto e pancetta com pesto de tomate seco  532
Minipopover de queijo stilton  533
Chips de camembert  533
Triângulos de massa filo de camembert, maçã seca e figo  534
Spanakopita  536
Folha de uva recheada  537
Camarão enrolado com molho oriental  539
Crepe de batata com crème fraîche e caviar  540
Atum com alcaparras e azeite de oliva  541
Camarão em conserva  541
Uvas enroladas em bleu de bresse  542
Ceviche de vieira no copo de pepino  543
Sushi maki – sushi de maguro (atum)  544
Inari  544
Nigiri  546
Arroz para sushi  548
Solução de vinagre tezu  548
Bolinhos de caranguejo  549

Croquetes  550
Dim sum com molho de pimenta  551
Molho de pimenta  551
Salada de camarão com curry e manga no copo de wonton  552
Copo shot com gelée de tomate e lagostim  555
Tartare de atum com mousse de abacate e sopa de tomate fria  556
Coquetel de frutos do mar mexicano  559
Colher de ovo de codorna e medalhão de lagosta em emulsão de champanhe  560
Colher de ostra de kumamoto e gelée de maçã e hortelã  563
Barquettes de mousse de foie gras e compota de ruibarbo  564
Chips de parmesão com queijo de cabra trufado  565
Cones de frango quentes e crocantes  566
*Mejillones al estilo de laredo* (mexilhão com azeitonas)  568
*Gambas al ajillo* (camarão com alho)  569
Nozes mistas temperadas  569
Amendoim torrado picante com cerejas secas  570
Castanha-de-caju com curry  570
Noz-pecã confeitada  571
Amêndoas torradas  571

## 10  temperos, biscoitos e conservas

### mostardas

Mostarda com pimenta-verde ao estilo do sudoeste  580
Mostarda de Heywood  580
Mostarda de cranberry seca  582
Mostarda com cerveja e sementes de alcaravia  582
Molho de mostarda sueco  583

### ketchups

Ketchup de tomate  583
Ketchup de pimentão amarelo  584

### chutneys

Chutney picante de manga  584
Chutney de pimenta vermelha  585
Chutney de damasco e cereja  585
Chutney de beterraba  586
Chutney de maçã  587
Chutney de mamão papaia  588

### relishes
Relish de cranberry  589
Relish de damasco seco  589
Relish de curry de cebola  590
Geleia de cebola roxa  591

### compotas
Compota de ruibarbo  591
Comporta de pimentão vermelho grelhado  592
Comporta de marmelo  592

### outros condimentos
Harissa  593

### conservas
Chips doces de picles  593
Picles meio azedos  594
Conserva de vegetais  594
Conserva de uva ou cereja  595
Conserva de cebola roxa  595
Conserva de dill  596
Picles  597
Conserva de gengibre  597
*Acar jawa* (conserva de vegetais javaneses)  598
Cebola agridoce  600

### chips e biscoitos
Chips sortidos  601
Bicoitos de queijo pepper jack e orégano  602
Biscoitos de gergelim  603
Biscoitos amanteigados de cheddar e nozes  604
Crisps de batata  606

### azeites
Azeite de manjericão (azeite básico de ervas)  607
Óleo de canela (óleo temperado básico)  608
Azeite de tomate  608

### vinagres
Vinagre de framboesa e tomilho (vinagre temperado básico)  609
Vinagre de alecrim e alho  609

## 12  receitas básicas

### mistura de especiarias
Mistura chinesa de cinco especiarias  638
Mistura de temperos para churrasco  638
Quatre épices  639
Misturas de temperos cajun  639
Curry em pó  640
Fines herbes  640
Tempero para patê  641
Mistura picante para salsicha italiana  641
Ervas de Provença  642

### caldos
Caldo de vegetais  642
Caldo de galinha  643
Caldo escuro de vitela  644
Caldo de crustáceos  645
Court bouillon  645

### molhos
Molho de tomate  646
Manteiga de anchova  647
Manteiga de raiz-forte  647
Azeite com infusão de lagosta  648

### massas
Massa básica  649
Massa de tomate e coentro  650
Massa de açafrão  650
Massa de batata-doce  651
Massa para torta  651
Massa folhada blitz  652
Massa para macarrão  653
Focaccia  654
Massa para brioche  656
Pão sírio integral  657

### preparações básicas
Calda simples  657
Assando alho e chalotas  658
Tomate assado no forno  659
Tostando pimentões  660
Preparando alcachofras  661
Preparando alho-poró  662
Hidratando frutas e verduras secas  662
Torrando nozes, sementes e especiarias  663
Derretendo gordura  664
Crisps de parmesão  664
Farinha de rosca  665
Procedimento-padrão para empanados  665
Croûtons simples  666
Descascando lagosta cozida  666

# NOTA DO EDITOR

O termo *garde manger* foi originalmente utilizado para identificar uma área de armazenamento. Itens em conserva, como presuntos, salsichas e queijos, eram mantidos nesse local e alimentos gelados eram preparados nesse mesmo recinto. Ao longo do tempo, *garde manger* também começou a indicar a estação de uma cozinha profissional responsável por preparar pratos gelados, os cozinheiros e chefs que os elaboram, assim como uma área de especialização em artes culinárias profissionais.

A procura cada vez mais acentuada por novas experiências requer que chefs estejam sempre atualizados e procurando novas formas de atrair, atender e surpreender seu público, seja produzindo bufês atraentes e bem organizados, seja oferecendo pratos bonitos e saborosos. *Garde manger: a arte e o ofício da cozinha fria*, organizado pelo Instituto Americano de Culinária (uma das referências mundiais de escolas de gastronomia), fornece uma grande variedade de receitas e técnicas de culinária ao lado de diversas fotografias ilustrativas.

Pode ser que o leitor tenha dificuldade de encontrar alguns ingredientes de certas receitas no mercado brasileiro. mas isso não deve ser visto como obstáculo; use a imaginação, substitua por ingredientes mais fáceis de serem encontrados, e com certeza terá boas surpresas.

Com esta publicação, o Senac São Paulo leva para estudantes, cozinheiros amadores e chefs profissionais informações sobre a arte do *garde manger* e diversas receitas – desde molhos, sopas geladas e sanduíches, até salsichas, alimentos defumados, terrines, queijos e muitos aperitivos.

# PREFÁCIO

## Garde Manger: a arte e o ofício da cozinha fria

BASEIA-SE EXTENSAMENTE NA PRÁTICA CONTEMPORÂNEA DO GARDE MANGER, TRADUZINDO AS SUAS HABILIDADES E TÉCNICAS EM PALAVRAS, ILUSTRAÇÕES E RECEITAS E REUNINDO TODAS EM UM SÓ VOLUME. ESTE LIVRO FOI CONCEBIDO PARA ATENDER ÀS NECESSIDADES TANTO DE ESTUDANTES QUANTO DE COZINHEIROS EXPERIENTES E APRESENTAR OS FUNDAMENTOS TÉCNICOS E PRINCÍPIOS SÓLIDOS QUE RESULTAM NA COMIDA DE MAIS ALTA QUALIDADE. PRATICAMENTE TODOS OS CAPÍTULOS CONTÊM NOVAS SEÇÕES, ABRANGENDO TÓPICOS QUE VÃO DESDE ESPUMAS ATÉ SALSICHAS FERMENTADAS, ALÉM DE INCLUÍREM MAIS INFORMAÇÕES SOBRE ESCULTURAS DE GELO E PROLIFERAÇÃO DA FABRICAÇÃO DE QUEIJO ARTESANAL NOS ESTADOS UNIDOS.

O livro começa com uma visão geral da história do garde manger e da charcuteria. Compreender a evolução do garde manger desde a sua origem e a sua transformação em uma atividade vibrante e estimulante é em particular importante para quem deseja fazer desse ofício uma carreira. O garde manger oferece atualmente um amplo leque de opções profissionais, algumas das quais remetem diretamente a métodos tradicionais de preparação de linguiças, patês e queijos; outras buscam caminhos mais contemporâneos, culminando até em carreiras nas áreas de banquete, catering ou gestão de eventos. A prática do garde manger é explorada ao longo do livro tendo em vista métodos básicos, técnicas e procedimentos seguros de manipulação de alimentos e enfoques altamente inovadores na combinação dos sabores, das cores e das texturas das receitas preparadas na seção fria da cozinha de restaurantes, hotéis, bufês e produtores de alimentos especializados.

Primeiro, são apresentados molhos e sopas frios, com explicações e ilustrações tanto de receitas tradicionais quanto de adaptações atuais de molhos emulsionados (tais como vinagretes e maionese) e de sopas frias. As receitas selecionadas não só ensinam maneiras práticas de utilizar essas técnicas, como também oferecem uma visão representativa de receitas encontradas em menus ao redor do mundo. O capítulo seguinte, sobre saladas, contém uma extensa lista de folhas e até flores para inserir no prato, e discute a seleção adequada de ingredientes e o cuidado com a sua manipulação, assim como as regras fundamentais de preparo e apresentação de saladas. Não raro, o manuseio de folhas, ervas, etc., é a primeira tarefa atribuída a ajudantes de cozinha, seja qual for a sua aspiração – tornar-se um chef de pratos quentes ou seguir uma carreira dedicada ao preparo de pratos frios.

O sanduíche nem sempre foi o item popular que é hoje em dia. Entretanto, com o interesse cada vez maior por comida saudável, saborosa e diferente, o garde manger ultrapassou as especialidades de delicatessens e lanchonetes para adotar uma ampla variedade de pães, recheios e guarnições que tornam a confecção de sanduíches uma tarefa mais intrigante e estimulante. O livro traz métodos e conselhos práticos de preparação de sanduíches tanto para um menu à la carte quanto para chás e recepções; inclui também receitas de várias partes do mundo, desde as clássicas até as menos conhecidas.

Antigamente, linguiças, patês, terrines e alimentos curados e defumados faziam parte exclusivamente da competência dos profissionais conhecidos como charcuteiros. Ainda hoje, os alimentos produzidos pelos antigos charcuteiros nos são familiares – desde os tradicionais, como linguiça andouille e bacon curado com açúcar, até o gravlax e o confit de pato. Eles são apreciados por seus sabores e por suas texturas agradáveis. Os chefs estão descobrindo que compreender plenamente como e por que curar e preservar carnes, peixes e aves é algo indispensável na busca por resultados mais saudáveis, leves e contemporâneos do que as práticas antigas. Esses alimentos, assim como seu preparo de forma segura e saudável, expressam de maneira mais evidente os objetivos e propósitos originais da culinária fria.

Os queijos sempre estiveram presentes nessa culinária. Assim como outros alimentos curados e conservados, os queijos são uma solução tradicional e prática para o problema da manutenção de um suprimento constante de alimentos saudáveis e nutritivos durante o ano inteiro. Eles também são a vitrina do talento e da originalidade dos seus produtores. Queijos locais e artesanais estão novamente em evidência, e o garde manger enfrenta o desafio de aprender a selecionar, preservar e apresentar esses alimentos complexos e fascinantes a um público cada vez mais sofisticado. O capítulo sobre queijos revê os fundamentos da sua fabricação, descreve várias famílias de queijos e traz orientações para montar uma seleção deles; além disso, inclui os fundamentos do preparo de queijos frescos e como fazer apresentações especiais com eles.

Aperitivos e hors-d'ouevre representam uma oportunidade para o garde manger exercitar todas as suas várias habilidades e todo o seu preparo na disciplina de forma a causar grande impacto. Assim como os hors-d'oeuvre dão o tom de uma recepção ou de um banquete, uma seleção, no menu, de aperitivos bem elaborados pode dar o tom de um jantar inteiro. O livro traz alguns clássicos básicos para orientá-lo no preparo e na apresentação de hors-d'oeuvre e de aperitivos. Vários elementos desses pratos compostos são tirados dos capítulos anteriores. Um perfeito molho frio oferece um contraponto a um aperitivo. Uma vistosa salada de folhas baby contrasta em textura e cor com uma generosa fatia de salmão defumado ou com patê, e assim por diante.

Relishes, compotas, chutneys, mostardas, ketchups e biscoitos fornecem aquele algo a mais que transforma uma apresentação trivial em memorável. Essas finalizações, oferecidas como condimentos e guarnições para realçar todos os sabores e as texturas de um prato, estão reunidas no capítulo "Temperos, biscoitos e conservas", que explora outra área tradicional da cozinha fria.

No capítulo que trata detalhadamente da apresentação de bufês, há informações sobre o desenvolvimento de conceitos e de temas para eventos, o estabelecimento de preços e controle de custos, os princípios básicos da elaboração de cardápio, as soluções contemporâneas para montar um bufê com fluxo otimizado, interatividade e com sabores e temas internacionais, além de assuntos relacionados à gerência do negócio.

O último capítulo traz uma variedade de receitas básicas, desde fundos e aspics até marinadas e misturas de temperos. O glossário fornece descrições concisas de um amplo leque de termos e utensílios de culinária. As instruções, fotografias e receitas deste livro pretendem ajudar o leitor, seja qual for o seu desafio. Elas podem ser usadas como ferramenta de pesquisa e ensino, como base e também ser modificadas para atender necessidades específicas, ajustando temperos e guarnições a fim de criar especialidades, ou adaptando receitas de acordo com a produção. Seja como for, uma coisa é certa: atualmente, o constante apreço de comensais e chefs do mundo todo pelos alimentos preparados pelo garde manger faz que essa seja uma das artes culinárias profissionais mais fascinantes e estimulantes.

um

O GARDE MANGER PROFISSIONAL

*O termo "garde manger"*, originalmente, era usado para identificar um local fresco de armazenamento de comida. Nele, se estocavam alimentos processados, como presuntos, linguiças, picles e queijos, e se preparavam pratos frios para banquetes. Com o tempo, garde manger passou a significar muito mais do que simplesmente uma área de armazenamento ou despensa, abrangendo também a praça para preparo dos alimentos frios, os cozinheiros e chefs que os elaboram e, atualmente, um campo de especialização das artes culinárias. Os profissionais do garde manger compartilham uma longa tradição gastronômica e social, a qual antecede os primórdios da história escrita.

## A TRADIÇÃO GARDE MANGER EUROPEIA

Quando nossos ancestrais se tornaram pastores e fazendeiros, passaram a desenvolver habilidades para garantir um suprimento alimentar relativamente constante. Isso significava aprender não só a domesticar animais e cultivar lavouras, como também a preservar alimentos. É muito provável que os primeiros peixes preservados tenham sido produzidos por acaso. Eles eram salmourados em água do mar e, depois, deixados para maturar ou secar. As carnes eram penduradas perto de fogueiras, a salvo de animais carniceiros e de insetos; a fumaça as escurecia, temperava, secava e preservava, impedindo que estragassem.

Evidências históricas indicam que os gregos já produziam e consumiam peixe salgado muitos anos antes de transmitirem esse conhecimento aos romanos. Em 63 a.C. o escritor grego Estrabão detalhou a importância dos centros de salgamento de peixe na Espanha e a existência de produtores de sal na Crimeia. O bacalhau salgado é até hoje um alimento importante em culinárias do mundo inteiro, e o seu modo de fazer quase não mudou desde a Antiguidade.

As habilidades e os ingredientes necessários, na preservação de alimentos, incluindo sal, açúcar e especiarias, eram muito valorizados. Cidades como a Roma moderna e Salzburgo foram fundadas perto de abundantes fontes de sal. À medida que estendiam seu império, os romanos conquistavam terras ricas em variados recursos, incluindo de alimentos. Eles carregavam consigo as suas próprias receitas e fórmulas para preservar carnes, peixes e queijos. Como normalmente acontece em dominações, como as romanas, os invasores levavam de casa seus costumes e gostos alimentares. No entanto, a troca

*Exemplo de uma cozinha garde manger histórica.*

No século XII, aproximadamente 80% a 90% da população mundial era composta por camponeses. Eles trabalhavam na terra dos nobres, cultivando alimentos e criando animais domesticados. Uma das atividades mais importantes do ano ocorria no fim da fase de crescimento das lavouras. Vegetais, frutas e grãos eram colhidos e preservados por secagem ou armazenamento em locais frios, ao lado de picles, glacês e queijos. Bovinos, ovinos e outros animais eram abatidos, e a sua carne preservada por vários meios: conserva, salgamento, salmoura, cura, secagem, acondicionamento em gordura ou defumação. Uma vez preparados, os alimentos podiam ser armazenados.

O direito de juntar e guardar esses alimentos, bem como de comercializá-los e taxá-los, era um símbolo manifesto de poder, riqueza e posição social. Durante a Idade Média, tal privilégio pertencia a reis, duques, lordes e outros nobres, assim como aos mosteiros e conventos da Igreja Católica. Todos os castelos e mansões senhoriais da nobreza tinham um local reservado ao armazenamento de alimentos, tipicamente localizado no subsolo, para manter os alimentos frescos. "Garde manger" (literalmente "guardar para comer") era o termo usado para identificar essa área e, ainda hoje, é usado para designar uma despensa ou copa, um local para guardar comida fria. O empregado de uma residência conhecido como *officier de la bouche*, ou despenseiro, era seu encarregado e distribuía os alimentos conforme necessário.

culinária nunca ocorria em mão única. Os conquistadores também aprendiam a apreciar as especialidades locais. Os gauleses, habitantes da região que viria a ser a França, eram reconhecidos como exímios domesticadores de porcos e famosos por seus presuntos e bacon defumados; esses produtos eram regularmente exportados da Gália para Roma e servidos nos lendários banquetes romanos. Após a queda do Império Romano, a Igreja e a nobreza mantiveram vivas por toda a Europa tanto as tradições alimentares locais quanto aquelas adquiridas dos invasores.

## O CRESCIMENTO DAS GUILDAS

Alguns desses itens especiais, como presuntos e queijos, passaram a integrar o comércio entre cidades e estados; ao lado de animais, edificações, empregados e joias, eles eram incluídos em dotes e tributos e também usados como uma espécie de moeda na aquisição de outros produtos. Com o tempo, estabeleceram-se normas que regulavam o modo de preparar e comercializar tais produtos e serviços, a fim de evitar monopólios e abusos de preço. O ofício foi definido claramente e atribuído a vários grupos conhecidos como guildas. As guildas desenvolveram sistemas de treinamento para os seus membros, os quais passavam pelos estágios de aprendiz e artífice até atingirem o *status* de mestre. Cada guilda recebia uma licença que lhe garantia direitos específicos.

No fim do século XVI, havia aproximadamente duas dúzias de guildas especialmente dedicadas à comida. Elas se dividiam em dois tipos: uma fornecia matéria-prima e a outra, alimentos prontos. A guilda dos charcuteiros, por exemplo, preparava e cozinhava itens feitos com carne de porco (a palavra charcuterie deriva de raízes francesas, *chair* e *cuit*, e significa "carne cozida"); essa guilda mantinha vivo e próspero o ofício de preservar carnes por meio da fabricação de bacon, presuntos, linguiças e patês.

Existiam inúmeras estratégias para burlar as restrições impostas às guildas, e os charcuteiros também lançavam mão delas. Uma de suas táticas levou ao desenvolvimento das terrines. Eles não podiam vender alimentos assados envoltos em massa; sendo assim, a fabricação e a venda de pâté en croûte, um recheio de carne assado em crosta de massa, não eram permitidas segundo uma interpretação rígida da licença dos charcuteiros. No entanto, em vez de parar de fazer o patê, eles passaram a assar o recheio em uma fôrma de cerâmica (terrine), criando o pâté en terrine.

## OS RESTAURANTES E A FUNÇÃO DO GARDE MANGER

Quanto mais essencial era a comida, mais rígida era a sua regulamentação. Quanto mais lucrativas eram as atividades de uma guilda, maior era a possibilidade de ela ser vítima da cobiça das outras, pois cada uma lutava para proteger os seus próprios direitos. Vários casos eram levados ao julgamento de juízes, que determinavam se as atividades de uma guilda infringiam os privilégios de outra.

O início da Revolução Francesa, em 1789, causou uma convulsão entre as famílias nobres. Elas deixaram a França para escapar da guilhotina, abandonando os seus serviçais à própria sorte. O garde manger, assim como os chefs e cozinheiros, eram empregados domésticos e não pertenciam a nenhuma guilda formal, e cada vez mais começaram a trabalhar em restaurantes de todos os lugares da Europa e nas Ilhas Britânicas.

No início, não havia nenhuma estrutura padronizada, como funções estabelecidas ou áreas de especialização, para os trabalhadores da cozinha. Vários anos se passaram até que houvesse uma tentativa real de organizá-los. Finalmente, um sistema de brigada, instituído por Auguste Escoffier, detalhou uma cadeia de comando lógica, que trouxe ordem à anárquica forma de trabalho que vigorava no final do século XIX. Até os dias atuais, nós usamos o sistema de brigada e nos referimos às várias praças da cozinha pelos nomes determinados por Escoffier: saucier, rôtissier, pâtissier e garde manger.

Quando o sistema de guildas foi oficialmente abolido, em 1791, alguns membros da associação dos charcuteiros também se juntaram às equipes de garde manger de restaurantes e cozinhas de hotéis. Outros continuaram a operar os seus negócios, como faziam até então. Sempre houve grande afinidade entre as funções de charcuteiro e de garde manger, já que ambas se baseiam em alimentos preservados e frios. Atualmente, o termo "garde manger" abrange também o trabalho de charcutaria.

# O GARDE MANGER ATUAL

A função do garde manger, adaptada ao restaurante, manteve a tradição de preparar uma variedade de alimentos processados e frios e se ampliou para incluir aperitivos, hors-d'oeuvre, saladas, sanduíches, sopas frias e os condimentos que os acompanham. Além do serviço à la carte, o garde manger atua em banquetes, recepções, bufês e catering externo.

As técnicas necessárias para preparar patês, terrines, linguiças e queijos frescos pertencem ao domínio particular do garde manger. Entretanto, para se tornar um exímio profissional da culinária fria, é preciso dominar também um amplo leque de habilidades, tanto aquelas diretamente relacionadas ao manuseio de receitas frias básicas quanto as exigidas para o preparo de comida quente: assar, escalfar, cozinhar suavemente e saltear carnes, peixes, aves, verduras, grãos e legumes.

É justo, por necessitarem de várias habilidades e responsabilidades, que vários dos mais conceituados chefs atuais começaram na área de garde manger como aprendizes, ou commis. Além disso, houve nos últimos anos um resgate das práticas mais tradicionais da charcutaria e da fabricação de queijos por parte de fornecedores varejistas e atacadistas. Chefs de cozinha e cozinheiros domésticos encontram uma variedade cada vez maior de alimentos artesanais de estilo campestre, como presuntos, linguiças, patês e queijos frescos e maturados.

## áreas de atuação

Hotéis, restaurantes e clubes particulares que oferecem menu à la carte podem ter uma ou mais pessoas exclusivamente dedicadas à área de garde manger, embora o nome específico dela varie de um lugar para outro. Em alguns lugares, essa área é designada como despensa, praça de saladas ou área fria, e assim por diante. As atribuições específicas dessa praça podem incluir a elaboração de sopas e molhos frios, saladas, hors-d'oeuvre e canapés.

No serviço à la carte, é comum o garde manger preparar pratos de saladas e entradas frias. Ele também pode ser responsável pelas sobremesas. Os menus de café da manhã, almoço e brunch geralmente dependem bastante de seus serviços.

Cozinheiros e chefs que trabalham em serviços de banquete e catering exercem todas as habilidades básicas do garde manger de um

*Exemplo de uma cozinha garde manger contemporânea.*

restaurante à la carte. O enfoque do trabalho, porém, é ligeiramente diferente. O ramo de banquete e catering é tão estimulante e desafiante que muitos profissionais resolvem seguir carreira nessa área. Tal atividade, cujo objetivo é servir comida atraente e saborosa a um grande número de pessoas de uma só vez, requer o uso dos equipamentos e das técnicas culinárias especiais da produção de grande volume. Além de desenvolver o menu, o chef controla todo o planejamento relacionado à adaptação de receitas, ao pedido dos suprimentos, que deve ser preciso, e ao custo dos alimentos. A apresentação é muitas vezes um componente importante em banquetes e recepções. Decoração, guarnições adequadas e eficazes para os pratos, travessas e outras formas de exposição da comida, além da preocupação com a qualidade dos alimentos e com a saúde dos clientes, são elementos a serem considerados. Eventos dessa magnitude muitas vezes envolvem certo nível de risco e, por isso, exigem capacidade de pensar sob pressão e de conceber soluções criativas em momentos de crise. O capítulo 11, "Apresentação de bufê", traz mais informações sobre desenvolvimento e gerência de bufês.

Delicatessens, charcutarias e empórios que vendem todo o tipo de alimento pronto também são uma opção para o garde manger profissional. Os produtos desses estabelecimentos podem ser vendidos no varejo ou fornecidos exclusivamente a restaurantes. Ademais, grandes empresas, incluindo redes de hotel e de restaurante e fabricantes de alimentos, buscam profissionais com ótimas habilidades de garde manger para desenvolver novas linhas de molhos, condimentos, misturas de temperos ou combinações de saladas.

## opções de trabalho

Tanto os empregadores quanto as escolas reconhecem que uma educação formal por si só é insuficiente para garantir excelência. O garde manger é uma arte prática. Para ser bem-sucedido nela, é preciso trabalhar. Seja autônomo ou empregado de alguém, você deve ter muito cuidado ao fazer as suas escolhas profissionais. A primeira tentação é tomar uma decisão baseada no salário, na localização do emprego ou em alguma outra consideração imediatista. No entanto, é muito mais fácil avaliar as recompensas de longo prazo quando se encara cada trabalho como um investimento para o futuro.

Tomar decisões sábias sobre a carreira é um processo complicado; por isso, analise as suas opções cuidadosamente. Desenvolva um plano pessoal detalhado para o futuro, a fim de determinar o tipo de estabelecimento e o tipo de trabalho que o ajudarão a alcançar o próximo degrau na sua carreira.

Procure ambientes em que cada profissional tenha a sua parcela de responsabilidade no sucesso do resultado final. Quando a equipe inteira tem a oportunidade de ajudar na tomada de decisão e dispõe dos recursos necessários para fazer o seu melhor, todos têm êxito. Para trabalhar bem, é preciso conhecer os padrões de qualidade. Avaliações objetivas, crítica construtiva e treinamento suplementar são sinônimos de boas condições de trabalho.

## nível inicial

No nível inicial, o trabalho inclui limpar e cortar ingredientes, fazer vinagretes e manteigas aromatizadas e seguir receitas simples sob supervisão. É importante fazer perguntas e escutar conselhos, observar atentamente tudo o que ocorre em volta e complementar o que você ouve e vê com leituras. Prove tanto alimentos familiares quanto novos e faça anotações e registros precisos. Comece a construir uma base de conhecimento colecionando livros, jornais e revistas, bem como reunindo contatos importantes e *sites*.

Para realizar de forma eficiente vários projetos de longa duração, é preciso ser capaz de avaliar de maneira precisa o próprio tempo, o espaço e os recursos. Há diversas tarefas na cozinha garde manger que se estendem por semanas ou até meses; assim, é essencial ter um bom senso de organização. É possível desenvolver essa habilidade por meio da observação dos colegas de trabalho mais organizados e complementar tais observações com leituras.

Também é necessário aprender a operar os equipamentos especiais de maneira segura e eficiente. Fatiadores, batedeiras, moedores, liquidificadores, processadores de alimentos, termômetros, máquinas sous vide, defumadores, embutidores e salômetros são apenas alguns dos aparelhos especializados usados no garde manger e na defumação.

## nível avançado

Com o desenvolvimento das suas habilidades, você passa das posições iniciais para posições de maior responsabilidade, podendo alcançar a condição de chef executivo ou principal. O trabalho torna-se mais complexo e desafiante e envolve a criação de novos itens do menu, o registro de receitas-padrão, a estimativa de custos e o desenvolvimento e a manutenção do orçamento. Você também é responsável por ensinar ao pessoal da cozinha e do atendimento a apresentação correta dos itens do menu-padrão e dos itens novos. Além disso, deve controlar o custo dos suprimentos e melhorar a qualidade de todas as áreas que fazem parte de sua responsabilidade.

Chefs de banquete e bufê desenvolvem menus-padrão ou sob encomenda, adaptando e orçando cada item individual. Em termos de pessoal, as atribuições do chef de banquete incluem manter e treinar uma equipe relativamente grande; muitas vezes, é preciso trabalhar diretamente com o gerente do salão de jantar. Um aspecto especial dessa função envolve coordenar esforços com outros prestadores de serviços, como floristas, músicos e fotógrafos.

Há empreendedores que fabricam itens artesanais especiais tanto em pequena quanto em larga escala. Seu trabalho é mais voltado para o desenvolvimento de um produto ou de uma linha de produtos para vender. Além da preocupação com a qualidade dos alimentos e com os custos, há outras relacionadas à gestão de negócios; esses profissionais precisam estar atentos a uma variedade de regulamentações, certificações e inspeções, a fim de garantir que os alimentos produzidos para venda atendam a todas as especificações legais. Para fazer uma empresa pequena e local crescer, é preciso focalizar alguns fatores essenciais ligados à venda e à distribuição dos produtos, tais como consistência, pontualidade, embalagem, rótulo e apelo em geral.

## A PRÁTICA DE UMA PROFISSÃO

Qualquer profissão envolve múltiplos aspectos, e a vocação gastronômica não foge à regra. O profissional da culinária é artista, empresário, cientista e explorador cultural, entre outros. Adquirir as habilidades e o conhecimento necessários para vencer nessa profissão é uma viagem que dura a vida toda.

### estudo e treinamento

Hoje em dia, estudo e experiência são os requisitos básicos exigidos por empregadores para praticamente qualquer posição acima do nível inicial. Empresas de maior prestígio podem exigir diploma ou algum tipo de treinamento formal até mesmo para posições iniciais. Já os trabalhadores buscam empregos que lhes ofereçam uma oportunidade de aplicar as habilidades e os conhecimentos que já possuem e, ao mesmo tempo, de aprender novas técnicas.

### educação formal

A ênfase cada vez maior na educação formal coincide com o surgimento de diversos programas exclusivamente dedicados às artes culinárias. Os empregadores contam com as escolas de gastronomia para transmitir aos alunos uma base sólida de competências gerais e específicas do ofício, economizando assim horas de treinamento no trabalho. A demanda por graduados cresce a cada ano, bem como o número de cursos especializados nas artes culinárias. A melhor educação combina aulas práticas com conhecimento teórico de ingredientes e de equipamentos; além disso, um programa completo inclui o estudo de aspectos importantes do lado gerencial da profissão: atendimento ao cliente, matemática, custo de alimentos e menus, formação de equipe e habilidades de organização.

Os cursos de maior prestígio no mercado atraem instrutores de alta qualidade e oferecem aos alunos a oportunidade de estabelecer redes de contato, participar de clubes, organizações e competições e desenvolver estudos avançados em uma área de especialização. Os profissionais que se formam nesses cursos recebem grande carga de instrução prática e desenvolvem confiança e controle em todas as áreas das artes culinárias. Graças à base sólida que adquirem, eles são procurados pelas maiores empresas do mercado para integrarem os seus quadros de funcionários.

Até mesmo chefs de garde manger que já alcançaram certo sucesso na carreira se beneficiam das muitas oportunidades oferecidas pela educação continuada. Cursos voltados a assuntos específicos expõem os profissionais a novas técnicas e métodos e a novos equipamentos e ingredientes.

## conhecer alimentos

Na sua rotina diária, o garde manger usa desde ingredientes triviais e funcionais, como cabeça de bezerro e pé de porco, até ingredientes caros ou exóticos, incluindo açafrão, foie gras, caviar e trufas.

Conhecendo bem a aparência, o gosto e as possibilidades de um ingrediente, você pode usar esse domínio para se tornar mais criativo, flexível e eficiente. Em um primeiro momento, baseie-se exclusivamente na receita ou na fórmula para saber o que utilizar; se todos os ingredientes estiverem à mão, o resultado deverá ser satisfatório. Examine-os com cuidado e faça anotações sobre sua aparência, seu cheiro, sua textura, seu formato e sua cor.

Cursos, *workshops* e demonstrações que oferecem degustações comparativas são ótimas oportunidades de aprendizado. Você também pode organizar as suas próprias degustações às cegas. As informações obtidas nesses eventos são inestimáveis, seja para a utilização correta dos ingredientes, seja para a sua aquisição de modo a garantir qualidade e lucro.

Ao garde manger contemporâneo, não basta conhecer bem a cor, o gosto e o custo dos ingredientes; ele também deve se preocupar com a maneira como os alimentos são cultivados, colhidos e processados. Cada vez mais, consumidores e profissionais demandam ingredientes seguros e saudáveis. Temas como agricultura sustentável, bioengenharia, organismos geneticamente modificados (OGM), produtos orgânicos e produção local e regional devem ser levados em consideração nas suas decisões profissionais e empresariais.

## conhecer equipamento

É bem verdade que as habilidades técnicas de um bom cozinheiro são suficientes para preparar alimentos do garde manger e da charcutaria, e que muitas pessoas gostam de fazer as próprias linguiças, o próprio bacon ou a própria truta defumada. Entretanto, adquirir os equipamentos e ingredientes necessários para isso, bem como a habilidade para manejá-los, pode exigir bastante tempo e investimento. A produção de certos itens requer não só os aparelhos e ingredientes apropriados, mas também um local de armazenamento adequado, no qual seja possível controlar a temperatura e a umidade. Além de trabalhar com facas, panelas e caçarolas, o garde manger deve dominar o uso de equipamentos como fatiadores e moedores de carne, processadores de alimentos, defumadores, barris de salmoura, salômetros e, para alguns praticantes, ferramentas de escultura em gelo.

Aprenda a usar as ferramentas gerenciais mais importantes: computador, internet, planilhas de orçamento, sistemas de contabilidade e de controle de inventário desempenham um papel importante. Muitas organizações, desde a maior cadeia empresarial até uma empresa individual de catering, dependem de sistemas de *softwares* que lhes permitam administrar de modo eficiente diversos itens: inventários, compras, perdas, vendas, lucros, custo de alimentos, reclamações de clientes, reservas, folhas de pagamento, cronogramas e orçamentos. Sem um sistema capaz de controlar todas essas informações, a eficácia do negócio fica comprometida.

## comunicação

Um currículo bem escrito pode lhe garantir um emprego e também facilitar a interação com os colegas de trabalho. Ter seu objetivo cuidadosamente especificado ajuda a manter o foco e a tomar as melhores decisões para a carreira. Se for preciso e específico, o planejamento de um evento pode evitar contratempos e mantê-lo dentro do orçamento. Uma entrevista completa e justa pode revelar o funcionário ou o sócio perfeito. Cada uma dessas atividades exige boas habilidades comunicativas. Mais do que nunca, o garde manger precisa se comunicar por meio de diferentes mídias, de memorandos a *e-mails*, relatórios, videoconferências e aprendizagem interativa. Um bom programa educativo atende às necessidades comunicativas gerais e específicas dos alunos e oferece cursos, *workshops* e instrução individual ou em laboratórios em um amplo leque de habilidades de comunicação.

## educação continuada

Combinadas, educação e experiência representam o recurso mais importante para o desenvolvimento profissional. Cada decisão de carreira que você toma é fruto da educação recebida durante a vida. Tendo um plano de longo prazo, você pode optar inicialmente por empregos que lhe deem a oportunidade de aprender novas habilidades e, então, assumir maiores responsabilidades à medida que cumprir seus objetivos.

Manter-se atualizado em relação a habilidades básicas e novas tendências é tarefa constante. A educação continuada é tão importante quanto o treinamento inicial, já que a indústria está em constante evolução.

Avalie sua carreira, tanto a situação atual quanto o lugar ao qual você quer chegar no futuro. Em seguida, tome as medidas necessárias para se manter constantemente atualizado nas áreas do seu maior interesse. Frequente cursos e *workshops*, aprimore as suas habilidades em áreas especializadas, mantenha-se atualizado quanto aos novos ingredientes e equipamentos, aprenda novas estratégias gerenciais e reforce as suas habilidades em formação de equipe, redação e comunicação, *marketing* e promoção.

Alguns cursos e seminários lhe dão créditos (unidades de educação continuada, ou CEU, em inglês). Eles podem ser necessários para obter certas certificações ou promoções. Várias faculdades e universidades oferecem programas de educação continuada e de desenvolvimento profissional, presenciais ou a distância.

A educação continuada não se dá apenas na sala de aula ou em cursos *on-line*. Revistas, programas de televisão, jornais, *sites*, publicações governamentais e livros também são recursos excelentes. Programas de viagens educativas podem lhe dar uma visão totalmente nova da profissão ao lhe apresentarem a uma nova culinária, a uma nova região, a um novo ingrediente, a um novo contato.

## networking

A frase: "O importante é quem você conhece" é verdadeira. O grupo de profissionais com os quais você se relaciona constitui uma rede de contatos, ou *network*. Uma rede de contatos sólida é ferramenta indispensável para qualquer profissional e deve incluir pessoas das mais diversas áreas da sua indústria. Conhecer alguém que faça parte de um nicho de mercado aparentemente não relacionado à sua área pode gerar oportunidades inesperadas.

A tarefa de criar uma rede de contatos profissionais tem de ser levada a sério. Compartilhar informação e conhecimento é importante para o crescimento profissional e pessoal. A rede de contatos pode ser formal ou informal. Comece da maneira mais simples: apresente-se a outras pessoas da sua área. Sempre carregue consigo cartões de visita ao frequentar restaurantes ou feiras. Escreva cartas às pessoas cujo trabalho você conhece e admira.

Participe de associações profissionais para expandir a sua rede de contatos. Aquelas mais bem organizadas geralmente promovem reuniões e fóruns para que os seus membros se conheçam. Aproveite essas reuniões e as convenções locais e nacionais para aprender mais sobre a sua profissão.

Quando fizer um bom contato, cultive-o com um telefonema ou um bilhete. A comunicação que você desenvolve com seus pares mantém o trabalho revigorado e atualizado, e uma rede de contatos facilita a procura por um novo emprego ou por um novo funcionário.

## competições

Concursos e competições são uma boa oportunidade de testar os próprios limites. Revistas especializadas, jornais, *newsletters*, associações de chefs e *sites* trazem informações sobre competições locais, nacionais e internacionais. Cada vez que submete o seu trabalho à avaliação de um grupo de juízes, você aprende mais. As análises críticas fornecem subsídios para o aperfeiçoamento contínuo, algo que o trabalho diário não é capaz de oferecer sozinho. A prática, a pesquisa e o estresse da competição exercitam os seus músculos profissionais da mesma forma que a participação em um evento esportivo fortalece um atleta. Mesmo que você não tome parte na competição, assista ao julgamento dos trabalhos para se beneficiar da experiência.

# O GARDE MANGER COMO EMPRESÁRIO

## gerenciando os ativos físicos

Ativos físicos são os equipamentos e suprimentos necessários para um negócio funcionar. No caso de um restaurante, podem incluir o inventário de comida e bebida, mesas, cadeiras, toalhas de mesa, porcelana, talheres, copos, computadores e sistemas de venda, caixa registradora, aparelhos de cozinha, produtos de limpeza e lava-louças. Quando se fala em administração de ativos físicos, considera-se a relação entre os bens que você precisa adquirir e sua capacidade de conduzir o negócio.

O primeiro passo para controlar as despesas relacionadas aos ativos físicos é saber com exatidão quais são essas despesas. Em seguida, você pode iniciar o processo de fazer ajustes e implantar os sistemas de controle que manterão a sua organização funcionando com o máximo de eficiência.

Uma das maiores despesas de um restaurante sempre será o custo dos alimentos e das bebidas. Você ou a pessoa responsável pelas compras terá de se esforçar para desenvolver e manter um bom sistema de compras. Já que cada operação tem suas próprias necessidades, não há regras rígidas, apenas princípios a serem aplicados conforme a situação. Manter a qualidade é, obviamente, a prioridade.

## gerenciando o tempo

Por mais que você trabalhe ou faça planos, os dias parecem curtos demais. Aprender novas habilidades de modo a ser capaz de usar o tempo da melhor maneira possível deve ser uma preocupação constante no desenvolvimento da sua carreira. Analise a sua operação para verificar onde há desperdício de tempo. Os cinco principais motivos desse desperdício normalmente são: (1) falta de prioridades claras para as tarefas; (2) funcionários mal treinados; (3) falta de comunicação; (4) falta de organização; e (5) ferramentas insuficientes ou inadequadas. Para solucioná-los, recorra às estratégias apresentadas a seguir.

### invista tempo na revisão das operações diárias

Analise como você, seus colegas e seus funcionários usam o tempo. Todos têm uma noção básica de quais são as tarefas mais importantes? Eles sabem quando iniciar uma tarefa específica de modo a concluí-la a tempo? Analisar detalhadamente a rotina diária pode ser uma experiência reveladora. Após se dar conta de que os itens básicos estão armazenados longe da cozinha, ou de que a pessoa que lava os pratos não tem nada para fazer nas duas primeiras horas do seu turno, você poderá tomar medidas para corrigir os problemas. Você pode tentar reorganizar a área de armazenamento. Talvez o lavador de pratos possa ser treinado para ajudar na preparação dos alimentos, ou talvez o cronograma possa ser alterado para que o turno comece duas horas mais tarde. Você só poderá iniciar o processo de economizar tempo quando souber exatamente o que precisa ser feito e em qual ordem.

### invista tempo em treinamento

Se quer que uma pessoa realize um bom trabalho, deve investir o tempo necessário para explicar detalhadamente a ela como realizá-lo. Revise junto com a sua equipe todas as tarefas a serem feitas e certifique-se de que cada funcionário saiba o que fazer, onde achar os itens necessários, até onde vai a sua responsabilidade e como agir em caso de dúvida ou emergência. Estabeleça critérios de qualidade que ajudem a sua equipe a avaliar o próprio trabalho e a determinar se realizou os seus deveres de forma correta e no tempo certo. Sem o investimento inicial em treinamento, você perderá um tempo precioso correndo atrás dos funcionários, corrigindo erros e fazendo o trabalho dos outros.

### aprenda a se comunicar claramente

A boa comunicação é essencial em qualquer situação, seja ao treinar um novo funcionário, adicionar um item no menu ou comprar um novo aparelho. Seja direto, conciso e o mais breve possível e não omita nenhuma informação importante. Se houver um número grande de pessoas envolvidas nas tarefas, escreva cada uma delas, do primeiro ao último passo. Incentive os funcionários a expressar as suas dúvidas. Caso precise aprender a se comunicar melhor, participe de um *workshop* ou de um seminário.

### crie um ambiente de trabalho bem organizado

Revirar cinco prateleiras para achar a tampa do recipiente no qual você acabou de colocar a comida é um desperdício de tempo. Planejar cuidadosamente as áreas de trabalho, pensar em todos os utensílios, ingredientes e aparelhos necessários para preparar e servir a comida e agrupar atividades semelhantes são medidas que podem ajudá-lo a organizar melhor o trabalho. A má arrumação de utensílios grandes e pequenos resulta em enorme perda de tempo. Guarde itens comuns, como batedores de ovos, colheres, conchas e tenazes, em locais de fácil acesso e instale tomadas elétricas para aparelhos pequenos ao alcance de todos. Sempre procure produtos ou estratégias de armazenamento que possam ajudá-lo a trabalhar com maior eficiência dentro das possibilidades do espaço de trabalho.

## adquira, reponha e conserve todos os equipamentos necessários

Uma cozinha bem equipada possui a quantidade suficiente de todos os equipamentos necessários para preparar cada item do menu. Se não for possível comprar maquinário novo, considere reestruturar o menu para evitar sobrecarga. Caso não possa retirar um item do cardápio, invista nos utensílios necessários para não prejudicar o ritmo de trabalho.

## gerenciando as informações

O garde manger faz parte de um mundo bem mais amplo. Informe-se sobre todas as áreas que afetem a sua carreira e a sua atividade: negócios e economia, artes e entretenimento, sociedade e política. A cultura popular influencia o seu trabalho de maneiras curiosas. Seus clientes e consumidores não vivem em um vácuo; portanto, não se isole.

Há várias fontes impressas e *on-line* dedicadas a ingredientes novos ou incomuns, pratos e equipamentos pouco conhecidos, etc. A simples coleta de informações pode se tornar uma tarefa de tempo integral. Para fazer bom uso de todas as informações disponíveis, é preciso separar o material relevante dos dados inúteis e usar de maneira eficiente toda a sorte de mídias e tecnologias.

Aprenda mais sobre a história da sua profissão, não só por interesse, mas para dar maior relevância e autoridade às suas decisões.

## gerenciando os recursos humanos

As operações de um restaurante dependem diretamente do trabalho e da dedicação de um grande número de pessoas, de executivos e administradores a cozinheiros de linha, garçons e pessoal de manutenção e limpeza. Seja qual for o tamanho da equipe, a sua capacidade de direcionar os esforços dela ao trabalho coletivo é um dos principais fatores para o sucesso do negócio.

A maioria das pessoas prefere trabalhar em um ambiente no qual a contribuição de cada um seja distinta e mensurável. O primeiro passo para a criação de tal ambiente é descrever detalhadamente os deveres de cada função. Treinamento é outro componente essencial. Para fazer um bom trabalho, o funcionário precisa conhecer os padrões de qualidade, que devem ser consistentemente reforçados mediante avaliações claras e objetivas, *feedback*, críticas construtivas e, quando necessário, treinamento adicional e medidas disciplinares.

Todos os membros da equipe têm o direito de trabalhar em um ambiente que não os exponha a riscos físicos. Isso significa que você, como empregador, deve providenciar um local de trabalho bem iluminado, adequadamente ventilado e livre de perigos óbvios, como equipamentos mal conservados. Os funcionários devem ter acesso a água potável e a banheiros. Além desse mínimo obrigatório, você pode disponibilizar um vestiário com armários, uma lavanderia que forneça uniformes e aventais limpos e outras comodidades.

Indenizações, seguro-desemprego e seguro contra acidente de trabalho também fazem parte da sua responsabilidade. Você deve efetuar todas as deduções legais do salário dos empregados e informar corretamente todos os rendimentos aos órgãos estaduais e federais. Também é interessante ter um seguro (para cobrir quaisquer danos às suas instalações, aos seus funcionários ou aos seus clientes), que precisa estar sempre atualizado e contratado em valores adequados.

Empregadores podem ainda oferecer assistência adicional aos seus funcionários como parte de um pacote de benefícios. Seguro de vida, seguro médico e odontológico, creche, alfabetização para adultos, inscrição em programas de tratamento de dependência de drogas e apoio aos funcionários inscritos em tais programas.

## qualidades essenciais de um profissional

O trabalhador é responsável pela imagem da sua profissão. As pessoas de destaque das diversas áreas da atividade gastronômica sabem que as principais virtudes do profissional de culinária são uma mente aberta e inquisitiva, apreço e dedicação à qualidade e senso de responsabilidade. O sucesso depende também de vários traços de personalidade, alguns inerentes, outros diligentemente cultivados ao longo da carreira.

## compromisso com o serviço

A indústria de serviços alimentícios é fundamentada no próprio serviço, e o profissional de culinária nunca deve perder de vista as implicações disso. Um bom serviço inclui (mas não se limita a) fornecer comida de qualidade, preparada de maneira apropriada e segura, temperada adequadamente e servida de modo atraente em um ambiente agradável – em suma, um bom serviço significa agradar o cliente. O grau de satisfação oferecido por cada uma dessas etapas determina o grau de sucesso do serviço. O cliente vem sempre em primeiro lugar.

## senso de responsabilidade

O profissional de culinária tem responsabilidade para consigo mesmo, para com os seus colegas de trabalho, para com o restaurante e para com os clientes. Isso inclui respeitar não apenas o cliente e as necessidades dele, mas também os demais funcionários, a comida, o equipamento e as próprias instalações. Desperdício, negligência, falta de consideração para com os outros e mau uso ou abuso de qualquer produto são inaceitáveis. Na cozinha profissional, não há lugar para linguagem ofensiva, assédio, insultos raciais e blasfêmia. Quando os funcionários sentem que as suas necessidades são atendidas, a sua autoestima aumenta e a relação com o estabelecimento fica mais estreita, resultando em maior produtividade e menos faltas ao trabalho.

## bom senso

Embora não seja algo fácil de aprender, um bom julgamento é pré-requisito para se tornar um profissional. A capacidade de julgar o que é certo e apropriado é adquirida ao longo da vida, com a experiência. É uma virtude que nunca se domina completamente; é uma meta contínua.

*dois*

## MOLHOS FRIOS E SOPAS FRIAS

*Molhos e sopas* ESTÃO ENTRE OS PRIMEIROS TESTES REAIS DA HABILIDADE DE UM CHEF. A DESTREZA DO GARDE MANGER EM PRODUZIR VINAGRETES PERFEITAMENTE EQUILIBRADOS, MOLHOS À BASE DE MAIONESE SUTILMENTE TEMPERADOS E CREMOSOS, UMA AMPLA VARIEDADE DE MOLHOS ESPECIAIS E TODA A SORTE DE SOPAS FRIAS DEVE SER CONSTANTEMENTE APRIMORADA AO LONGO DA CARREIRA.

## MOLHOS FRIOS

A combinação bem-sucedida de um molho com qualquer comida demonstra boa compreensão dos alimentos e capacidade para julgar e avaliar os sabores, as texturas e as cores de um prato. Tentar compreender por que algumas combinações funcionam bem enquanto outras são menos afortunadas traz lições valiosas sobre a composição de uma receita. De que maneira o molho contribui para ela? Qual é o seu papel na composição geral? Ele se contrapõe ao prato ou o engrandece? Qual é o seu gosto? Molhos não são mero acompanhamento. Eles conferem sabor, cor, textura, brilho e untuosidade. Na cozinha fria, o repertório de molhos do chef inclui:

» Molhos frios emulsionados: vinagretes e maioneses
» Molhos à base de laticínios
» Molhos contemporâneos
» Molhos vinagrete
» Coulis e purês
» Molhos para revestir
» Molhos frios variados, como o de raiz-forte e o mignonette

### molhos frios emulsionados

Vinagretes e maioneses são feitos a partir da combinação de dois ingredientes que normalmente não se misturam de maneira homogênea. Para entender como esses molhos são preparados, primeiro será discutido o que é uma emulsão e como ela é formada.

A emulsão consiste de duas fases: a dispersa e a contínua. No caso do vinagrete, por exemplo, a fase dispersa é constituída pelo óleo. Isso significa que o óleo é manipulado de maneira que se dispersa em gotículas, e cada uma das gotas fica suspensa durante toda a fase contínua, neste caso o vinagre.

Emulsões temporárias, como os vinagretes, formam-se rapidamente e requerem apenas a ação mecânica de bater, agitar ou misturar. Para tornar uma emulsão estável o bastante para manter o óleo em suspensão, são necessários ingredientes adicionais: os emulsificantes. Os usados em molhos frios incluem mostarda, mel e temperos secos; também são usados amidos naturais, como os presentes no alho, ou amidos modificados, como o amido de milho e a araruta. Eles são capazes de atrair e manter tanto o óleo quanto o líquido em suspensão, de modo que a mistura não se separe nas suas duas fases. Às vezes, as moléculas dos emulsificantes envolvem as moléculas da fase dispersa, evitando que elas se juntem novamente.

Para fazer emulsões estáveis, como as maioneses, é preciso controlar cuidadosamente a proporção do óleo adicionado às gemas de ovo, que fornecem um emulsificante especial, a lecitina, a qual mantém as gotículas de óleo em suspensão. O óleo é lentamente acrescentado no início da preparação, para que as gotículas fiquem extremamente finas. Quanto mais óleo for acrescentado às gemas, mais espesso será o molho. Se o óleo for adicionado muito rápido, o resultado final da emulsão não será a correta. Se ficar espessa demais logo no início do processo de mistura, não será possível adicionar a quantidade total de óleo, a menos que se acrescente um pouco de água ou um ácido, como vinagre ou suco de limão, para que se possa afinar o molho.

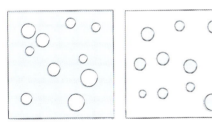

**1.** *Uma emulsão de óleo em água (esquerda) dispersa gotículas de óleo na água, enquanto uma emulsão de água em óleo (direita) dispersa gotículas de água no óleo. Exemplos de emulsão de óleo em água incluem maionese e vinagrete; já a manteiga é um exemplo de emulsão de água em óleo.*

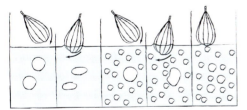

**2.** *Emulsões temporárias são criadas por ação mecânica, que decompõe as moléculas em partículas menores e as dispersa pela fase contínua. Se a emulsão for deixada para descansar, no entanto, a falta de emulsificante acabará por separá-la.*

**3.** *Emulsificantes estabilizam a emulsão ao criar uma rede, geralmente de proteína ou de amido, a qual impede que as moléculas dispersas entrem em contato umas com as outras e formem moléculas maiores, o que talharia a emulsão.*

## vinagretes

Vinagretes são mais comumente associados a saladas verdes, mas também podem ser usados de outras maneiras: como marinada para alimentos grelhados e tempero para saladas feitas com massas e vegetais. Hoje em dia, são servidos até mesmo aquecidos. É interessante observar que, por mais que o óleo seja o maior componente em volume e peso de um vinagrete, o molho em geral leva o nome do ácido – vinagrete de vinho tinto, vinagrete balsâmico, vinagrete de limão ou vinagrete de tomate. O sabor do ácido predomina sobre o sabor do óleo. Entretanto, quando o sabor de um óleo é perceptível o bastante, o vinagrete pode levar o seu nome.

**FAZENDO UM VINAGRETE BÁSICO** O desafio de fazer um bom vinagrete está em conseguir o que os chefs chamam de "equilíbrio": o ponto em que a acidez do vinagre ou do suco é contrabalançada, mas não dominada, pela intensidade do óleo.

Muitos chefs conhecem a proporção-padrão de vinagrete de três partes de óleo para uma parte de ácido. Ela funciona bem como diretriz, mas é importante provar e avaliar o molho sempre que houver mudança no tipo de óleo, de ácido ou de ingrediente aromatizante específico. Algumas fórmulas de vinagrete requerem, em vez do óleo adicional, certa quantidade de água para diluir vinagres muito ácidos, ou um pouco de açúcar para suavizar a acidez.

Um vinagrete básico é uma emulsão temporária feita da mistura dos ingredientes até que se forme um molho homogêneo. O molho permanece emulsionado por um curto espaço de tempo, rapidamente se separando em óleo e vinagre de novo. Para mantê-lo equilibrado, é preciso mexer ou bater o vinagrete a cada vez que ele for servido.

A melhor maneira de verificar o sabor e o equilíbrio de um vinagrete é molhar um pedaço de alface nele, retirar o excesso e avaliar o gosto na folha.

### FAZENDO UM VINAGRETE EMULSIONADO

A proporção de um vinagrete emulsionado é a mesma de um vinagrete básico. A receita desse molho inclui gemas de ovo, mostarda, alho, purê de frutas ou vegetais, ou glace de caldo de carne, tanto para dar sabor quanto para ajudar a estabilizar o molho.

1. **Misture o vinagre e todos os temperos em temperatura ambiente.** Acrescente o sal, a pimenta, as ervas, a mostarda ou outros ingredientes ao vinagre e certifique-se de que eles estão homogeneamente distribuídos por todo o molho. *Nota*: ervas frescas conferem sabores e cores maravilhosos ao vinagrete; entretanto, para manter a cor das folhagens e ervas é primeiro preciso branqueá-las em água quente. Ao preparar uma quantidade grande de vinagrete com o objetivo de fazê-la durar vários turnos de serviço, é preferível adicionar as ervas frescas ao molho pouco antes de servi-lo.

2. **Adicione o óleo aos poucos**. Adicione lentamente à tigela algumas gotas de óleo de cada vez, batendo constantemente a mistura. Quando a emulsão começar a se formar, despeje o óleo em um fio fino, sem parar de bater. Também é possível criar um vinagrete estável usando um liquidificador, um mixer, uma batedeira ou um processador de alimentos; vinagretes misturados com esses aparelhos permanecem emulsionados por mais tempo do que os batidos à mão.

3. **Acrescente quaisquer guarnições e verifique o tempero**. Se desejar, adicione frutas e vegetais frescos ou desidratados, queijo esfarelado ou outras guarnições. Reveja a seção anterior, "Fazendo um vinagrete básico", sobre como verificar o tempero e servir o molho.

**VINAGRETES COM BAIXO TEOR DE GORDURA** É possível reduzir bastante a quantidade total de óleo de um vinagrete. Para isso, substitua até dois terços do óleo por um caldo ou suco leve-

*1. Comece incorporando o emulsificante, neste caso a mostarda, à base de vinagre.*

*2. Batendo sempre, despeje um fino fio de óleo na base de vinagre até que eles se incorporem totalmente.*

mente espesso. Ferva suavemente o caldo ou o suco e, após esfriar, acrescente nele araruta/amido diluída em quantidade suficiente para imitar a consistência de um óleo de salada.

Purês de frutas e vegetais também podem ser usados para substituir parte do óleo de um vinagrete. Purês naturalmente espessos, como de tomate ou de pimentão vermelho, não precisam ser engrossados. Um exemplo é o vinagrete de tomate (p. 33). Armazene o vinagrete com baixo teor de gordura da mesma maneira que os vinagretes básicos ou emulsionados e siga os passos corretos para recombinar a mistura e ajustar o tempero antes de servi-lo.

## maionese

Maionese e molhos à base de maionese podem ser usados para temperar saladas, como dip ou creme ou pasta para espalhar no pão e para produzir um molho para cobrir, feito pela combinação de gemas com óleo, que forma uma emulsão estável; ao contrário de vinagretes, ele não coagula com o tempo. A maionese é um molho cuja preparação exige habilidade e delicadeza. Também requer cuidado na sua manipulação, para evitar contaminação.

1. **Selecione e prepare os ingredientes para a maionese**. As receitas clássicas de molhos à base de maionese pedem de 180 mℓ a 240 mℓ de óleo para cada gema de ovo. Para evitar qualquer doença de origem alimentar (como a salmonela), chefs profissionais devem usar gemas de ovo pasteurizadas. Como a maionese é usada como molho-base para uma série de finalidades, geralmente é melhor escolher um óleo que não tenha sabor muito pronunciado. No entanto, essa regra geral tem exceções. Por exemplo, uma maionese feita de azeite de oliva extravirgem ou de óleo de frutos secos é apropriada para servir como dip em um prato de vegetais grelhados ou crudités. Diversos ácidos podem ser usados para preparar uma maionese, incluindo suco de limão, vinagre de vinho ou vinagre de sidra. O ácido é usado tanto para dar sabor quanto para, junto com água, ajustar a consistência do molho. Para formar uma boa maionese, é preciso que todos os ingredientes estejam na mesma temperatura.

2. **Misture as gemas com um pouco de água**. Bata as gemas com água para soltar os ovos e facilitar a absorção do óleo. Se a receita pedir suco de limão ou vinagre, acrescente-os nesse momento.

3. **Acrescente o óleo pouco a pouco, batendo a mistura para incorporá-la totalmente**. É importante adicionar o óleo bem devagar em um primeiro momento. Ele precisa ser batido com as gemas de modo que forme pequenas gotas. É nesse estágio que a emulsão começa a se formar. Se o óleo for acrescentado muito depressa, as gotas ficarão grandes demais para se incorporarem totalmente às gemas, e o molho adquirirá a aparência de talhado. Adicionar o óleo lentamente permite que os ovos o absorvam adequadamente; assim, o molho começará a engrossar. Quando um quarto a um terço do óleo estiver bem incorporado à mistura de ovos, você pode começar a aumentar a quantidade acrescentada. Ao preparar a maionese em uma batedeira, acrescente o óleo em um fio fino com o aparelho ligado; mesmo nesse caso, o óleo deve ser adicionado mais lentamente no início do que no fim.

4. **Ajuste a espessura e o sabor do molho acrescentando um pouco mais de ácido ou de água ao incorporar o óleo**. Uma vez que os ovos tenham absorvido óleo suficiente para a mistura engrossar bem, acrescente mais suco de limão, ou vinagre, ou um pouco de água. Se isso não for feito, o molho ficará grosso demais e não absorverá mais óleo.

Continue adicionando óleo até completar a quantia especificada na receita. A maionese pronta deve ser suficientemente espessa para manter picos moles; contudo, dependendo do uso a que se destina, ela pode ser afinada com um pouco mais de água para se tornar mais fácil de despejar.

5. **Adicione quaisquer ingredientes aromatizantes ou guarnições incluídas na receita.** O aïoli (p. 36), uma maionese aromatizada com alho, pede uma boa quantidade do condimento desde os estágios iniciais de preparo. Outros ingredientes, como purês ou pastas de vegetais, ervas frescas, picles picados, etc., podem ser misturados ao molho quando o óleo estiver totalmente incorporado. Tais variações incluem a maionese verde (sauce verte) (p. 36) e o molho rémoulade (p. 37).

**QUANDO A MAIONESE DESANDA** Maioneses e molhos emulsionados de preparo semelhante podem desandar por uma série de razões: o óleo é adicionado rápido demais para ser absorvido pela gema, o molho fica exageradamente espesso, ou fica frio ou quente demais durante o preparo. Mas a maionese ainda pode ser corrigida da seguinte forma:

1. **Bata uma gema pasteurizada até formar espuma.**
2. **Incorpore a maionese desandada aos poucos, batendo sem parar.** A maionese voltará a ser um molho homogêneo. Prove e tempere adequadamente antes de servi-la.

**ARMAZENANDO A MAIONESE** Uma vez pronta, a maionese deve ser mantida na geladeira o tempo todo. Transfira-a para um recipiente de armazenamento, cubra-a com cuidado e fixe no recipiente uma etiqueta com a data de fabricação. Antes de usar uma maionese armazenada, mexa-a com suavidade e verifique o tempero. Se for preciso afiná-la, acrescente um pouco de água.

*1. Durante os estágios iniciais da emulsão, o óleo deve ser adicionado de maneira lenta e contínua para que a gordura se disperse adequadamente no líquido.*

*2. A maionese pronta deve ser espessa e capaz de formar picos moles.*

## molhos à base de laticínios

Os molhos à base de laticínios são usados para temperar saladas ou para dips. São feitos de queijos moles, como quark, mascarpone ou cream cheese; de leites fermentados, como creme de leite azedo, crème fraîche ou leitelho; de creme de leite; ou de versões com baixo teor de gordura de ricota, sour cream ou queijo cottage. Esses molhos são geralmente brancos ou marfim e, por isso, podem assumir a cor de purês ou coulis de ervas, frutas ou vegetais.

Algumas adições típicas a molhos à base de laticínios incluem queijo azul, parmesão ou feta, limão fresco, pimenta-do-reino e ervas bem picadas ou na forma de purê. Vegetais, picles, alcaparras e azeitonas em cubos, picados ou ralados, proporcionam textura e sabor.

Molhos cremosos podem ser preparados em uma variedade de texturas: podem ser desde relativamente firmes, para serem servidos como dip ou como creme ou pasta para pão, até fluidos, para serem despejados facilmente sobre uma salada verde. Para obter uma textura bem leve, como a de uma mousse, incorpore creme de leite batido ao molho imediatamente antes de servir.

## molho vinagrete

Os molhos são normalmente feitos com frutas ou vegetais crus. Muitas vezes, levam um ácido, como suco cítrico, vinagre ou vinho, que acentua o sabor. Especiarias, pimentas e ervas são ocasionalmente acrescentadas a esses molhos, pois conferem um sabor forte e um nível de "ardência" acima do normal.

Molhos feitos com vegetais e frutas são cada vez mais populares. Versões frescas (cruas) e cozidas de molhos, chutneys, relishes e compotas são encontradas em várias culinárias, do México à Índia. Apesar da eterna divergência que há entre os entusiastas quanto ao emprego correto do termo "molho" – em oposição a "chutney", "relish" ou mesmo "compota" –, em termos práticos a diferença entre eles tem mais a ver com o país ou a culinária de origem do que com o método de preparo. O capítulo 10 traz uma variedade de receitas de chutneys, relishes e compotas.

## coulis e purês

Na clássica definição de Escoffier em *Le guide culinaire*, um coulis consiste dos "sabores essenciais bem reduzidos e altamente concentrados de um alimento na forma de purê ou de líquido".

Na cozinha fria moderna, os coulis são feitos amassando-se frutas e vegetais crus e cozidos até que adquiram uma consistência próxima à de um molho. Os termos "purê" e "coulis" são frequentemente usados sem distinção entre si. A textura desses molhos vai de leve e macia a áspera. Eles são servidos puros ou elaborados por meio da adição de caldo, vinho, óleo ou creme de leite ou de uma infusão.

Coulis e purês podem soltar um líquido claro com o tempo. Para evitar isso, ferva o molho e adicione uma pequena quantidade de araruta diluída. Essa é uma prática útil sempre que for preciso servir a comida com certa antecedência, como no caso de um banquete ou de uma recepção.

## molhos para revestir: aspic

Embora esses molhos não sejam tão populares atualmente quanto no passado, ainda são usados para várias finalidades no garde manger. Eles servem para revestir canapés e outros hors-d'oeuvres, além de timbales e tira-gostos, e para decorar pratos e serviço.

O chaud-froid é feito adicionando-se gelatina a um molho morno, como o demi-glace, o bechamel, a maionese ou o velouté (as técnicas de trabalho com gelatina estão ilustradas na p. 24). O termo "chaud-froid" significa literalmente "quente-frio" e reflete a maneira de preparar esse molho. Ele é aquecido em banho-maria até ficar bastante fluido. Em seguida, é resfriado em água gelada até que a gelatina endureça e o molho comece a grudar nas laterais da tigela. O molho é usado então para revestir uma variedade de itens, de travessas a ballotines. Um substituto rápido para o chaud-froid pode ser feito engrossando-se creme de leite fresco ou creme de leite azedo com uma quantidade apropriada de gelatina até produzir a consistência de uma cobertura.

Misturas claras para revestir, conhecidas como "aspic", são feitas clareando-se caldos, sucos ou essências e acrescentando-se gelatina em quantidade suficiente para atingir a firmeza desejada. Depois de fazer o aspic, misture-o constantemente com uma espátula de borracha sobre um banho de gelo até atingir a temperatura certa de resfriamento. Quando ele começar a endurecer, espalhe-o sobre o alimento. O aspic é um dos molhos para revestir mais versáteis do garde manger. Ele pode ser usado para selar uma travessa, dando-lhe uma aparência quase igual à de um espelho; para realçar a apresentação da travessa, itens como folhas de ervas, fatias de uva e vegetais cortados podem ser embutidos no aspic antes que endureça. O aspic pode ainda ser cortado em diferentes formatos e usado como uma guarnição saborosa e decorativa. É também usado com frequência para selar um item comestível, tal como o pâté en croûte, depois de assado, para preencher os bolsões de ar, ou depois de fatiado.

## porções para aspic

| POR GALÃO (3,79 ℓ) | POR PINTA (473,28 ℓ) | FORÇA DO GEL | POSSIBILIDADES DE USO |
|---|---|---|---|
| 57 g | 7 g | Gel delicado | Quando não é preciso fatiar; porções individuais de carne, vegetais ou peixe ligados por gelatina; consommés gelatinosos |
| 113 g | 14 g | Gel para revestir | Chaud-froid comestível; revestimento de itens individuais |
| 170 g a 227 g | 28 g | Gel para fatiar | Quando o produto será fatiado; recheio de pâté en croûte, head cheese |
| 284 g a 340 g | 35 g a 43 g | Gel firme | Revestimento de travessas para exibição ou competição |
| 454 g | 57 g | Mousse | Quando o produto precisa manter o formato após ser desenformado; produção de mousse |

1. *Antes de ser usado, o aspic deve ser ligeiramente resfriado em água gelada, para que a solução engrosse.*

2. *Em preparação para a apresentação, podem-se usar duas camadas de aspic para selar a guarnição em uma travessa.*

3. *Moldado em diferentes formas e solidificado, o aspic pode servir como guarnição comestível.*

4. *Itens comestíveis, como estas fatias de pâté en croûte, podem ser selados com aspic antes de serem servidos, adquirindo um aspecto lustroso e brilhante.*

DOIS | MOLHOS FRIOS E SOPAS FRIAS

**1.** Antes de ser usada, a gelatina em pó deve ser hidratada em água fria.

**2.** A gelatina em pó estará corretamente hidratada quando todos os grânulos tiverem absorvido água, crescendo e ficando translúcidos.

## trabalhando com gelatina em pó

Para alcançar os resultados desejados na preparação do aspic ou de qualquer outra receita que leve gelatina, é preciso manipulá-la adequadamente e incorporá-la da forma correta. A tabela da p. 22 lista as proporções para a produção do aspic para diferentes forças de gel.

1. **Pese a gelatina cuidadosamente.** É possível usar gelatina granulada, em pó, em folha (ver p. 25) ou instantânea. Meça o líquido.

2. **Salpique ou polvilhe o pó de gelatina por igual sobre um líquido em temperatura ambiente.** Se o líquido estiver morno ou quente, a gelatina não amolecerá apropriadamente antes de derreter. Salpicar a gelatina sobre a superfície do líquido evita que ela forme pelotas.

3. **Hidrate a gelatina.** À medida que a gelatina absorve o líquido, cada grânulo cresce conforme as proteínas são desnaturalizadas.

4. **Derreta a gelatina até dissolver os grânulos.** A gelatina hidratada (ou solução de gelatina) pode ser dissolvida de duas maneiras: colocando-a diretamente em um líquido morno (38 °C a 43 °C) ou aquecendo-se a mistura em banho-maria. Conforme a gelatina amolecida aquece, a mistura fica clara e suficientemente líquida para ser facilmente despejada. Misture completamente a gelatina com a base líquida para garantir a formação de um gel uniforme. *Nota*: em algumas cozinhas, os chefs preferem ter sempre à mão uma quantidade de gelatina mole hidratada, que eles chamam de "solução de gelatina"; essa mistura pode ser reservada por várias semanas e usada de acordo com a necessidade no preparo de aspics e outros molhos ou sopas gelatinosos.

5. **Teste a força da gelatina.** Para testar a força tanto de aspics quanto de caldo reduzidos, resfrie um prato no congelador. Coloque uma pequena quantidade do aspic ou do caldo reduzido no prato e devolva-o ao congelador até o molho endurecer. Ajuste a força requentando o aspic e acrescentando mais gelatina ou mais base líquida.

## trabalhando com gelatina em folha

Outra forma de gelatina cada vez mais disponível para cozinhas profissionais é a gelatina em folha. Depois de extraída e seca, a gelatina é moldada em folhas finas, que são colocadas em um grande volume de água fria para hidratar. A gelatina em folha é vendida em diferentes forças ou graduações de hidratação; no entanto, como não existe um padrão universal de identificação, a força de cada graduação pode variar de acordo com o fabricante. Uma vantagem desse tipo de gelatina é que ele introduz menos ar na base, resultando em um produto final mais claro do que o feito com gelatina em pó. O processo de produção da gelatina em folha é semelhante ao da gelatina em pó, ou seja, é preciso primeiro hidratá-la e depois derretê-la. Coloque as folhas em um grande volume de água. Quando estiver totalmente hidratada, a gelatina ficará substancialmente amolecida. As folhas podem então ser adicionadas diretamente à base e derretidas, diferentemente da gelatina em pó, que deve ser hidratada em uma quantidade específica de água antes de ser derretida.

## molhos variados

Além dos molhos mencionados acima, ao garde manger pode ser solicitado o preparo de molhos especiais que não se encaixam necessariamente em uma única categoria. Molhos Cumberland, Oxford, de hortelã e de raiz-forte fazem parte do repertório básico da cozinha fria. Molhos para dip, como os servidos com satay e tempura, também são considerados molhos frios. Consulte receitas específicas para obter mais informações sobre como preparar e servi-los.

**1.** *Antes do uso, hidrate a gelatina em folha submergindo-a totalmente em água fria.*

**2.** *Uma vez hidratada, a gelatina em folha assume uma consistência mais plástica.*

# SOPAS FRIAS

As sopas preparadas pelo garde manger são geralmente servidas frias, como entrada, aperitivo, hors-d'oeuvre ou sobremesa. A sua apresentação pode ser variada: em taças resfriadas, em pratos e xícaras de sopa tradicionais ou em pequenas porções de degustação. Sopas frias renovam o palato, não importa o momento da refeição. Ao servir comida resfriada, certifique-se de prová-la com cuidado à temperatura em que será servida. Lembre-se de que sopas precisam de algum tempo para desenvolver o seu sabor; algumas ficam melhores imediatamente após o preparo, enquanto outras desenvolvem um sabor mais complexo após maturarem na geladeira por várias horas ou de um dia para o outro.

Sopas frias podem ser preparadas de três maneiras, dependendo do seu tipo. No caso das sopas de vegetais e de frutas, faz-se um purê dos ingredientes, ou então eles são picados em pedaços finos a ponto de adquirirem a consistência de sopa; as sopas-cremes são feitas com uma base engrossada, como velouté, bechamel ou purê de batatas; já para fazer sopas claras, é preciso clarear e fortificar um caldo forte e, se for o caso, engrossar a base com um pouco de gelatina.

## sopas de vegetais e de frutas

Estas sopas frias são pratos de verão populares em todo o mundo. Muitas culinárias apresentam sopas frias únicas feitas com ingredientes sazonais, como cereja, melão, tomate, pimentão e pepino.

Sopas de vegetais e de frutas variam de textura, indo desde a rústica do gazpacho até a cremosidade aveludada da sopa fria de melão. Muitas vezes, adiciona-se aos vegetais ou às frutas um caldo ou um suco para soltar o purê e alcançar uma boa consistência de sopa. Outros ingredientes, como creme de leite, leite, leitelho, itens de guarnição ou gratinados, também podem ser incluídos na sopa para dar a ela um toque especial.

## sopas-cremes

A sopa-creme fria deve ter a mesma textura cremosa e aveludada da sopa-creme quente. Prove e avalie seu sabor cuidadosamente, dando igual atenção à textura e à consistência. Sopas frias podem engrossar ao esfriarem; portanto, certifique-se de ajustar a consistência dela para que fique cremosa, mas não densa. Uma boa sopa fria não deve deixar uma sensação de gordura na boca.

A vichyssoise é um exemplo clássico de sopa-creme; é feita com purê de batata e alho-poró. Outras sopas frias são feitas com base em molho velouté. Geralmente, elas levam creme de leite, iogurte ou crème fraîche resfriados. A sopa fria de edamame (p. 76) é um bom exemplo.

## sopas claras

Uma boa sopa clara deve ter um sabor intenso e satisfatório. A base da sopa pode ser ajustada com a adição de gelatina ou de outro agente gelificante, caso prefira uma consistência gelatinosa. (Reveja as pp. 24 e 25, sobre a preparação de gelatina.) Porém, nem todas as sopas claras são gelatinosas, e algumas receitas deste livro são baseadas em um caldo delicioso que pode ser guarnecido ou não, dependendo da apresentação.

Sopas claras exigem um caldo ou um suco clarificado rico e encorpado. Infusões, essências e purês bem coados são muitas vezes usados para dar um caráter especial à sopa. As receitas tradicionais desse tipo de sopa, como os consommés gelatinosos, são feitas com a adição de gelatina hidratada e dissolvida para adquirirem a consistência gelificada. As sopas claras devem derreter na boca imediatamente.

# Vinagrete básico de vinho tinto

RENDIMENTO: 960 ml

240 ml de vinagre de vinho tinto
2 colheres (chá)/10 g de mostarda (opcional)
2 chalotas bem picadas
480 ml de azeite de oliva ou óleo de canola
240 ml de azeite de oliva extravirgem ou óleo de canola

2 colheres (chá)/8 g de açúcar, mel ou néctar de agave (opcional)
2 colheres (chá)/6,5 g de sal, ou a gosto
½ colher (chá)/1 g de pimenta-do-reino moída grosseiramente
3 colheres (sopa)/9 g de ervas bem picadas, como ciboulette, salsinha ou estragão (opcional)

1. Misture o vinagre, a mostarda (se utilizar) e as chalotas.
2. Acrescente os azeites ou óleos aos poucos, batendo a mistura.
3. Tempere-a com o açúcar (se utilizar), o sal e a pimenta-do-reino. Acrescente as ervas frescas (se utilizar). Sirva o vinagrete imediatamente ou cubra-o e leve-o à geladeira.

» **NOTA DO CHEF** Este vinagrete pode ser facilmente adaptado para diversas situações, basta substituir o vinagre de vinho tinto ou o óleo de canola por um vinagre ou um óleo de sabor diferente.

# Vinagrete balsâmico

RENDIMENTO: 960 ml

120 ml de vinagre de vinho tinto
120 ml de vinagre balsâmico
2 colheres (chá)/10 g de mostarda (opcional)
480 ml de azeite de oliva ou óleo de canola
240 ml de azeite de oliva extravirgem ou óleo de canola

2 colheres (chá)/6,5 g de sal
½ colher (chá)/1 g de pimenta-do-reino moída
3 colheres (sopa)/9 g de ervas bem picadas, como ciboulette, salsinha ou estragão (opcional)

1. Misture os vinagres e a mostarda (se utilizar).
2. Acrescente os azeites ou óleos aos poucos, batendo a mistura.
3. Tempere-a com o sal e a pimenta-do-reino. Acrescente as ervas frescas (se utilizar). Sirva o vinagrete imediatamente ou cubra-o e leve-o à geladeira.

» **VARIAÇÃO** VINAGRETE BALSÂMICO DO PORTO: substitua o vinagre de vinho tinto por 60 ml de vinho do Porto Ruby.

# Vinagrete de trufa

RENDIMENTO: 960 ml

360 ml de vinagre de vinho tinto
120 ml de vinagre balsâmico
60 ml de água
2 colheres (chá)/10 g de mostarda de Dijon
2 chalotas bem picadas
270 ml de azeite de oliva

150 ml de azeite de oliva extravirgem
3 colheres (sopa)/45 ml de óleo de trufas
2 colheres (chá)/8 g de açúcar
2 colheres (chá)/6,5 g de sal
½ colher (chá)/1 g de pimenta-do-reino moída
1 trufa preta ou branca picada (opcional)

1. Misture os vinagres, a água, a mostarda e as chalotas.

2. Acrescente o óleo e os azeites aos poucos, batendo a mistura.

3. Tempere-a com o açúcar, o sal e a pimenta-do-reino. Acrescente as trufas antes de servir (se utilizar). Sirva o vinagrete imediatamente ou cubra-o e leve-o à geladeira.

» **NOTA DO CHEF** Como o óleo de trufas é muito forte, é preciso provar o vinagrete constantemente durante o preparo para ajustar a sua quantidade.

# Vinagrete gourmande

RENDIMENTO: 960 ml

120 ml de vinagre de xerez
90 ml de suco de limão
6,5 g de sal
½ colher (chá)/1 g de pimenta-do-reino moída grosseiramente

480 ml de azeite de oliva
300 ml de azeite de oliva extravirgem
28 g de fines herbes (p. 640) bem picadas

1. Misture o vinagre e o suco de limão com o sal e a pimenta-do-reino.

2. Acrescente os azeites aos poucos, batendo a mistura.

3. Acrescente as ervas; se necessário, ajuste o tempero com o sal e a pimenta-do-reino. Sirva o vinagrete imediatamente ou cubra-o e leve-o à geladeira.

» **VARIAÇÃO** VINAGRETE DE NOZES E VINHO TINTO: substitua o vinagre de xerez por vinagre de vinho tinto e os azeites de oliva por óleo de nozes; substitua as fines herbes (p. 640) por salsinha e ciboulette.

# Vinagrete de limão e salsinha

RENDIMENTO: 960 mℓ

180 mℓ de suco de limão
60 mℓ de vinagre de champanhe
28 g de mostarda de Dijon
14 g de alho amassado
35 g de chalota bem picada
Sal a gosto
Pimenta-do-reino moída grosseiramente a gosto

1 colher (sopa)/6 g de semente de erva-doce esmagada
1½ colher (chá)/3 g de pimentão vermelho em flocos
240 mℓ de azeite de oliva
120 mℓ de azeite de oliva extravirgem
28 g de salsinha de folha lisa picada
14 g de orégano picado

1. Misture o suco de limão, o vinagre, a mostarda, o alho, as chalotas, o sal, a pimenta-do-reino, as sementes de erva-doce e os flocos de pimentão vermelho.

2. Acrescente os azeites aos poucos, batendo a mistura, e reserve-a.

3. Pouco antes de servir, acrescente a salsinha e o orégano, batendo a mistura. Se necessário, ajuste o tempero com o sal e a pimenta-do-reino. Sirva o vinagrete imediatamente ou cubra-o e leve-o à geladeira.

» **NOTA DO CHEF** Este versátil molho pode ser usado tanto para temperar saladas verdes como saladas de legumes e grãos. Os temperos podem ser adaptados com diversos sabores regionais.

# Vinagrete de sidra de maçã

RENDIMENTO: 960 mℓ

480 mℓ de sidra de maçã
180 mℓ de vinagre de sidra
1 maçã verde descascada, sem sementes e cortada em brunoise
480 mℓ de óleo vegetal

240 mℓ de azeite de oliva extravirgem
2 colheres (sopa)/6 g de estragão picado
2 colheres (chá)/6,5 g de sal
¼ colher (chá)/0,5 g de pimenta-branca moída
½ colher (chá)/2 g de açúcar

1. Numa panela pequena, reduza a sidra a 180 mℓ em fogo médio-alto. Misture a redução de sidra, o vinagre e a maçã.

2. Acrescente o óleo e o azeite aos poucos, batendo a mistura.

3. Acrescente o estragão e tempere a mistura com o sal, a pimenta-branca e o açúcar. Sirva o vinagrete imediatamente ou cubra-o e leve-o à geladeira.

» **NOTA DO CHEF** Substitua a sidra de maçã por uma sidra de maior teor alcoólico para obter um sabor mais intenso e complexo.

# Vinagrete de curry

RENDIMENTO: 960 ml

180 ml de vinagre de sidra
120 ml de suco de laranja
60 ml de suco de limão
43 g de mel
28 g de gengibre bem picado

28 g de capim-limão bem picado
540 ml de óleo de curry (p. 608)
2 colheres (chá)/6,5 g de sal
2 colheres (chá)/4 g de pimenta-do-reino moída grosseiramente

1. Misture o vinagre, os sucos de laranja e de limão, o mel, o gengibre e o capim-limão.

2. Acrescente o óleo aos poucos, batendo a mistura.

3. Tempere-a com o sal e a pimenta-do-reino. Sirva o vinagrete imediatamente ou cubra-o e leve-o à geladeira.

» **IDEIA PARA APRESENTAÇÃO** Use este molho para substituir o molho da salada de beterraba assada (p. 118).

# Vinagrete de mostarda e nozes

RENDIMENTO: 960 ml

240 ml de vinagre de champanhe
57 g de mostarda marrom condimentada
14 g de açúcar
4 chalotas bem picadas
600 ml de azeite de oliva
120 ml de óleo de nozes

14 g de dill picado
14 g de salsinha lisa picada
2 colheres (sopa)/6 g de ciboulette bem picada
Sal a gosto
Pimenta-do-reino moída grosseiramente a gosto

1. Misture o vinagre, a mostarda, o açúcar e as chalotas.

2. Acrescente o óleo e o azeite aos poucos, batendo a mistura.

3. Acrescente as ervas e tempere a mistura com o sal e a pimenta-do-reino. Sirva o vinagrete imediatamente ou cubra-o e leve-o à geladeira.

» **VARIAÇÃO** VINAGRETE DE AVELÃ E ORÉGANO: substitua o óleo de nozes por óleo de avelã; substitua o dill e a salsinha por 28 g de orégano picado; elimine a ciboulette, se desejar.

# Vinagrete de chipotle e xerez

RENDIMENTO: 960 ml

- 210 ml de vinagre de xerez
- 2 colheres (sopa)/30 ml de suco de limão-siciliano
- 4 chipotles em molho adobo, bem picadas
- 2 chalotas bem picadas
- 2 dentes de alho amassados
- 480 ml de azeite de oliva
- 240 ml de azeite de oliva extravirgem
- 28 g de fines herbes (p. 640) picadas
- 2 colheres (sopa)/30 ml de maple
- 1 colher (chá)/3 g de sal
- ½ colher (chá)/1 g de pimenta-do-reino moída grosseiramente

1. Misture o vinagre, o suco de limão-siciliano, as chipotles, as chalotas e o alho.

2. Acrescente os azeites aos poucos, batendo a mistura.

3. Pouco antes de servir, acrescente as ervas e tempere a mistura com o maple, o sal e a pimenta-do-reino. Sirva o vinagrete imediatamente ou cubra-o e leve-o à geladeira.

» **NOTA DO CHEF** Chipotles em molho adobo são pimentas jalapeño desidratadas, defumadas e embaladas em um molho vermelho feito de pimenta-malagueta moída, vinagre e ervas. Ajuste a quantidade de chipotles de acordo com o nível de ardência desejado e a marca da sua preferência.

# Vinagrete de chalota assada

RENDIMENTO: 960 mℓ

8 chalotas
4 cabeças de alho
540 mℓ de azeite de oliva extravirgem
90 mℓ de vinagre balsâmico
2 colheres (chá)/2 g de alecrim picado
2 colheres (chá)/2 g de tomilho picado
2 colheres (sopa)/20 mℓ de mel
2 colheres (chá)/6,5 g de sal
1 colher (chá)/2 g de pimenta-do-reino quebrada

1. Descasque as chalotas e o alho e remova o miolo. Coloque-os em uma pequena panela refratária e cubra-os totalmente com o azeite. Cubra a panela com papel-alumínio e coloque-a no forno a 177 °C por 2 h, ou até que as chalotas e o alho fiquem extremamente macios, quase a ponto de desmancharem, e levemente dourados.

2. Tire a panela do forno e deixe a mistura esfriar à temperatura ambiente. Separe as chalotas e o alho do azeite e reserve-os.

3. Coloque o vinagre, as ervas, o mel, as chalotas e o alho em um liquidificador e bata a mistura em velocidade alta até que ela fique uniforme. Com o liquidificador em baixa velocidade, lentamente adicione um fio fino do azeite reservado e depois tempere a mistura com o sal e a pimenta-do-reino. Sirva o vinagrete imediatamente ou cubra-o e leve-o à geladeira.

» **IDEIA PARA APRESENTAÇÃO** Experimente usar este molho para substituir o vinagrete balsâmico na salada de pimentão assado marinado (p. 120).

# Vinagrete de tomate-cereja

RENDIMENTO: 480 mℓ

680 g de tomate-cereja cortado em quartos
1¼ colher (chá)/4 g de sal
14 g de tomate seco
60 mℓ de azeite de oliva
2 colheres (sopa)/30 mℓ de vinagre de vinho branco
¼ colher (chá)/1 mℓ de goma xantana

1. Pique os tomates grosseiramente e misture-os com o sal. Reserve por 6 h.

2. Amasse os tomates com os tomates secos, formando um purê; depois, coe o purê, pressionando-o no coador para remover todo o suco.

3. Acrescente o azeite e o vinagre, batendo a mistura.

4. Polvilhe-a com goma xantana e bata-a suavemente por 3 min a 4 min.

5. Leve o vinagrete à geladeira para armazená-lo.

# Vinagrete de tomate

RENDIMENTO: 960 ml

454 g de tomate maduro e sem sementes
120 ml de vinagre de vinho tinto
28 g de gema de ovo
150 ml de azeite de oliva
90 ml de azeite de oliva extravirgem
60 ml de suco de limão

60 ml de suco de limão-siciliano
2 colheres (sopa)/6 g de manjericão picado
1 colher (sopa)/3 g de estragão picado
28 g de chalota bem picada
2 colheres (chá)/6,5 g de sal
1 colher (chá)/2 g de pimenta-branca moída

1. Bata os tomates, o vinagre e as gemas em um liquidificador ou em um processador de alimentos, formando um purê. Com o liquidificador em funcionamento, acrescente os azeites aos poucos, até formar um molho grosso.

2. Acrescente os sucos, as ervas e as chalotas e tempere a mistura com o sal e a pimenta-branca. Sirva o vinagrete imediatamente ou cubra-o e leve-o à geladeira.

» **VARIAÇÃO** VINAGRETE DE TOMATE TOSTADO NO FOGO: toste os tomates diretamente sobre a chama do fogão e deixe-os esfriar antes de fazer o purê. Tempere o vinagrete com molho tabasco a gosto.

» **IDEIA PARA APRESENTAÇÃO** Este vinagrete não tradicional com base de suco pode ser servido com terrines de vegetais ou com a terrine de salmão poché e limão (p. 350).

# Vinagrete de beterraba

RENDIMENTO: 960 ml

907 g de beterraba
360 ml de vinagre de sidra
180 ml de azeite de oliva extravirgem

50 g de dill picado
1 colher (chá)/6,5 g de sal
1 colher (chá)/2 g de pimenta-do-reino moída grosseiramente

1. Ferva a beterraba em água acidulada até que ela fique macia. Quando esfriar o suficiente para ser manipulada, descasque-a e pique-a.

2. Coloque a beterraba e o vinagre no liquidificador e bata-os até formar um purê uniforme. Acrescente o azeite e bata a mistura, temperando-a com o dill, o sal e a pimenta-do-reino. Sirva o vinagrete imediatamente ou cubra-o e leve-o à geladeira.

» **NOTA DO CHEF** Para obter uma cor e um sabor mais intensos, faça suco da beterraba crua usando uma centrífuga de alimentos. Misture o suco e o vinagre, acrescente o azeite e bata a mistura, temperando-a com o dill, o sal e a pimenta-do-reino.
Para fazer a água acidulada, misture 3,84 ℓ de água com 2 colheres (sopa) / 30 ml de suco de limão ou vinagre.

# Vinagrete de tangerina e abacaxi

RENDIMENTO: 960 mℓ

300 mℓ de suco de tangerina
165 mℓ de suco de abacaxi
2 colheres (sopa)/30 mℓ de suco de limão
2 colheres (chá)/10 mℓ de vinagre balsâmico
2 colheres (chá)/10 g de mostarda pronta

300 mℓ de óleo vegetal
165 mℓ de azeite de oliva
2 colheres (chá)/6,5 g de sal
½ colher (chá)/1 g de pimenta-do-reino moída grosseiramente

1. Misture os sucos, o vinagre e a mostarda.
2. Acrescente os óleos aos poucos, batendo a mistura.
3. Tempere-a com o sal e a pimenta-do-reino. Sirva o vinagrete imediatamente ou cubra-o e leve-o à geladeira.

» **VARIAÇÕES** VINAGRETE DE LARANJA (OU GRAPEFRUIT): substitua os sucos de tangerina e de abacaxi por 480 mℓ de suco de laranja (ou grapefruit). Reduza o suco de limão a 1 colher (sopa)/15 mℓ.
VINAGRETE DE LIMÃO: substitua os sucos de tangerina e de abacaxi por 360 mℓ de suco de limão e 240 mℓ de água. Elimine a mostarda.

# Vinagrete de goiaba e curry

RENDIMENTO: 960 mℓ

113 g de compota de goiaba
240 mℓ de vinagre de vinho tinto
2 colheres (sopa)/12 g de curry em pó
120 mℓ de suco de limão-siciliano
1 pimenta scotch bonnet sem sementes e bem picada

Sal a gosto
Pimenta-do-reino moída a gosto
480 mℓ de azeite de oliva
240 mℓ de azeite de oliva extravirgem
3 colheres (sopa)/9 g de coentro fresco picado

1. Misture a compota de goiaba, o vinagre e o curry em pó em uma panela pequena e aqueça-a levemente até que a compota derreta. Deixe a pasta esfriar.
2. Combine a mistura de goiaba com o suco de limão-siciliano, a pimenta, o sal e a pimenta-do-reino. Acrescente os azeites aos poucos, batendo a mistura.
3. Junte o coentro e, se necessário, ajuste o tempero com o sal e a pimenta-do-reino.
4. Sirva o vinagrete imediatamente ou cubra-o e leve-o à geladeira.

» **NOTA DO CHEF** Para obter um vinagrete menos picante, é possível substituir a pimenta scotch bonnet por praticamente qualquer variedade de pimenta.

# Vinagrete de amêndoa e figo

RENDIMENTO: 960 ml

120 ml de vinagre balsâmico
120 ml de vinho tinto, como Zinfandel ou Merlot
4 chalotas bem picadas
113 g de amêndoa tostada e picada
Sal a gosto
Pimenta-do-reino moída a gosto

360 ml de óleo de amêndoas
480 ml de azeite de oliva
149 g de figo seco picado
60 ml de suco de limão
Molho tabasco a gosto

1. Misture o vinagre, o vinho, as chalotas, as amêndoas, o sal e a pimenta-do-reino. Acrescente o óleo e o azeite aos poucos, batendo a mistura.

2. Junte os figos picados e ajuste o tempero com o suco de limão, o molho tabasco, o sal e a pimenta-do-reino.

3. Sirva o vinagrete imediatamente ou cubra-o e leve-o à geladeira.

» **IDEIA PARA APRESENTAÇÃO** Use este vinagrete frutado e levemente picante para temperar uma salada verde simples e sirva-a com crostinis cobertos com queijo de cabra e cebola caramelizada.

# Emulsão de grapefruit

RENDIMENTO: 300 ml

900 ml de suco de grapefruit
120 ml de azeite de oliva
60 ml de azeite de oliva extravirgem

7 g de zeste de grapefruit finamente ralado e escaldado em água quente e fria de duas a três vezes.

1. Reduza o suco de grapefruit a 90 ml. Esfrie-o à temperatura ambiente. Junte o suco de grapefruit, os azeites e as zestes em um liquidificador e bata-os em velocidade alta por aproximadamente 2 min, até emulsificar a mistura. Coe-a com um tecido de musselina, transferindo-a para um recipiente limpo.

2. Sirva o vinagrete imediatamente ou cubra-o e leve-o à geladeira. Se necessário, bata-o rapidamente no liquidificador para voltar a emulsioná-lo antes de servir.

» **IDEIA PARA APRESENTAÇÃO** Além de usar esta emulsão na salada de lagosta (p. 152), experimente usá-la para temperar uma salada de espinafre com segmentos cítricos ou como acompanhamento de bolinhos de caranguejo, para adicionar uma camada de sabor.

# Maionese básica

RENDIMENTO: 960 ml

85 g de gema pasteurizada
2 colheres (sopa)/30 ml de vinagre branco
1¼ colher (chá)/4,5 g de mostarda em pó
720 ml de óleo vegetal

2¼ colheres (chá)/7,5 g de sal
½ colher (chá)/1 g de pimenta-branca moída, ou a gosto
2 colheres (sopa)/30 ml de suco de limão, ou a gosto

1. Bata as gemas, o vinagre e a mostarda até que se forme uma espuma leve.

2. Acrescente o óleo aos poucos, com um fio fino, batendo sem parar, até que ele se incorpore totalmente à mistura e a maionese engrosse.

3. Tempere a maionese com o sal, a pimenta e o suco de limão. Cubra-a e leve-a imediatamente à geladeira.

» **VARIAÇÃO** MAIONESE VERDE (SAUCE VERTE): pique 28 g de espinafre cozido em pedaços bem finos. Esprema-os em uma musselina para extrair o suco. Acrescente o suco à maionese pronta. Acrescente outras ervas picadas da sua preferência, como salsinha, manjericão, ciboulette ou dill.

# Aïoli

RENDIMENTO: 960 ml

170 g de gema pasteurizada
1 colher (sopa)/10 g de pasta de alho
720 ml de óleo vegetal

240 ml de azeite de oliva extravirgem
1½ colher (chá)/7,5 ml de vinagre de vinho branco
Sal a gosto

1. Siga o preparo da maionese básica (acima), acrescentando o alho à mistura das gemas. Cubra o aïoli e leve-o imediatamente à geladeira.

» **VARIAÇÕES** ROUILLE: reduza 170 g de coulis de pimentão vermelho (p. 64) a aproximadamente 113 g. Acrescente pimenta-de-caiena a gosto. Este molho deve ser bastante picante. Incorpore o coulis reduzido ao aïoli. AÏOLI DE AÇAFRÃO: coloque meia colher (chá)/1 g de fio de açafrão ligeiramente amassado em 2 colheres (sopa)/30 ml de água fervente. Acrescente a infusão aos ovos junto com a pasta de alho.

# Molho rémoulade

RENDIMENTO: 960 ml

720 ml de maionese básica (p. 36)
57 g de alcaparra escorrida, enxaguada e picada
57 g de picles picado
3 colheres (sopa)/9 g de ciboulette picada
3 colheres (sopa)/9 g de cerefólio picado
3 colheres (sopa)/9 g de estragão picado

1 colher (sopa)/15 g de mostarda de Dijon
1 colher (chá)/5 g de pasta de anchova
Sal a gosto
Molho inglês a gosto
2 a 3 gotas de molho tabasco

Misture bem todos os ingredientes. Ajuste o tempero a gosto. Cubra o molho e leve-o imediatamente à geladeira.

» **NOTA DO CHEF** O molho rémoulade é um acompanhamento clássico para diversos pratos de frutos do mar, como bolinhos de caranguejo, camarão, salmão grelhado e de carnes frias.

# Molho russo

RENDIMENTO: 960 ml

600 ml de maionese básica (p. 36)
210 ml de molho pronto de pimenta-malagueta
57 de raiz-forte pronta

1 colher (sopa)/15 ml de molho inglês
2 colheres (chá)/6,5 g de sal
1 colher (chá)/2 g de pimenta-do-reino moída

Misture bem todos os ingredientes. Ajuste o tempero a gosto. Cubra o molho e leve-o imediatamente à geladeira.

» **VARIAÇÃO** MOLHO MIL ILHAS: acrescente ao molho russo 113 g de relish de picles e 57 g de ovos cozidos duros.

# Molho deusa verde

RENDIMENTO: 960 mℓ

720 mℓ de maionese básica (p. 36)
60 mℓ de vinagre de estragão
28 g de salsinha lisa picada
4 colheres (chá)/4 g de ciboulette picada
3 colheres (sopa)/9 g de estragão picado

2 colheres (chá)/6,5 g de sal
1 colher (chá)/5 g de pasta de anchova (ou 1 a 2 filés amassados até formar uma pasta)
1 colher (chá)/2 g de pimenta-do-reino moída grosseiramente

Misture bem todos os ingredientes. Ajuste o tempero a gosto. Este molho pode ser batido em um processador de alimentos. Cubra-o e leve-o imediatamente à geladeira.

» **NOTA DO CHEF** Se não houver vinagre de estragão, substitua-o por vinagre de vinho branco e acrescente mais 2 colheres (sopa)/6 g de estragão picado.

# Molho creole de mel e mostarda

RENDIMENTO: 960 mℓ

28 g de chalota bem picada
21 g de pimenta-verde em grão (embalada em salmoura) esmagada
1 colher (sopa)/15 mℓ de óleo vegetal
180 mℓ de vinho branco seco
1 colher (sopa)/6 mℓ de pimenta-do-reino esmagada

57 g de mostarda de Dijon
170 g de mostarda
240 mℓ de maionese básica (p. 36)
255 mℓ de creme de leite azedo
43 g de mel
Sal a gosto

1. Refogue as chalotas e a pimenta-verde em grão no óleo; não as deixe dourar.

2. Acrescente o vinho branco e reduza-o até que ele evapore quase totalmente. Esfrie a mistura.

3. Acrescente o restante dos ingredientes; misture-os bem e ajuste o tempero a gosto. Cubra o molho e leve-o imediatamente à geladeira.

» **IDEIA PARA APRESENTAÇÃO** Experimente este molho como pasta para o sanduíche de caranguejo de casca mole (p. 168).

# Molho cremoso de pimenta-do-reino

RENDIMENTO: 960 ml

60 ml de suco de limão
85 g de gema de ovo
28 g de mostarda de Dijon
14 g de pasta de anchova (ou 3 a 4 filés amassados até formar uma pasta)
2 colheres (chá)/6 g de alho amassado

1 colher (sopa)/10 g de sal
360 ml de azeite de oliva
360 ml de óleo vegetal
71 g de queijo parmesão ralado
1 colher (sopa)/6 g de pimenta-do-reino moída grosseiramente

1. Usando um batedor de arame, misture o suco de limão, as gemas, a mostarda, a pasta de anchova, o alho e o sal.

2. Acrescente o óleo e o azeite lentamente, batendo a mistura sem parar.

3. Acrescente o restante dos ingredientes e misture-os bem. Ajuste o tempero a gosto. Cubra o molho e leve-o imediatamente à geladeira.

» **NOTA DO CHEF** Use este molho como uma alternativa picante ao tradicional molho Caesar na Caesar salad (p. 114).

# Molho roquefort

RENDIMENTO: 960 ml

170 g de queijo roquefort esfarelado
480 ml de maionese básica (p. 36)
135 ml de creme de leite azedo
180 ml de leitelho, ou a gosto
1 colher (sopa)/15 ml de suco de limão

2 colheres (chá)/10 ml de molho inglês
2 colheres (chá)/6,5 g de sal
1 colher (chá)/2 g de pimenta-do-reino moída
1 colher (sopa)/3 g de salsinha lisa picada

1. Misture bem o queijo roquefort, a maionese, o creme de leite azedo e o leitelho.

2. Tempere a mistura com o suco de limão, o molho inglês, o sal, a pimenta-do-reino e a salsinha. Para afiná-la, adicione mais leitelho. Ajuste o tempero a gosto. Cubra o molho e leve-o imediatamente à geladeira.

» **NOTA DO CHEF** Para obter um molho mais grosso a fim de usar como dip, acrescente metade do queijo e bata o molho até formar um purê uniforme; depois, incorpore o restante do queijo esfarelado.

# Molho rancheiro com baixo teor de gordura

RENDIMENTO: 960 ml

340 g de queijo ricota semidesnatado
240 ml de iogurte desnatado
360 ml de leitelho
2 colheres (sopa)/30 ml de suco de limão
2 colheres (sopa)/30 ml de vinagre de vinho tinto
1 colher (chá)/3 g de alho amassado
28 g de chalota bem picada

14 g de mostarda de Dijon
½ colher (chá)/1 g de semente de salsão
1 colher (sopa)/10 g de sal
1 colher (chá)/2 g de pimenta-do-reino moída
2 colheres (sopa)/30 ml de molho inglês
2 colheres (chá)/2 g de salsinha lisa
1 colher (chá)/1 g de ciboulette picada

1. Misture o queijo, o iogurte, o leitelho, o suco de limão, o vinagre, o alho, as chalotas, a mostarda, as sementes de salsão, o sal, a pimenta-do-reino e o molho inglês. Bata a mistura no processador de alimentos até formar um purê uniforme.

2. Adicione a salsinha e a ciboulette e ajuste o tempero. Cubra o molho e leve-o imediatamente à geladeira.

» **NOTA DO CHEF** Este versátil molho de salada pode ser usado como um saboroso dip para crudités vegetais, bem como molho para folhas verdes em sanduíches ou enrolados.

# Molho de queijo maytag blue com baixo teor de gordura

RENDIMENTO: 960 ml

99 g de queijo maytag blue
340 g de queijo ricota semidesnatado
360 ml de leitelho
60 ml de vinagre de sidra
1 colher (sopa)/15 ml de molho inglês

½ colher (chá)/1,5 g de alho assado (p. 658)
2 colheres (chá)/6,5 g de sal
2 colheres (sopa)/6 g de ciboulette picada
1½ colher (chá)/3 g de pimenta-do-reino quebrada

1. Misture os queijos, o leitelho, o vinagre, o molho inglês, o alho e o sal e bata-os em um processador de alimentos até formar um purê uniforme.

2. Misture a ciboulette e a pimenta-do-reino e mexa a mistura, ajustando o tempero. Sirva o molho imediatamente ou cubra-o e leve-o à geladeira.

» **NOTA DO CHEF** Este molho pode ser feito com outros queijos com veios de mofo azul, como o roquefort, o azul dinamarquês ou o gorgonzola.

# Molho de iogurte e pepino

RENDIMENTO: 960 ml

960 ml de iogurte
2 colheres (sopa)/30 ml de suco de limão
2 colheres (chá)/6,5 g de sal

1 dente de alho esmagado
227 g de pepino descascado, sem sementes, cortado em cubos de 6 mm, salgado e escorrido

1. Combine o iogurte, o suco de limão e o sal até obter uma mistura bem homogênea. Coloque-a em uma tigela e acrescente o alho. Incorpore os cubos de pepino.

2. Cubra a mistura e leve-a à geladeira por no mínimo 1 h e no máximo 24 h. Remova o alho antes de servir. Ajuste o tempero com o sal e mais suco de limão. Cubra o molho e leve-o imediatamente à geladeira.

» **NOTA DO CHEF** Para obter um molho mais grosso, escorra o iogurte de um dia para o outro em uma musselina antes de misturá-lo aos outros ingredientes.

# Molho de tahine

RENDIMENTO: 960 ml

960 ml de iogurte
113 g de tahine

90 ml de suco de limão
2 colheres (chá)/6,5 g de sal

Coloque todos os ingredientes na tigela de um processador de alimentos equipado com lâmina. Bata-os até obter uma mistura cremosa e homogênea. Ajuste o tempero com o sal. Cubra o molho e leve-o imediatamente à geladeira.

» **NOTA DO CHEF** Tahine é uma pasta feita com sementes de gergelim moídas e pode ser usado para temperar molhos, homus, falafel ou baba ghanoush.

# Molho verde

RENDIMENTO: 960 ml

680 g de tomate-cereja descascado e lavado
4 pimentas jalapeño sem caule e sem sementes
21 g de coentro picado
340 g de cebola picada

2 dentes de alho picados grosseiramente
14 g de banha
720 ml de caldo de galinha (p. 643)
Sal a gosto

1. Em uma quantidade de água salgada suficiente para cobri-los, ferva os tomates-cerejas e as pimentas até que fiquem macios (de 10 min a 15 min). Escorra-os.

2. Coloque os tomatilhos e as pimentas jalapeño em um liquidificador junto com o coentro, a cebola e o alho. Bata-os até obter um purê quase homogêneo.

3. Em uma frigideira média, aqueça a banha em fogo médio-alto. Quando a frigideira estiver quente, despeje o purê e mexa-o sem parar até que ele escureça e engrosse (de 4 min a 5 min). Acrescente o caldo de galinha e deixe o molho ferver; baixe o fogo para médio e ferva o molho até que ele fique grosso o suficiente para revestir uma colher (aproximadamente 20 min). Tempere-o com sal.

4. Sirva o molho imediatamente ou cubra-o e leve-o à geladeira.

» **NOTA DO CHEF** Para fazer um molho verde vegetariano, substitua a banha por óleo vegetal e o caldo de galinha por água ou caldo de vegetais.

# Molho de manga e limão-siciliano

RENDIMENTO: 960 ml

454 g de manga em cubos pequenos
85 g de cebola roxa em cubos pequenos
2 colheres (chá)/10 g de pimenta jalapeño bem picada, ou a gosto
60 ml de suco de limão-siciliano
60 ml de azeite de oliva extravirgem

3 colheres (sopa)/9 g de manjericão picado
2 colheres (chá)/6 g de zeste de limão-siciliano bem picado
Sal a gosto
Pimenta-do-reino moída grosseiramente a gosto

1. Misture todos os ingredientes.
2. Deixe o molho descansar por 1 h na geladeira antes de servi-la. Ajuste o tempero a gosto com o sal, a pimenta-do-reino ou o suco de limão-siciliano.

» **IDEIA PARA APRESENTAÇÃO** Sirva esta receita junto com o molho fresco (p. 45) e o molho de mamão papaia e feijão-preto (a seguir) e combine-a com diferentes chips e biscoito (pp. 601-602).

# Molho de mamão papaia e feijão-preto

RENDIMENTO: 960 ml

184 g de feijão-preto cozido
1 mamão papaia em cubos pequenos
149 g de pimentão vermelho em cubos pequenos
92 g de cebola roxa em cubos pequenos
2 pimentas jalapeño sem sementes e bem picadas
3 colheres (sopa)/9 g de coentro picado

2 colheres (chá)/4 g de orégano mexicano desidratado
2 colheres (sopa)/18 g de gengibre bem picado
60 ml de azeite de oliva
60 ml de suco de limão siciliano
1 colher (chá)/2 g de pimenta-do-reino moída grosseiramente
2 colheres (chá)/6,5 g de sal

Misture todos os ingredientes e ajuste o tempero. Sirva o molho imediatamente ou cubra-o e leve à geladeira.

» **NOTA DO CHEF** O mamão papaia desta receita deve estar maduro para dar ao molho a textura e a doçura apropriadas.
Use um espremedor de fruta para extrair do limão-siciliano o suco mais fresco possível.

Salsa fresca.

# Molho fresco

RENDIMENTO: 960 ml

- 496 g de tomate sem sementes e em cubos
- 92 g de cebola bem picada
- 78 g de pimentão verde em cubos
- 2 dentes de alho amassados
- 1 colher (sopa)/3 g de coentro fresco picado
- 1 colher (chá)/1 g de orégano picado
- 60 ml de suco de limão siciliano
- 1 pimenta jalapeño bem picada
- 2 colheres (sopa)/30 ml de azeite de oliva
- ¼ colher (chá)/0,5 g de pimenta-do-reino moída
- 2 colheres (chá)/6,5 g de sal

Misture todos os ingredientes e ajuste o tempero. Cubra o molho e leve-o imediatamente à geladeira.

» **IDEIA PARA APRESENTAÇÃO** Experimente este molho com a empanada de picadillo de porco (p. 524).

# Pico de gallo com chipotle

RENDIMENTO: 960 ml

- 510 g de tomate italiano sem sementes e picado
- 85 g de cebola roxa picada
- 60 ml de suco de limão-siciliano
- 1½ colher (chá)/4,5 g de alho amassado até formar uma pasta
- 2 colheres (chá)/7 g de pimenta chipotle em adobo amassada até formar uma pasta
- Sal a gosto
- Pimenta-do-reino moída a gosto
- 28 g de coentro fresco picado

1. Misture os tomates, a cebola, o suco de limão-siciliano, o alho e as pimentas chipotle. Ajuste o tempero com o sal e a pimenta-do-reino.
2. Cubra a mistura e leve-a à geladeira por no mínimo 4 h e no máximo 24 h.
3. Incorpore o coentro ao pico de gallo pouco antes de servi-lo.

» **NOTA DO CHEF** Se desejar, adicione abacate ou pepino picado ao molho para cortar um pouco a ardência da pimenta chipotle.

# Molho de conserva de gengibre

RENDIMENTO: 960 ml

180 ml de conserva de gengibre bem picados
240 ml de jícama sem pele e bem picada
240 ml de pepino descascado, sem sementes e bem picado
240 ml de cebola roxa bem picada
60 ml de vinagre de vinho de arroz
60 ml de mirin
120 ml de suco de limão-siciliano
60 ml de azeite de oliva
4 colheres (chá)/20 ml de molho tabasco
Sal a gosto
Pimenta-do-reino a gosto

Misture todos os ingredientes. Mexa bem e ajuste o tempero com o sal e a pimenta-do-reino a gosto. Cubra o molho e leve-a à geladeira.

» **NOTA DO CHEF** Este molho fica melhor quando preparada com picles de gengibre frescos, mas também pode ser feita com picles de gengibre prontos.

# Molho de grapefruit

RENDIMENTO: 960 ml

60 ml de azeite de oliva
1 colher (sopa)/3 g de coentro picado
113 g de cebola roxa enxaguada e cortada em cubos pequenos
¼ a ½ colher (chá)/0,75 a 1,5 g de pimenta scotch bonnet sem sementes e bem picada
2 colheres (chá)/2 g de salsinha lisa picada
4 grapefruits ruby red cortadas em suprêmes
Sal a gosto

1. Misture bem o azeite, o coentro, a cebola, a pimenta e a salsinha.

2. Acrescente os pedaços de grapefruits pouco antes de servir. Tempere o molho com sal. Sirva-a imediatamente ou cubra-o e leve à geladeira.

» **VARIAÇÃO** MOLHO DE LARANJA: para fazer um molho ligeiramente mais doce, substitua metade dos segmentos de grapefruit por segmentos de laranja.

# Molho de pimenta poblano defumada

RENDIMENTO: 960 mℓ

6 pimentas poblano
340 g de tomatilho descascado
2 colheres (sopa)/30 mℓ de azeite de oliva
1½ cebola bem picada
7 g de dente de alho amassado
3 colheres (sopa)/45 mℓ de vinagre de vinho de arroz
3 pimentas jalapeño sem sementes e bem picadas
90 mℓ de suco de limão-siciliano
Sal a gosto
Pimenta-do-reino moída grosseiramente a gosto
3 colheres (sopa)/9 g de coentro fresco picado grosseiramente
3 colheres (sopa)/9 g de orégano picado grosseiramente
3 colheres (sopa)/45 mℓ de azeite de oliva extravirgem

1. Chamusque todos os lados das pimentas poblano diretamente no fogo por 3 min a 4 min. Cubra-as com filme de PVC e reserve-as por 30 min. Quando esfriarem, remova a pele e as sementes. Deixe-as inteiras por enquanto.

2. Usando duas panelas de rechaud, meio rack para assar e lascas de nogueira (cerca de 30 min), defume levemente as pimentas poblano a 21 °C. Corte-as em cubos pequenos.

3. Lave os tomatilhos e corte-os na metade. Misture-os com 1 colher (sopa)/ 15 mℓ de azeite de oliva. Grelhe os tomatilhos em fogo médio-alto até que fiquem marcados pela grelha e macios (de 3 min a 5 min). Eles não devem ficar pastosos demais. Corte-os grosseiramente em cubos pequenos e reserve-os.

4. Aqueça 1 colher (sopa)/15 mℓ de azeite de oliva em fogo médio e acrescente a cebola e o alho. Cozinhe-os suavemente de 2 min a 3 min ou até que a cebola fique translúcida e o sabor forte do alho cru desapareça.

5. Deglace a panela com o vinagre de vinho de arroz e tire-a do fogo. Deixe-a resfriar.

6. Incorpore na mistura de cebola os tomatilhos, as pimentas poblano e jalapeño, o suco de limão-siciliano, o sal, a pimenta-do-reino, o coentro, o orégano e o azeite de oliva extravirgem. Misture-os bem e ajuste o tempero a gosto. Cubra o molho e leve-o à geladeira se necessário; este molho fica melhor quando servido no dia em que é preparado.

» **IDEIA PARA APRESENTAÇÃO** Este molho pode ser usado para ostras cruas, substituindo o tradicional molho de mignonette ou sendo servida junto com ele.

# Caponata de alcachofra

RENDIMENTO: 454 g

14 alcachofras baby
28 g de salsão em cubos pequenos
120 mℓ de azeite de oliva extravirgem
14 g de alho grosseiramente picado
28 g de uva-passa deixada em água morna por 15 min
¾ colher (chá)/2 g de pimenta-do-reino moída
5 folhas de hortelã em chiffonade
30 mℓ de vinagre de vinho branco
28 g de pinoli tostado
2 colheres (chá)/3 g sal

1. Limpe as alcachofras e ferva-as em água acidulada até que fiquem al dente.

2. Ferva uma panela de água salgada. Acrescente o salsão, cozinhe-o até que fique al dente e escorra-o.

3. Aqueça o azeite em uma panela em fogo médio e refogue o alho. Acrescente o salsão e salteie-o até que fique macio. Adicione as alcachofras, as uvas-passas, a pimenta-do-reino e a hortelã. Cozinhe a mistura, mexendo sem parar até que ela fique totalmente aquecida.

4. Despeje o vinagre e deixe-o evaporar. Polvilhe o molho com os pinolis e tempere-o com o sal. Sirva-o imediatamente ou cubra-o e leve à geladeira.

» **NOTA DO CHEF** Para fazer água acidulada, misture 3,84 ℓ de água com 2 colheres (sopa)/30 mℓ de suco de limão ou de vinagre.

# Caponata de berinjela

RENDIMENTO: 1,75 kg

1,13 kg de berinjela em cubos pequenos

2 colheres (sopa)/20 g de sal (adicionar a gosto, se necessário)

340 g de cebola em cubos médios

227 g de salsão em cubos médios

30 mℓ de azeite de oliva extravirgem

360 mℓ de molho de tomate (p. 646)

28 g de pinoli tostado

28 g de uva-passa

21 g de alcaparra

21 g de azeitona verde cortada em tiras

21 g de manjericão picado

14 g de açúcar

3 colheres (sopa)/45 mℓ de vinagre de vinho tinto

1. Salpique generosamente a berinjela em cubos e deixe-a descansar por no mínimo 1 h em um escorredor grande. Enxágue o excesso de sal e seque a berinjela com um pano.

2. Refogue a berinjela, a cebola e o salsão no azeite em uma caçarola grande, em fogo médio-baixo, até que fiquem translúcidos e macios. Acrescente o molho de tomate, mexa a mistura para revestir os vegetais e cozinhe-a por mais 5 min.

3. Remova a panela do fogo e acrescente à mistura de berinjela os pinolis, as uvas-passas, as alcaparras, as azeitonas e o manjericão.

4. Em uma panela separada, ferva o açúcar e o vinagre. Acrescente o vinagre à caponata, misture-a para incorporá-lo e ajuste o tempero com o sal. Sirva a caponata quente.

DOIS | MOLHOS FRIOS E SOPAS FRIAS

# Peperonata

RENDIMENTO: 907 g

60 mℓ de azeite de oliva extravirgem
204 g de cebola em cubos
34 g de dente de alho fatiado finamente
Orégano desidratado a gosto
Flocos de pimentão vermelho a gosto
454 g de pimentão amarelo em cubos

454 g de pimentão verde em cubos
14 g de salsinha lisa picada
1 galho de tomilho
Sal a gosto
Pimenta-do-reino moída a gosto

1. Aqueça o azeite em uma panela em fogo médio. Acrescente a cebola e salteie-a, mexendo ocasionalmente, até que fique macia e translúcida (aproximadamente 8 min). Acrescente o alho, o orégano e os flocos de pimentão vermelho e salteie-os até que fiquem aromatizados (aproximadamente 1 min). Acrescente os pimentões amarelos e verdes e continue cozinhando a mistura, mexendo-a ocasionalmente, até que os pimentões fiquem macios e tenros (mais 5 min a 6 min). Acrescente a salsinha e o tomilho. Prove e ajuste o tempero com o sal e a pimenta-do-reino.

2. Ferva suavemente a mistura em fogo baixo até que ela pegue gosto, mexendo o necessário para não dourar. Remova o ramo de tomilho.

3. Sirva a peperonata imediatamente ou cubra-o e leve-o à geladeira.

# Piperrada

RENDIMENTO: 340 g

- 3 pimentões vermelhos
- 60 ml de azeite de oliva extravirgem
- 113 g de cebola em cubos pequenos
- 3 dentes de alho fatiados
- 21 g de tomate italiano enlatado e finamente picado
- ¼ colher (chá)/1,25 g de páprica doce
- 1 folha de louro
- ½ colher (chá)/2 g de açúcar
- Sal a gosto

1. Asse os pimentões até que a sua pele forme bolhas. Coloque-os em uma tigela e cubra-os com filme de PVC para cozinhá-los no vapor. Escorra o suco dos pimentões e reserve-o. Descasque-os e corte-os em julienne, em tiras de 6 milímetros.

2. Aqueça o azeite em uma frigideira sobre fogo médio. Acrescente a cebola e salteie-a até que fique translúcida. Adicione o alho e salteie os vegetais até que fiquem totalmente cozidos e o seu suco se solte.

3. Misture os tomates, a páprica doce, os pimentões e o seu suco, a folha de louro, o açúcar e o sal e mexa-os. Ferva a mistura e imediatamente diminua o fogo para estabilizar a fervura. Mantenha-a por 15 min ou até obter a consistência desejada. Sirva a piperrada quente.

# Sofrito

RENDIMENTO: 960 ml

- 480 ml de azeite de oliva extravirgem
- 1,81 kg de cebola em cubos
- 4 dentes de alho grandes
- 1,81 kg de tomate maduro picado
- Sal a gosto

1. Misture o azeite, a cebola e o alho em uma panela de fundo grosso e cozinhe-os em fogo médio até que fiquem macios e levemente dourados.

2. Acrescente os tomates e continue cozinhando até que a umidade deles evapore completamente. Tempere a mistura com sal.

3. Transfira o sofrito para uma peneira cônica e escorra-o a fim de remover o excesso de líquido. Sirva-o quente.

# Pesto

RENDIMENTO: 960 mℓ

142 g de pinoli tostados
28 g de alho amassado
340 g de folha de manjericão
198 g de parmesão ralado

180 mℓ de azeite de oliva
2 colheres (chá)/6,5 g de sal
2 colheres (chá)/4 g de pimenta-do-reino moída

1. Junte os pinolis, o alho, o manjericão e o parmesão em um processador de alimentos equipado com uma lâmina de picar. Processe-os.

2. Com o processador ainda em funcionamento, acrescente o azeite e processe a mistura até que ela fique homogênea. Ajuste o tempero com o sal e a pimenta-do-reino. Cubra o pesto e leve-o à geladeira.

» **IDEIA PARA APRESENTAÇÃO** Experimente substituir o aïoli pelo pesto no sanduíche de frango grelhado com pancetta e rúcula na focaccia (p. 180).

# Pesto de hortelã

RENDIMENTO: 960 mℓ

71 g de folha de hortelã
50 g de salsinha picada
85 g de parmesão ralado
120 mℓ de azeite de oliva extravirgem
64 g de pinoli ou noz

2 colheres (sopa)/30 mℓ de suco de limão
4 dentes de alho picados
½ colher (chá)/1,5 g de sal
¼ colher (chá)/0,5 g de pimenta-do-reino moída
128 mℓ de creme de leite azedo

1. Em um processador de alimentos ou liquidificador, misture a hortelã, a salsinha, o parmesão, o azeite, os pinolis ou as nozes, o suco de limão, o alho, o sal e a pimenta-do-reino.

2. Processe-os até obter uma pasta áspera. Acrescente o creme de leite azedo e bata os ingredientes até misturá-los bem.

3. Sirva o molho imediatamente ou cubra-o e leve à geladeira.

» **IDEIA PARA APRESENTAÇÃO** Sirva este molho com as brochettes de cordeiro (p. 516).

# Pesto de tomate seco

RENDIMENTO: 960 mℓ

- 28 g de folha de manjericão
- 170 g de tomate seco em óleo escorrido e picado
- 6 dentes de alho
- 57 g de parmesão ralado
- 57 g de pinoli tostados
- 360 mℓ de azeite de oliva
- Sal a gosto
- Pimenta-do-reino moída a gosto

1. Junte o manjericão, o tomate, o alho, o parmesão e os pinolis em um processador de alimentos e processe-os até que fiquem em pedaços uniformes.

2. Com o processador em funcionamento, acrescente o azeite e bata a mistura até obter uma pasta de textura homogênea. Ajuste o tempero com o sal e a pimenta-do-reino a gosto. Sirva o pesto imediatamente ou cubra-o e leve-o à geladeira.

» **IDEIA PARA APRESENTAÇÃO** Além de ser um popular molho para massa, este pesto pode ser combinado com manteiga macia e transformado em pasta para canapé.

# Molho coquetel

RENDIMENTO: 960 mℓ

- 480 mℓ de molho de pimenta pronto
- 480 mℓ de ketchup
- 60 mℓ de suco de limão
- 28 g de açúcar
- 2 colheres (chá)/10 mℓ de molho tabasco
- 2 colheres (chá)/10 mℓ de molho inglês
- 64 g de raiz-forte pronta

Misture bem todos os ingredientes. Sirva o molho imediatamente ou cubra-o e leve-o à geladeira. Mexa-o novamente e ajuste o tempero antes de servir.

» **NOTA DO CHEF** Este molho é um acompanhamento clássico para o coquetel de camarão.

# Molho asiático para dip

RENDIMENTO: 960 ml

- 480 g de molho de soja com baixo teor de sódio
- 240 ml de vinagre branco
- 240 ml de água
- 4 dentes de alho bem picados
- 4 cebolinhas verdes bem picadas
- 28 g de gengibre bem picado
- 2 colheres (chá)/4 g de mostarda em pó
- 1 colher (chá)/5 g de pasta de feijão azuki
- 85 g de mel

Misture bem todos os ingredientes. Sirva o molho imediatamente ou cubra-o e leve à geladeira. Mexa novamente e ajuste o tempero a gosto antes de servir.

» **IDEIA PARA APRESENTAÇÃO** Sirva este molho para dip junto com o espetinho chinês (p. 528) ou o negimaki de carne (p. 515).

# Molho cumberland

RENDIMENTO: 960 ml

- 2 laranjas
- 2 limões
- 28 g de chalota bem picada
- 758 g de gelatina de groselha
- 1 colher (sopa)/6 g de mostarda em pó
- 360 ml de vinho do Porto Ruby
- 1 colher (chá)/3 g de sal
- 1 pitada de pimenta-de-caiena
- 1 pitada de gengibre moído

1. Retire as zestes das laranjas e dos limões e corte-os em julienne, em tiras bem finas. Esprema as laranjas e os limões.

2. Branqueie as chalotas e as zestes em água fervente; deixe a água levantar fervura de novo e coe-os imediatamente.

3. Misture todos os ingredientes em uma panela pequena, em fogo médio. Ferva a mistura suavemente até reduzi-la a um terço (de 15 min a 20 min). Leve o molho imediatamente à geladeira.

# Molho de amendoim

RENDIMENTO: 960 mℓ

454 g de manteiga de amendoim
43 de pimenta jalapeño sem sementes e bem picada
57 g de alho amassado
28 g de açúcar
¼ colher (chá)/0,5 g de pimenta-de-caiena

240 mℓ de suco de limão-siciliano
240 mℓ de molho de soja
240 mℓ de óleo de amendoim
240 mℓ de água
28 g de coentro fresco picado

1. Misture a manteiga de amendoim, a pimenta jalapeño, o alho, açúcar, a pimenta-de-caiena, o suco de limão-siciliano, o molho de soja, o óleo de amendoim e a água em uma panela pequena. Aqueça-a em fogo médio, mexendo sem parar, até que o molho ferva.

2. Reduza para fogo baixo e ferva a mistura suavemente por 2 min a 3 min. Ajuste a sua consistência com água. Tire-a do fogo, acrescente o coentro e mexa-a. Sirva o molho imediatamente ou cubra-o e leve-o à geladeira.

» **IDEIA PARA APRESENTAÇÃO** Sirva este molho morno com o satay de carne bovina (p. 518) e guarneça-o com pequenos pedaços de amendoim tostado.

# Guacamole

RENDIMENTO: 960 mℓ

10 abacates descascados, sem caroço e cortados ao meio
60 mℓ de suco de limão-siciliano
198 g de tomate em cubos (opcional)
1 pimenta jalapeño sem sementes e bem picada (opcional)
1 maço de cebolinha picada
3 colheres (sopa)/9 g de coentro fresco picado
1 colher (chá)/5 mℓ de molho tabasco
Sal a gosto
Pimenta-do-reino moída a gosto

1. Passe os abacates por uma peneira de malha grossa ou pique-os grosseiramente.

2. Misture bem todos os ingredientes. Ajuste o tempero com o suco de limão-siciliano, o sal e a pimenta-do-reino.

3. Cubra o guacamole e leve à geladeira. É melhor fazê-lo no mesmo dia em que for servi-lo.

» **NOTA DO CHEF** O termo asteca original para "abacate", o ingrediente principal do guacamole, era "ahuacatl".

Incorpore o coentro ao guacamole delicadamente.

# Baba ganoush

RENDIMENTO: 960 mℓ

1,81 kg de berinjela cortada ao meio
Sal a gosto
Pimenta-do-reino moída a gosto
60 mℓ de azeite de oliva
3 chalotas bem picadas
90 mℓ de suco de limão

113 g de tahine
28 g de salsinha lisa picada
14 g de hortelã picada
2 dentes de alho amassados
Harissa (p. 593) a gosto

1. Tempere as berinjelas com o sal e a pimenta-do-reino e unte levemente as suas faces cortadas com um pouco do azeite. Com as faces cortadas para baixo, coloque-as em uma assadeira e leve-as ao forno preaquecido a 191 °C para que as berinjelas fiquem macias (de 30 min a 40 min).

2. Enquanto as berinjelas assam, macere as chalotas no suco de limão com um quarto de colher (chá), ou 0,75 g, de sal.

3. Esfrie as berinjelas à temperatura ambiente; retire a sua polpa com uma colher e jogue as sementes fora.

4. Misture as berinjelas assadas com o restante do azeite, as chalotas maceradas, o tahine e a salsinha.

5. Tempere a mistura com a hortelã, o alho, o sal, a pimenta-do-reino e a harissa. Pique-a grosseiramente ou bata-a até obter um purê homogêneo. Sirva o baba ganoush imediatamente ou cubra-o e leve-o à geladeira. (Ver foto na p. 61.)

» **NOTA DO CHEF** Este dip é tradicionalmente servido com pão sírio e pode ser salpicado de azeite de oliva e sal marinho.

# Cervelle de canut

RENDIMENTO: 1,73 kg

1,02 kg de fromage blanc
1 maço de cerefólio picado
1 maço de ciboulette picada
1 maço de salsinha picada
2 chalotas em cubos pequenos
Sal a gosto

Pimenta-do-reino moída a gosto
300 mℓ de creme de leite fresco
105 mℓ de azeite de oliva
3 colheres (sopa)/45 mℓ de vinagre de vinho branco
300 g de creme de leite fresco batido

1. Combine o fromage blanc, as ervas, as chalotas, o sal, a pimenta-do-reino, o creme de leite líquido, o azeite e o vinagre até obter uma mistura homogênea.

2. Incorpore o creme de leite batido.

3. Sirva frio como dip ou pasta.

» **NOTA DO CHEF** Diz-se que esta pasta de queijo e de ervas já foi um alimento importante na dieta dos operários de Lyon. Hoje em dia, ela é geralmente apreciada como componente de um almoço leve ou sozinha, como um lanche.

# Homus

RENDIMENTO: 960 ml

680 g de grão-de-bico cozido e escorrido
113 g de tahine
3 colheres (sopa)/45 ml de suco de limão, ou a gosto
60 ml de azeite de oliva extravirgem

4 dentes de alho amassado, ou a gosto
1 colher (sopa)/10 g de sal
Pimenta-do-reino moída a gosto

---

Misture todos os ingredientes. Bata-os no processador de alimentos (intermitentemente, se necessário) para obter um purê, acrescentando água para afiná-lo, se for preciso. Ajuste o tempero com o suco de limão e o alho. Cubra o homus e leve-o à geladeira.

» **NOTA DO CHEF** O homus pode ser passado por um tamis para que adquira uma textura bem cremosa.

# Tapenade

RENDIMENTO: 960 ml

340 g de azeitona niçoise sem caroço
227 g de azeitona preta sem caroço
113 g de filé de anchova embalado em sal, enxaguado e seco
85 g de alcaparra enxaguada

57 g de alho amassado
Pimenta-do-reino moída a gosto
Suco de limão a gosto
Azeite de oliva extravirgem a gosto
Ervas picadas, como orégano ou manjericão, a gosto

---

1. Em um processador de alimentos, misture as azeitonas, as anchovas, as alcaparras, o alho e a pimenta-do-reino. Incorpore o suco de limão e o azeite aos poucos. Bata a mistura até que ela fique pastosa e fácil de espalhar. Não bata demais: a tapenade deve ter uma textura mais pronunciada, com pedaços de azeitona.

2. Ajuste o tempero e finalize a pasta com as ervas. Cubra-a e leve-a à geladeira até o momento de servir.

» **NOTA DO CHEF** Esta pasta é originária de Provença, na França, e pode ser espalhada em sanduíches ou usada como dip ou como componente de recheio para carnes.

Em sentido horário, a partir do canto superior esquerdo: *fattoush* (p. 135), pão sírio integral (p. 657), baba ganoush (p. 57) e homus (p. 60).

# Muhammara

RENDIMENTO: 960 mℓ

680 g de pimentão vermelho
43 g de noz moída grosseiramente
14 g de migalha de pão branco fresco
60 mℓ de suco de limão
28 g de melaço de romã

¼ colher (chá)/1 g de pasta pronta de pimenta vermelha
Sal a gosto
1 colher (sopa)/15 mℓ de azeite de oliva
¼ colher (chá)/0,5 g de cominho em pó

1. Asse os pimentões, tire a sua pele e as suas sementes e escorra-os em um escorredor de macarrão.

2. Em um processador, bata as nozes e as migalhas de pão até que elas fiquem completamente moídas. Acrescente os pimentões, o suco de limão e o melaço. Processe a mistura até obter um purê cremoso e homogêneo. Acrescente a pasta de pimenta e o sal conforme necessário. Cubra o molho e leve-o à geladeira por no mínimo uma noite inteira antes de servi-lo.

3. No momento de servir, salpique-o com um fio de azeite de oliva e com um pouco de cominho em pó.

» **NOTA DO CHEF** Este molho picante feito com pimentas, noz e melaço de romã é originário de Alepo, na Síria. O melaço é feito cozinhando-se romãs maduras com açúcar até que se obtenha uma consistência grossa de geleia. A muhammara fica melhor quando feita quatro ou cinco dias antes de ser servida; ela deve ser coberta e levada à geladeira para que os sabores se desenvolvam por completo.

# Molho romesco de avelã

RENDIMENTO: 960 ml

4 pimentas ancho
4 pimentões assados e marinados (p. 120)
300 ml de azeite de oliva
4 dentes de alho amassados
60 ml de vinagre de vinho tinto

21 g de páprica picante
¼ colher (chá)/0,5 g de pimenta-de-caiena
113 g de massa de tomate
454 g de avelã moída
Sal a gosto

1. Coloque as pimentas ancho em uma panela pequena e cubra-as com água. Quando levantar fervura, desligue o fogo e deixe-as descansar por 20 min.

2. Combine as pimentas escorridas com os pimentões, o azeite de oliva, o alho, o vinagre, a páprica, a pimenta-de-caiena, a massa de tomate e as avelãs e bata-os até obter um purê com consistência homogênea. Deixe o molho descansar durante a noite para que o seu sabor se desenvolva por completo. Ajuste o tempero com o sal antes de servir.

» **NOTAS DO CHEF** O molho romesco de avelã deve ser feito um dia antes de ser consumido. Este rico e saboroso molho pode ser usado com uma variedade de alimentos, como peixe, bisteca de cordeiro e vegetais como beterraba, batata, aspargo, vagem e cebolinha.

# Manteiga de alho e salsinha

RENDIMENTO: 454 g

28 g de alho picado grosseiramente
1½ maço de salsinha sem os talos

1 colher (chá)/3 g de sal
454 g de manteiga fria e em cubos pequenos

1. Coloque o alho, a salsinha e o sal em um processador de alimentos equipado com uma lâmina e processe-os até obter pedaços bem pequenos e homogêneos.

2. Em uma batedeira equipada com uma pá, combine a mistura de alho e salsinha com a manteiga. Misture-as em velocidade média até que a manteiga fique macia, a mistura se torne bem homogênea e apresente uma cor verde-clara.

3. A manteiga pode ser colocada em um ramekin ou moldada na forma de cilindro. Leve-a à geladeira ou ao freezer coberta ou embrulhada até o momento de servir.

» **NOTA DO CHEF** É possível fazer manteiga aromatizada com uma infinidade de ervas, temperos, pastas, zestes, vegetais em cubo ou nozes picadas. Ela pode ser doce ou salgada e usada como pasta para sanduíches e canapés ou cobertura para carnes, aves, peixes e vegetais.

# Coulis de pimentão vermelho

RENDIMENTO: 960 mℓ

1,81 a 2,04 kg de pimentões vermelhos em cubos
57 g de chalota bem picada
120 mℓ de azeite de oliva
360 mℓ de vinho branco seco
360 mℓ de caldo de galinha (p. 643)
Sal a gosto

1. Salteie os pimentões e as chalotas no azeite até que eles fiquem macios.

2. Deglace a frigideira com o vinho branco.

3. Acrescente o caldo e reduza a mistura até aproximadamente metade do seu volume original.

4. Coloque-a em um processador de alimentos e bata-a até obter um purê homogêneo. Tempere o coulis com o sal. Sirva-o imediatamente ou cubra-o e o leve à geladeira.

» **VARIAÇÃO** COULIS DE PIMENTÃO VERMELHO ASSADO: asse os pimentões, tirando a pele e as sementes antes de preparar o coulis.

# Molho de huckleberry

RENDIMENTO: 960 mℓ

255 g de açúcar
180 mℓ de água
360 mℓ de vinagre balsâmico
1,10 kg de mirtilo silvestre
14 g de gengibre bem picado
14 g de zeste de laranja ralado
720 mℓ de vinho Sauternes

1. Misture o açúcar e a água em uma panela para molho e ferva-os suavemente em fogo baixo até que o açúcar adquira uma cor âmbar. Com movimentos para baixo, esfregue os lados da panela continuamente com um pincel de confeiteiro umedecido; acrescente o vinagre e reduza a mistura a ⅓.

2. Acrescente o restante dos ingredientes e ferva-os suavemente até que a mistura atinja a consistência de calda. Escorra-a e passe-a por um coador de malha fina. Cubra o molho e leve-o imediatamente à geladeira.

» **NOTA DO CHEF** O uso do gastrique, uma redução de açúcar caramelizado e vinagre, resulta em um rico e saboroso molho frutado, mas não excessivamente adocicado, o qual combina com carnes, aves e peixes assados e grelhados.

# Molho de damasco e de pimenta ancho para churrasco

RENDIMENTO: 960 mℓ

170 g de bacon em cubos
170 g de cebola em cubos
1 dente de alho amassado
113 g de damasco seco
198 g de ketchup
60 mℓ de vinagre de malte
60 mℓ de suco de laranja

170 g de açúcar mascavo
2 pimentas ancho em cubos
1 colher (chá)/2 g de páprica
1 colher (chá)/2 g de mostarda em pó
1 colher (chá)/5 mℓ de molho tabasco
1 colher (chá)/2 g de pimenta-de-caiena

1. Salteie o bacon até que ele fique quase crocante. Acrescente a cebola e salteie-a até que doure. Adicione o alho e salteie a mistura por mais 1 min.

2. Acrescente os demais ingredientes. Cozinhe-os suavemente até que os damascos fiquem macios.

3. Bata a mistura no liquidificador; reaqueça-a e ajuste o tempero com o sal e a pimenta. Sirva o molho imediatamente ou cubra-o e o leve à geladeira.

» **NOTA DO CHEF** Este molho para churrasco pode ser servido frio ou quente; ele também pode ser coberto e guardado na geladeira por até uma semana.

# Molho para churrasco à moda do sudoeste

RENDIMENTO: 960 mℓ

| | |
|---|---|
| 60 mℓ de óleo vegetal | 2 pimentas chipotle em molho adobo |
| 113 g de cebola em cubos pequenos | 680 g de tomates italianos sem sementes e picados grosseiramente |
| 1 colher (sopa)/9 g de alho amassado até formar uma pasta | 284 g de ketchup |
| 1 colher (sopa)/6 g de mostarda em pó | 120 mℓ de caldo de galinha (p. 643) |
| 28 g de páprica picante em pó | 28 g de melaço |
| 2 colheres (sopa)/12 g de cominho moído | 2 colheres (sopa)/30 mℓ de vinagre de xerez |
| 2 colheres (sopa)/12 g de coentro em pó | 2 colheres (sopa)/30 mℓ de molho inglês |
| 1 colher (sopa)/6 g de orégano desidratado | |

1. Em uma panela, aqueça o óleo em fogo médio-alto. Junte a cebola e salteie-a, mexendo de vez em quando, até que ela fique levemente caramelizada e macia (de 5 min a 6 min). Acrescente o alho e salteie-o até que se aromatize (cerca de 1 min).

2. Adicione a mostarda, a páprica picante em pó, o cominho, o coentro e o orégano e salteie-os rapidamente.

3. Acrescente as pimentas chipotle, os tomates, o ketchup, o caldo, o melaço, o vinagre e o molho inglês. Cozinhe-os suavemente em fogo médio. Ajuste o fogo conforme necessário e cozinhe até que adquiram sabor (1 h). Mexa e escume o molho enquanto cozinha. Coe-o.

4. O molho pode ser servido imediatamente ou ser esfriado, coberto e guardado na geladeira por até uma semana.

# Aspic

RENDIMENTO: 960 ml

### clarificação

113 g de mirepoix
340 g de carne bovina moída
3 claras de ovo batidas
85 g de tomate concassé

960 ml de caldo branco de carne (ver nota do chef)
¼ de sachet d'épices padrão
¼ colher (chá)/1 g de sal
Pimenta-branca moída a gosto
Gelatina em pó (ver tabela da p. 22) a gosto

1. Misture os ingredientes para a clarificação e combine-os com o caldo. Mexa bem.

2. Leve a mistura a uma fervura suave, mexendo sempre até que se forme espuma.

3. Acrescente o sachet d'épices e ferva a mistura suavemente até que ela alcance o sabor e a claridade apropriados (cerca de 45 min). Regue-a com a espuma de vez em quando.

4. Coe o consommé; acerte o tempero a gosto com o sal e a pimenta.

5. Amoleça a gelatina em água fria e em seguida derreta-a em água fervente. Junte-a ao caldo clarificado. Cubra o molho e leve-o à geladeira. Para servi-lo, aqueça-o conforme necessário.

» **NOTA DO CHEF** Escolha um caldo e uma clarificação adequados para o uso que pretende fazer. Por exemplo, se o aspic for usado para revestir um fruto do mar, prepare um caldo de lagosta e use peixe moído para a clarificação.

» **VARIAÇÃO** GELEÉ DE VINHO DO PORTO RUBY: substitua metade do caldo por vinho do Porto Ruby.

# Molho chaud-froid

RENDIMENTO: 960 ml

480 ml de velouté
360 ml de aspic (ver anteriormente) aquecido a 43 °C
120 ml de creme de leite fresco

2 colheres (chá)/6,5 g de sal
¼ colher (chá)/0,5 g de pimenta-branca moída

1. Leve o velouté a uma fervura suave e misture-o ao aspic.

2. Acrescente o creme de leite, o sal e a pimenta-branca. Coe a mistura em uma vasilha posicionada sobre um balde de gelo.

3. Esfrie-a até que adquira a consistência de cobertura e use o molho como pretendido.

» **NOTA DO CHEF** É possível substituir o velouté por béchamel.

# Gaspacho andaluz

RENDIMENTO: 3,84 ℓ OU 20 PORÇÕES (180 mℓ CADA)

680 g de tomate sem miolo e em cubos
567 g de pepino descascado e em cubos
284 g de pimentão verde sem sementes e em cubos
284 g de pimentão vermelho sem sementes e em cubos
454 g de cebola fatiada
567 g de pão branco sem casca e em cubos
720 mℓ de suco de tomate
60 mℓ de purê de tomate

4 dentes de alho amassados até formar uma pasta
½ colher (chá)/150 g de pimenta jalapeño bem picada
75 mℓ de azeite de oliva
90 mℓ de vinagre de vinho branco
2 colheres (chá)/6,5 g de sal
1 colher (chá)/2 g de pimenta-do-reino moída
113 g de croûton ao alho (p. 666)

1. Reserve aproximadamente 2 colheres (sopa)/30 mℓ de cada um dos seguintes ingredientes para a guarnição: tomate, pepino, pimentões e cebola.

2. Embeba os cubos de pão no suco de tomate.

3. Bata o pão ensopado com os vegetais em cubos, o purê de tomate, o alho, a pimenta jalapeño, o azeite de oliva e o vinagre até formar um purê.

4. Ajuste o tempero com o sal e a pimenta; cubra o molho e leve-o à geladeira até o momento de servir.

5. Sirva-o com uma guarnição dos vegetais em cubos reservados e croûtons à parte.

» **IDEIA PARA APRESENTAÇÃO** Para uma apresentação de hors-d'oeuvre, sirva a sopa em copos de shot e as guarnições à parte, no estilo bufê.

# Sopa fria de pepino com dill, alho-poró e camarão

RENDIMENTO: 3,84 ℓ OU 20 PORÇÕES (180 mℓ CADA)

567 g de camarão (26 a 30 unidades)
1,92 ℓ de caldo de crustáceos (p. 645)

### base da sopa

454 g de cebola em cubos
454 g de salsão em cubos
57 g de manteiga

2,72 kg de pepino descascado, sem sementes e em cubos
28 g de araruta
720 mℓ de creme de leite azedo

240 mℓ de creme de leite fresco
1 maço de dill picado
14 g de sal
1 colher (chá)/2 g de pimenta-branca moída
Molho tabasco a gosto
180 mℓ de suco de limão, ou a gosto

### guarnição

2 pepinos descascados, sem sementes e em cubos pequenos
113 g de alho-poró cortado em julienne e frito até ficar crocante
¼ de maço de galhos de dill

---

1. Escalfe os camarões no caldo. Corte-os longitudinalmente pela metade e reserve-os para a guarnição. Reserve o caldo.

2. Salteie a cebola e o salsão na manteiga até que fiquem translúcidos.

3. Acrescente os pepinos e o caldo reservado e cozinhe-os suavemente por 30 min.

4. Bata a mistura em um liquidificador e coe-a em uma peneira. Engrosse-a com a araruta. Levante fervura novamente. Tire-a do fogo e resfrie-a a 4 °C.

5. Para finalizar a sopa, misture 480 mℓ da base da sopa com o creme de leite azedo, o creme de leite fresco e o dill. Junte essa mistura ao restante da base da sopa. Tempere-a com o sal, a pimenta-branca, o molho tabasco e o suco de limão.

6. Guarneça porções individuais da sopa com os camarões reservados, os pepinos em cubo, o alho-poró frito e os galhos de dill.

» **IDEIAS PARA APRESENTAÇÃO** Coloque tomates concassé em brunoise, folhas de hortelã em chiffonade e um fio de óleo de curry (p. 608) por cima da sopa.
Coloque 1 colher (chá)/5 mℓ de faux caviar (p. 70) por cima da sopa de pepino.

# Faux caviar

RENDIMENTO: 10 PORÇÕES

480 mℓ de base líquida (como vinho, suco de fruta ou suco de vegetal)

1 colher (chá)/5 mℓ de alginato de sódio
1 colher (chá)/5 mℓ de cloreto de cálcio

1. Em um liquidificador, misture metade da base líquida com o alginato de sódio até que ele se dissolva completamente.

2. Com uma peneira de malha fina, coe a mistura e coloque-a sobre um banho de gelo até que ela esfrie e as bolhas desapareçam.

3. Dissolva o cloreto de cálcio em 960 mℓ de água.

4. Encha uma seringa com a mistura da base e acrescente-a gota a gota à solução de cloreto de cálcio. "Cozinhe" as pérolas por 30 s, coe-as e esfrie-as em um banho de gelo. Sirva-as imediatamente.

» **NOTA DO CHEF** Para a guarnição da sopa fria de pepino da p. 69, a base líquida usada foi suco de pepino.

1. *Use a seringa para despejar a mistura da base na solução de cloreto de cálcio, uma gota por vez.*

2. *Deixe as pérolas descansarem por 30 segundos e em seguida remova-as da solução de cloreto de cálcio. A superfície externa estará firme.*

Caviares de cebola, de cenoura e de beterraba.

# Sopa fria de tomate assado e manjericão

RENDIMENTO: 3,84 ℓ OU 20 PORÇÕES (180 mℓ CADA)

113 g de alho amassado
2 colheres (sopa)/30 mℓ de azeite de oliva
454 g de salsão picado
680 g de cebola picada
135 g de alho-poró (apenas a parte branca) picado
1,36 kg de tomate italiano assado no forno (p. 659)
1,92 ℓ de caldo de vegetais (p. 642) ou de água de tomate (ver passos 1 e 2 na p. 555)

113 g de manjericão
2 folhas de louro
1 colher (chá)/3 g de sal
¼ colher (chá)/0,5 g de pimenta-do-reino moída

## guarnição

454 g de tomate amarelo em cubos
28 g de manjericão em chiffonade

1. Salteie levemente o alho no azeite.

2. Acrescente o salsão, a cebola e o alho-poró e continue salteando até que se aromatizem.

3. Acrescente o tomate assado, o caldo, o manjericão e as folhas de louro. Cozinhe suavemente a mistura por 40 min, ou até que os vegetais fiquem macios.

4. Remova as folhas de louro e bata a sopa em um liquidificador; tempere-a com o sal e com a pimenta-do-reino. Cubra e leve à geladeira até o momento de servir.

5. Ajuste o tempero a gosto antes de servir a sopa. Guarneça-a com os tomates amarelos e com o manjericão.

» **NOTA DO CHEF** Você pode defumar o tomate na panela em vez de assá-lo e, assim, conferir à sopa um sabor mais intenso.

# Sopa fria de cenoura

RENDIMENTO: 3,84 ℓ OU 20 PORÇÕES (180 mℓ CADA)

- 28 g de chalota bem picada
- 2 dentes de alho amassados
- 21 g de gengibre bem picado, ou a gosto
- 113 g de cebola bem picada
- 43 g de manteiga
- 1,59 kg de cenoura em fatias finas
- 2,4 ℓ de caldo de vegetais (p. 642)
- 60 mℓ de vinho branco
- ½ colher (chá)/1 g de cardamomo moído
- 960 mℓ de suco de laranja
- 210 mℓ de iogurte
- 480 mℓ de suco de cenoura
- 14 g de sal, ou a gosto

1. Salteie a chalota, o alho, o gengibre e a cebola na manteiga.

2. Acrescente a cenoura, o caldo, o vinho, o cardamomo e o suco de laranja; cozinhe-os suavemente até que a cenoura fique macia (cerca de 30 min).

3. Coloque a mistura em um processador de alimentos e bata-a até obter um purê de textura homogênea; resfrie-o.

4. Finalize a sopa com o iogurte. Afine-a com o suco de cenoura. Cubra e leve à geladeira até o momento de servir. Adicione sal a gosto.

» **NOTA DO CHEF** Esta sopa pode ser guarnecida com uma colher de creme de leite batido, ciboulette e chips de cenoura. Chips de gengibre frito oferecem uma guarnição condimentada.

# Vichyssoise

RENDIMENTO: 3,84 ℓ OU 20 PORÇÕES (180 mℓ CADA)

| | |
|---|---|
| 567 g de alho-poró (apenas as partes verde-claras e brancas) picado finamente | 2,4 ℓ de caldo de galinha (p. 643) |
| 1 cebola bem picada | 1 maço de ciboulette cortado com tesoura |
| 3 colheres (sopa)/45 mℓ de óleo vegetal | 2 colheres (chá)/6,5 g de sal |
| 1,13 kg de batata em cubos | ¼ colher (chá)/0,5 g de pimenta-branca moída |

1. Refogue o alho-poró e a cebola no óleo até que fiquem macios e translúcidos.

2. Acrescente a batata e o caldo. Espere levantar fervura e em seguida reduza o fogo, cozinhando suavemente a batata até que ela comece a desmanchar.

3. Bata a sopa até formar um purê. Esfrie-a rapidamente. Cubra-a e leve-a à geladeira até o momento de servir.

4. Para finalizar a sopa, incorpore a ciboulette e ajuste o tempero com o sal e a pimenta-branca.

» **VARIAÇÃO** SOPA FRIA DE BATATA E ERVAS COM LAGOSTA: substitua a ciboulette pelas seguintes guarnições: 454 g de lagosta cozida em cubos médios; 57 g de ciboulette picada; 14 g de estragão picado; 57 g de cerefólio picado; e 14 g de salsinha picada.

# Sopa fria de edamame

RENDIMENTO: 3,84 ℓ OU 20 PORÇÕES (180 mℓ CADA)

1,02 kg de edamame sem a vagem
3 colheres (sopa)/45 mℓ de óleo vegetal
225 g de alho-poró (basicamente a parte branca) em cubos pequenos
225 g de cebola roxa bem picada
340 g de alface verde cortado em tiras
2,16 ℓ de caldo de vegetais (p. 642)
1 sachet d'épices
Sal a gosto
Pimenta-branca moída a gosto
180 mℓ de mirin
105 mℓ de crème fraîche
20 raminhos de cerefólio

1. Reserve 60 edamames para a guarnição.

2. Aqueça uma panela para molho de 5,76 ℓ em fogo médio e acrescente o óleo vegetal. Refogue o alho-poró e a cebola até que fiquem quase translúcidos (de 4 min a 5 min).

3. Acrescente os edamames e a alface em tiras e continue refogando a mistura até que a alface murche e os ingredientes se mesclem (de 2 min a 4 min).

4. Acrescente o caldo e o sachet d'épices; levante fervura e em seguida reduza o fogo, cozinhando a mistura suavemente. Tire metade da panela do fogo para criar um cozimento de convecção. Cozinhe até que as ervilhas fiquem macias (de 15 min a 20 min).

5. Tempere a mistura com o sal e a pimenta-branca.

6. Bata-a junto com o mirin em um liquidificador e passe-a por um tamis de malha fina.

7. Esfrie a sopa completamente. Cubra-a e leve-a à geladeira. Sirva-a em tigelas resfriadas.

8. Guarneça-a com 1 colher (sopa)/5 mℓ de crème fraîche, 3 ervilhas edamame e 1 raminho de cerefólio.

» **NOTA DO CHEF** Na falta de ervilhas edamame frescas, compre congeladas.

# Purê de ervilha fresca com hortelã

RENDIMENTO: 3,84 ℓ OU 20 PORÇÕES (180 mℓ CADA)

227 g de alho-poró bem picado
227 g de cebola bem picada
2 colheres (sopa)/30 mℓ de óleo vegetal
397 g de alface verde cortado em tiras
1,25 kg de ervilha fresca
2,40 ℓ de caldo de vegetais (p. 642)
1 sachê contendo 6 talos de cerefólio, 6 talos de salsinha e 6 grãos de pimenta-branca

300 mℓ a 360 mℓ de creme de leite light ou metade creme de leite light e metade leite
1 colher (sopa)/10 g de sal
¼ colher (chá)/0,5 g de pimenta-branca moída
2 colheres (sopa)/6 g de hortelã em chiffonade fina (ou 20 raminhos de cerefólio)

1. Salteie o alho-poró e a cebola no óleo.

2. Acrescente a alface e as ervilhas e abafe-as rapidamente.

3. Acrescente o caldo e o sachê; deixe levantar fervura.

4. Reduza o fogo e cozinhe suavemente a mistura até que todos os ingredientes fiquem macios; não cozinhe demais.

5. Remova e dispense o sachê. Bata a mistura em um liquidificador até obter um purê homogêneo. Cubra a sopa e leve-a à geladeira até o momento de servir.

6. Para finalizar, acrescente o creme de leite resfriado à sopa fria. Ajuste o tempero a gosto com o sal e a pimenta-branca. Incorpore a hortelã em chiffonade ou guarneça cada porção com um raminho de cerefólio.

» **NOTAS DO CHEF** Com textura e sabor delicados, esta sopa é adequada para menus elegantes na primavera e no verão.
Certifique-se de cozinhar as ervilhas somente até que fiquem macias; se elas cozinharem demais, a sopa finalizada não apresentará uma cor vibrante.

# Sopa fria de melão-cantalupo e champanhe

RENDIMENTO: 3,84 ℓ OU 20 PORÇÕES (180 mℓ CADA)

### gratinado de limão-siciliano

1,92 ℓ de vinho branco seco (de preferência Chardonnay)

907 g de açúcar

240 mℓ de suco de limão-siciliano

60 mℓ de licor Midori

28 g de zeste de limão-siciliano

### sopa

2 melões do tipo cantalupo em cubos

360 g a 480 g de suco de laranja

71 g de amido de milho

240 mℓ de champanhe de boa qualidade

90 mℓ de suco de limão, ou mais conforme necessário

2,88 ℓ de água com gás

57 g de zeste de laranja

57 g de zeste de limão

284 g de açúcar, ou a gosto

680 g de pequenas bolas de melão cantalupo para a guarnição (ou outro melão da sua preferência)

1. Para o gratinado: combine todos os ingredientes em uma panela rasa e congele-a por 3 h, mexendo a mistura a cada 30 min com um garfo até que ela adquira uma consistência argilosa. Reserve-a até o momento de usar.

2. Para a sopa: bata o melão em cubos e o suco de laranja em um liquidificador em velocidade média-alta até obter um purê homogêneo. Leve-o à geladeira.

3. Faça um slurry com o amido de milho mais 1 colher (sopa)/15 mℓ de champanhe.

4. Em uma panela pequena, ferva o suco de limão, a água com gás, e as zestes de laranja e de limão; engrosse a mistura com o slurry e em seguida esfrie-a. Leve-a à geladeira até que ela esfrie e engrosse.

5. Acrescente o purê de melão e ajuste o tempero com o açúcar e o suco de limão.

6. Acrescente à mistura o restante do champanhe.

7. Sirva 240 mℓ de sopa com 57 g de gratinado de limão-siciliano em um prato de sopa de 25 cm de diâmetro. Guarneça-o com as bolas de melão.

» **NOTA DO CHEF** Esta sopa é uma opção refrescante para os dias quentes de verão. Ela talvez seja doce demais para ser o prato principal, mas é uma ótima entrada e também pode finalizar a refeição.

# Sopa fria de cereja morello

RENDIMENTO: 3,84 ℓ OU 20 PORÇÕES (180 mℓ CADA)

| | |
|---|---|
| 1,05 kg de cereja morello | 1½ limão em suco e coado |
| 1,08 ℓ de água | 240 mℓ de açúcar refinado |
| 5 ou 6 cravos | 1 pitada de sal |
| 1 pau de canela | 1½ colher (sopa)/13,5 g de araruta |
| 240 mℓ de vinho tinto seco | 90 mℓ de creme de leite light |

1. Lave as cerejas, remova os caroços e coloque-as em um caldeirão de 1,92 ℓ com o próprio suco da fruta e a água.

2. Faça um sachê com os cravos e o pau de canela e coloque-o no caldeirão.

3. Acrescente à sopa o vinho tinto, o suco de limão, o açúcar e o sal.

4. Cozinhe-a suavemente em fogo médio, até que as cerejas fiquem macias (de 15 min a 30 min).

5. Remova do caldeirão aproximadamente metade das cerejas e reserve-as para a guarnição da sopa pronta.

6. Remova o sachê do caldeirão e descarte-o. Bata o que restou da sopa no liquidificador até obter um purê homogêneo.

7. Leve a sopa de volta ao caldeirão. Faça um slurry de araruta com o creme de leite e incorpore-o à sopa para dar liga.

8. Esfrie a sopa e misture as cerejas reservadas.

» **NOTA DO CHEF** A cereja morello é uma variedade de cereja azeda com pele e polpa vermelho-escuras. Sendo azeda, é ideal para cozinhar, mas não necessariamente para comer crua. É difícil encontrá-la fresca; em geral, ela é vendida congelada. Quando usada congelada, não é preciso lavá-la antes de colocá-la no caldeirão.

# Bisque de coco e abacaxi à moda do Caribe

RENDIMENTO: 3,84 ℓ OU 20 PORÇÕES (180 mℓ CADA)

1,44 ℓ de leite de coco
960 mℓ de leite
480 mℓ de creme de leite light ou leite semidesnatado

## para dar liga

480 mℓ de mistura de creme de leite e leite semidesnatado
6 gemas de ovo

21 g de araruta
1,44 mℓ de suco de abacaxi
120 mℓ de calda simples (p. 657), ou a gosto
2 colheres (sopa)/30 mℓ de suco de limão-siciliano, ou a gosto
369 g de abacaxi em cubos
60 mℓ de rum claro

1. Esquente o leite de coco, o leite e o creme de leite ou a metade creme de leite/leite semidesnatado, mas não o deixe ferver.

2. Misture os ingredientes restantes e adicione-os à base da sopa. Continue a cozinhá-la em fogo brando até que engrosse (de 4 min a 5 min). Esfrie-a totalmente.

3. Acrescente o suco de abacaxi e em seguida acerte o tempero com a calda simples e o suco de limão-siciliano

4. Macere o abacaxi no rum e guarneça a sopa ao servir.

» **NOTA DO CHEF** O rum pode ser reduzido ou omitido de acordo com a sua preferência.

» **IDEIAS PARA APRESENTAÇÃO** Guarneça a sopa com chips de banana-da-terra (p. 601) fritos ou assados.
Sirva-a em uma travessa de vidro sobre gelo raspado, com um espeto de pedaços de abacaxi alternados com fatias de banana passadas em coco tostado.

# Borscht claro e frio

RENDIMENTO: 3,84 ℓ OU 20 PORÇÕES (180 mℓ CADA)

3,63 kg de beterraba descascada e ralada ou picada

4,8 ℓ de caldo claro de pato (p. 643), caldo de galinha (p. 643) ou caldo de vegetais (p. 642)

75 mℓ de vinagre de vinho tinto

14 g de açúcar, ou a gosto

960 mℓ de vinho branco doce, como Riesling, ou a gosto

2 colheres (sopa)/20 g de sal, ou a gosto

1 colher (chá)/0,5 g de pimenta-branca moída, ou a gosto

### guarnição

227 g de beterraba cozida, em julienne

113 g de rabanete em julienne

¼ de maço de galhos de dill

1. Cozinhe suavemente as beterrabas no caldo e no vinagre por 1 h.

2. Coe a mistura em uma musselina dupla ou em um filtro de café de papel; acrescente o açúcar, o vinho, o sal e a pimenta a gosto. Resfrie-a.

3. Ao servir, guarneça a sopa com a beterraba, o rabanete em julienne e os galhos de dill.

» **IDEIA PARA APRESENTAÇÃO** Guarneça a sopa com 113 g de pato defumado em julienne, presunto defumado ou ovo cozido em cubos.

# três
## SALADAS

*As saladas* APARECEM NOS CARDÁPIOS DE MANEIRA TÃO DIVERSA E SÃO HOJE ADOTADAS PELO GARDE MANGER COM TANTO ENTUSIASMO QUE SE PODERIA IMAGINAR QUE FORAM INVENTADAS PELA ATUAL GERAÇÃO DE CHEFS. NA VERDADE, ELAS DESEMPENHARAM UM PAPEL IMPORTANTE AO LONGO DE TODA A HISTÓRIA GASTRONÔMICA. PREPAROS FRESCOS DE ERVAS E ALFACES TEMPERADAS, CONHECIDOS COMO "HERBA SALATA", JÁ ERAM APRECIADOS TANTO PELOS GREGOS QUANTO PELOS ROMANOS ANTIGOS.

---

Devemos aos romanos a nossa palavra "salada", que deriva de "sal". Diz a lenda que o filósofo grego Aristóxeno era tão obcecado com frescor, que, na noite anterior ao preparo da salada, regava a alface ainda na terra com vinagre e mel.

Os primeiros colonos europeus na América também valorizavam as verduras e ervas. Thomas Jefferson registrou que os mercados da sua época forneciam ao cozinheiro grande variedade de alfaces, chicórias, azedinhas, alfaces-de-cordeiro e agriões. Depois de uma longa ausência no mercado norte-americano, os vegetais que Jefferson apreciava estão aparecendo novamente em saladas servidas como tira-gosto, entrada, acompanhamento a outros itens ou entremés. Este capítulo apresenta as três principais categorias de salada:

» Saladas verdes.
» Saladas para acompanhamento, feitas com vegetais, batatas, grãos, macarrão, legumes e frutas.
» Saladas compostas.

## SALADAS VERDES

Através da seleção apropriada de verduras e da sua combinação com molhos adequados, é possível criar uma grande variedade de saladas para atender às necessidades de diferentes cardápios, desde uma delicada entrada composta por salada de alface lisa com um leve vinagrete de limão até um tira-gosto de salada de verduras amargas, nozes e queijo azul com vinagrete de xerez.

### verduras

Atualmente, existem misturas de saladas preparadas comercialmente, mas os chefs também podem criar as suas próprias saladas com combinação de alfaces da mesma categoria ou de duas ou mais categorias. As verduras selecionadas determinam o caráter da salada. O garde manger de hoje pode escolher entre:

» Verduras leves
» Verduras amargas e chicórias
» Verduras picantes

» Misturas de folhas
» Ervas e flores
» Miniverduras

## verduras leves

As alfaces compõem uma das maiores categorias de verduras leves. Cada uma das incontáveis variedades de alface pode ser classificada em uma das seguintes categorias: lisa, crespa ou folha.

Selecione a alface que esteja crocante, nunca murcha ou machucada. Ela deve ser lavada com água fria (mas não corrente, por causa da sua natureza frágil) e cortada, ou de preferência rasgada, em pedaços pequenos na hora de servir. Guarde-a na geladeira, coberta com uma tampa ou um papel-toalha úmido e filme de PVC. É importante lavar a alface – e a maioria das verduras – com muito cuidado, já que sujeira e areia tendem a se esconder entre as folhas. Nunca a deixe imersa na água por muito tempo e certifique-se de secá-la bem depois de lavar (um secador de salada é ótimo para isso). A tabela a seguir descreve as diversas variedades de alface.

As verduras leves também incluem as alfaces-de-cordeiro, algumas verduras picantes jovens ou imaturas e variedades *baby* de verduras e repolhos.

*Verduras leves: 1) alface verde; 2) alface vermelha; 3) alface-romana; 4) alface lisa boston; 5) alface-americana.*

# alfaces

| TIPO | DESCRIÇÃO | USOS MAIS COMUNS |
|---|---|---|
| **LISAS** | | |
| Bibb | Menor que a alface lisa; folhas macias e tenras que se separam facilmente do caule; cor verde vibrante; sabor suave, adocicado e delicado. | Em saladas, braseada. |
| Alface lisa | Folhas macias e tenras que se separam facilmente do caule; cor verde vibrante; sabor suave, adocicado, delicado. | Em saladas, braseada. |
| **CRESPAS** | | |
| Americana | Folhas sobrepostas, verde-claras; sabor bem suave. | Em saladas (rasgada ou cortada em cunha). |
| Romana | Pé longo e cilíndrico; folhas externas com sulcos; folhas verde-escuras que clareiam no interior; as folhas externas são um pouco amargas; as folhas internas são suaves e doces. | Em saladas, especialmente a Caesar salad; braseada. |
| **FOLHAS** | As variedades *baby* são muitas vezes incluídas em misturas de salada especiais. | |
| Folha verde ou vermelha | Podem ter pontas verdes ou vermelhas; folhas tenras e crocantes que se separam facilmente do caule; sabor suave, que fica amargo com o tempo. | Em saladas. |
| Chicória | Folhas crenadas, tenras e crocantes que se separam facilmente do caule; sabor amendoado. | Em saladas. |

## verduras amargas e chicórias

As verduras amargas são tenras o suficiente para serem consumidas em saladas, mas também podem ser salteadas, cozidas no vapor, grelhadas ou braseadas. Existem diversas variedades que se encaixam nesta categoria, do folhudo agrião verde aos pés rubros do radicchio. Os critérios de seleção e as práticas de manuseio das verduras amargas são iguais aos das alfaces. Usadas com regularidade, as verduras amargas estimulam a produção de saliva e, assim, beneficiam o sistema digestivo. As chicórias caracterizam-se por um distinto sabor agridoce; quando jovens, podem ser usadas em saladas, ao passo que as maduras são melhores para cozinhar. A tabela da página 90 descreve diversas verduras amargas e chicórias para salada. Muitas delas também possuem características de verduras picantes e, por isso, se encaixam nas duas categorias.

*Verduras amargas: 1) escarola; 2) alface frisée; 3) rúcula; 4) alface-de-cordeiro; 5) agrião; 6) radicchio; 7) endívia.*

TRÊS | SALADAS

# verduras amargas e chicórias

| TIPO | DESCRIÇÃO | USOS MAIS COMUNS |
| --- | --- | --- |
| Rúcula | Folhas tenras com "dentes" arredondados nas pontas; cor verde brilhante; sabor picante. | Em saladas, pesto e sopas; salteada. |
| Endívia | Pé imbricado e alongado; folhas brancas e crocantes, com pontas verde-amareladas ou vermelhas; sabor levemente amargo. | Em saladas; grelhada; assada; braseada. |
| Chicória crespa | Folhas estreitas com a extremidade serrada; sabor e textura assertivos. Quando jovem, pode ser confundida com alface frisée. | Em saladas. |
| Dente-de-leão, rama de beterraba e couve-galega | Variedades distintamente amargas com folhas verde-escuras, longas e estreitas (algumas apresentam veias brancas ou vermelhas). Quando maduros demais, podem conferir à salada um sabor desagradável. As folhas de beterraba tem uma tendência a sangrar quando combinada a um molho de salada. | Em saladas; salteados; braseados. |
| Escarola | Pés grandes e verde-amarelados; folhas ligeiramente enrugadas, suculentas e frisée amendoadas. É um pouco menos amarga do que a alface frisée ou a chicória. | Em saladas e sopas; salteada. |
| Alface frisée | Folhas finas, crespas e brancas, com pontas verde-amareladas; sabor ligeiramente amargo. | Em saladas e miscelânea de alfaces, como mesclun. |
| Alface-de-cordeiro | Maços soltos; folhas finas e arredondadas; verde-escuro; muito tenro; sabor amendoado. | Em saladas; no vapor. |
| Radicchio | Pés redondos ou alongados; folhas firmes, vermelho-escuras ou roxas com veias brancas; sabor amargo. | Em saladas; grelhado; salteado, assado, braseado. |
| Tatsoi | Repolho preto e liso com folhas redondas que formam uma roseta aberta; gosto leve, mas agradável de repolho; é usado nos seus estágios mais jovens. | Em saladas, sanduíches e sopas; como guarnição. |
| Radicchio de Treviso | Lembra uma endívia belga mais solta e alongada com pontas ou listras vermelhas; textura suculenta; sabor similar ao do radicchio. | Em saladas e sopas. |
| Agrião | Uma das verduras de folha de consumo mais antigo. Folhas pequenas e crenadas; verde-escuras; textura crocante; sabor de mostarda, picante. | Em saladas, sopas e sanduíches. |

## verduras picantes

As verduras picantes possuem uma ardência característica ou um sabor assertivo, mas são delicadas o suficiente para compor saladas. Quanto mais jovens, menos picantes. A tabela na página 92 descreve uma variedade dessas verduras. Muitas delas possuem características de verduras amargas e, portanto, se encaixam nas duas categorias.

*Verduras picantes: 1) mizuna; 2) agrião-dos-jardins; 3) tatsoi; 4) folha de mostarda; 5) agrião.*

TRÊS | SALADAS

# verduras picantes

| TIPO | DESCRIÇÃO | USOS MAIS COMUNS |
|---|---|---|
| Caruru roxo | Sabor semelhante ao do espinafre; a sua cor varia entre o verde, o roxo e o vermelho; floresce do final da primavera até o início do outono. | Em saladas; stir-fry; salteado. |
| Rúcula | O gosto vai desde suave e amendoado até picante e pungente. Geralmente, quando as suas folhas são pequenas e finas, possui um sabor picante mais pronunciado. | Em saladas; salteada; assada (na pizza); como pesto. |
| Mizuna | Folha de mostarda japonesa; sabor levemente picante. Escolha as folhas verdes crocantes e evite aquelas marrons e murchas. | Em saladas, sanduíches e sopas. |
| Folha de mostarda | Folha da planta da mostarda; sabor pungente e picante; pode apresentar textura lisa ou enrugada. | Em saladas e sopas. |
| Tatsoi | Repolho preto e liso com folhas redondas que formam uma roseta aberta; gosto leve e agradável de repolho; é usado nos seus estágios mais jovens. | Em saladas, sanduíches e sopas; como guarnição. |
| Agrião | O consumo desta verdura de folha é muito antigo. Folhas pequenas e crenadas; verde-escuras; textura crocante; sabor de mostarda, picante. | Em saladas, sopas e sanduíches. |

## misturas de folhas

O mercado fornece diversos itens especializados para a confecção de saladas. Entre os mais populares, estão as misturas de folhas pré-lavadas e aparadas. A sua popularidade se deve justamente à pronta disponibilidade e à facilidade de uso – de fato, eles são utilizados sem discriminação. Pontas ou talos descoloridos indicam falta de frescor. A tabela seguinte descreve as três misturas mais comuns no mercado.

*Exemplo de miscelânea de folhas: 1) alface mimosa roxa; 2) mostarda marrom; 3) alface de inverno; 4) alface lollo roxo; 5) minifolhas de dill; 6) cerefólio; 7) alface mimosa; 8) hon tsai tai; 9) folhas de beterraba detroit red; 10) folhas misturadas para formar uma miscelânea.*

# misturas de folhas

| TIPO | DESCRIÇÃO | USOS MAIS COMUNS |
|---|---|---|
| *Baby mix* (BMX) | Termo genérico para misturas de folhas muito jovens de diversas variedades, cores e texturas; é vendida na forma tanto de maço quanto de folhas pré-lavadas. Uma combinação típica pode incluir lollo rosa, mimosa, minialface crespa roxa, minirromana e minialface crespa. | Em saladas; como guarnição de pratos. |
| Mistura mesclun | Normalmente, é combinada com ervas ou flores. As miscelâneas disponíveis no mercado combinam diversas folhas leves, doces e picantes, com ou sem um componente de flor ou de erva. | Em saladas e sanduíches. |
| Mistura oriental (OMX) | Combinação entre alguns ou todos os seguintes: tatsoi, lollo rosa, alface crespa roxa, rúcula, folhas de beterraba, acelga colorida, azedinha, amaranto, dill, beldroega, mizuna, mostarda marrom, bok choy, shiso vermelho, alface de inverno, sierra e shungi ku. | Em saladas. |

## ervas

Ervas são folhas de plantas aromáticas e usadas basicamente para dar sabor aos alimentos. O aroma é um bom indicador da qualidade tanto das ervas frescas quanto das desidratadas; um aroma fraco ou mofado indica uma erva velha ou menos forte. As ervas frescas também podem ser julgadas pela aparência; elas apresentam uma cor agradável (normalmente verde) e folhas e talos com aspecto saudável, sem murchidão, pontos escuros, queimaduras ou danos causados por pragas. As ervas podem ter fragrância forte ou suave e são capazes de realçar maravilhosamente um prato especial. Algumas variedades são usadas em saladas, em geral aquelas que têm textura natural tenra ou folhas macias, como o manjericão jovem, a ciboulette, a hortelã, o cerefólio ou a salsinha de folha lisa. A tabela a seguir descreve algumas ervas selecionadas.

*Ervas: 1) salsinha crespa; 2) salsinha de folha lisa; 3) manjericão roxo; 4) hortelã; 5) manjericão; 6) cerefólio; 7) azedinha: 8) coentro; 9) manjericão tailandês.*

# ervas

| TIPO | DESCRIÇÃO | USOS MAIS COMUNS |
| --- | --- | --- |
| Manjericão | Folhas ovais, pontudas e delicadas, que vão de pequenas a grandes; cor verde (embora existam variedades roxas); sabor pungente, similar ao do alcaçuz; as variedades incluem manjericão opala, limão e tailandês. | Tempero para molhos, molhos de salada, aromatizantes de óleos e vinagres; molho pesto; popular na cozinha mediterrânea. Também disponível na forma desidratada. |
| Folha de louro | Folhas lisas e ovais; cor verde; aromática. | Tempero para sopas, ensopados, fundos, molhos e pratos de grãos. Em geral, disponível na forma desidratada. |

TRÊS | SALADAS   95

| TIPO | DESCRIÇÃO | USOS MAIS COMUNS |
| --- | --- | --- |
| Cerefólio | Folhas pequenas e crespas; cor verde; textura delicada; sabor de anis. | Componente de fines herbes; como guarnição. Também disponível na forma desidratada. |
| Cebolinha francesa | Longa; fina; cor verde-brilhante; sabor suave de cebola. | Tempero para saladas e cream cheese; como guarnição; componente de fines herbes. |
| Coentro | Folhas delicadas com formato similar ao da salsinha de folha lisa; cor verde; sabor fresco e limpo. | Tempero de molho e molhos crus; popular nas culinárias asiática, caribenha e latino-americana. |
| Dill | Folhas longas e finas, feito penas; cor verde; sabor distintivo. | Tempero para saladas, molhos, ensopados e braseados; popular nas culinárias da Europa Central e do Leste. Também disponível na forma desidratada. |
| Manjerona | Folhas pequenas e ovais; cor verde-clara; sabor suave, similar ao do orégano. | Tempero para pratos de carneiro e vegetais; popular nas culinárias grega, italiana e mexicana. Em geral, disponível na forma desidratada. |
| Hortelã | Folhas pontudas e texturizadas; a sua cor varia entre verde-claro e verde brilhante; o tamanho da folha e o sabor variam de acordo com o tipo; variedades incluem hortelã-pimenta, hortelã-verde e hortelã-chocolate. | Tempero para pratos, molhos e bebidas doces; guarnição para sobremesas. Gelatina de hortelã é um acompanhamento comum para cordeiro. |
| Orégano | Folhas pequenas e ovais; cor verde-clara; sabor pungente; existem as variedades mexicana e mediterrânea. | Tempero para pratos à base de tomate; popular nas culinárias mediterrânea e mexicana. |
| Salsinha | Folhas crespas ou lisas com extremidades pontudas e crenadas; cor verde-viva; sabor limpo; a salsinha de folha lisa também é chamada de salsinha italiana. | Tempero para molhos, caldos, sopas, saladas e outros pratos; componente de fines herbes; como guarnição; os seus talos são usados em bouquet garni e sachet d'épices. Em geral, disponível na forma desidratada. |
| Alecrim | Folhas pontudas como as do pinho; caule lenhoso; cor verde-escuro-acinzentada; aroma e sabor intensos de pinho. | Tempero para grelhados (cordeiro) e marinados; popular na culinária mediterrânea; talos lenhosos são usados como espetos. Em geral, disponível na forma desidratada. |
| Sálvia | Folhas finas, ovais e aveludadas; cor verde-acinzentada; variedades incluem sálvia-abacaxi. | Tempero para recheios, linguiças e ensopados. Em geral, disponível nas formas desidratada, picada e moída. |

| TIPO | DESCRIÇÃO | USOS MAIS COMUNS |
|---|---|---|
| Segurelha | Folhas alongadas; cor verde-escura; textura macia e felpuda. | Tempero para patês e recheios; usada para fazer tempero para aves. Em geral, disponível na forma desidratada. |
| Estragão | Folhas finas e pontudas; cor verde-escura; textura delicada; sabor de anis. | Tempero para molho béarnaise e outros pratos; componente de fines herbes. Em geral, disponível na forma desidratada. |
| Tomilho | Folhas muito pequenas; caule lenhoso; cor verde-escura; variedades incluem tomilho comum e selvagem. | Tempero para sopas, caldos, molhos, ensopados, braseados e itens assados; usado em bouquet garni e sachet d'épices. Em geral, disponível na forma desidratada. |

*Ervas aromáticas: 1) ciboulette; 2) alecrim; 3) folhas de curry; 4) capim-limão; 5) estragão; 6) tomilho limão; 7) sálvia; 8) orégano; 9) tomilho; 10) dill; 11) manjerona.*

TRÊS | SALADAS

## flores

As flores podem transformar uma salada comum em algo belo e singular, mas é preciso tomar cuidado para não usá-las em excesso. Selecione apenas aquelas designadas ao consumo humano, pois não são tratadas com produtos químicos nem tóxicas. É importante notar o tamanho e o sabor da flor; experimente-a para perceber a sua intensidade. Se for picante, talvez seja necessário usar apenas algumas pétalas em vez de a flor inteira. As flores comestíveis são normalmente divididas em dois grupos: flores de jardim e flores de ervas.

Flores comestíveis: 1) cravina barbatus; 2) boca-de-leão; 3) calêndula; 4) amor-perfeito; 5) centáurea; 6) broto de milho de pipoca.

# flores

| TIPO | DESCRIÇÃO | USOS MAIS COMUNS |
|---|---|---|
| **FLORES DE JARDIM** | | |
| Centáurea | Possui pétalas sedosas com coloração violeta brilhante e quatro ou cinco pontas em forma de coroa no final de cada uma. As pétalas irradiam do disco central de florete como os raios de uma roda. | Em saladas e chá; como guarnição. |
| Calêndula | Pequena flor com pétalas brilhantes que variam entre amarelo-claro, dourado e laranja; aroma ligeiramente picante. | Em saladas; como guarnição. |
| Cravo | Flor com pétalas razoavelmente densas, cujas beiradas apresentam babados; pode ser de várias cores. Possui um aroma picante e é nativo do Mediterrâneo. | Em saladas; como guarnição. |
| Cravina barbatus | Gênero de flor que inclui o cravo. Em geral, as suas pétalas possuem babados na extremidade e variam em cor do branco ao amarelo ou roxo. | Em saladas; confeitada; em conserva. |
| Amor-perfeito, "viola tricolor" | Pequena flor roxa, azul, amarela ou branca. Antecessora do amor-perfeito moderno. | Em saladas; como guarnição. |
| Capuchinha | Flor delicada com cor intensa, pétalas redondas e fundo em forma de funil; sabor ligeiramente picante, como o do agrião. | Em saladas; como guarnição. |
| Amor-perfeito | Membro da família da violeta; flor assimétrica com quatro pétalas em forma de leque (duas de cada lado) e uma pétala em forma de lóbulo no fundo, a qual aponta para baixo. Em geral, é multicolorida. | Em saladas; confeitado. |
| Broto de milho de pipoca | Brotos finos da cor de creme; têm entre 8 cm e 10 cm de largura e três ou quatro pétalas ovais; sabor ligeiramente doce. | Em saladas e sobremesas; como guarnição. |
| Rosa | A sua cor varia entre branco, amarelo e vermelho, sendo que a ponta da pétala pode ser de diversas cores; sabor ligeiramente doce e aroma forte. Apare a base branca e amarga da pétala. | Em saladas, recheios, sobremesas, xaropes, chá e confeitos. |

| TIPO | DESCRIÇÃO | USOS MAIS COMUNS |
|---|---|---|
| Boca-de-leão | Lembra a boca aberta de um dragão; em geral, é branca, amarela, vermelha, laranja ou carmim. | Em saladas; como guarnição. |
| Violeta | Gênero de flor que inclui o amor-perfeito. A sua cor varia entre roxo, amarelo, branco e creme. Sabor ligeiramente doce e mentolado. | Em saladas, recheios, sobremesas e confeitos. |
| FLORES DE ERVAS | | |
| Hissopo anisado | Flor felpuda, cor de malva, do tamanho de um dedo. Ligeiro sabor de anis. | Em saladas. |
| Cebolinha francesa | Flor com cor lavanda; floresce em junho; leve sabor de alho. | Em saladas, pratos de ovo, preparos de vegetais, sopas, molhos e manteigas aromatizadas; como guarnição. |
| Lavanda | Pequena flor roxa com aroma bastante floral e leve sabor cítrico. | Em saladas, sobremesas, confeitos, molhos, manteigas aromatizadas, geleias e pães; como guarnição. |
| Mostarda | Pequena flor amarela brilhante com sabor pungente. | Em saladas, molhos e salteados; como guarnição. |
| Orégano | Pequena flor branca e vermelha com sabor relativamente forte. | Em saladas, molhos e salteados; como guarnição. |
| Alecrim | Flor branca, cor-de-rosa, roxa ou azul. | Em saladas e molhos; como guarnição. |
| Sálvia | Flor roxa com sabor relativamente pungente de sálvia. | Em saladas e recheios; como guarnição. |
| Tomilho | Pequena flor com sabor de tomilho. | Em saladas e manteigas aromatizadas; com frutas. |

## miniverduras

Miniverduras são mudas de diversas ervas e verduras. Apesar do seu cultivo ocorrer há muitos anos, elas só se tornaram populares recentemente. Com isso, ficaram mais baratas e passaram a ser oferecidas em variedade crescente. A maioria é cultivada hidroponicamente em tubetes e cortada na fase de desenvolvimento. É possível cultivá-las em casa; no entanto, é difícil fazê-las germinar nos tubetes (o que em geral é feito com o uso de máquinas).

O seu sabor é similar ao do correspondente maduro, porém mais suave. As miniverduras são muito caras para serem utilizadas como ingrediente principal da salada, mas podem ser usadas em saladas mistas ou compostas, bem como guarnição. O seu preço é alto porque o processo de cultivo utiliza muita mão de obra; contudo, uma pequena quantidade rende bastante, especialmente quando usada como guarnição. Normalmente, elas não são cozidas e, às vezes, sequer lavadas, pois são cultivadas sem agrotóxicos, em ambientes fechados e extremamente limpos. Como crescem em estufas, encontram-se disponíveis durante o ano inteiro. As miniverduras duram até uma semana, mas aconselha-se utilizá-las dentro de três dias. A tabela da página 102 descreve uma variedade de miniverduras.

*Miniverduras: 1) erva-armola ou espinafre francês; 2) caruru-roxo; 3) broto de beterraba; 4) mostarda-roxa; 5) salsão; 6) coentro; 7) rúcula; 8) broto de ervilha; 9) rábano; 10) broto de repolho-roxo.*

# miniverduras

| TIPO | DESCRIÇÃO | USOS MAIS COMUNS |
|---|---|---|
| Rúcula | Sabor ácido e ligeiramente picante; coloração verde-clara. | Em saladas; como guarnição. |
| Broto de beterraba | Folhas verdes com parte inferior e veias cor-de-rosa; leve sabor de beterraba. | Em saladas; como guarnição. |
| Salsão | Pequenas folhas verdes brilhantes com babados; leve sabor de salsão. | Em saladas; como guarnição. |
| Coentro | Folhas verdes brilhantes alongadas; sabor similar ao do coentro maduro. | Em saladas; como guarnição. |
| Mostarda | Sabor forte. Há duas variedades no mercado, a mostarda verde e a vermelha. A mostarda vermelha possui folhas verde-claras com partes arroxeadas. | Em saladas; como guarnição. |
| Broto de ervilha | Broto verde-claro com leve sabor de relva. | Em saladas; como guarnição. |
| Erva-armola | Talos ou folhas roxas e rosa com folhas em forma de flecha; leve sabor de espinafre. | Em saladas; como guarnição. |
| Rábano | Disponível em variedades como o daikon ou o roxo. O seu talo pode ser branco, e as suas folhas, verdes ou roxas. | Em saladas; como guarnição. |
| Amaranto-vermelho | Talos com coloração magenta vibrante e pequenas folhas verde-claras; leve sabor de espinafre. | Em saladas; como guarnição. |
| Repolho-vermelho | Folhas verde-escuras com veias roxas; aroma e sabor suaves de repolho. | Em saladas; como guarnição. |

## cuidando da salada

Não há nada pior do que uma salada arenosa. A lavagem cuidadosa e meticulosa das verduras é fundamental para garantir a alta qualidade tanto da aparência quanto do sabor da salada. Elas devem ser guardadas sob refrigeração desde o momento que chegam até a montagem do prato. As seguintes diretrizes devem ser observadas ao se manusearem verduras para salada:

1. **Lave cuidadosamente as verduras com bastante água fria, para remover todos os resíduos de sujeira e de areia**. Folhas robustas até podem ser lavadas em água corrente, mas folhas, ervas e flores delicadas devem ser mergulhadas suavemente em água e retiradas várias vezes. A água de lavagem tem de ser trocada conforme necessário até que não haja nela nenhuma sujeira. Nunca escorra a água das folhas (em vez de remover as folhas da água), pois a areia poderá grudar nelas.

2. **Seque as verduras completamente**. Os molhos de salada aderem melhor a folhas totalmente secas. Além disso, as verduras duram mais quando são secas com cuidado antes de serem guardadas. Os secadores de verdura são os instrumentos mais eficientes para isso, tanto as grandes centrífugas elétricas para produção em grande escala quanto as cestas operadas à mão para pequenas quantidades; os secadores devem ser cuidadosamente lavados e desinfetados após o uso.

3. **Guarde as verduras limpas em potes ou outros recipientes**. As verduras não devem ser guardadas em pilhas grandes, pois o seu próprio peso poderá machucar as folhas. É preciso enrolá-las folgadamente ou cobri-las com pano úmido e filme de PVC ou tampa, a fim de evitar que murchem rapidamente. Uma vez lavadas, devem ser utilizadas dentro de um ou dois dias.

4. **Corte ou rasgue a alface em pedaços pequenos**. Os manuais tradicionais de preparo de salada sempre recomendam rasgar a alface, para evitar que as folhas percam a cor, machuquem-se ou se esmaguem. Isso também confere uma aparência mais natural às folhas preparadas. As facas modernas não tendem a descolorir as folhas, e não há razão para acreditar que a alface cortada com uma faca corretamente amolada fique mais machucada do que uma alface rasgada, embora algumas folhas delicadas oxidem mais rapidamente do que outras. Isso ainda é uma questão de estilo e preferência pessoal.

# Salada grega com queijo feta e pão sírio integral

RENDIMENTO: 10 PORÇÕES

284 g de azeitona kalamata
480 mℓ de vinagrete de limão e salsinha (p. 29)
1,02 kg de alface-romana
10 pães sírios integrais cortados em 8 partes cada
567 g de pepino sem sementes, descascado e cortado em fatias de 3 mm de espessura

567 g de tomate-cereja cortado ao meio
284 g de pimentão amarelo em julienne
284 g de cebola roxa descascada e cortada em fatias de 3 mm de espessura
425 g de queijo feta esfarelado

1. Escorra as azeitonas, misture-as com 120 mℓ de vinagrete e deixe-as marinar de um dia para o outro.

2. Para lavar a alface-romana, remova aproximadamente um terço do talo. Lave e seque no secador de salada. Rasgue-a em pedaços pequenos.

3. Antes de servir, bata com vigor o vinagrete e tempere-o de novo. Para cada porção, misture 99 g de alface-romana com 2 colheres (sopa)/30 mℓ de vinagrete.

4. Arrume as cunhas de pão sírio ao redor de um prato resfriado. Posicione a alface-romana temperada no centro do prato e coloque por cima dela 57 g de pepino fatiado, 57 g de tomate, 28 g de pimentão, de cebola e de azeitona e 43 g de queijo feta.

» **IDEIA PARA APRESENTAÇÃO** Sirva cada salada com duas folhas de uva recheadas (p. 537), como na foto.

# Caesar salad

RENDIMENTO: 10 PORÇÕES DE TIRA-GOSTO

### salada
567 g de alface-romana
340 g de crouton simples ou ao alho (p. 666)

### molho
1 colher (sopa)/9 g de alho amassado
5 filés de anchova
¾ colher (chá)/2,5 g de sal, ou a gosto
½ colher (chá)/1 g de pimenta-do-reino moída, ou a gosto
60 mℓ de gema de ovo
60 mℓ de suco de limão, ou a gosto
300 mℓ de azeite de oliva extravirgem
170 g de queijo parmesão ralado finamente, ou a gosto

---

1. Separe as folhas da alface-romana. Lave-as e seque-as bem. Rasgue ou corte as folhas em pedaços, se necessário. Refrigere as folhas até o momento de servir.

2. Prepare os croutons e guarde-os à temperatura ambiente até o instante de servir.

3. Para preparar o molho, junte o alho, os filés de anchova, o sal e a pimenta-do-reino em uma tigela e amasse-as até formar uma pasta relativamente homogênea. Acrescente as gemas e o suco de limão e misture-os bem. Acrescente o azeite de oliva aos poucos, batendo ao mesmo tempo para formar uma emulsão grossa. Adicione o parmesão. Ajuste o tempero com sal e pimenta a gosto.

4. Para cada porção, misture 57 g de folhas com 2 colheres (sopa)/30 mℓ de molho, mexendo-as suavemente até que fiquem revestidas por igual. Guarneça a salada com alguns croutons.

» **NOTA DO CHEF** De acordo com a tradição culinária, essa salada foi criada por Caesar Cardini em 1924, no seu restaurante, em Tijuana, México. Hoje em dia, ela pode ser servida como item de bufê de salada, como entrada ou como prato principal (guarnecido com frutos do mar, frango grelhado em fatias ou peito de pato).

» **IDEIA PARA APRESENTAÇÃO** Mantenha as folhas inteiras e revista-as levemente com o molho Caesar. Para guarnecer o prato, coloque croutons e lascas de queijo parmesão sobre a salada.

# Lagosta e alface-de-cordeiro com salada de batata e suco de vegetais

RENDIMENTO: 5 PORÇÕES

### suco de vegetais

Azeite de oliva a gosto

71 g de pimentão vermelho fatiado

71 g de alho-poró fatiado (apenas a parte branca)

71 g de aipo-rábano fatiado

71 g de erva-doce fatiada

71 g de abobrinha fatiada

71 g de cenoura

3 dentes de alho

71 g de cebola fatiada

1 ramo de tomilho

1 folha de louro

3 ramos de salsinha

Sal a gosto

Pimenta-do-reino moída a gosto

1,44 ℓ de água

### salada de batata

1 ramo de tomilho

1 dente de alho

1 folha de louro

5 batatas roxas bem lavadas

5 batatas coquetel pequenas e bem lavadas

Sal a gosto

1½ colher (sopa)/22,5 mℓ de azeite de oliva

1½ colher (sopa)/22,5 mℓ de óleo de amendoim

1½ colher (sopa)/22,5 mℓ de mostarda de Dijon

1½ colher (sopa)/22,5 mℓ de vinagre de vinho

Pimenta-do-reino moída a gosto

5 lagostas vivas (aproximadamente 454 g cada)

2 colheres (chá)/10 mℓ de vinagre de vinho tinto

2½ colheres (sopa)/37,5 mℓ de azeite de oliva

284 g de alface-de-cordeiro ou mesclun bem lavada e escorrida

Pimenta-do-reino moída a gosto

1. Para preparar o suco de vegetais, aqueça o azeite de oliva em uma panela sobre fogo médio. Acrescente o pimentão vermelho, o alho-poró, o aipo-rábano, a erva-doce, a abobrinha, a cenoura, o alho e a cebola e salteie-os até que fiquem macios e translúcidos (cerca de 5 min). Junte o tomilho, a folha de louro e a salsinha e tempere a mistura com o sal e a pimenta-do-reino.

2. Acrescente água à mistura e cozinhe-a em fogo alto por 45 min para reduzi-la. Coe em uma musselina ou em um coador de tela fina. Experimente e ajuste o tempero a gosto. Se desejar, reserve os vegetais para outro uso.

3. Para cozinhar as batatas, ferva uma panela de água salgada. Junte o tomilho, o alho e a folha de louro. Acrescente as batatas com casca e cozinhe-as até que fiquem macias ao toque do garfo. Remova-as da água e as descasque enquanto estiverem mornas. Corte-as em fatias de 6 mm de espessura.

4. Para finalizar a salada de batata, junte o azeite de oliva, o óleo de amendoim, a mostarda e o vinagre e tempere-os com o sal e a pimenta-do-reino. Acrescente as batatas fatiadas e misture-as com cuidado.

5. Para preparar as lagostas, coloque-as vivas em água salgada fervente e cozinhe-as por 8 min a 10 min. Remova-as da água e deixe esfriar. Retire a carne das caudas e das garras das lagostas e guarde em temperatura ambiente.

**6.** Misture o suco de vegetais com o vinagre de vinho tinto e o azeite de oliva. Use um terço dessa mistura para temperar a alface-de-cordeiro.

**7.** Fatie a carne da lagosta e misture-a suavemente com a salada de alface-de-cordeiro.

**8.** Para servir, adicione a cada prato 28 g do restante do molho e polvilhe-o com pimenta-do-reino. Divida a alface-de-cordeiro e a mistura de lagosta nos cinco pratos, colocando-os em cima do tempero e rodeando-os com a salada de batata.

# Salada de beterraba assada

RENDIMENTO: 10 PORÇÕES

4 beterrabas (cerca de 907 g), com folhas cortadas de 3 cm
Sal a gosto
37,5 ml de azeite de oliva extravirgem
1 colher (sopa)/15 ml de vinagre de vinho tinto
1 colher (sopa)/15 ml de suco de limão
1 pitada de pimenta-de-caiena

1. Arrume as beterrabas em um meio-réchaud com 5 cm de profundidade; acrescente água o suficiente apenas para cobrir o fundo da panela. Tempere-as com o sal. Cubra-as com papel-alumínio e asse-as no forno a 191 °C até que fiquem macias ao toque do garfo (aproximadamente 1 h).

2. Enquanto as beterrabas assam, misture o azeite de oliva, o vinagre, o suco de limão e a pimenta-de-caiena para fazer o molho.

3. Apare as beterrabas assadas, retire a sua casca e fatie-as em rodelas de 6 mm. As fatias devem ser cortadas ao meio ou em quartos uniformes. Acrescente-as ao molho enquanto ainda estiverem mornas.

4. Deixe a salada descansar em temperatura ambiente por no mínimo 30 min antes de servi-la ou de esfriá-la para guardar.

» **IDEIAS PARA APRESENTAÇÃO** Use beterrabas vermelhas ou amarelas. Nessa receita, as beterrabas são assadas, mas também podem ser fervidas ou cozidas no vapor.

Para uma apresentação especial, alterne as fatias de beterraba com fatias de laranja. Tenha o cuidado de montar a salada logo antes de servi-la, pois o caldo da beterraba mancha a laranja.

# Salada de batata assada e lascas de erva-doce

RENDIMENTO: 1,440 ℓ

57 g de salsinha de folha lisa picada
105 mℓ de azeite de oliva extravirgem
14 g de ciboulette em fatias finas
71 g de alcaparra escorrida, enxaguada e picada
60 mℓ de suco de laranja fresco
2 colheres (sopa)/30 mℓ vinagre de vinho branco
2 colheres (chá)/6 g de zeste de laranja finamente ralado

2 colheres (chá)/3 g de tomilho fresco picado
2 chalotas bem picadas
2 dentes de alho amassados
Sal a gosto
Pimenta-do-reino moída a gosto
2 bulbos de erva-doce (cerca de 567 g)

907 g de batata bliss assada e cortada em cubos médios

1. Em uma tigela média, junte a salsinha, o azeite, a ciboulette, as alcaparras, o suco, o vinagre, as raspas, o tomilho, as chalotas e o alho para fazer um molho verde. Tempere a mistura com sal e pimenta-do-reino.

2. Corte o topo e a base dos bulbos de erva-doce. Corte-os ao meio, de cima para baixo. Coloque cada metade com a parte cortada para baixo e fatie-a na diagonal o mais finamente possível (pare de fatiar quando chegar ao miolo do bulbo). Descarte a sobra ou reserve-a para outro uso.

3. Junte o molho verde com as lascas de erva-doce e acrescente as batatas assadas. Cubra as batatas por completo; tempere a salada com sal e pimenta-do--reino e sirva.

# Salada de pimentão assado marinado

RENDIMENTO: 10 PORÇÕES

### salada

227 g de pimentão vermelho assado sem casca e sem sementes

227 g de pimentão verde assado sem casca e sem sementes

227 g de pimentão amarelo assado sem casca e sem sementes

135 g de tomate sem casca e sem sementes

28 g de uva-passa clara

2 colheres (sopa)/45 mℓ xerez seco

### molho

210 mℓ de vinagrete balsâmico (p. 27)

113 g de cebola roxa em julienne

57 g de azeitona preta (cerca de 20) cortada em tiras

14 g de coentro picado

½ pimenta jalapeño bem picada

1 dente de alho amassado

### guarnição

21 g de queijo parmesão

21 g de pinoli torrado

---

1. Corte os pimentões assados e os tomates em tiras de 1 cm. Hidrate as uvas-passas no xerez.

2. Junte os ingredientes do molho e despeje-os sobre os pimentões, os tomates e as uvas-passas escorridas.

3. Misture bem. Deixe a salada descansar em temperatura ambiente por 30 min a 45 min antes de servi-la ou refrigere-a para servir posteriormente.

4. No momento de servir, raspe lascas de parmesão sobre cada porção e coloque os pinoli torrados por cima.

» **VARIAÇÕES** PIMENTÕES ASSADOS MARINADOS: deixe de lado os tomates e as uvas-passas hidratadas. Tempere os pimentões com vinagre balsâmico normal, omitindo as azeitonas, a cebola, o coentro, a pimenta jalapeño e o alho. Utilize-os em outras receitas (ver molho romesco de avelã, p. 63).
PIMENTÕES E COGUMELOS MARINADOS: Acrescente 227 g de shiitake ou cogumelo branco cortado em julienne à mistura de pimentão e tomate.

# Salada de coração de alcachofra

RENDIMENTO: 10 PORÇÕES

### alcachofras
10 alcachofras ou 30 minialcachofras
2 limões cortados ao meio

### cozido
60 mℓ de suco de limão
4 cravos
1 bouquet garni
2 colheres (chá)/6,5 g de sal

### molho
270 mℓ de azeite de oliva
90 mℓ de vinagre balsâmico
Sal a gosto
Pimenta-branca moída a gosto
½ maço de salsinha de folha lisa (apenas as folhas)
184 g de azeitonas kalamata (cerca de 30) sem caroço
1 cebola roxa fatiada em anéis finos ou em julienne
1,81 kg de tomates italianos sem casca, sem sementes e cortados em quartos

1. Corte a ponta das alcachofras e tire as suas folhas exteriores. Remova o coração. Corte cada coração em quatro pedaços e esfregue-os com os limões cortados. Coloque-os de molho em água acidulada.

2. Para preparar o cozido, misture 3,84 ℓ de água com o suco de limão, os cravos, o bouquet garni e o sal. Ferva a mistura em fogo baixo. Acrescente os corações de alcachofra e ferva-os lentamente até que fiquem macios (de 8 min a 12 min). Escorra-os e deixe-os secar em papel-toalha enquanto prepara o molho.

3. Bata o azeite, o vinagre, o sal, a pimenta e a salsinha. Junte os corações de alcachofra, as azeitonas, a cebola e os tomates.

4. Deixe a salada descansar em temperatura ambiente por no mínimo 30 min antes de servi-la ou antes de resfriá-la para guardar.

1. *Para limpar uma alcachofra, corte a parte mais larga da ponta e retire as folhas externas mais duras.*

2. *Depois de aparar o fundo da alcachofra, retire o miolo espinhento.*

TRÊS | SALADAS 121

# Vagem com prosciutto e gruyère

RENDIMENTO: 10 PORÇÕES

### salada

567 g de vagem
142 g de prosciutto
142 g de queijo gruyère

### molho

2 colheres (sopa)/30 mℓ de suco de limão, ou a gosto
1 colher (sopa)/15 mℓ de vinagre de vinho branco
½ colher (chá)/1,50 g de sal
¼ colher (chá)/0,50 g de pimenta branca moída
14 g de chalota bem picada
90 mℓ de óleo vegetal

1. Apare a vagem e a enxágue. Corte o prosciutto e o gruyère em julienne.

2. Junte o suco de limão, o vinagre, o sal, a pimenta e as chalotas. Misture o óleo aos poucos e bata para finalizar o molho.

3. Escalde a vagem em água salgada fervente até que fique quase macia. Resfrie em água fria. Escorra e seque bem.

4. Acrescente a vagem, o prosciutto e o gruyère ao molho. Misture bem e deixe descansar em temperatura ambiente por, no mínimo, 30 min antes de servir ou de guardar.

» **NOTA DO CHEF** Esta salada pode ser servida como acompanhamento de patê, terrine ou galantine. Também pode ser servida sozinha ou como parte de um tira-gosto. Se não houver vagem disponível, ela fica igualmente boa com feijão-verde, aspargo ou alho-poró.

» **VARIAÇÃO** VAGEM COM NOZES E VINAGRETE DE VINHO TINTO (p. 27): Paul Bocuse, o famoso chef de Lyon, França, junta 340 g de vagem, 227 g de cogumelo branco fatiado, algumas lascas de trufa e um molho feito com óleo de nozes e vinagre de vinho Beaujolais para fazer uma salada simples, mas elegante.

# Salada de lascas de erva-doce

RENDIMENTO: 10 PORÇÕES

### salada

567 g de bulbo de erva-doce (cerca de 2 bulbos grandes)
120 mℓ a 180 mℓ de azeite de oliva extravirgem
60 mℓ de suco de limão
Sal a gosto
Pimenta-do-reino fresca moída a gosto
14 g de salsinha de folha lisa picada
284 g de cogumelo porcini picado finamente (opcional)

### guarnição

85 g de queijo parmesão
½ a 2 colheres (sopa)/7,5 mℓ de óleo de trufas brancas ou óleo de avelã

---

1. Corte as partes superior e inferior dos bulbos de erva-doce. Corte-os ao meio, de cima para baixo. Coloque cada metade com a parte cortada para baixo e fatie-a na diagonal o mais fino possível. Pare de fatiar quando chegar ao miolo do bulbo. Descarte o restante ou reserve para outro uso.

2. Misture bem o azeite de oliva, o suco de limão, o sal e a pimenta-do-reino. Acrescente a erva-doce, a salsinha e os cogumelos fatiados; mexa-os para que o tempero esteja bem misturado. Refrigere até o momento de usar.

3. Para cada porção, arrume 71 g de salada em um prato resfriado. Rale cerca de 7 g de parmesão sobre a salada e regue com um pouco de óleo de trufas ou de avelã.

» **VARIAÇÕES** SALADA DE ERVA-DOCE E CAQUI: prepare a salada até o passo 2. Guarneça com lascas de caqui fuyu e finalize com algumas gotas de vinagre balsâmico.
SALADA DE ALCACHOFRA E ERVA-DOCE: substitua metade da erva-doce por corações de alcachofra cozidos (ver p. 121 para as instruções culinárias). Tempere a salada e finalize conforme descrito acima.
SALADA DE ERVA-DOCE GRELHADA: corte a erva-doce em fatias de 6 mm de espessura, pincele com um pouco do molho e grelhe até que fiquem macias. Esfrie a erva-doce antes de juntá-la ao restante do molho no passo 2.

# Salada de milho assado e tomate

RENDIMENTO: 10 PORÇÕES

### molho
160 mℓ de azeite de oliva

120 mℓ de vinagre de vinho branco

1½ colher (chá)/4,5 g de pasta de alho assado

1 colher (chá)/3 g de sal

½ colher (chá)/1 g de pimenta-do-reino moída grosseiramente

### salada
567 g de grão de milho assado (ver nota do chef)

482 g de tomate concassé

21 g de cebolinha fatiada

1 colher (sopa)/3 g de coentro picado

1 colher (sopa)/3 g de salsinha de folha lisa picada

---

1. Misture o azeite, o vinagre e a pasta de alho. Adicione o sal e a pimenta-do-reino.

2. Acrescente o milho, o tomate concassé, a cebolinha e as ervas. Remexa-os para revesti-los por igual. Ajuste o tempero a gosto. Sirva a salada imediatamente ou cubra e refrigere até servir.

» **NOTA DO CHEF** Para assar o milho, corte os grãos da espiga, misture com azeite de oliva, sal e pimenta-do-reino, e espalhe em camada única sobre uma assadeira. Asse a 177 °C até que um pouco da umidade tenha evaporado dos grãos e eles tenham adquirido uma cor dourado-escura com toques de marrom-claro.

# Coleslaw

RENDIMENTO: 10 PORÇÕES

### salada
510 g de repolho-verde em chiffonade
149 g de repolho-roxo em chiffonade
50 g de cenoura em julienne
50 g de pimentão vermelho e amarelo em julienne
50 g de cebola roxa em julienne

### molho
14 g de açúcar
2 colheres (chá)/4 g de mostarda em pó
1 colher (chá)/2 g de semente de salsão
100 mℓ de maionese básica (p. 36)
100 mℓ de creme de leite azedo
2 colheres (sopa)/30 mℓ de vinagre de sidra
2 colheres (chá)/11 g de raiz-forte pronta (opcional)
1 colher (chá)/5 g de mostarda escura suave
Sal a gosto
Pimenta branca moída a gosto
Molho tabasco a gosto

1. Misture os repolhos, a cenoura, os pimentões e a cebola.

2. Em outro recipiente, junte o açúcar, a mostarda e as sementes de salsão, mexendo-os para dissolver as pelotas. Acrescente o restante dos ingredientes do molho e misture bem.

3. Incorpore os repolhos, a cenoura, os pimentões e a cebola ao molho. Sirva imediatamente ou cubra e refrigere até servir.

» **NOTA DO CHEF** Uma mistura de repolhos, pimentões, cenoura e cebola proporciona uma variação colorida do coleslaw clássico. Para um coleslaw mais tradicional, não insira os pimentões e a cebola.

# Salada de tomate marinado

RENDIMENTO: 10 PORÇÕES

113 g de cebola roxa bem picada
2 dentes de alho amassados
60 mℓ de vinagre de xerez
120 mℓ de azeite de oliva extravirgem
1 maço de salsinha de folha lisa em chiffonade
2 maços de manjericão roxo em chiffonade

822 g de tomate heirloom sem casca, sem sementes e em cubos
709 g de tomate currant cortado ao meio
Sal a gosto
Pimenta-do-reino moída a gosto

1. Junte a cebola, o alho e o vinagre de xerez e deixe-os macerar por 15 min.
2. Regue com o azeite de oliva e adicione a salsinha e o manjericão roxo.
3. Acrescente os tomates e deixe a mistura marinar por 1 h em refrigeração.
4. Tempere com o sal e a pimenta-do-reino e sirva imediatamente, ou refrigere até o momento de servir.

# Salada de batata mediterrânea

RENDIMENTO: 10 PORÇÕES

1,13 kg de batata serosa (como yellow finn ou yukon gold)

## molho

210 mℓ de azeite de oliva extravirgem
90 mℓ de vinagre de vinho tinto
30 mℓ de vinagre balsâmico
28 g de salsinha de folha lisa picada grosseiramente
43 g de alcaparra picada
14 g de filé de anchova picado
1 colher (chá)/3 g de alho amassado
1 colher (chá)/3 g de sal
¼ colher (chá)/0,5 g de pimenta-branca moída

1. Ferva as batatas suavemente em água salgada até que fiquem totalmente cozidas.

2. Enquanto elas cozinham, misture os ingredientes do molho.

3. Escorra as batatas e seque-as rapidamente, para remover o excesso de umidade. Descasque-as e corte em cubos médios enquanto ainda estiverem quentes e as coloque em uma tigela.

4. Bata o molho para recombiná-lo e despeje-o sobre as batatas. Deixe a salada descansar em temperatura ambiente por, no mínimo, 30 min antes de servir ou de guardar em refrigeração.

» **NOTA DO CHEF** Esta salada pode ser quente ou fria. Se for quente ou à temperatura ambiente, deve ser preparada logo antes de ser servida (não mais do que 3 h). Se for armazenada e servida fria, deve ser resfriada na geladeira depois de descansar em temperatura ambiente por 30 min.

» **VARIAÇÃO** SALADA DE BATATA MEDITERRÂNEA COM MEXILHÃO: cozinhe os mexilhões no vapor ou em poché. Se desejar a salada quente, cozinhe os frutos do mar poché imediatamente antes de servir e misture à salada em seguida. No caso de apresentação fria, cozinhe os mexilhões no vapor ou em poché, resfrie-os bem e acrescente-os à salada. Armazene a salada conforme descrito acima. Outros crustáceos, como moluscos, também podem ser usados.

# Salada de batata alemã

RENDIMENTO: 10 PORÇÕES

1,02 kg de batata serosa (como yellow finn ou yukon gold)
600 mℓ de caldo de galinha (p. 643)
60 mℓ de vinagre de vinho branco
113 g de cebola em cubos
1 colher (chá)/3 g de sal, ou a gosto

1 colher (chá)/4 g de açúcar, ou a gosto
Pimenta-branca moída a gosto
57 g de bacon em cubos
60 mℓ de óleo vegetal
2 colheres (sopa)/28 g de mostarda escura suave
½ maço de ciboulette cortada

1. Cozinhe suavemente as batatas em água salgada apenas até que fiquem macias. Escorra e seque. Enquanto as batatas ainda estão quentes, remova a casca e corte em fatias de 3 mm de espessura.

2. Misture o caldo de galinha, o vinagre, a cebola, o sal, o açúcar e a pimenta e ferva-os. Despeje o caldo fervente sobre as batatas.

3. Frite o bacon, remova-o da frigideira com uma escumadeira e mantenha-o aquecido.

4. Misture o óleo, a gordura do bacon e a mostarda com as batatas mornas. Acrescente o bacon frito e a ciboulette; misture a salada com cuidado.

5. Esta salada pode ser servida quente ou à temperatura ambiente.

» **NOTA DO CHEF** É importante usar batata serosa, para que a salada quente mantenha a estrutura ao ser servida.

# Tabule

RENDIMENTO: 10 PORÇÕES

### salada

454 g de trigo para quibe

71 g de salsinha de folha lisa picada

397 g de tomate em cubos

28 g de cebolinha em fatias finas (apenas a parte branca)

14 g de hortelã picada

### molho

240 mℓ de azeite de oliva extravirgem

120 mℓ de suco de limão

Sal a gosto

Pimenta-do-reino moída a gosto

---

1. Coloque o trigo para quibe em uma tigela e cubra-o com água morna. Deixe de molho por 30 min e, então, escorra-o bem.

2. Em uma tigela grande, misture o trigo com a salsinha, o tomate, a cebolinha e a hortelã.

3. Bata os ingredientes do molho, despeje-o sobre a salada e mexa-a para distribuir bem o molho. Sirva imediatamente ou cubra e refrigere até o momento de servir.

# Salada de nozes e lentilha

RENDIMENTO: 10 PORÇÕES

302 g de lentilha francesa

1 cenoura cortada em brunoise e escaldada

⅔ de talo de salsão descascado, cortado em brunoise e escaldado

⅓ de alho-poró (apenas a parte branca) cortado em cubos pequenos e escaldado

151 g de noz torrada e sem casca

100 mℓ de vinagrete de mostarda e nozes (p. 30)

---

1. Cozinhe em fogo brando as lentilhas até que fiquem macias. Refresque-as em água fria e escorra bem. Enxágue até que esfriem e escorra de novo.

2. Misture as lentilhas, a cenoura, o salsão, o alho-poró e as nozes. Refrigere a salada até o momento de servir.

3. Até 4 h antes de servir, junte a mistura de lentilha com o vinagrete. Sirva em temperatura ambiente ou resfriada. Acerte o tempero a gosto antes de servir.

» **NOTA DO CHEF** Legumes endurecem ao permanecerem em contato com um ácido, tal como esse vinagrete, por longos períodos. Assim como todas as saladas de feijão, esta fica melhor quando preparada e consumida no mesmo dia.

# Cuscuz israelense com arroz e trigo integral

RENDIMENTO: 10 PORÇÕES

57 g de mistura de trigo integral e arroz
106 g de lentilha verde
156 g de cuscuz israelense
269 g de pepino sem sementes e cortado em cubos pequenos
99 g de repolho savoy em cubos médios
43 g de cebolinha cortada finamente na diagonal
240 ml de vinagrete de limão e salsinha (p. 29)

1. Cozinhe separadamente a mistura de trigo e arroz e as lentilhas verdes e deixe-as esfriar à temperatura ambiente.

2. Cozinhe o cuscuz israelense e deixe esfriar à temperatura ambiente.

3. Misture os grãos frios em uma tigela grande. Acrescente o pepino, o repolho e a cebolinha e misture bem.

4. Incorpore o vinagrete.

5. Sirva cerca de 80 ml por pessoa, ou refrigere até servir.

» **NOTA DO CHEF** O cuscuz israelense é uma massa granular grande; ele deve ser cozido rapidamente em uma panela grande de água fervente, como se fosse macarrão. Talvez seja necessário dar um choque térmico no cuscuz para ajudar no seu resfriamento à temperatura ambiente.

# Salada de feijão-branco com manjericão

RENDIMENTO: 10 PORÇÕES

| | |
|---|---|
| 454 g de feijão-branco selecionado, enxaguado e deixado de molho entre 12 h e 24 h | Sal a gosto |
| 60 ml de azeite de oliva | 71 g de coração de salsão (incluindo as folhas) picado |
| 85 g de cenoura descascada e inteira | 14 g de zeste de limão em chiffonade e escaldado |
| 85 g de salsão cortado na metade | 2 colheres (sopa)/6 g de folha de salsinha lisa |
| 7 g de dente de alho amassado | 2 colheres (sopa)/6 g de manjericão em chiffonade |
| 2 ramos de alecrim | 7 g de dente de alho em fatias finas |
| 2 ramos de tomilho | 60 ml de azeite de oliva extravirgem |
| 1 folha de louro | 1½ colher (chá)/7 ml de vinagre balsâmico branco |
| 57 g de pancetta (opcional) | Pimenta-do-reino moída a gosto |
| 99 g cebola roxa em julienne fina ou em cubos pequenos | |

1. Em uma caçarola, misture o feijão, o azeite, a cenoura, as metades de salsão, o alho amassado, o alecrim, o tomilho e a folha de louro (e a pancetta, se desejar). Acrescente água fria suficiente apenas para cobrir a mistura em 10 cm e levante fervura. Reduza o fogo e cozinhe em fogo brando até que o feijão fique macio (entre 60 min e 90 min). Mexa de vez em quando para evitar que ele queime e, se necessário, acrescente água para mantê-lo coberto em 5 cm, aproximadamente.

2. Acrescente sal para temperar o feijão. Remova e descarte o salsão, a cenoura, o alho e as ervas. Resfrie o feijão no líquido de cozimento. Cubra-o e mantenha-o refrigerado até o momento de preparar a salada.

3. Escorra o feijão. Misture a cebola roxa, os corações de salsão, as zestes de limão, a salsinha, o manjericão e as fatias de alho. Regue a mistura com azeite de oliva extravirgem e vinagre, tempere com 1 colher (chá)/3 g de sal e ¼ colher (chá)/0,5 g de pimenta-do-reino, misture bem e reserve.

4. Acrescente o feijão escorrido e misture bem a salada. Experimente-a e tempere com sal e pimenta-do-reino. Cubra e deixe descansar por, no mínimo, 30 min e, no máximo, 3 h antes de servir.

» **VARIAÇÃO** SALADA DE FEIJÃO-VERMELHO BORLOTTI COM ALECRIM: substitua o feijão-branco por feijão-vermelho borlotti, ajustando o tempo do cozimento se necessário. Substitua o manjericão em chiffonade por 2 colheres (chá)/4 g de folha de alecrim bem picada.

# Salada mista de feijões e grãos

RENDIMENTO: 10 PORÇÕES

### salada
170 g de grão-de-bico deixado de molho de um dia para o outro
170 g de lentilha verde
85 g de macarrão acini di pepe
170 g de trigo para quibe

### molho
160 ml de vinagrete de avelã e orégano (p. 30)
3 tomates secos bem picados
Sal a gosto
Pimenta-do-reino moída grosseiramente a gosto

1. Cozinhe o grão-de-bico, a lentilha e o macarrão separadamente, em água salgada. Refresque-os em água fria e escorra-os bem. Misture-os delicadamente em uma tigela.

2. Coloque o trigo para quibe em outra tigela e cubra com água morna. Deixe de molho por 30 min e escorra bem. Junte à mistura de grão-de-bico.

3. Bata os ingredientes do molho, despeje-o sobre a salada e mexa para revesti-la por igual. Sirva imediatamente, ou cubra e refrigere até a hora de servir.

» **IDEIA PARA APRESENTAÇÃO** Sirva esta salada com espetos de pimentão vermelho e amarelo e cordeiro grelhado.

# Fattoush

RENDIMENTO: 10 A 12 PORÇÕES

### pão sírio
6 pães sírios
3 colheres (sopa)/45 mℓ de azeite de oliva extravirgem
Sal a gosto
Pimenta-do-reino moída a gosto

### molho
60 mℓ de suco de limão
1 colher (sopa)/15 mℓ de vinagre de vinho branco
1 colher (sopa)/15 g de sumagre moído
2 dentes de alho amassados
120 mℓ de azeite de oliva extravirgem
Sal a gosto
Pimenta-do-reino moída a gosto
2 colheres (sopa)/6 g de tomilho picado
½ colher (chá)/1 g de pimenta-de-caiena
2 colheres (chá)/8 g de açúcar

### vegetais
1 maço de cebolinha picado
28 g de salsinha de folha lisa picada
6 tomates italianos sem sementes, cortados em cubos médios
1 pepino sem sementes e sem casca, cortado em cubos médios
227 g de rabanete cortado em brunoise ou em fatias finas
1 pimentão amarelo sem sementes e cortado em cubos pequenos

1. Corte os pães sírios em triângulos pequenos. Misture com o azeite, o sal e a pimenta-do-reino. Em uma assadeira, asse-os em forno a 149 °C por cerca de 15 min, virando-os na metade do tempo de cozimento. Os pães sírios devem ficar crocantes, mas sem esfarelar.

2. Misture bem os ingredientes do molho e ajuste o tempero a gosto.

3. Junte os vegetais ao molho e misture bem. Incorpore os triângulos de pão sírio. Ajuste o tempero com o sal e a pimenta-do-reino. Se a salada estiver muito seca, umedeça-a com um pouco de água.

» **NOTA DO CHEF** O sumagre é um tempero muito apreciado nas culinárias síria, libanesa e de outras regiões do Oriente Médio. É feito das bagas da árvore de sumagre e tem um sabor forte, ligeiramente ácido e amargo.

# Salada panzanella de outono

RENDIMENTO: 10 PORÇÕES

| | |
|---|---|
| 1,02 kg de abóbora-cheirosa descascada e cortada em cubos médios | 227 g de cranberry seco |
| 60 mℓ de azeite de oliva | 397 g de pão sourdough |
| 14 g de sal, ou mais se necessário | 113 g de noz torrada e picada grosseiramente |
| 2 colheres (chá)/4 g de pimenta-do-reino moída, ou mais se necessário | 3 colheres (sopa)/9 g de sálvia em chiffonade |
| | 480 mℓ de vinagrete de chalotas assadas (p. 32) |

1. Cubra levemente a abóbora com um pouco de azeite de oliva e tempere com sal e pimenta. Espalhe a abóbora sobre uma assadeira forrada com papel-manteiga e asse no forno a 177 °C até que fique macia, mas sem que perca a forma (cerca de 30 min). Deixe esfriar à temperatura ambiente.

2. Reidrate as cranberries em água quente entre 5 min e 10 min; descarte a água.

3. Corte o sourdough longitudinalmente pela metade e pincele levemente a parte de dentro com o restante do azeite de oliva. Com a parte cortada para baixo, grelhe o pão em fogo médio até que seque e fique marcado. Se desejar, gire-o, quando estiver meio grelhado, para que adquira marcas cruzadas. Esfrie e corte o pão em cubos grandes. Se necessário, asse-os no forno para que sequem ainda mais. Os cubos devem ficar crocantes do lado de fora, mas macios e maleáveis do lado de dentro. Eles não devem ficar como croutons, isto é, não devem ficar completamente secos.

4. Quando a abóbora e o pão estiverem frios, junte-os com as cranberries, as nozes, a sálvia e o vinagrete e misture-os delicadamente, tomando cuidado para manter a forma da abóbora. (*Nota*: a quantidade necessária de molho pode variar com o tipo de pão usado.)

5. Experimente e ajuste o tempero a gosto com sal e pimenta-do-reino.

» **NOTA DO CHEF** Esta salada fica melhor se feita no dia anterior. É uma maneira econômica de utilizar o pão que ficou seco demais para ser fatiado e consumido. A abóbora pode ser assada e o pão pode ser grelhado com antecedência, antes de se misturarem os ingredientes da salada.

# Salada de macarrão sobá

RENDIMENTO: 10 PORÇÕES

567 g de macarrão sobá
2 colheres (sopa)/30 mℓ de vinagre de arroz
120 mℓ de molho tamari
1½ colher (chá)/7 g de missô light
120 mℓ de óleo de gergelim
21 g de semente de gergelim com casca

½ colher (chá)/1 g de floco de pimentão vermelho
170 g de cenoura cortada em julienne fina
113 g de cebolinha fatiada finamente na diagonal
Sal a gosto
Pimenta-do-reino moída a gosto

1. Cozinhe o macarrão em água salgada fervente até que fique al dente. Enxague-o em água fria, escorra e seque.

2. Para preparar o molho, misture o vinagre de arroz, o molho tamari e o missô. Bata o óleo de gergelim, as sementes de gergelim e os flocos de pimentão vermelho.

3. Incorpore a cenoura e a cebolinha ao molho.

4. Despeje o molho sobre o macarrão, misture-o e ajuste o tempero com o sal e a pimenta-do-reino.

» **NOTA DO CHEF** O macarrão sobá é feito das farinhas do trigo-sarraceno e do trigo e adquire uma coloração marrom acinzentada quando cozido.

O molho tamari pode ser substituído por shoyu. Também é possível acrescentar a pimenta shichimi à receita.

# Salada de cuscuz e vegetais ao curry

RENDIMENTO: 10 PORÇÕES

680 g de aspargo aparado e cortado na diagonal em pedaços de 5 cm de comprimento

340 g de florete de couve-flor

340 g de erva-doce em julienne

170 g de grão-de-bico cozido, escorrido e enxaguado

240 mℓ de vinagrete de curry (p. 30)

Sal a gosto

Pimenta-do-reino moída a gosto

680 g de cuscuz

1 canela em pau

28 g de folha de salsinha lisa, inteira ou em chiffonade

85 g de amêndoa torrada em fatias

57 g de uva-passa de Corinto hidratada em água morna

454 g de tomate uva ou tomate-cereja

2 colheres (sopa)/30 mℓ de harissa (p. 593)

---

1. Cozinhe os vegetais no vapor ou ferva-os separadamente até que fiquem macios; escorra-os bem. Junte os vegetais e o grão-de-bico ao vinagrete enquanto os vegetais ainda estiverem quentes. Tempere com sal e pimenta-do-reino. Cubra a mistura e refrigere por, no mínimo, 2 h e, no máximo, 12 h.

2. Cozinhe o cuscuz no vapor com a canela em pau até que fique quente, fofo e macio. Amacie o cuscuz para quebrar os caroços e junte a salsinha, as amêndoas e a uva-passa. Experimente e tempere com sal e pimenta-do-reino. Por cima, coloque os vegetais marinados e os tomates. Regue a salada com algumas gotas de harissa.

» **NOTA DO CHEF** Fundos ou corações de alcachofra cortados em quartos podem ser acrescentados aos vegetais enquanto marinam.

# Salada de feijão-preto

RENDIMENTO: 10 PORÇÕES

| | |
|---|---|
| 227 g de feijão-preto seco | 60 mℓ de azeite de oliva |
| 198 g de arroz branco | 2 colheres (chá)/6,5 g de sal, ou a gosto |
| 113 g de pimentão vermelho em cubos | 2 colheres (sopa)/30 mℓ de suco de limão-siciliano |
| 142 g de cebola em cubos | 3 colheres (sopa)/9 g coentro fresco picado |
| 1 colher (sopa)/9 g de alho amassado | 227 g de queso blanco, esfarelado |

1. Deixe o feijão de molho de um dia para o outro. Descarte a água.

2. Coloque-o em uma panela média e cubra com água fria. Deixe levantar fervura, cubra e cozinhe o feijão em fogo médio-alto até que fique macio (de 1h30 a 2 h). Enquanto o feijão cozinha, observe o nível do líquido e acrescente água conforme necessário, para evitar que ele queime. Quando estiver cozido, coe-o bem e deixe esfriar um pouco.

3. Cozinhe o arroz branco em bastante água salgada fervente até que fique macio (cerca de 10 min para o arroz branco de grão médio); escorra bem e deixe esfriar um pouco.

4. Salteie o pimentão vermelho, a cebola e o alho em 2 colheres (sopa)/30 mℓ de azeite de oliva. Tempere levemente com sal e deixe esfriar um pouco.

5. Incorpore a mistura de pimentão vermelho ao feijão cozido e resfriado.

6. Faça o vinagrete com o restante do azeite de oliva, com o suco de limão-siciliano, com o coentro e com o sal. Despeje-o sobre a mistura de feijão e mexa com cuidado.

7. Incorpore cuidadosamente o arroz.

8. Incorpore cuidadosamente o queso blanco esfarelado. Acerte o tempero da salada com sal. Esfrie completamente; cubra e refrigere até servir.

» **NOTA DO CHEF** Queso blanco é um queijo branco fresco e macio, originário do México, e é muito simples de fazer.

# Salada de papaia verde à tailandesa

RENDIMENTO: 10 PORÇÕES

8 dentes de alho picados grosseiramente
3 pimentas tailandesas picadas grosseiramente
14 g de camarão seco picado
60 ml de polpa de tamarindo
60 ml de suco de limão-siciliano
90 ml de molho de peixe
43 g de açúcar de palmeira

227 g de feijão-chicote cortado em pedaços de 4 cm de comprimento
1,13 kg de mamão papaia verde em julienne
113 g de cenoura em julienne
113 g de amendoim torrado picado grosseiramente
10 tomates cereja cortados ao meio
10 folhas de repolho-verde
1,13 kg de arroz glutinoso cozido no vapor

1. Junte o alho, a pimenta e o camarão seco.

2. Acrescente o tamarindo, o suco de limão-siciliano, o molho de peixe e o açúcar. Misture-os bem e acrescente o feijão-chicote. Pressione a mistura algumas vezes para amassar o feijão. Acrescente o mamão papaia, a cenoura e o amendoim.

3. Acrescente as metades de tomate e amasse-os levemente. Acerte o tempero com suco de limão-siciliano, molho de peixe e açúcar de palmeira, a gosto.

4. Sirva a salada em uma folha de repolho acompanhado de arroz glutinoso cozido no vapor.

# Salada de frango e crème fraîche

RENDIMENTO: 10 PORÇÕES

2,88 ℓ de caldo de galinha (p. 643)
Sal a gosto
43 g de dente de alho amassado (opcional)
1,13 kg de peito de frango sem osso e sem pele
180 ml de crème fraîche ou creme azedo
180 ml de maionese
113 g de noz-pecã picada grosseiramente

170 g de uva cortada pela metade
2 colheres (sopa)/6 g de manjerona picada finamente
3 colheres (sopa)/9 g de cerefólio picado finamente
3 colheres (sopa)/9 g de estragão picado finamente
2 colheres (sopa)/6 g de orégano picado finamente
Sal a gosto
Pimenta-do-reino moída a gosto

1. Tempere o caldo com sal e acrescente o alho se desejar. Em uma panela em fogo médio, cozinhe o peito de frango poché no caldo até que ele fique macio ao toque do garfo e completamente cozido (de 30 min a 35 min).

2. Deixe o frango resfriar à temperatura ambiente. Corte-o em cubos médios.

3. Misture o frango com o restante dos ingredientes e acerte o tempero com sal e pimenta-do-reino.

4. Sirva imediatamente ou leve à geladeira para servir mais tarde.

# Salada de caranguejo e abacate

RENDIMENTO: 10 PORÇÕES

454 g de pimentão vermelho
454 g de pimentão amarelo
60 ml de azeite de oliva
1½ colher (chá)/5 g de sal
1 colher (chá)/2 g de pimenta-do-reino moída
284 g de tomate concassé
43 g de cebola roxa picada finamente
1 colher (sopa)/9 g de alho amassado

3 colheres (sopa)/9 g de coentro fresco picado
1 pimenta jalapeño sem sementes, em cubos pequenos
284 g de abacate maduro, cortado em cubos de 6 mm
2 colheres (sopa)/30 ml de suco de limão-siciliano
567 g de carne de caranguejo limpa
120 ml de crème fraîche
10 ramos de coentro

1. Esfregue os pimentões com aproximadamente 2 colheres (sopa)/30 ml de azeite de oliva.

2. Em uma assadeira com grelha, asse os pimentões no forno de 191 °C a 204 °C até que a sua casca se solte (de 35 min a 45 min). Não deixe os pimentões adquirirem cor. Remova a casca e as sementes.

3. Esfrie os pimentões. No processador de alimentos, faça um purê de pimentão vermelho e outro de pimentão amarelo e passe-os separadamente em uma peneira de trama bem fina. Tempere cada purê com aproximadamente ½ colher (chá)/1,5 g de sal e uma pitada de pimenta-do-reino e coloque-os em garrafas sifão de ar comprimido.

4. Uma hora antes de moldar, misture o tomate, a cebola, o alho, o coentro picado e a pimenta jalapeño para formar um molho.

5. Junte o abacate, o suco de limão-siciliano, ½ colher (chá)/1,5 g de sal e uma pitada de pimenta-do-reino.

6. Em um aro modelador redondo de 6 cm de diâmetro e 3 cm de altura, disponha em camadas 43 g de mistura de abacate, 43 g de molho de tomate e 85 g de carne de caranguejo. Pressione cuidadosamente cada camada contra a forma e certifique-se de que a última está firmemente comprimida ao recipiente.

7. Coloque 1 colher (sopa)/15 ml de crème fraîche sobre o caranguejo e nivele-o à borda do modelador com uma espátula pequena.

8. Transfira a forma cheia para o centro de um prato de 20 cm de diâmetro e a retire cuidadosamente. Coloque o ramo de coentro em cima do crème fraîche.

9. Use as garrafas sifão de ar comprimido para criar dois círculos concêntricos ao redor da salada de caranguejo.

» **IDEIA PARA APRESENTAÇÃO** Faça camadas de molho, abacate e caranguejo em copos transparentes e coloque o crème fraîche e o coentro por cima.

# Queijo de cabra assado com alface, figo assado, pera e amêndoas torradas

RENDIMENTO: 10 PORÇÕES

| | |
|---|---|
| 567 g de queijo de cabra marinado fresco | 450 ml de vinagrete balsâmico (p. 27) |
| 227 g de farinha de rosca | Sal a gosto |
| 10 figos assados (ver nota do chef), cortados ao meio | Pimenta-do-reino moída a gosto |
| 850 g de mistura mesclun | 71 g de amêndoa torrada (p. 663) |
| 2 peras sem miolo e fatiadas finas | |

1. Escorra o excesso de óleo do queijo marinado. Fatie-o em 20 rodelas. Passe delicadamente o queijo na farinha de rosca e coloque-o em assadeiras. Refrigere por, no mínimo, 2 h e, no máximo, de um dia para o outro.

2. Para cada porção, asse 2 rodelas de queijo no forno a 232 °C até que fiquem levemente douradas (cerca de 10 min). Deixe o queijo esfriar enquanto grelha levemente os figos. Junte 85 g de mesclun e 3 ou 4 fatias de pera com 2 colheres (sopa)/30 ml de vinagrete; tempere a salada com sal e pimenta-do-reino. Monte-a em um prato resfriado. Coloque por cima as rodelas de queijo, os figos e algumas amêndoas.

» **NOTA DO CHEF** Para assar os figos, remova a parte superior do talo. Tempere-os com sal e pimenta-do-reino e coloque-os em um rèchaud de 5 cm de profundidade. Acrescente caldo de galinha para cobri-los até a metade. Acrescente uma folha de louro e um ramo de tomilho. Cubra os figos e asse-os no forno a 177 °C até que fiquem macios e roliços (cerca de 20 min). Aqueça com a casca para baixo em um grill, se desejar.

# Salada de abacate, tomate e milho

RENDIMENTO: 10 PORÇÕES DE ENTRADA

3 tomates vermelhos coração de boi fatiados finamente

3 tomates amarelos coração de boi fatiados finamente

149 g de tomate-cereja cortado longitudinalmente ao meio

142 g de tomate-pera cortado longitudinalmente ao meio

142 g de tomate-pimpinela

5 espigas de milho

567 g de salada mesclun enxaguada e seca

450 mℓ de vinagrete de chipotle e xerez (p. 31)

5 abacates maduros sem casca e sem caroço

284 g de queijo cheddar Vermont envelhecido esfarelado

1 cebola roxa em fatias finas e separadas em anéis

Pimenta-do-reino moída grosseiramente a gosto

1. Divida os tomates para cada salada da seguinte forma: 2 fatias de tomate vermelho, 2 de tomate amarelo, 43 g de mistura dos tomates cereja, pera e pimpinela.

2. Asse o milho (ver p. 125) e corte os grãos; você usará cerca de ½ espiga por salada.

3. Para cada porção, junte 57 g de mesclun com 2 colheres (sopa)/30 mℓ de vinagrete. Molde-a em um prato resfriado. Corte meio abacate em fatias ou cubos e espalhe-o sobre a salada. Coloque por cima os tomates, o milho, o queijo cheddar e a cebola roxa. Regue a salada com mais 1 colher (sopa)/15 mℓ de vinagrete. Moa a pimenta-do-reino sobre ela. Sirva imediatamente.

» **NOTA DO CHEF** Esta salada contém um dos produtos famosos de Vermont, o queijo cheddar envelhecido, junto com uma variedade de tomates maduros. Isso proporciona uma excelente entrada ou um prato principal vegetariano para cardápios de almoço.

# Salada de asa de frango "buffalo wings"

RENDIMENTO: 10 PORÇÕES DE ENTRADA

1,13 kg de asa de frango sem as pontas

227 g de farinha de trigo temperada, a gosto, com sal e pimenta-do-reino moída

## molho picante

240 mℓ de molho de pimenta

28 g de manteiga

Molho tabasco a gosto

Pimenta-de-caiena moída a gosto

Suco de limão a gosto

## salada

567 g de folhas verdes mistas, lavadas e secas

300 mℓ de vinagrete de vinho tinto básico (p. 27)

½ maço de salsão cortado em allumettes de 10 cm

340 g de cenoura cortada em allumettes de 10 cm

1 pepino sem sementes, descascado e fatiado

20 crisps de aipo-rábano (p. 606) (opcional)

450 mℓ de molho roquefort (p. 39)

---

1. Passe as asas de frango na farinha e frite-as em imersão no óleo a 177 °C até que fiquem douradas e crocantes (cerca de 12 min). Escorra-as bem.

2. Cozinhe em fogo brando os ingredientes do molho picante. Despeje-o sobre as asas de frango quentes; mantenha-as no molho.

3. Para cada porção, aqueça 113 g de asa de frango, se necessário. Misture 57 g de folhas verdes com 2 colheres (sopa)/30 mℓ de vinagrete. Arrume as folhas mistas em uma travessa de salada ou em um prato de sopa e coloque as asas por cima. Guarneça a salada com o salsão, a cenoura, o pepino e os crisps de aipo-rábano. Sirva com 3 colheres (sopa)/45 mℓ de molho Roquefort.

» **NOTA DO CHEF** Esta salada é uma variação do popular tira-gosto chamado de "Buffalo Chicken Wings", criado em 1964 no Anchor Bar de Buffalo, Nova York, pela proprietária Teressa Bellisimo.

# Salada de feijão-branco e polvo baby grelhado

RENDIMENTO: 10 PORÇÕES

### polvo

1 colher (sopa)/15 mℓ de azeite de oliva
57 g de cebola cortada em cubos médios
57 g de cenoura cortada em cubos médios
28 g de salsão cortado em cubos médios
3 dentes de alho amassados
907 g de polvo baby limpo e cortado em pedaços
120 mℓ de vinho branco seco
360 mℓ de água
240 mℓ de suco de tomate
4 ramos de tomilho
2 ramos de alecrim
2 folhas de louro
½ colher (chá)/1,5 g de sal
¼ colher (chá)/0,5 g de pimenta-do-reino moída

### marinada

120 mℓ de azeite de oliva
14 g de folha de tomilho
14 g de folha de alecrim
2 dentes de alho amassados
Sal a gosto
Pimenta-do-reino moída a gosto

907 g de salada de feijão-branco com manjericão (p. 133)
20 cunhas de limão
71 g de salsinha de folha lisa (apenas as folhas)
28 g de galho de erva-doce
142 g de alface frisée (apenas o coração branco)
57 g de folha de coração de salsão
Azeite de manjericão (p. 607) a gosto
Azeite de oliva extravirgem a gosto
Sal marinho a gosto
Pimenta-do-reino moída a gosto

1. Para o polvo: aqueça o azeite de oliva em uma panela, em fogo médio. Acrescente a cebola, a cenoura e o salsão; refogue-os, mexendo de vez em quando, até que fiquem macios e translúcidos (5 min). Acrescente o alho e refogue-o até que aromatize. Acrescente o polvo e continue a cozinhar, virando-o ocasionalmente, até que todos os lados fiquem firmes (de 2 min a 3 min).

2. Acrescente o vinho branco, mexendo para deglaçar a panela, e continue a fervê-lo lentamente até reduzi-lo a um terço do seu volume original. Acrescente a água, o suco de tomate, o tomilho, o alecrim, as folhas de louro, o sal e a pimenta-do-reino. Grelhe o polvo em fogo muito baixo, sem tampá-lo, até que fique macio (cerca de 1 h). Remova e descarte as folhas de louro e os ramos de ervas. Ajuste o tempero com sal e pimenta-do-reino. Esfrie e reserve o polvo no líquido de cozimento até a hora de grelhar.

3. Para a marinada: junte o azeite, o tomilho, o alecrim e o alho. Tempere com sal e pimenta-do-reino. Reserve.

4. Para cada porção, coloque 85 g de salada de feijão em um prato. Remova 85 g de polvo do líquido de cozimento, escorrendo-o com cuidado. Pincele ou enrole o polvo na marinada e grelhe-o em fogo alto até que fique marcado pela grelha

e bem quente (1 min a 2 min de cada lado). Coloque o polvo grelhado sobre a salada e tempere com suco de limão. Guarneça o prato com um gomo de limão, salsinha, galhos de erva-doce, alface frisée e folhas de salsão. Regue a salada com um pouco de azeite de manjericão e azeite de oliva extravirgem. Polvilhe-a com sal e pimenta-do-reino.

» **NOTA DO CHEF** Na falta de polvo baby, substitua-o por lula. Ele também pode ser substituído por outros frutos do mar ou moluscos, como camarão ou vieira, os quais devem ser cozidos rapidamente, e não braseados.

# Salada de lagosta com emulsão de grapefruit e azeite de estragão

RENDIMENTO: 10 PORÇÕES

### salada de lagosta

15,36 ℓ de água
480 mℓ de vinagre de vinho branco
142 g de sal
5 lagostas (680 g cada)
680 g de manteiga derretida
2 colheres (chá)/6 g de chalota bem picada
14 g de aipo-rábano cortado em cubos pequenos
28 g de abacate cortado em cubos pequenos
1 colher (sopa)/15 mℓ de suco de limão
28 g de manteiga amolecida
3 colheres (sopa)/45 mℓ de maionese
Sal a gosto
Pimenta-do-reino moída a gosto

### guarnição

600 mℓ de emulsão de grapefruit (p. 35)
60 mℓ de óleo de estragão (p. 607)
20 chips de raiz de lótus fritos ou wonton (massa de pastel) frito
10 ciboulettes cortadas na diagonal em pedaços de 2,5 cm de comprimento
¾ de xícara (chá)/180 mℓ de minibroto de salsão lavado

---

1. Junte a água, o vinagre e o sal em uma panela e aqueça, em fogo alto, até levantar fervura.

2. Coloque as lagostas em um réchaud de 10 cm de altura e despeje a mistura de água sobre elas. Deixe-as de molho entre 5 min e 8 min, o suficiente para que a sua carne se assente e possa ser removida da casca.

3. Transfira as lagostas para uma tábua de cortar; remova a carne da cauda, das garras e das juntas. Descarte a casca ou reserve-a para outros usos culinários.

4. Coloque a carne na manteiga derretida (a manteiga deve cobrir a lagosta) e cozinhe em fogo brando até que ela esteja bem cozida (cerca de 10 min). Tome cuidado para não cozinhá-la demais.

5. Conserve a carne das garras em um pedaço inteiro. Corte a carne da cauda e das juntas em pequenos cubos e reserve-a.

6. Em uma tigela, junte a carne reservada da cauda e das juntas com as chalotas, o aipo-rábano, o abacate, o suco de limão, a manteiga e a maionese e misture-os bem.

7. Tempere a mistura com sal e pimenta-do-reino e reserve na geladeira.

8. Para cada porção, coloque um aro de 5 cm no centro de um prato de sopa com 20 cm de diâmetro. Preencha o aro até o topo com a salada (aproximadamente ⅓ de xícara (chá)/80 mℓ).

9. Remova o aro e coloque uma garra de lagosta por cima da salada.

10. Coloque 60 mℓ de emulsão de grapefruit ao redor do prato e regue-a com 1 a 2 colheres (chá)/5 mℓ a 10 mℓ de óleo de estragão.

11. Coloque sobre a salada um chip de raiz de lótus ou chip de wonton frito. Guarneça o prato com 2 ou 3 pedaços de ciboulette e 1 colher (sopa)/15 mℓ de minibrotos de salsão.

# Salada de caranguejo-vermelho com gelée de yuzu

RENDIMENTO: 8 PORÇÕES

### bolinhos de caranguejo

3 colheres (sopa)/45 mℓ de azeite de oliva extravirgem

1 colher (sopa)/15 mℓ de suco de limão fresco

Sal a gosto

Pimenta-branca moída a gosto

454 g de carne de caranguejo-vermelho limpo

### pepino

454 g de pepinos inteiros

28 g de gelatina

227 g de pepinos sem semente, descascados e cortados em cubos de 6 mm (para guarnição)

### chips de maçã

240 mℓ de água

397 g de açúcar

1 maçã granny smith

### espuma

5½ colher (chá) / 17 g de gelatina

240 mℓ de suco de limão yuzu (cerca de 5-6 yuzus)

Sal a gosto

2 cartuchos de nitrogênio

### guarnição

170 g de pontas de minibeterraba

---

1. Para os bolinhos de caranguejo: em uma tigela, junte o azeite, o suco de limão, o sal e a pimenta-do-reino.

2. Acrescente a carne de caranguejo e misture os ingredientes.

3. Forme bolinhos de 85 g e os coloque em copos de martíni de 180 mℓ, ou os coloque diretamente nos copos, sem formar bolinho, e refrigere-os.

4. Para o pepino: faça suco dos pepinos inteiros e depois coe o suco.

5. Meça 240 mℓ de suco de pepino e hidrate a gelatina com ele.

6. Aqueça a mistura em banho-maria até que a gelatina se dissolva. Esfrie-a à temperatura ambiente, mas certifique-se de que a mistura permaneça líquida o suficiente para ser despejada.

7. Despeje 2 colheres (sopa)/30 mℓ ao redor da mistura de caranguejo no copo de martíni.

8. Imediatamente, acrescente 28 g de guarnição de pepino em cubos e deixe a mistura se assentar. Refrigere até o momento de usar.

9. Para os chips de maçã: aqueça a água e o açúcar em fogo baixo até que virem xarope (de 10 min a 12 min).

10. Descasque a maçã e fatie-a em pedaços muito finos.

11. Cozinhe a maçã em poché no xarope por aproximadamente 10 min, ou até que ela fique translúcida.

12. Remova as fatias e coloque-as em uma assadeira com papel-manteiga; cubra-as com papel-manteiga e com outra assadeira.

13. Coloque no forno a 135 °C por 30 min ou até que sequem. Reserve à temperatura ambiente até o momento de usar.

14. Para a espuma: hidrate a gelatina em metade do suco de limão yuzu.

15. Aqueça em banho-maria até que a gelatina se dissolva.

16. Quando a mistura derreter, acrescente o restante do suco de limão yuzu e sal.

17. Coloque a mistura de gelatina em um cilindro ou sifão de creme batido e injete-a com os cartuchos de nitrogênio. Chacoalhe bem antes de servir.

18. Como guarnição, borrife 2 colheres (sopa)/30 mℓ de espuma de yuzu sobre a forma de caranguejo.

19. Para finalizar, coloque um chip de maçã na frente da espuma e algumas pontas de minibeterraba por cima.

» **NOTA DO CHEF** Caranguejos-vermelhos são muito apreciados pelos chefs por conta do seu sabor delicado e ligeiramente doce. Se não houver carne de caranguejo-vermelho disponível, substitua-a pela carne de um caranguejo semelhante, como o caranguejo-azul "guaiamum" ou o caranguejo-de-sergipe.

# Salada quente de folhas, grapefruit e vinagrete de tangerina e abacaxi

RENDIMENTO: 10 PORÇÕES

184 g de alface frisée lavada e secada
184 g de radicchio lavado e secado
128 g de rúcula lavada e secada
142 g de miniespinafre lavado e seco

240 mℓ vinagrete de tangerina e abacaxi (p. 34) quente
709 g de grapefruit cortada em suprêmes
142 g de amêndoa torrada fatiada
1 romã

1. Rasgue ou corte as folhas em pequenos pedaços. Junte tudo e refrigere até o momento de usá-las.

2. Para cada porção, misture 64 g de folhas com 1½ colher (sopa)/22,5 mℓ de vinagrete quente e as coloque no centro de um prato morno. Guarneça o prato com 5 ou 6 segmentos de grapefruit, 14 g de amêndoas e algumas sementes de romã.

# Salada de pato defumado e macarrão malfatti

RENDIMENTO: 10 PORÇÕES

227 g de macarrão malfatti (p. 653)

567 g de mistura de folhas verdes amargas (como rúcula, alface frisée e radicchio), lavadas e secas

284 g de cogumelo pleurotus amarelo cortado ao meio ou em quatro partes, se necessário

60 ml a 90 de ml de azeite de oliva, de acordo com a necessidade

454 g de pato defumado (p. 231), apenas o peito, cortado em tiras na diagonal da fibra

450 ml de vinagrete de chalotas assadas (p. 32)

Sal a gosto

Pimenta-do-reino moída a gosto

85 g de lasca de queijo parmesão

---

1. Cozinhe o macarrão em água salgada fervente até que fique al dente. Esfrie em água fria; escorra e seque. Misture no azeite, se cozido com antecedência.

2. Lave e seque as folhas verdes; rasgue-as ou corte-as em pedaços pequenos. Refrigere até o momento de usar.

3. Para cada porção, salteie 28 g de cogumelos em 2 colheres (chá)/10 ml de azeite de oliva até que fiquem macios. Acrescente cerca de 57 g de macarrão cozido e 43 g de pato. Misture-os em fogo alto até que aqueçam. Acrescente à panela 57 g de mistura de folhas verdes e 2 colheres (sopa)/30 ml de vinagrete. Misture bem os ingredientes e, quando todos estiverem quentes, forme um pequeno monte em um prato aquecido. Regue a salada com mais 1 colher (sopa)/15 ml de molho. Tempere com sal e pimenta-do-reino e guarneça o prato com lascas de parmesão e algumas chalotas do molho. Sirva ainda quente.

» **NOTA DO CHEF** Esta salada fica melhor quando preparada em uma panela antiaderente e em pequenos lotes imediatamente antes de ser servida. Distribua as chalotas igualmente sobre ela.

"Malfatti" significa algo que foi malfeito ou feito de forma irregular; portanto, quando fizer o macarrão, não se preocupe com quantidades exatas. Esta salada quente combina vários sabores e texturas que podem parecer incomuns, mas, quando bem feita, constitui um prato quase inigualável em sabor.

# Salada de frango frito à moda do sul

RENDIMENTO: 10 PORÇÕES

907 g de peito de frango (cerca de 7)

240 mℓ de leitelho

5 pés de alface lisa (como boston, bibb ou alface de inverno)

30 tomates-cereja

2 cebolas Vidalia

113 g de farinha de trigo temperada a gosto com sal e pimenta-do-reino moída

360 mℓ de óleo de amendoim

106 g de cogumelo branco lavado e fatiado

43 g de alcaparra escorrida

21 g de chalota bem picada

75 mℓ de vinagre de vinho branco

4½ colheres (sopa)/68 g de mostarda de Dijon

35 g de estragão picado

1. Apare os peitos de frango e corte-os em tiras de 14 g. Despeje leitelho sobre eles, cubra e leve à geladeira até a hora de montar a salada.

2. Separe as folhas das alfaces em folhas; lave e seque. Retire as sementes e corte os tomates em quartos. Fatie finamente as cebolas Vidalia e separe-as em anéis. Cubra e refrigere os ingredientes separadamente.

3. Para cada porção, remova 6 pedaços de frango do leitelho e passe-os na farinha temperada. Frite os frangos na frigideira, em 3 colheres (sopa)/45 mℓ de óleo de amendoim. Remova-os e retire o excesso de óleo com o papel-toalha absorvente enquanto finaliza o molho.

4. Acrescente 71 g de cogumelos fatiados ao óleo de amendoim junto com 1 colher (chá)/9 g de alcaparras e ½ colher (chá)/1,5 g de chalotas; salteie os cogumelos até que fiquem macios. Acrescente 1 colher (sopa)/15 mℓ de vinagre e 1½ colher (chá)/8 g de mostarda. Aqueça-os, remova-os do fogo e acrescente 1 colher (sopa)/3 g de estragão.

5. Arrume 57 g de alface em um prato resfriado. Por cima, coloque frango, tomate e cebola Vidalia. Despeje o molho quente sobre a salada e sirva-a imediatamente.

» **NOTA DO CHEF** Tenha sempre a mise en place apropriadamente dividida para cada porção, de modo que tanto o frango quanto o molho possam ser servidos quentes com a salada.

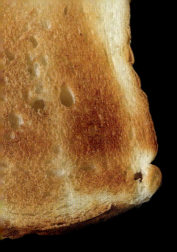

## quatro
# SANDUÍCHES

# Os sanduíches

**Os sanduíches**, muito antes do surgimento da escrita, já faziam parte de praticamente todas as culinárias, embora nem sempre tenham sido chamados assim. A honra de batizar esse lanche coube ao infame apostador John Montagu, o quarto conde de Sandwich. Diz a lenda que ele se recusou a se levantar da mesa de jogo para não interromper uma maré de sorte. Pediu então que lhe trouxessem pão recheado com carne, inaugurando a mania do sanduíche.

---

Louis P. De Guoy publicou *Sandwich Manual for Professionals* em 1940. Baseada no seu trabalho como chef no famoso hotel Waldorf Astoria, em Nova York, a obra clássica traz detalhes da montagem de centenas de sanduíches, organizados em categorias específicas. Ela resistiu ao tempo e constitui até hoje uma valiosa fonte de informações práticas e de inspiração.

Os sanduíches variam desde delicados aperitivos para coquetel e para chá, servidos em pequenos guardanapos, até o pan bagnat, enrolado em papel e vendido nas tradicionais feiras livres do sul da França, passando por uma elegante porção individual de foie gras servida em brioche tostado como amuse-gueule (também conhecido como "amuse-bouche") ou por um reuben grelhado com pão de centeio servido com salada de batata e picles. Existem diversas tradições culinárias entre as quais escolher, desde o smørrebrød escandinavo até os itens favoritos da cozinha norte-americana regional – como o po'boy –, a bruschetta e os panini italianos e os tacos e burritos mexicanos. O que une todos esses sanduíches é o conceito de recheio saboroso servido sobre ou dentro do pão ou de algum invólucro similar.

Neste capítulo, você aprenderá a manusear e preparar ingredientes para fazer os seguintes sanduíches:

» Sanduíches quentes, incluindo grelhados.
» Sanduíches frios.
» Minissanduíches.

Os sanduíches quentes costumam ter recheio quente, como hambúrguer ou pastrami. Podem ser grelhados, como o reuben e, em alguns casos, como o do sanduíche de carne de porco desfiada na brasa, um recheio quente é colocado sobre o pão, sobre o qual se espalha molho também quente.

Os sanduíches frios incluem versões tradicionais do estilo delicatéssen feitas com carne fatiada ou salada temperada com maionese. Os club sandwiches, também conhecidos como "sanduíches de três andares", também podem ser inseridos nessa categoria.

Já os sanduíches para coquetel e chá são itens delicados, feitos com pães de grãos refinados sem a casca e cortados com precisão em formatos e tamanhos que possam ser consumidos em duas mordidas.

# ELEMENTOS DO SANDUÍCHE

O garde manger pode ter de preparar sanduíches para recepções e chás, menus de almoço e de bistrô, tira-gostos especiais e piqueniques. Para elaborar produtos ótimos, é importante entender de que modo as técnicas básicas de rechear, cortar e segurar contribuem para a qualidade geral do sanduíche.

## pães

O leque de pães para sanduíche é bastante amplo, incluindo muitas especialidades étnicas. Pães de fôrma brancos são usados na receita de vários sanduíches frios; a sua massa firme faz deles uma boa opção para os delicados sanduíches de coquetéis e chás, que precisam ser cortados em fatias finas sem que esfarelem. Pães integrais e de estilo camponês nem sempre são tão fáceis de fatiar.

Pães específicos, bisnagas, pão francês e invólucros são usados para fazer sanduíches especiais. É preciso levar em consideração as características do pão e o modo como ele se combina com o recheio. O pão deve ser firme e grosso o suficiente para sustentar o recheio, mas não tão grosso a ponto de tornar o sanduíche seco.

A maior parte dos pães pode ser fatiada antes do preparo do sanduíche, desde que as fatias sejam cuidadosamente cobertas a fim de que não sequem. Os sanduíches que pedem pão torrado devem ser tostados imediatamente antes da montagem.

As opções de pão incluem:

» Pães de fôrma branco, de trigo ou de centeio.
» Pães de estilo camponês, como o de massa azeda, as baguetes e outros pães artesanais.
» Pães chatos, incluindo a focaccia, o pão sírio, a ciabatta e o lavash.
» Pãezinhos, que podem ser macios ou duros, incluindo o pão kaiser.
» Invólucros, como crepe, papel de arroz e pão de ovos.
» Tortillas de farinha e de milho.

## molhos frios

Muitos sanduíches levam um molho, espalhado diretamente sobre o pão. Ele age como uma barreira, impedindo que o pão fique encharcado. Além disso, confere umidade ao sanduíche e ajuda a mantê-lo inteiro quando apanhado e consumido. Alguns recheios já incluem um molho na própria mistura (como a salada de atum temperada com maionese); nesses casos, não é necessário adicionar outro molho ao montar o sanduíche.

*O estabelecimento de um fluxo de trabalho facilita e organiza a montagem de sanduíches.*

QUATRO | SANDUÍCHES        161

Os molhos podem ser bastante simples e temperados com sutileza, mas também podem conferir ao sanduíche sabor e textura especiais. A lista abaixo inclui algumas opções clássicas, assim como outras menos óbvias:

- Maionese (simples ou aromatizada, como aïoli ou rouille) ou molhos de salada cremosos.
- Manteigas simples ou aromatizadas.
- Mostarda ou ketchup.
- Queijos macios, como ricota, cream cheese ou mascarpone.
- Tahine, pastas de azeitona ou de ervas, como homus, tapenade ou pesto.
- Manteigas de frutos secos.
- Geleias, compotas, chutneys e outras conservas de frutas.
- Polpa de abacate ou guacamole.
- Óleos ou vinagretes.

## recheios

Os recheios podem ser frios ou quentes, substanciais ou mínimos. Seja como for, são a essência do sanduíche. É fundamental assar e fatiar corretamente o peru de club sanwiches, assim como se certificar de que o agrião usado em sanduíches de chá esteja perfeitamente fresco e totalmente enxaguado e seco.

O recheio determina a seleção e o preparo de todos os outros elementos do sanduíche. As opões de recheio incluem:

- Carnes assadas ou suavemente cozidas (carne bovina, pastrami, peru, presunto, patê e salsicha).
- Queijos fatiados.
- Vegetais grelhados, assados ou frescos.
- Hambúrgueres, linguiças, peixes ou aves grelhadas ou fritas.
- Saladas de carnes, aves, ovos, peixes ou vegetais.

## guarnições

Alface, fatias de tomate, de queijo ou de cebola e brotos podem ser usados para guarnecer diversos sanduíches. Essas guarnições se incorporam à sua estrutura geral.

Quando servido no prato, o sanduíche pode ser acompanhado de uma variedade de guarnições:

- Saladas verdes ou de acompanhamento.
- Alfaces ou brotos.
- Vegetais frescos fatiados.
- Picles ou azeitonas.
- Dips, molhos ou relishes.
- Frutas fatiadas.

## estilos de apresentação

O sanduíche montado com uma fatia de pão por cima e outra por baixo é conhecido como sanduíche fechado. Os club sandwiches são sanduíches fechados que possuem uma terceira fatia de pão. Outros sanduíches têm apenas uma fatia de pão, a qual serve como base: são os sanduíches abertos, que alguns chefs chamam de "open face".

Minissanduíches são cortados em formatos especiais. No seu preparo, o pão é cortado na longitudinal para que a área da superfície seja a maior possível. Ele é revestido com pasta, recheado, guarnecido e pode ser ou não fechado, tendo a casca removida. Em seguida, o sanduíche é cortado em diferentes formatos e servido imediatamente.

Bordas retas proporcionam o melhor rendimento ao menor custo alimentício. Para criá-las, é preciso cortar o sanduíche com uma faca em quadrados, retângulos, losangos ou triângulos. Cortadores de vários tipos podem ser usados para gerar formatos redondos, ovais, etc., que quando são usados, o rendimento é geralmente mais baixo, tornando a produção ligeiramente mais dispendiosa; mas a apresentação fica mais interessante.

# Panini de berinjela e prosciutto

RENDIMENTO: 10 SANDUÍCHES

248 g de ricota (p. 386)
2 colheres (chá)/2 g de manjericão picado
1 colher (chá)/2 g de pimenta-do-reino moída grosseiramente
1 colher (chá)/1 g de orégano picado
1 colher (chá)/1 g de salsinha de folha lisa picada

½ colher (chá)/1,5 g de sal
10 pães italianos
150 ml do azeite da berinjela marinada
567 g de recheio de berinjela marinada (p. 172)
567 g de prosciutto em fatias finas

1. Misture em uma tigela a ricota, o manjericão, a pimenta-do-reino, o orégano, a salsinha e o sal. Mexa bem. Cubra a mistura e deixe-a na geladeira da noite para o dia.

2. Para cada sanduíche, corte o pão longitudinalmente e pincele a sua parte interna com o azeite da berinjela marinada. Espalhe 28 g da mistura de ricota com ervas na metade inferior do pão e, por cima, coloque 57 g de berinjela e 57 g de prosciutto. Feche a metade superior.

3. Grelhe cada sanduíche, de preferência em uma prensa para panini, até que o pão fique marcado e o recheio, quente.

» **VARIAÇÃO** Para criar uma variação apetitosa desse sanduíche, use cogumelos portobello no lugar da berinjela no recheio de berinjela marinada e coloque rúcula sobre eles antes de grelhar. Os cogumelos não precisam ser salgados nem escorridos.

# Recheio de berinjela marinada

RENDIMENTO: APROXIMADAMENTE 454 g

454 g de berinjela italiana
1 colher (sopa)/10 g de sal
480 mℓ de azeite de oliva extravirgem
3 dentes de alho amassados
45 mℓ de vinagre de vinho tinto

2 colheres (sopa)/12 g de orégano desidratado
1 colher (sopa)/6 g de manjericão desidratado
1 colher (sopa)/6 g de pimenta-do-reino moída grosseiramente
1 pitada de flocos de pimentão vermelho

1. Corte a berinjela em fatias de 3 mm de espessura. Disponha as fatias em camadas em um escorredor, salgando generosamente cada camada. Deixe-as descansar à temperatura ambiente por 1 h.

2. Enxágue o líquido amargo e seque as fatias com papel-toalha absorvente.

3. Misture o restante dos ingredientes.

4. Misture as fatias de berinjela na marinada; cubra e leve à geladeira por 3 ou 4 dias. Mexa todos os dias.

» **NOTA DO CHEF** A berinjela dessa receita é crua e precisa ficar aproximadamente 3 dias marinando. Isso permite que ela se desnature totalmente e adquira sabor e textura de berinjela quase cozida. Ela estará pronta quando a sua polpa ficar relativamente translúcida e perder o gosto de crua.

# Sanduíche reuben

RENDIMENTO: 10 SANDUÍCHES

170 g de manteiga amolecida
20 fatias de pão de centeio
425 g de queijo suíço em fatias finas

1,13 kg de corned beef em fatias finas
567 g de chucrute refogado (ver receita abaixo)
150 mℓ de molho russo (p. 37), opcional

1. Espalhe manteiga em todas as fatias de pão. Coloque-as em uma assadeira com o lado da manteiga para baixo e cubra cada uma com uma fatia de queijo.

2. Coloque 57 g de corned beef em cada fatia. Sobre 10 fatias, coloque 57 g de chucrute, acrescentando 1 colher (sopa)/15 mℓ de molho russo, se desejar.

3. Preaqueça uma chapa ou uma frigideira em fogo médio.

4. Para cada sanduíche, grelhe duas metades (uma com chucrute, uma sem), com o lado da manteiga para baixo, até que o pão doure e o queijo derreta.

5. Coloque a metade sem chucrute sobre a metade com chucrute.

6. Se for necessário, o sanduíche pode ser colocado no forno a 177 °C para aquecer por inteiro. Corte-o diagonalmente ao meio e sirva.

» **IDEIA PARA APRESENTAÇÃO** Uma versão em miniatura e aberta deste sanduíche dá um ótimo hors-d'oeuvre.

# Chucrute refogado

RENDIMENTO: 680 g

170 g de cebola bem picada
2 colheres (sopa)/30 mℓ de gordura de bacon, ganso, pato ou galinha
680 g de chucrute pronto, bem enxaguado e escorrido
1 sachê de semente de cominho, baga de zimbro, cravo e folha de louro

120 mℓ de vinho branco
Sal a gosto
Pimenta branca moída a gosto

1. Salteie a cebola na gordura, em fogo baixo, até que fique macia e translúcida. Acrescente o chucrute, o sachê, o vinho, o sal e a pimenta.

2. Deixe levantar fervura suavemente até que o chucrute absorva a maior parte do líquido (de 30 min a 40 min).

3. Acerte o tempero a gosto. Sirva imediatamente ou cubra e leve à geladeira.

# Falafel em pão sírio

RENDIMENTO: 10 SANDUÍCHES

454 g de fava seca
241 g de cebola picada grosseiramente
1 colher (sopa)/9 g de alho amassado
½ maço de coentro fresco sem os talos grandes
1 colher (sopa)/6 g de coentro em pó
4 colheres (chá)/8 g de cominho em pó
½ colher (chá)/1 g de pimenta-de-caiena

1 colher (sopa)/10 g de sal
480 ml de óleo vegetal
5 pães sírios cortados ao meio
284 g de alface em tiras
284 g de tomate italiano picado e escorrido (opcional)
600 ml de molho de tahine (p. 41)

1. Remova os caroços das favas secas. Enxágue-as e escorra. Cubra com água fria e demolhe as favas durante a noite (por até 24 h). Escorra. Enxágue com água corrente e as escorra totalmente.

2. Trabalhando em partes, coloque as favas em um processador de alimentos equipado com lâmina e processe até moê-las em pedaços pequenos. Coloque a fava picada em uma tigela grande.

3. Coloque a cebola, o alho, o coentro fresco, o coentro em pó, o cominho, a pimenta-de-caiena e o sal no processador de alimentos e pulse até que a cebola, o coentro fresco e o alho fiquem homogeneamente moídos e se misturem aos outros temperos. Junte a mistura de cebola com as favas moídas e mexa.

4. Forme 20 bolinhos pequenos, com aproximadamente 35 g e 4 cm de diâmetro cada.

5. Aqueça metade do óleo em uma frigideira grande até que fique bem quente, mas sem esfumaçar. Com cuidado, coloque metade dos bolinhos no óleo quente. Frite o primeiro lado até que doure (cerca de 5 min). Reduza o fogo para médio-baixo, vire os bolinhos e cozinhe-os lentamente até que a mistura de favas se encontre completamente cozida. Transfira-os para um rack ou uma assadeira forrada com papel-toalha absorvente, escorra-os e mantenha-os aquecidos. Repita o processo com o restante do óleo e da mistura de fava.

6. Coloque 28 g de alface no pão sírio, acrescente 3 bolinhos de falafel e 28 g de tomate (se desejar) e cubra com 60 ml de molho de tahine. Sirva imediatamente.

# Confit de pato com maçã e queijo brie na baguete

RENDIMENTO: 10 SANDUÍCHES

170 g de gordura de pato (do confit), ou a gosto
340 g de cebola cortada em julienne
454 g de maçã granny smith (cerca de 3 maçãs) descascada e cortada em pequenos cubos
Sal a gosto
Pimenta-do-reino moída, a gosto
1 colher (sopa)/15 g de mostarda de Dijon

45 mℓ de vinagre de vinho branco
90 mℓ de azeite de oliva
907 g de carne de confit de pato (p. 244) em tiras
284 g de alface frisée lavada
2 baguetes de 51 cm cortadas em pedaços de 10 cm, divididos ao meio
851 g de queijo brie cortado em fatias de 28 g

1. Aqueça 28 g de gordura de pato em uma frigideira grande, em fogo alto. Acrescente a cebola e a maçã e as salteie, mexendo-as frequentemente, até que dourem levemente (cerca de 10 min). Tempere-as com sal e pimenta-do-reino. Esfrie e reserve.

2. Bata a mostarda e o vinagre. Acrescente o azeite em um fio fino, batendo sem parar. Tempere-os com sal e pimenta-do-reino. Reserve-os. (Antes de usar, bata-os para misturá-los de novo.)

3. Para montar cada sanduíche, aqueça 14 g de gordura de pato em uma panela para sauté média. Acrescente 99 g de carne de pato e 57 g de mistura de cebola e mexa-os para que absorvam a gordura e se aqueçam (cerca de 1 min).

4. Tire a panela do fogo e acrescente 1 colher (chá)/15 mℓ de vinagre e 28 g de alface frisée. Mexa os ingredientes para combiná-los na panela e coloque-os imediatamente sobre a baguete aberta.

5. Coloque três fatias de queijo brie por cima da mistura. Ponha o sanduíche no forno a 232 °C para tostar o pão e derreter o queijo (cerca de 2 min). Sirva imediatamente.

# Mini-hambúrgueres de lentilha e cevada com molho picante de frutas

RENDIMENTO: 48 SANDUÍCHES

### molho picante de frutas

50 g de abacaxi em cubos pequenos

43 g de manga em cubos pequenos

51 g de tomate-cereja em cubos pequenos

43 g de tomate-uva cortado ao meio

1½ colher (sopa)/22,5 mℓ de suco de limão-siciliano

2 pimentas serrano bem picadas, ou a gosto

### hambúrguer

99 g de lentilha verde

*Spray* de óleo quanto bastar

170 g de cebola picada

28 g de cenoura ralada

1 colher (sopa)/9 g de alho amassado

2 colheres (sopa)/33 g de massa de tomate

4½ colheres (chá)/9 g de cominho em pó

2 colheres (chá)/4 g de orégano desidratado

2 colheres (chá)/4 g de pimenta-malagueta em pó

2 colheres (chá)/4 g de garam masala

1½ colher (chá)/5 g de sal

150 g de cevada perolada cozida

43 g de farinha de rosca Panko

14 g de salsinha picada

½ colher (chá)/1 g de pimenta-do-reino moída

2 claras de ovo

1 ovo

3 colheres (sopa)/45 mℓ de óleo de canola

48 pães de hambúrguer cortados ao meio

---

1. Para fazer o molho, coloque o abacaxi, a manga, os tomates, o suco de limão-siciliano e as pimentas serrano em uma tigela e misture bem. Cubra a tigela e reserve na geladeira até o momento de usar.

2. Em uma panela em fogo alto, adicione 1½ xícara/360 mℓ de água e as lentilhas e levante fervura. Tampe-o, deixe em fogo brando até que as lentilhas fiquem macias (de 20 min a 25 min).

3. Escorra as lentilhas. Coloque metade delas em uma tigela. A outra metade insira em um processador de alimentos e bata até obter um purê homogêneo, mas ligeiramente áspero. Misture o purê de lentilha com as lentilhas cozidas e mexa-os bem.

4. Aqueça uma frigideira antiaderente grande em fogo médio. Unte-a com *spray* de óleo e acrescente a cebola e a cenoura. Salteie-as, mexendo ocasionalmente, até que fiquem macias (cerca de 6 min). Acrescente o alho e cozinhe por mais 1 min, mexendo sem parar. Acrescente a massa de tomate, o cominho, o orégano, a pimenta-malagueta em pó, o garam masala e ½ colher (chá)/1,5 g de sal. Mexendo sem parar, cozinhe por mais 1 min ou até que a massa de tomate adquira cor de ferrugem.

5. Tire a mistura de cebola do fogo e acrescente as lentilhas. Acrescente o restante do sal, a cevada, a farinha de rosca, a salsinha, a pimenta-do-reino, as claras de ovo e o ovo inteiro. Misture bem. Cubra a mistura e leve à geladeira por 1 h ou até que fique firme.

# Sanduíche de lagosta à moda da Nova Inglaterra

RENDIMENTO: 10 SANDUÍCHES

3 lagostas do Maine (680 g cada) cozidas (ver p. 478)
170 g de salsão em cubos pequenos
300 mℓ de maionese básica (p. 36)
1 colher (sopa)/15 g de mostarda de Dijon
2 colheres (chá)/10 mℓ de suco de limão
1 pitada de sal
1 pitada de pimenta-branca
10 brioches pequenos com 8 cm de comprimento

1. Remova a carne da casca da lagosta e corte em cubos de 1 cm.

2. Misture a carne, o salsão, a maionese, a mostarda, o suco de limão, o sal e a pimenta em uma tigela. Acerte o tempero.

3. Para cada sanduíche, abra um brioche e toste-o na grelha até que doure. Recheie-o com a salada de lagosta e sirva imediatamente.

# Club sandwich de peru

RENDIMENTO: 10 SANDUÍCHES

30 fatias de pão de fôrma branco
240 mℓ de maionese básica (p. 36)
20 folhas de alface verde lavada e seca

1,13 kg de peito de peru assado, em fatias finas
4 tomates cortados em 20 fatias
15 fatias de bacon básico (p. 234) cortadas ao meio e cozidas

1. Para cada sanduíche, toste três fatias de pão e espalhe maionese sobre elas. Cubra uma torrada com 1 folha de alface e 57 g de peito de peru. Coloque a segunda torrada por cima.

2. Cubra a segunda torrada com 1 folha de alface, 2 fatias de tomate e 3 metades de bacon. Coloque a última torrada por cima, prenda o sanduíche com 4 palitos e corte-o em 4 triângulos.

» **NOTA DO CHEF** Se desejar, substitua metade do peito de peru por 567 g de presunto defumado cortado em fatias finas.

# Sanduíche de frango grelhado com pancetta e rúcula na focaccia

RENDIMENTO: 10 SANDUÍCHES

75 mℓ de azeite de oliva
71 g de alho fatiado
1 colher (sopa)/3 g de tomilho
3 colheres (sopa)/27 g de zeste de limão
Sal a gosto
Pimenta-do-reino moída a gosto

10 peitos de frango sem osso (113 g cada)
30 fatias de pancetta (p. 240) com 3 mm de espessura
20 fatias de focaccia (p. 654)
300 mℓ de aïoli (p. 36)
170 g de rúcula (1 ou 2 maços) lavada e seca

1. Misture o azeite, o alho, o tomilho, as zestes de limão, o sal e a pimenta-do-reino.

2. Bata os peitos de frango até que todos fiquem com a mesma espessura e coloque-os para marinar na mistura de azeite. Cubra e deixe na geladeira da noite para o dia.

3. Coloque as fatias de pancetta em uma assadeira e leve-as ao forno a 177 °C até que fiquem crocantes.

4. Para cada sanduíche, pincele levemente duas fatias de pão com a mistura de azeite de oliva e grelhe-as em fogo médio até que fiquem douradas e crocantes por fora, mas macias por dentro. Reserve-as. Grelhe um peito de frango até que fique totalmente cozido.

5. Espalhe um pouco de aïoli no pão grelhado. Coloque algumas folhas de rúcula, 3 fatias de pancetta crocante e um peito de frango em uma metade do pão. Feche a outra metade, corte o sanduíche na diagonal e sirva-o imediatamente.

6. Com a mistura, molde hambúrgueres de 1 cm de espessura e 5 cm de diâmetro.

7. Aqueça 1½ colher (sopa)/22,5 mℓ de óleo em uma frigideira antiaderente, em fogo médio. Coloque quatro hambúrgueres e frite-os até que dourem (de 3 min a 4 min de cada lado). Repita a operação com o restante do óleo de canola e dos hambúrgueres, adicionando o óleo quando necessário.

8. Para servir, coloque um hambúrguer na metade inferior do pão, cubra-o com 1 colher (chá)/5 mℓ de salsa e feche a metade superior.

# Pan bagnat

RENDIMENTO: 10 SANDUÍCHES

### molho

90 ml de vinagre de vinho tinto

14 g de manjericão picado

43 g de salsinha de folha lisa picada grosseiramente

4 filés de anchova

1 pimenta jalapeño assada, sem pele, sem sementes e picada finamente

240 ml de azeite de oliva extravirgem

10 pães de casca grossa

454 g de atum enlatado no óleo, escorrido e em flocos

284 g de tomate concassé

425 g de pimentão assado marinado (p. 120)

85 g de azeitona preta, sem caroço e picada grosseiramente

1 pepino descascado, sem sementes e picado

71 g de cebola roxa bem picada

2 ovos cozidos duros e picados

28 g de alcaparra

4 colheres (chá)/12 g de alho amassado

Sal a gosto

Pimenta-do-reino moída a gosto

1. Em um liquidificador, bata em purê o vinagre, o manjericão, a salsinha, as anchovas e a pimenta jalapeño. Com o liquidificador ligado, acrescente lentamente o azeite, para emulsificar a mistura.

2. Corte os pães longitudinalmente ao meio e retire o miolo, deixando uma concha de 1 cm de espessura.

3. Esfarele o miolo retirado e misture-o com o atum, os tomates, os pimentões, as azeitonas, os pepinos, a cebola, os ovos, as alcaparras e o alho. Acrescente molho o suficiente para umedecer e dar liga ao recheio. Tempere com sal e pimenta-do-reino a gosto.

4. Para cada sanduíche, pincele as superfícies cortadas do pão com um pouco do molho que restou. Preencha o pão com 142 g de recheio e feche firmemente a outra metade, pressionando-a. Enrole rijamente cada sanduíche em papel para sanduíche. Deixe os sanduíches descansarem à temperatura ambiente por, no mínimo, 1 h antes de servir.

# Bahn Saigon

RENDIMENTO: 10 SANDUÍCHES

### patê de carne de porco com canela à moda vietnamita

21 g de amido de milho
142 g de molho de peixe
71 g de capim-limão (apenas as partes brancas) bem picado
113 g de gengibre tenro descascado e bem picado
21 g de açúcar
4 colheres (chá)/8 g de pimenta-do-reino moída
4 colheres (chá)/8 g de canela em pó
75 mℓ de molho de soja light
1,13 kg de ombro de porco moído em disco de 1 cm

### salada de mamão papaia verde

737 g de mamão papaia verde em julienne fina
123 g de amendoim torrado e picado grosseiramente
180 mℓ de suco de limão-siciliano
71 g de coco ralado
106 g de açúcar de palmeira
35 g de coentro fresco em chiffonade
28 g de pimenta jalapeño verde em julienne
28 g de pimenta jalapeño vermelha em julienne

3 baguetes cortadas em pedaços de 15 cm de comprimento
227 g de manteiga derretida

---

1. Para o patê: misture o amido de milho, o molho de peixe, o capim-limão, o gengibre, o açúcar, a pimenta-do-reino, a canela e o molho de soja com 15 mℓ de água para fazer uma marinada.

2. Combine-a com o porco moído. Cubra a mistura e deixe-a na geladeira por 1 h.

3. Unte uma fôrma de terrine ou de pão de 10 cm de profundidade. Ferva 960 mℓ de água.

4. Acrescente 2 colheres (sopa)/30 mℓ de água gelada à carne e misture bem. Com uma colher, espalhe a mistura na forma untada, em uma camada uniforme.

5. Coloque a fôrma em uma assadeira e leve-a ao forno a 177 °C. Despeje água na assadeira até cobrir metade da fôrma; tenha cuidado para que a água não entre na fôrma em que está a carne.

6. Asse a carne até que ela atinja a temperatura interna de 66 °C (entre 20 min e 25 min).

7. Remova a fôrma do banho-maria e deixe-a esfriar à temperatura ambiente. Embrulhe-a em filme de PVC e deixe-a na geladeira de um dia para o outro.

8. Para a salada: misture o mamão papaia, o amendoim, o suco de limão-siciliano, o coco, o açúcar, o coentro e as pimentas jalapeño e deixe marinar por 30 min para que os seus sabores se combinem.

9. Corte as baguetes longitudinalmente ao meio e pincele o seu interior com manteiga derretida.

10. Toste-as em uma grelha com o lado amanteigado para baixo, em fogo médio-alto, até que dourem (cerca de 2 min).

# Salmão marinado com erva-doce, alcaparras e crème fraîche no pão pumpernickel

RENDIMENTO: 32 SANDUÍCHES PARA O CHÁ

240 ml de crème fraîche

16 fatias de pão pumpernickel sem casca

454 g de bulbo de erva-doce sem o miolo e cortado em fatias extremamente finas com uma mandoline

284 g/8 a 10 fatias de gravlax (p. 215)

64 g de alcaparra picada grosseiramente

113 g a 170 g de cebola roxa cortada em fatias extremamente finas com uma mandoline

1. Espalhe uma camada fina de crème fraîche (aproximadamente 1 colher (sopa)/15 ml por fatia) em um lado de cada fatia de pão.

2. Coloque erva-doce, gravlax, alcaparras e cebola sobre metade das fatias.

3. Feche-as com as metades restantes.

4. Corte os sanduíches no formato que desejar.

# Sanduíche de rosbife, queijo brie e cebola caramelizada

RENDIMENTO: 30 SANDUÍCHES PARA O CHÁ

113 g de maionese básica (p. 36)
1 colher (sopa)/3 g de ciboulette bem picada
2 colheres (chá)/10 mℓ de suco de limão
2 colheres (sopa)/30 mℓ de azeite de oliva
1 cebola grande cortada em fatias de 3 mm de espessura
2 colheres (sopa)/30 mℓ de brandy

40 fatias de pão para coquetel (quadrados de 6,5 cm)
142 g de queijo brie em fatias finas
½ maço de agrião aparado (apenas folhas e talos macios)
170 g de rosbife fatiado
Pimenta-do-reino moída a gosto

1. Misture a maionese, a ciboulette e o suco de limão em uma pequena tigela. Reserve a mistura.

2. Aqueça, em fogo médio-alto, o azeite de oliva em uma frigideira pequena. Acrescente a cebola fatiada e deixe-a fritar, sem mexer, por aproximadamente 15 s. Mexa a cebola, fritando-a até que adquira uma cor forte de caramelo (cerca de 15 min). Deglaceie a panela com o brandy, raspando o resíduo do fundo. Tire a panela do fogo e deixe-a esfriar.

3. Coloque as fatias de pão sobre uma superfície de trabalho e espalhe uma pequena camada da mistura de maionese na parte superior de cada uma. Cubra totalmente 20 fatias com fatias de queijo brie e folhas de agrião. (Deixe algumas folhas aparecendo para fora do pão para criar um efeito de contraste de cor na apresentação.)

4. Coloque uma fatia de rosbife por cima do agrião. Tempere levemente o rosbife com pimenta-do-reino e feche a outra metade do pão. Sirva os sanduíches imediatamente ou guarde-os na geladeira, em um recipiente hermético, até o momento de servir.

# Abacate, queijo brie, brotos e bacon campestre no croissant

RENDIMENTO: 30 SANDUÍCHES

30 minicroissants

240 mℓ de maionese básica (p. 36)

3 colheres (sopa)/9 g de ciboulette bem picada

3 abacates cortados em cunhas de 3 mm de espessura

340 g de queijo brie cortado em fatias de 6 mm de espessura

340 g de bacon defumado na lenha de macieira, cozido, escorrido e cortado pela metade

227 g de minibrotos

1. Corte os croissants longitudinalmente ao meio.

2. Misture a maionese e a ciboulette.

3. Espalhe ½ colher (chá)/2,5 mℓ da mistura de maionese em todas as metades de croissant.

4. Coloque duas cunhas de abacate, 1 a 2 fatias de queijo brie, 1 fatia de bacon e um punhado de minibrotos sobre as metades inferiores de cada croissant. Feche-as com as metades superiores.

# Pepino, agrião e queijo brie com chutney de damasco em pão de nozes

RENDIMENTO: 32 SANDUÍCHES

### chutney de damasco

227 g de cebola roxa cortada em fatias extremamente finas com uma mandoline

43 g de gengibre bem picado

57 g de manteiga

240 ml de verjus

170 g de mel

480 ml de suco de laranja

2 colheres (sopa)/18 g de zeste de laranja

960 ml de água

2 colheres (sopa)/30 ml de suco de limão

2 colheres (chá)/6 g de zeste de limão

½ colher (chá)/1 g de cravo em pó

½ colher (chá)/1 g de cardamomo em pó

½ colher (chá)/1 g de canela em pó

2 colheres (sopa)/12 g de picles

454 g de damasco desidratado cortado em brunoise

### sanduíche

113 g de manteiga sem sal à temperatura ambiente

454 g de queijo brie (casca opcional)

284 g de maçãs granny smith descascadas, sem miolo e cortadas em quartos

480 ml de suco de laranja

16 fatias de pão de nozes ou outro pão com massa relativamente grossa

284 g de pepino descascado, sem sementes, cortado em quartos e fatiados longitudinalmente em pedaços finos

340 g de agrião lavado (apenas as folhas)

---

1. Para o chutney: refogue a cebola e o gengibre na manteiga em uma panela média, em fogo médio, até que fiquem translúcidos (cerca de 2 min).

2. Acrescente o verjus, o mel, o suco de laranja, o zeste de laranja, a água, o suco de limão, o zeste de limão, os temperos em pó, os picles e os damascos e levante fervura em fogo alto.

3. Abaixe o fogo e cozinhe o chutney suavemente até que os damascos fiquem macios e ele adquira a consistência de geleia de laranja ou relish (cerca de 20 min).

4. Cubra-o e leve-o à geladeira até o momento de usar.

5. Para o sanduíche: bata a manteiga em velocidade média na batedeira equipada com pá até que fique leve e fofa (cerca de 20 min).

6. Corte o queijo brie em fatias finas de 3 mm de espessura.

7. Corte as maçãs em fatias de aproximadamente 1,5 mm de espessura. Reserve-as em suco de laranja para evitar que oxidem. Escorra as maçãs antes de usá-las.

8. Espalhe uma camada fina de manteiga sobre um dos lados das 8 fatias de pão.

9. Coloque o pepino, a maçã, o agrião e o queijo brie por cima da manteiga.

10. Espalhe uma camada fina de chutney sobre um lado das demais fatias. Feche os sanduíches com essas fatias.

11. Tire a casca dos sanduíches e corte-os no formato desejado.

» **NOTA DO CHEF** O chutney de damasco pode ser preparado com até uma semana de antecedência.

cinco

## ALIMENTOS CURADOS
## E DEFUMADOS

# Os primeiros alimentos conservados PROVAVELMENTE FORAM PRODUZIDOS POR ACASO. NAS COMUNIDADES PESQUEIRAS, OS PEIXES ERAM "SALMOURADOS" NA ÁGUA DO MAR E DEIXADOS EM TERRA PARA FERMENTAR OU SECAR. AS COMUNIDADES E TRIBOS DE CAÇADORES PENDURAVAM AS CARNES PERTO DO FOGO A FIM DE MANTÊ-LAS LONGE DE ANIMAIS CARNICEIROS, O QUE ACABAVA POR DEFUMÁ-LAS E SECÁ-LAS. ALIMENTOS SALGADOS, SECOS OU DEFUMADOS ACRESCENTAVAM PROTEÍNAS E MINERAIS EXTREMAMENTE NECESSÁRIOS A UMA DIETA QUE, DE OUTRA FORMA, PODERIA TER SIDO TERRIVELMENTE INADEQUADA.

Os alimentos conservados diferem dos frescos de várias formas. São mais salgados e secos e possuem um sabor mais acentuado. Esses atributos derivam da correta aplicação de alguns ingredientes-chave: sal, agentes de cura, adoçantes e especiarias.

Todas as técnicas de conservação de alimentos, da mais antiga à mais tecnológica, visam regular os efeitos de uma vasta gama de micróbios, eliminando alguns e estimulando o desenvolvimento de outros. Para isso, controla-se a quantidade de água do alimento, a sua temperatura, o seu nível de acidez e a sua exposição ao oxigênio.

O garde manger moderno talvez não possua a responsabilidade de garantir um suprimento constante de alimentos durante o ano inteiro, mas o ofício e a ciência da conservação de alimentos permanecem importantes, ainda que seja apenas para continuarmos a saborear e apreciar o presunto, o bacon, o gravlax, o confit e o rillette. Muitas técnicas usadas na produção desses itens são usadas na produção de salsichas (ver capítulo 6) e queijos (ver capítulo 8) também.

Este capítulo explica os ingredientes e os métodos das seguintes técnicas de conservação:

- » Curar e salmourar.
- » Defumar.
- » Secar.
- » Conservar na gordura.

## INGREDIENTES PARA CONSERVAR ALIMENTOS

### sal

O ingrediente básico usado pelo garde manger para conservar alimentos é o sal. Esse tempero comum, encontrado em praticamente todas as cozinhas e todas as mesas, representava a diferença entre a vida e a morte para nossos ancestrais e ainda é importante para nós tanto do ponto de vista psicológico quanto do culinário. O sal muda os alimentos ao retirar deles água, sangue e impurezas. Isso os conserva, tornando-os menos suscetíveis ao estrago e à putrefação. Os processos básicos nos quais o sal desempenha papel importante são:

- » Osmose.
- » Desidratação.
- » Fermentação.
- » Desnaturação de proteínas.

## osmose

A osmose acontece a todo momento, independentemente da intervenção humana, mas, para usá-la na conservação de alimentos, é útil ter uma ideia básica de como ela se dá. Em uma definição simples, a osmose é o movimento de um solvente (geralmente água) através de uma membrana semipermeável (as paredes da célula) a fim de equalizar a concentração de um soluto (geralmente sal) nos dois lados da membrana. Em outras palavras, quando o sal é aplicado a um pedaço de carne, os fluidos do interior da célula atravessam a membrana da célula para diluir o sal do outro lado da membrana. Se houver mais fluidos no exterior da célula do que no interior, eles retornam ao interior, trazendo consigo o sal dissolvido. Levar o sal para dentro da célula, onde ele mata patógenos, é a essência da cura com sal.

## desidratação

A presença de água "livre" é um dos indicadores da relativa suscetibilidade de um alimento ao estrago pela ação de micróbios. A fim de mantê-lo seguro e palatável por longos períodos, é importante remover tanto excesso de água quanto possível. A aplicação de sal ao alimento pode secá-lo de maneira efetiva e torná-lo inacessível a micróbios, já que o sal tende a atrair o excesso de água. Por sua vez, a exposição ao ar ou ao calor por períodos controlados permite que a água evapore, reduzindo o volume e o peso total da comida.

## fermentação

Substâncias conhecidas como enzimas se alimentam de compostos presentes em alimentos energéticos, como carnes e grãos. Elas fermentam o alimento por meio da quebra dos seus compostos e da transformação deles em gases e compostos orgânicos. Os gases podem ficar presos, dando origem a uma qualidade efervescente em bebidas, a buracos em queijos ou à textura leve dos pães fermentados, ou então podem simplesmente se dispersar, deixando para trás ácido orgânico, como ocorre no preparo de chucrute e outros picles.

Com o aumento do nível de acidez dos alimentos, as enzimas também ajudam a conservá-los, já que os patógenos mais prejudiciais se desenvolvem dentro de um limite específico de pH. Obviamente, um nível de acidez mais alto significa mudança no sabor do alimento, que se torna mais pronunciado e azedo.

Se não for controlado, o processo de fermentação pode quebrar completamente o alimento. O sal é importante porque atua como controlador nesse processo, visto que afeta a quantidade de água disponível para as enzimas. Assim como as bactérias e outros micróbios, as enzimas não sobrevivem sem água. O sal "consome" a água e dessa forma evita que a fermentação se descontrole.

## desnaturação de proteínas

Quando um alimento é conservado, a estrutura das proteínas presentes nele muda inevitavelmente. Essa mudança, chamada de desnaturação de proteínas, envolve a aplicação de calor, ácidos, álcalis ou radiação ultravioleta. Em termos simples, os filamentos que compõem a proteína são estimulados a se alongar ou retrair, abrir ou fechar, recombinar ou dissolver, de modo que um alimento macio pode ficar firme, um alimento translúcido pode ficar turvo e um alimento firme pode ficar mole ou até líquido. O preparo do peixe cru do ceviche, a hidratação de gelatina e o cozimento de carnes são exemplos dessas mudanças.

## sais de cura: nitratos e nitritos

Há milhares de anos, os humanos consomem carnes curadas com sal não refinado, as quais adquirem uma coloração vermelho-escura. A razão dessa mudança de cor foi descoberta no início do século XX, quando cientistas alemães desvendaram o mistério dos nitratos e nitritos, compostos presentes no sal não refinado. O salitre, ou nitrato de potássio, o primeiro agente de cura descoberto, não produziu resultados consistentes; a cor da carne nem sempre se firmava, e a quantidade gerada de resíduo de nitrato era imprevisível. O uso do salitre está limitado desde 1975, quando foi banido como agente de cura de carnes industrializadas.

Nitratos ($NO_3$) levam mais tempo para se decompor em alimentos curados do que nitritos. Por isso, os alimentos que passam por longos períodos de cura e secagem precisam receber o nível correto de nitrito. Nitritos ($NO_2$) se decompõem mais rapidamente, o que torna mais apropriado o seu uso em qualquer item curado que depois será totalmente cozido. Nem nitratos nem nitritos devem ser pré-combinados com ingredientes como páprica ou pimenta em misturas de temperos; quando se usa apenas uma parte da mistura, é impossível determinar a quantidade de nitrato ou de nitrito usada no produto final. Os ingredientes devem ser guardados separadamente. Uma vez combinados, a mistura deve ser usada imediatamente.

## a controvérsia da nitrosamina

Atualmente, sabemos que nitrato de sódio e nitrito de sódio são elementos importantes na prevenção do botulismo, doença causada por toxinas bacterianas presentes nas carnes estragadas. Mas também sabemos que substâncias potencialmente perigosas, as nitrosaminas, podem se formar no alimento quando nitratos e nitritos se decompõem na presença de calor excessivo (especificamente ao se cozinhar bacon). Para saber as regras brasileiras de inserção de nitrito e nitrato em alimentos, checar normas do Ministério da Agricultura.

A presença de nitrosaminas em produtos curados tem sido uma preocupação desde 1956, quando se descobriu que são carcinogênicas. A quantidade de nitrosamina em qualquer indivíduo, assim como seu nível de colesterol, é influenciada não só pelos alimentos que come, mas também pela quantidade de nitrosamina produzida pelas suas glândulas salivares e no seu trato intestinal.

Embora mais de setecentas substâncias tenham sido testadas como possíveis substitutos para o nitrato, nenhuma foi considerada eficaz. Embora os nitritos representem uma séria ameaça quando formam nitrosaminas, não há dúvida de que, com a sua ausência, as mortes por botulismo iriam aumentar significativamente e representar um risco mais sério do que os perigos associados às nitrosaminas. O uso de nitratos e nitritos é severamente controlado.

## insta-cure

Uma mistura de agentes chamada simplesmente de Insta-cure #1 combina 94% de cloreto de sódio (sal) com 6% de nitrito de sódio. O Insta-cure #1 é tingido de cor-de-rosa (pela adição de FD&C #3) para que seja mais facilmente identificado, o que ajuda a evitar o seu uso acidental. Quando utilizado na proporção recomendada de 113 gramas de Insta-cure #1 para 45,36 quilos de carne (ou 0,25% do peso total da carne), ela é tratada com apenas 6,84 gramas de nitrito puro.

O Insta-cure #2 contém sal, nitrito de sódio, nitrato de sódio e corante cor-de-rosa e é usado para fazer produtos secos e fermentados a seco. Períodos mais longos de cura e de secagem exigem a presença do nitrato para que a cura de carnes seja mais segura.

## aceleradores de cura: eritorbato de sódio e ascorbato

Tanto o eritorbato de sódio quanto o ascorbato são aceleradores de cura e trabalham junto com o nitrito para acentuar o desenvolvimento da cor e a retenção do sabor nos alimentos curados. Também inibem a formação de nitrosamina no bacon cozido. Desde 1950, normas federais permitem a inclusão, em quantidade controlada, de acido ascórbico, ascorbato de sódio ou eritorbato de sódio em carnes curadas industrializadas.

Embora apresentem o mesmo efeito de avermelhamento de nitratos e nitritos, no caso desses acelerados de cura ele é temporário. Mais importante, eles não podem ser usados para substituir nitratos e nitritos na conservação ou cura de alimentos.

## ingredientes para temperar e saborear

Alimentos curados com sal possuem um sabor forte, a menos que alguns ingredientes adicionais sejam acrescentados à cura. Açúcar e outros adoçantes, especiarias, aromáticos e vinhos têm sido usados ao longo do tempo para criar adaptações regionais de presuntos, bacons, peixes e aves conservados.

## açúcar (adoçantes)

Adoçantes – incluindo dextrose, açúcar, xarope de milho, mel e xarope de bordo – podem ser usados indistintamente na maioria das receitas. Alguns têm sabores característicos; por isso, é preciso tomar cuidado para escolher aquele que conferirá o sabor desejado. A dextrose é muito usada em curas porque possui a capacidade de atenuar o forte sabor do sal e, assim como outros adoçantes, aumentar a umidade do alimento sem adicionar um sabor próprio extremamente doce. Os adoçantes podem:

» Ajudar a neutralizar o forte sabor do sal na cura.
» Balancear a paleta geral de sabores.
» Contrabalançar o amargor em produtos que contenham fígado.
» Ajudar a estabilizar a cor das carnes curadas.
» Aumentar a retenção de água (umidade) nos produtos prontos.
» Fornecer uma boa fonte de nutrientes para fermentação.

## temperos e ervas

Uma grande variedade de temperos e ervas é usada nos processos de cura e salmoura para ressaltar o sabor do produto e lhe atribuir um caráter específico. Entre eles, há vários temperos doces, como canela, pimenta-da-jamaica, noz-moscada, macis e cardamomo. Tais temperos e misturas de temperos também são usados em muitas receitas clássicas.

Além disso, ingredientes como pimentas secas e frescas, infusões ou essências, vinhos, sucos de fruta ou vinagres podem ser incorporados a carnes, peixes e aves curadas para lhes dar um toque contemporâneo. Ao alterar uma mistura de temperos clássica, realize testes para determinar as melhores combinações e os níveis de intensidade antes de colocar algo novo no seu cardápio.

# CURAR E SALMOURAR

"Cura" é o termo genérico usado para soluções de salmoura, em conserva ou salgadas, ou curas secas. Quando o sal, na forma de cura seca ou salmoura, é aplicado a um alimento, este se denomina "curado", "salmourado", "em conserva" ou "salgada". As salmouras de sal também são chamadas de "conservas" e "marinadas"; isso se aplica a salmouras com ou sem adição de vinagre.

Embora o sal não refinado e a água marinha provavelmente fossem as curas ou salmouras originais, com o tempo aprendemos mais sobre a maneira que trabalham os componentes individuais das curas e salmouras. Sais refinados e purificados, açúcar e ingredientes de cura (nitratos e nitritos) tornaram possível controlar o processo com mais precisão. Isso significa que hoje podemos fabricar produtos saudáveis e de alta qualidade com o melhor sabor e a melhor textura.

## curas secas

Uma cura seca pode ser muito simples – constituída apenas de sal, por exemplo –, mas geralmente é uma mistura de sal, algum tipo de adoçante, aromatizantes, e, conforme indicado ou a gosto, uma mistura de cura preparada comercial ou individualmente. Essa mistura é então colocada ou esfregada sobre a superfície do alimento. O uso de luvas pode

*Curas secas são aplicadas de modo minucioso e homogêneo aos itens, assegurando um resultado correto.*

## tempos de cura seca para carnes

| ITEM A SER CURADO | TEMPO APROXIMADO DE CURA |
| --- | --- |
| Cerca de 6 mm de espessura | 1 h a 2 h |
| Cerca de 3 cm de espessura (carne magra) | 3 h a 8 h |
| Barriga de porco de 4 cm de espessura | 7 a 10 dias |
| Presunto com osso (6,8 kg a 8,16 kg) | 40 a 45 dias |

ser necessário durante a aplicação da cura, visto que o sal desidrata a pele.

Para curar carne, deve-se usar 227 gramas de cura para cada 4,54 quilos de carne. Manter toda a superfície do alimento em contato direto com a cura ajuda a conservá-lo de modo homogêneo. Alguns alimentos podem ser embrulhados em musselina ou papel alimentício; outros podem ser colocados em cubas de salmoura ou de cura e polvilhados com a cura ao redor e entre as suas camadas. É necessário virá-los ou rodá-los a cada dois dias até que estejam curados. Itens maiores, como presuntos, podem ser esfregados repetidamente durante vários dias com alguma mistura de cura adicional (ver tabela com os tempos de cura seca para carne). Se houver um osso exposto no item, é importante esfregar a cura ao redor e sobre a área exposta para curá-lo de modo apropriado.

## salmouras

Quando uma cura seca é dissolvida em água, é chamada de "cura molhada", ou "salmoura". Ao fazer a salmoura, você pode usar água quente ou mesmo ferver a salmoura em fogo baixo para infundir nela temperos ou outros produtos aromáticos. No entanto, ela deve ser completamente resfriada antes de ser utilizada na cura. Essa técnica é usada basicamente para reter a umidade dos alimentos, mas também pode acrescentar algum sabor a eles.

A salmoura é aplicada de duas maneiras diferentes, dependendo do tamanho e da composição do alimento. No caso de itens pequenos, tal como codorna, peito de frango ou jarrete de porco, em geral basta submergir o alimento na salmoura, um processo conhecido como "imersão na salmoura". Esses itens são colocados dentro de uma quantidade de salmoura suficiente para cobri-los por completo – um peso os mantém imersos conforme curam – e permanecem na solução pelo tempo necessário (consulte as receitas específicas para mais informações).

Já no caso de itens maiores, como peru ou presunto, injeta-se salmoura, a fim de assegurar que ela penetre completa e homogeneamente no alimento em um período de tempo mais curto. Uma quantidade de salmoura equivalente a 10% do peso do item é injetada

## tempo de salmoura para carnes

| ITEM A SER SALMORADO | SEM INJEÇÃO | COM INJEÇÃO (10% PESO) |
|---|---|---|
| Peito de frango ou pato | 24 h a 36 h | Não recomendado |
| Frango inteiro | 24 h a 36 h | 12 h a 16 h |
| Sobrepaleta ou lombo de porco sem osso | 5 a 6 dias | 2½ a 3 dias |
| Peru inteiro, 4,54 kg a 5,44 kg | 5 a 6 dias | 3 dias |
| Corned beef | 7 a 8 dias | 3 a 5 dias |
| Presunto sem osso | 6 dias | 4 dias |
| Presunto com osso | 20 a 24 dias | 6 a 7 dias |

na carne. Um peru que pesa 5,44 quilos, por exemplo, necessita de 539 gramas de salmoura. Uma vez injetada, o produto é normalmente submerso em um banho de salmoura pelo período de cura. (Ver tabela de tempos de salmoura na p. 207.)

Diversos instrumentos são usados para injetar a salmoura. Seringas e bombas de alimentação contínua são as mais usadas em pequenas operações. Operações comerciais utilizam uma variedade de sistemas de alta produção. Em alguns, emprega-se pressão de vácuo para forçar a salmoura a entrar no interior da carne. Outro processo, a via arterial, foi introduzido em 1973 por um agente funerário neozelandês chamado de Kramlich; nesse método, a salmoura é injetada através do sistema arterial. Uma única agulha é inserida em pontos específicos da carne, e a salmoura é injetada por meio de bomba. Um método alternativo utiliza bombas de múltiplas agulhas, que injetam a salmoura rapidamente através de um grande número de agulhas uniformemente espaçadas.

**1.** *Ao salmourar, mergulhe completamente a carne (neste caso, codorna) na salmoura e coloque um peso sobre ela para mantê-la submersa.*

**2.** *Em cortes de carne maiores (neste caso, presunto), usa-se uma bomba para injetar a salmoura, o que assegura que ela seja completa e homogênea e dure menos tempo.*

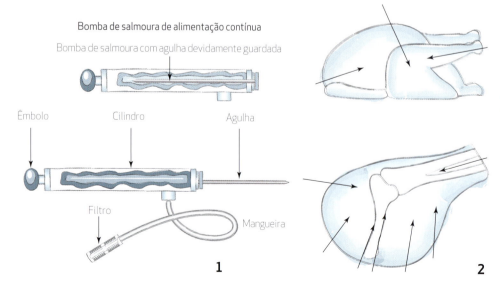

**1.** *Bomba injetora.*

**2.** *Ao injetar a salmoura, as áreas indicadas com seta mostram os pontos de injeção que asseguram uma salmoura minuciosa.*

Recentemente, a fórmula básica da salmoura foi modificada, pois o seu objetivo evoluiu. Nos últimos anos, passaram a ser produzidas carnes mais magras, em razão das preocupações crescentes com a saúde. Hoje em dia, a salmoura é usada basicamente para acrescentar umidade e sabor à carne, e não mais para conservá-la por longos períodos; ademais, ela é comumente feita sem Insta-cure ou outros agentes de cura, já que as carnes não são salmouradas por muito tempo e são cozidas logo após a salmoura. A não utilização do Insta-cure reduz o risco de nitrosaminas (ver pp. 204 e 205) e torna a salmoura mais natural (ver a fórmula básica da salmoura na p. 207). Ela pode ser adaptada a uma grande variedade de perfis de carne e sabor por meio da adição de temperos ou da mudança no tipo de elemento doce (mel ou açúcar). As possibilidades são inúmeras. Além disso, o tamanho da carne determina a duração da salmoura: por exemplo, o peru é salmourado por 36 horas; o lombo de porco, por 24 horas; o frango, de 12 a 24 horas, dependendo do seu tamanho; e o peito de pato, por 12 horas.

## DEFUMAR

A fumaça é aplicada intencionalmente aos alimentos desde que o homem percebeu que pendurar carnes e outros mantimentos perto do fogo resultava em algo mais do que simplesmente secá-los com mais rapidez ou evitar que os animais se aproximassem deles. Os alimentos pendurados tratados com um banho de fumaça adquirem sabores novos e atrativos.

Atualmente, apreciamos alimentos defumados por causa do seu sabor especial. Ao manipular o processo de defumação, é possível criar uma diversidade de produtos, tanto tradicionais quanto não tradicionais. À parte os eternos favoritos salmão, presunto, bacon e linguiça, vários produtos defumados especiais têm aparecido em cardápios contemporâneos: salada de frango defumado, caldo de tomate defumado e até queijos, frutas e vegetais defumados.

Há muitos tipos de defumadores, mas todos possuem em comum uma fonte de fumaça, uma câmara de defumação na qual o alimento fica exposto e mecanismos de circulação e ventilação.

Madeiras de árvores decíduas, como a nogueira, o carvalho, a cerejeira, a nogueira-pecã, a castanheira, a macieira, o amieiro e o mesquite, e madeiras de árvores cítricas são boas escolhas para a defumação. Elas produzem uma fumaça rica e aromática, com baixa proporção de partículas que tornam o gosto dos alimentos fuliginoso ou amargo. As madeiras de coníferas, como o pinho, queimam muito rapidamente a altas temperaturas e soltam muito alcatrão, o que as torna impróprias para defumar alimentos.

Além das várias madeiras decíduas, outros materiais inflamáveis podem ser usados. Aparas de vinhedo, palha de milho e casca de amendoim acrescentam à defumação um sabor peculiar. Uma mistura especial é usada no preparo do peito de pato moulard defumado no chá ao estilo asiático (p. 232).

A madeira de defumação pode ser adquirida em pedaços, lascas ou serragem. Ao criar especialidades defumadas no fogo a lenha, utilize pedaços grandes de lenha, que podem ser compradas por fardo, caminhão ou volume. Adquira madeira de fornecedores confiáveis. Certifique-se de que ela esteja livre de substâncias contaminantes como óleo ou químicos. Sob hipótese alguma, use madeira tratada a pressão, pois ela é extremamente venenosa.

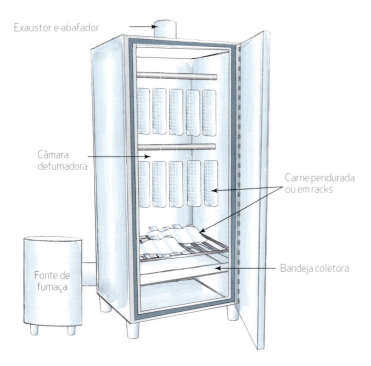

*Os defumadores variam em estilo e estrutura, mas sempre utilizam uma fonte de fumaça, uma câmara defumadora e mecanismos para circulação e ventilação.*

## formação de película

Antes de serem defumados, os alimentos curados devem ser secos ao ar até que formem uma casca viscosa, a película. Ela tem um papel fundamental na produção de itens de excelente qualidade. A película atua como uma espécie de barreira protetora do alimento, ajudando a reter a sua umidade natural e a manter as gorduras dentro da carne. (Se essas gorduras vazarem para a superfície do alimento, podem causar a sua deterioração.) Ela também tem um papel importante na captura do sabor e da cor da fumaça.

A maioria dos alimentos pode ser seca de modo apropriado em racks ou pendurada em ganchos ou varas. É importante que o ar circule por todos os lados. O alimento deve ser seco descoberto, no refrigerador ou em um quarto fresco. Para estimular a formação da película, o alimento pode ser colocado diante de um ventilador. O seu exterior deve estar suficientemente seco para possibilitar a aderência da fumaça.

## defumação a frio

Os critérios básicos usados para determinar quais alimentos são adequados à defumação a frio incluem o tipo e a duração da cura. Além disso, leva-se em conta se o alimento será ou não seco ao ar depois de defumado. O presunto de Smithfield, por exemplo, é defumado a frio por uma semana e, depois, seco ao ar por seis meses a um ano. Porém, a defumação a frio não se destina apenas a presuntos que serão secados ou ao salmão que foi curado com sal; ela também pode ser usada na preparação de alimentos que serão cozidos de outras maneiras antes de serem servidos.

Ademais, é utilizada para realçar o sabor de itens como bisteca de porco, filé bovino, peito de frango e vieiras. O item pode ser defumado a frio por um curto período de tempo, o suficiente apenas para lhe conferir um toque de sabor; depois disso, poderá ser finalizado com o método culinário desejado – grelhar, saltear, assar ou tostar – ou defumado a quente para adquirir um sabor defumado ainda mais intenso.

Queijos, vegetais e frutas também podem ser defumados a frio, o que lhes proporciona um sabor único. Em geral, na defumação a frio desses alimentos, o ideal é empregar uma pequena quantidade de fumaça, a fim de produzir uma mudança sutil na sua cor e no seu sabor.

A temperatura das defumadoras deve ser mantida entre 21 °C e 38 °C na defumação a frio, mas alguns produtores utilizam temperaturas menores do que 4 °C, mantendo os alimentos fora da zona de perigo. Nessa faixa de temperatura, eles adquirem um rico sabor defumado, desenvolvem uma coloração mogno escura e tendem a reter uma textura relativamente úmida. Contudo, o processo de defumação não cozinha o alimento.

**1.** *Quando a película se forma de maneira adequada, o alimento fica viscoso e a sua superfície apresenta uma aparência lustrosa.*

**2.** *A película permite a fumaça aderir ao alimento durante o processo de defumação.*

A manutenção da temperatura abaixo de 38 °C evita que a estrutura proteica das carnes, dos peixes e das aves se desnature. Em temperaturas mais altas, as proteínas se alteram e adquirem uma textura mais farelenta. A diferença é fácil de imaginar: pense em um filé de salmão defumado e outro assado.

## defumação a quente

Na defumação a quente, o alimento é exposto à fumaça e ao calor em um ambiente controlado. Embora seja comum aquecer ou cozinhar alimentos já defumados a quente, em geral é seguro consumi-los sem qualquer cozimento adicional. Presuntos e jarretes de porco ficam cozidos por completo quando defumados corretamente.

A defumação a quente ocorre entre 85 °C e 121 °C. Dentro desse limite de temperatura, os alimentos ficam, além de cozidos por completo, umedecidos e saborosos. Se a temperatura interna do produto ultrapassar 85 °C, ele poderá encolher de modo excessivo, enrugar ou até se partir. A defumação a altas temperaturas reduz o rendimento, já que tanto a umidade quanto a gordura são consumidas.

## defumação no forno

A defumação no forno se refere a qualquer processo que combine características de assar e defumar. Às vezes, este método também é chamado de "churrasco" ou "fogo de chão". Ele pode ser feito em um forno defumador, um forno a lenha ou um fogo de chão, qualquer defumador que alcance temperaturas acima de 121 °C ou um forno convencional (o qual possa ficar esfumaçado constantemente); para isso, coloca-se uma assadeira cheia de lasca de madeira no piso do forno, de modo que as lascas queimem lentamente sem chama, produzindo um banho de fumaça.

## defumação na assadeira

É possível produzir alimentos defumados sem um defumador ou uma câmara defumadora. A defumação na assadeira é um método simples e barato de dar aos alimentos um sabor defumado acentuado dentro de um período de tempo relativamente curto. Este método requer duas assadeiras de alumínio, um rack e um pouco de serragem ou de lasca de madeira. A sua desvantagem reside na dificuldade de controlar a fumaça; além disso, os produtos tendem a adquirir um sabor muito intenso e possivelmente amargo.[1]

[1] Há também o método da cataplana portuguesa com ervas secas. Coloca-se o alimento coberto com as ervas dentro da cataplana, que é fechada e levada diretamente ao fogo do fogão. O sabor fica intenso e possivelmente amargo. (N. E.)

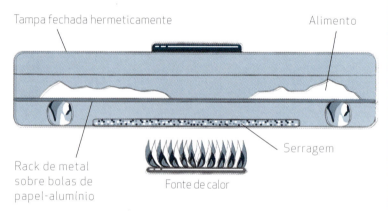

*A defumação na assadeira pode ser facilmente realizada com duas assadeiras, um rack, serragem ou lascas de madeira e uma fonte de calor.*

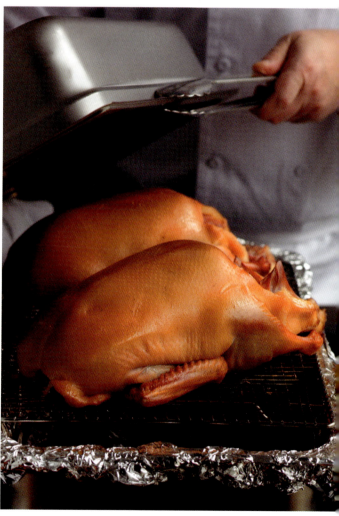

*Na falta de um defumador ou uma câmara defumadora, a defumação na assadeira pode ser usada para alcançar o mesmo efeito, como no caso desses patos inteiros.*

## SECAGEM

Além de secar alimentos antes da defumação para que formem uma película, pode ser necessário secar ao ar alguns itens em vez de defumá-los ou em adição à defumação. A secagem ao ar requer um controle equilibrado e cuidadoso da temperatura e da umidade. É importante colocar os alimentos em um local que permita monitorar a temperatura e a umidade, visto que presuntos secos podem levar semanas ou até meses para curar e secar de modo apropriado. Também é importante saber e seguir as precauções de segurança alimentar para longos períodos de secagem.

Vários presuntos mundialmente famosos, como o presunto Serrano, da Espanha, o presunto de Smithfield, dos Estados Unidos, e prosciutto crudo di Parma, da Itália, são curados, defumados a frio e depois secos por um período longo, o que torna seguro guardá-los à temperatura ambiente e consumi-los sem cozimento adicional. Produtos como carne bovina seca ao estilo romano (p. 241), beef jerky (p. 224) e bresaola também são conservados através da secagem.

## CONSERVAÇÃO NA GORDURA: CONFITS E RILLETTES

Confits e rillettes são métodos clássicos de conservação de alimentos. Para preparar um confit de ave ou de outro animal de caça pequeno, como coelho ou lebre, as coxas e outras partes são curadas e depois suavemente fervidas em fogo baixo, em gordura derretida, de preferência do próprio animal. Após esse longo processo de cozimento, os pedaços são colocados em terrinas e completamente cobertos com gordura, que age como um selante, evitando que a carne fique exposta ao ar. Tradicionalmente, a carne era salgada por dois ou três dias, para que pudesse ser guardada na gordura por até quatro meses. Atualmente, visto que o processo de confit é usado como método culinário e a carne não precisa ser guardada por um período tão longo, o tempo de cura de carnes é muito menor. Para a maioria dos cortes, um dia de cura é o suficiente. Depois de cozinhar a carne e armazená-la na gordura, é importante deixá-la marinar ainda na gordura por uma semana antes de servi-la. Isso permite que as suas proteínas fiquem um pouco mais macias, dando origem a um produto mais tenro.

O confit de pato ou de ganso é um componente tradicional do cassoulet e de outros pratos de cozimento prolongado à base de feijão. Os chefs modernos adaptaram esse prato tradicional ao gosto contemporâneo. Há confits não só de pato, ganso e coelho, mas também de atum e cebola roxa, lentamente cozidos na manteiga ou no óleo até adquirirem a consistência de geleia.

Os rillettes são feitos de carnes ossadas fervidas em caldo ou gordura com vegetais e aromáticos. A carne bem cozida é batida com a gordura para formar uma pasta. Essa mistura é geralmente guardada em terrinas ou potes, coberta por uma camada de gordura para selar e servida com pão ou como cobertura ou recheio de canapés e profiteroles.

# Salmoura básica para ave

RENDIMENTO: 11,52 ℓ

680 g de sal

340 g de dextrose, mel, açúcar ou açúcar demerara

1 colher (sopa)/6 g de alho em pó (opcional)

1½ colher (sopa)/9 g de cebola em pó (opcional)

198 g de Insta-cure #1

11,52 ℓ de água morna

---

Junte o sal, o açúcar, o alho e a cebola em pó, se desejar, e o Insta-cure #1. Acrescente a água e mexa até dissolver os ingredientes secos. Esfrie a salmoura completamente.

# Salmoura básica para carne bovina e suína

RENDIMENTO: 11,52 ℓ

11,52 ℓ de água morna

907 g de sal

680 g de dextrose (opcional)

198 g de Insta-cure #1

---

Junte a água, o sal e o xarope de milho, se desejar, e o Insta-cure #1. Mexa até dissolver os ingredientes secos. Esfrie a salmoura completamente.

# Salmoura básica para frutos do mar

RENDIMENTO: 1,92 ℓ

99 g de sal

64 g de açúcar

½ colher (chá)/1 g de alho em pó

½ colher (chá)/1 g de cebola em pó

1 colher (sopa)/15 mℓ de suco de limão

1,92 ℓ de água quente

---

Junte o sal, o açúcar, o alho, a cebola em pó e o suco de limão. Acrescente a água quente e mexa até dissolver os ingredientes secos. Esfrie.

# Salmoura básica para peixe

RENDIMENTO: 7,68 ℓ

7,68 ℓ de água
680 g de sal
454 g de açúcar granulado

⅓ xícara/80 mℓ de suco de limão
½ xícara de pickling spice
1 dente de alho, amassado

---

Junte todos os ingredientes em uma caçarola. Ferva-os. Esfrie a salmoura a temperatura ambiente antes de usá-la.

# Gravlax

RENDIMENTO: 1,25 kg; 12 A 14 PORÇÕES

1 filé de salmão com pele (aproximadamente 1,36 kg)
60 mℓ de suco de limão
30 mℓ de aquavit ou gim
3 a 4 maços de dill fresco picado grosseiramente

### mistura de cura

170 g de sal
170 a 255 g de açúcar (ver nota do chef)
14 g pimenta-do-reino quebrada

---

1. Remova as escamas do salmão e faça cortes na sua pele. Coloque-o no centro de um pedaço grande de musselina, com a pele para baixo. Pincele-o com suco de limão e aquavit ou gim.

2. Misture os ingredientes da cura e cubra o salmão por igual. (A camada deve se tornar ligeiramente mais fina conforme o filé afina em direção à cauda.) Cubra-o com o dill picado.

3. Embrulhe o salmão folgadamente na musselina e coloque-o em um réchaud perfurado dentro de um réchaud normal. Coloque outro réchaud por cima e pressione-o com um peso de 907 g.

4. Refrigere o salmão por 3 dias para que cure. Depois do terceiro dia, raspe cuidadosamente a cura e o dill. Fatie e sirva o salmão imediatamente, ou embrulhe-o e refrigere-o por até 5 dias.

» **NOTA DO CHEF** A proporção de sal e açúcar pode variar: 2 partes de sal para 1 parte de açúcar, partes iguais de cada, ou, para curas relativamente doces, 1 parte de sal para 1,5 a 2 partes de açúcar. A adição de quantidade extra de açúcar a qualquer cura seca confere a ela uma textura mais úmida e um sabor mais doce.

» **VARIAÇÃO** GRAVLAX AO ESTILO DO SUDOESTE: substitua o suco de limão por suco de limão-siciliano e o aquavit ou gim por 30 mℓ de tequila. Substitua o dill pela mesma quantidade de coentro fresco picado. Essa versão pode ser servida com molho de mamão papaia e feijão-preto (p. 43).

# Cura norueguesa de beterraba e raiz-forte

RENDIMENTO: 1,25 kg; 12 A 14 PORÇÕES

1 filé de salmão com pele (aproximadamente 1,36 kg)

## mistura de cura

340 g de beterraba crua picada finamente ou ralada

454 g de raiz-forte fresca

170 g de açúcar

170 g de sal

14 g de pimenta-do-reino quebrada

1. Remova as escamas do salmão e faça cortes na sua pele. Coloque-o no centro de um pedaço grande de musselina ou de filme de PVC, com a pele para baixo.

2. Misture os ingredientes da cura e cubra o salmão por igual. (A camada deve se tornar ligeiramente mais fina conforme o filé afina em direção à cauda.)

3. Embrulhe o salmão folgadamente na musselina ou no filme de PVC e coloque-o em um réchaud.

4. Refrigere-o por 3 dias para que cure. Depois do terceiro dia, raspe com cuidado a cura.

5. Fatie e sirva o gravlax imediatamente, ou embrulhe-o e refrigere-o por até uma semana.

» **NOTA DO CHEF** Essa é uma versão magenta, vibrante e bem temperada do salmão defumado básico. Experimente-a como alternativa ao salmão defumado servido com acompanhamentos tradicionais.

# Salmão curado ao estilo pastrami

RENDIMENTO: 1,25 kg; 12 A 14 PORÇÕES

1 filé de salmão com pele (aproximadamente 1,36 kg)
60 mℓ de suco de limão

### mistura de cura
170 g de sal
85 g a 170 g de açúcar
14 g de pimenta-do-reino quebrada

1 maço de coentro picado grosseiramente
1 maço de salsinha picado grosseiramente

113 g de chalota bem picada
90 mℓ de melaço
½ colher (chá)/1 g de pimenta-de-caiena
5 folhas de louro amassadas
2 colheres (chá)/4 g de semente de coentro amassada
2 colheres (chá)/4 g de páprica
2 colheres (chá)/4 g de pimenta-do-reino moída

1. Remova as escamas do salmão e faça cortes na sua pele. Coloque-o no centro de um pedaço grande de musselina, com a pele para baixo. Pincele-o com suco de limão.

2. Misture os ingredientes da cura e cubra-o por igual. Junte o coentro, a salsinha e as chalotas; cubra o salmão por igual.

3. Embrulhe-o folgadamente na musselina e coloque-o em um réchaud. Refrigere-o por 3 dias até que cure. Depois do terceiro dia, raspe com cuidado a cura.

4. Ferva em fogo baixo o melaço, a pimenta-de-caiena e as folhas de louro; remova a mistura do fogo e esfrie-a. Pincele o salmão por igual. Bata no liquidificador o coentro, a páprica e a pimenta-do-reino. Pressione a nova mistura no salmão por igual.

5. Refrigere-o descoberto por no mínimo 12 h antes de servir. O salmão pode ser embrulhado e refrigerado por até uma semana.

» **NOTA DO CHEF** O salmão combina bem com temperos comumente usados em pastrami, e o melaço confere ao peixe um sabor ligeiramente doce. Defume a frio o salmão curado para gerar um sabor mais intenso.

# Camarão defumado

RENDIMENTO: 1,59 kg

| 2,27 kg de camarão | 1,92 ℓ de salmoura básica para frutos do mar (p. 214) |

1. Descasque e limpe o camarão. Coloque-o em um recipiente de plástico ou de aço inox.

2. Despeje a salmoura sobre o camarão até cobri-lo totalmente. Use um prato ou filme de PVC para mantê-lo completamente submerso. Cure-o à temperatura ambiente por 30 min.

3. Remova o camarão da salmoura, enxágue-o com água fria e seque-o. Defume-o a frio abaixo de 38 °C, de 45 min a 1 h.

4. Se for grelhar, saltear, escalfar, refogar no molho ou preparar o camarão de outra forma, faça-o imediatamente, ou então embrulhe-o e refrigere-o por até uma semana.

» **NOTA DO CHEF** Para preparar o camarão para a defumação, remova totalmente a sua casca, a sua cauda e as suas veias. Embora seja uma prática comum deixar a cauda, removê-la é uma tarefa mais fácil de ser realizada durante o preparo na cozinha do que na mesa, pelo comensal. Além disso, evita que alguém engula por acidente um pedaço de casca.

Esta salmoura pode ser duplicada ou triplicada e usada conforme necessário. Pode ser coberta e refrigerada por até 2 semanas. Os frutos do mar podem ser defumados na assadeira a uma temperatura interna de 63 °C (cerca de 6 min a 8 min) e servidos quentes, mornos ou frios. Ela também é adequada para mexilhões, ostras e enguias.

» **VARIAÇÃO** VIEIRAS DEFUMADAS: substitua o camarão por 1,81 kg de vieira. Remova o músculo antes da defumação.

# Salmão defumado

RENDIMENTO: 1,25 kg; 12 A 14 PORÇÕES

1 filé de salmão com pele (aproximadamente 1,36 kg)

### cura seca
227 g de sal
113 g de açúcar
2 colheres (chá)/4 g de cebola em pó
¾ colher (chá)/1,5 g de cravo moído
¾ colher (chá)/1,5 g de folha de louro moída ou amassada
¾ colher (chá)/1,5 g de macis moído
¾ colher (chá)/1,5 g de pimenta-da-jamaica moída
⅛ colher (chá)/0,6 g de Insta-cure #1 (opcional)

1. Remova as escamas do salmão e faça cortes na sua pele.

2. Misture bem os ingredientes da cura e salpique um pouco da cura seca sobre um pedaço grande de musselina. Coloque o salmão no centro do pano, com a pele para baixo, e cubra-o por igual com o restante da cura. (A camada deve se tornar ligeiramente mais fina conforme o filé afina em direção à cauda.)

3. Embrulhe o salmão folgadamente na musselina e coloque-o em um réchaud.

4. Refrigere o salmão por 12 horas para que cure. Para retirar a cura, enxágue-o cuidadosamente com água à temperatura ambiente e seque-o.

5. Refrigere-o descoberto em um rack de um dia para o outro, para que seque e forme uma película.

6. Defume-o a frio a 38 °C ou menos, por 4 h a 6 h.

7. Fatie e sirva o salmão defumado imediatamente, ou embrulhe-o e refrigere-o por até 1 semana.

» **NOTA DO CHEF** A cura seca pode ser dobrada ou triplicada, conforme necessário. Guarde-a hermeticamente coberta em um local fresco e seco até o momento de usá-la.

Para obter uma dimensão adicional de sabor, pincele o salmão com um licor como brandy, vodca ou tequila antes de secá-lo.

Aparas ou lascas do salmão podem ser usadas em rillettes, mousses ou patês à base de cream cheese para canapés, sanduíches de chá ou bagels.

» **IDEIAS PARA APRESENTAÇÃO** O salmão defumado é ideal para bufês ou recepções e pode ser servido sobre brioches ou croutons de pumpernickel com uma colherada de crème fraîche. Acompanhamentos tradicionais incluem alcaparras, cebolas picadas finamente, ovos cozidos e salsinha. Maionese básica (p. 36) ou molhos aromatizados à base de creme azedo com caviar, mostarda ou raiz-forte são comumente servidos com salmão defumado.

1. Aplique a cura por igual sobre o salmão, formando uma camada mais fina no ponto em que o filé afina em direção à cauda.

2. Embrulhe o salmão com a musselina e deixe-o curar na geladeira.

3. Depois de secar na geladeira, uma película se formará na superfície do salmão.

4. Depois que o salmão defumar, corte-o em pedaços bem finos com uma faca de fatiar.

CINCO | ALIMENTOS CURADOS E DEFUMADOS

# Salmão curado com erva-doce

RENDIMENTO: 1,13 A 1,36 kg

1 filé de salmão com pele (aproximadamente 1,36 kg)

### cura seca
397 g de açúcar
376 g de sal marinho fino
1½ colher (chá)/3 g de semente de coentro torrada e quebrada
1½ colher (chá)/3 g de grão de pimenta-do-reino torrado e quebrado

1 colher (chá)/3 g de zeste de limão-siciliano
2½ colheres (chá)/7,5 g de zeste de limão
1½ colher (sopa)/13,5 g de zeste de laranja
2 xícaras/480 mℓ de talo de erva-doce picada
4 cm de gengibre picado finamente
4 cm de capim-limão picado finamente
120 mℓ de gim

1. Remova as escamas do salmão e faça cortes na sua pele.

2. Em uma tigela, misture o açúcar, o sal, o coentro, a pimenta e as zestes de limão-siciliano, de limão e de laranja para fazer a mistura de cura. Em uma tigela separada, misture os talos de erva-doce, o gengibre e o capim-limão.

3. Pincele com um pouco de gim o lado do filé com a pele. Despeje o restante do gim na mistura de cura e mexa bem. Coloque um pedaço grande de musselina em uma assadeira. Espalhe um pouco de cura sobre a musselina. Coloque o salmão no centro da musselina e da mistura de cura. Espalhe metade do restante da mistura de cura por igual sobre o salmão. (A camada deve se tornar ligeiramente mais fina conforme o filé afina em direção à cauda.)

4. Cubra o filé por igual com a mistura de talo de erva-doce.

5. Espalhe o restante da mistura de cura sobre o filé.

6. Embrulhe o filé na musselina e cure-o por 12 h em refrigeração (4 °C).

7. Enxágue o filé em água morna para retirar a cura. Em uma grade sobre uma assadeira, colocada em local com bastante circulação de ar, seque o salmão por 6 h a 8 h em câmara fria, para que forme uma película. Embrulhe-o e guarde-o por até 1 semana sob refrigeração.

8. O salmão pode ser servido assim, fatiado finamente na diagonal.

» **NOTA DO CHEF** O salmão pode ser defumado a frio por 2 h depois de secar; defume-o a frio a 21 °C por cerca de 2 h com fumaça em intensidade média. Porém, o ideal é defumá-lo a frio a uma temperatura abaixo de 4 °C. Esfrie-o, embrulhe-o e guarde-o na geladeira por até 1 semana.

# Salmão defumado ao estilo do sudoeste

RENDIMENTO: 1,25 kg; 12 A 14 PORÇÕES

1 filé de salmão, com pele (cerca de 1,36 kg)

### cura seca ao estilo do sudoeste

227 g de sal
85 g de açúcar demerara
1 colher (sopa)/6 g de mostarda em pó
2 colheres (chá)/4 g de cominho moído
2 colheres (sopa)/12 g de orégano desidratado
½ colher (chá)/1 g de pimenta-da-jamaica moída
½ colher (chá)/1 g de gengibre moído
½ colher (chá)/1 g de noz-moscada moída

14 g de pimenta-malagueta suave em pó
1 colher (sopa)/6 g de páprica
2 colheres (chá)/4 g de pimenta-branca moída
28 g de coentro picado
2 colheres (chá)/4 g de cebola em pó
1 colher (chá)/2 g de alho em pó
½ colher (chá)/1 g de pimenta-de-caiena
¼ colher (chá)/1,25 g de Insta-cure #1 (opcional)

60 mℓ de tequila

1. Prepare o salmão e aplique a cura conforme os passos 1 a 4 da receita de salmão defumado (p. 220).

2. Pincele o salmão com tequila.

3. Seque-o e defume-o conforme os passos 5 e 6 da receita de salmão defumado. Em um rack sobre uma assadeira colocada em local com bastante circulação de ar, seque o salmão por 6 h a 8 h sob refrigeração, para que forme uma película. Embrulhe-o e guarde-o por até 1 semana sob refrigeração.

4. O salmão pode ser servido assim, fatiado finamente na diagonal.

# Beef jerky

RENDIMENTO: 680 g

1,36 kg de coxão mole bovino

### cura seca
567 g de sal
99 g de açúcar demerara
2 colheres (chá)/4 g de pickling spice, moído
1 colher (chá)/2 g de semente de salsão amassada
1 colher (chá)/2 g de pimenta-do-reino moída grosseiramente

1 colher (chá)/2 g de semente de mostarda amarela
1 colher (chá)/2 g de cebola em pó
1 colher (chá)/2 g de alho em pó
½ colher (chá)/1 g de pimenta-de-caiena

80 mℓ de molho de soja
80 mℓ de molho inglês

---

1. Corte a carne no sentido perpendicular à fibra, em tiras finas de 5 cm por 20 cm por 6 mm.

2. Em uma tigela, junte o sal, o açúcar, o pickling spice, as sementes de salsão, a pimenta, as sementes de mostarda, o alho, a cebola em pó e a pimenta-de-caiena para fazer a mistura de cura.

3. Esfregue a mistura de cura nos dois lados das tiras de carne. Coloque a carne em um rack e deixe-a curar por 3 h sob refrigeração.

4. Enxágue as tiras e seque-as levemente com papel-toalha.

1. O beef jerky pode ser salmourado ou curado.

2. O jerky pronto apresenta um sabor defumado e uma textura de fácil mastigação.

5. Em uma tigela, junte o molho de soja e o molho inglês. Acrescente as tiras de carne e revista-as abundantemente com a mistura de molhos.

6. Disponha a carne em camada única em racks levemente untados com óleo, colocados sobre assadeiras, e seque-a em um refrigerador no qual haja bastante circulação de ar. Seque a carne de um dia para o outro, ou até que forme uma película.

7. Deixe a carne no forno a 93 °C por cerca de 1 h. Ela deverá ficar 90% cozida. Quebre ou prove um pedaço. Ele deve estar seco e levemente úmido. Não pode estar muito seco.

8. Defume a carne a frio por 1 h ou 2 h a 38 °C ou menos. Lenha ou serragem de nogueira são boas escolhas, mas qualquer tipo de madeira decídua serve, dependendo do sabor desejado. A intensidade da fumaça deve ser média, para conferir um leve sabor defumado ao produto. Se desejar um sabor defumado mais intenso, mantenha a carne no defumador por mais tempo.

9. Coloque-a para secar em uma área bem ventilada, à temperatura ambiente, por 4 h a 5 h.

10. Remova a carne dos racks e transfira-a a um recipiente plástico fechado hermeticamente com tampa. O beef jerky pode ser guardado por 2 a 4 semanas na geladeira ou no freezer.

# Filé-mignon na pasta de pimenta

RENDIMENTO: 1,59 kg

### pasta de pimenta
57 g de pimenta ancho
1½ colher (sopa)/9 g de cominho moído e torrado
1½ colher (chá)/4,5 g de alho amassado
½ colher (chá)/1 g de pimenta-malagueta em pó

1 pitada de pimenta-de-caiena
Sal a gosto

1,81 kg de filé-mignon bovino ou suíno
Óleo vegetal a gosto

1. Remova as sementes e o talo das pimentas ancho e coloque-as em uma tigela. Despeje água quente por cima delas, o suficiente apenas para cobri-las. Deixe-as de molho até que amoleçam (cerca de 30 min). Como alternativa, toste as pimentas em uma chapa até que fiquem macias. Com uma escumadeira, transfira-as a um liquidificador ou processador de alimentos. Acrescente o cominho, o alho, a pimenta-malagueta em pó, a pimenta-de-caiena e o sal. Bata os ingredientes até formar um purê homogêneo. Se necessário, acrescente um pouco do líquido do molho da pimenta ancho para ajustar a consistência do purê; ele deve se espalhar com facilidade sobre a carne.

2. Apare o filé-mignon e amarre-o para nivelar o seu formato. Esfregue a pasta de pimenta por igual sobre toda a superfície da carne. Refrigere-a por no mínimo 4 h e no máximo 24 h, para que marine.

3. Prepare um defumador e coloque a carne no rack. Defume-a a frio a 27 °C até que adquira sabor. Não a defume por mais do que 2 h; um tempo maior no defumador pode causar a germinação dos esporos de botulismo.

4. Remova a carne do defumador. Toste o filé-mignon em óleo muito quente sobre fogo alto até que doure, virando-o para dourar todos os lados. Transfira-o a um rack colocado sobre uma assadeira e asse-o a 177 °C até que atinja a temperatura interna de 54 °C e fique ao ponto (cerca de 40 min).

5. Deixe o filé-mignon descansar por no mínimo 10 min antes de desamarrá-lo e fatiá-lo. A carne poderá ser fatiada com mais facilidade para ser usada em travessas, canapés e outras apresentações frias se for refrigerada por no mínimo 4 h e no máximo 24 h.

» **NOTA DO CHEF** Dividida em porções apropriadas, esta carne pode ser usada em canapés, bruschettas, sanduíches e saladas compostas. Ela também pode fazer parte da estação de fatiados de um bufê.

# Esturjão defumado a quente com aroma cítrico

RENDIMENTO: 2,04 kg; 24 A 30 PORÇÕES

1 filé de esturjão com pele (aproximadamente 2,27 kg)

### cura seca cítrica

454 g de sal

284 g de açúcar demerara

43 g de zeste de limão-siciliano bem picado

43 g de zeste de limão bem picado

1. Remova as escamas do esturjão e faça cortes na sua pele.

2. Misture bem os ingredientes da cura e polvilhe um pedaço grande de musselina com um pouco da cura seca. Coloque o esturjão no centro da musselina com a pele para baixo e cubra-o por igual com o restante da cura. (A camada deve se tornar ligeiramente mais fina conforme o filé afina em direção à cauda.)

3. Embrulhe o esturjão folgadamente na musselina e coloque-o em um réchaud.

4. Refrigere-o de um dia para o outro. Enxágue-o cuidadosamente com água à temperatura ambiente para retirar a cura e seque-o.

5. Refrigere o esturjão a descoberto de um dia para o outro, em um rack, para que seque e forme uma película.

6. Defume-o a quente a 71 °C até que atinja a temperatura interna de 63 °C (cerca de 1 h).

7. Fatie e sirva imediatamente o esturjão defumado, ou embrulhe-o e refrigere-o por até 1 semana.

» **NOTA DO CHEF** Este esturjão é delicioso quando servido quente direto do defumador ou à temperatura ambiente, como componente de um tira-gosto ou hors-d'oeuvre. Ele pode ser fatiado em pedaços muito finos e servido quente ou frio.

Se desejar, misture a cura seca com suco de yuzu para fazer uma salmoura.

# Truta-arco-íris defumada a quente

RENDIMENTO: 30 TRUTAS-ARCO-ÍRIS LIMPAS (184 g CADA APÓS DEFUMADAS)

30 trutas-arco-íris limpas (227 g cada)

### salmoura
7,68 ℓ de água
1,13 kg de sal
113 g de açúcar mascavo
1½ colher (chá)/3 g de alho em pó
1 colher (sopa)/6 g de cebola em pó
43 g de pickling spice
85 g de mel

1. Coloque as trutas em um recipiente fundo de plástico ou aço inox.

2. Junte os ingredientes da salmoura.

3. Despeje a salmoura sobre as trutas de modo que fiquem submersas. Use um prato ou filme de PVC para mantê-las completamente imersas. Refrigere-as por 8 h para que curem.

4. Enxágue as trutas em água ligeiramente morna e deixe-as de molho em água fresca por 10 min. Seque-as com papel-toalha.

5. Defume-as a quente a 102 °C até que atinjam a temperatura interna de 63 °C (cerca de 2 h).

6. Esfrie as trutas completamente antes de servi-las. As trutas defumadas podem ser cobertas e refrigeradas por até 2 semanas.

» **IDEIA PARA APRESENTAÇÃO** O peixe deve ser filetado e escamado. Uma porção deve conter 1 filé. Cada filé de truta defumada pode ser servido inteiro como tira-gosto frio com molho de mostarda sueco (p. 583) ou lascado em pedaços pequenos para compor sanduíches ou canapés com manteiga de raiz-forte (p. 647).

Se desejar, substitua a água da salmoura por suco de yuzu.

# Peito de peru defumado

RENDIMENTO: 3,18 kg DE CARNE APROVEITÁVEL

| 2 peitos de peru com osso (5,44 kg cada) | 11,52 ℓ de salmoura básica para ave (p. 214) |

1. Retire o excesso de gordura do peru.

2. Pese os peitos de peru individualmente e injete uma quantidade de salmoura equivalente a 10% do seu peso em cada um.

3. Coloque-os em um recipiente fundo de plástico ou aço inox. Despeje a salmoura por cima dos peitos de peru de modo que fiquem submersos. Use um prato ou filme de PVC para mantê-los completamente imersos. Salmoure-os sob refrigeração por 2 a 3 dias.

4. Remova os perus da salmoura, enxágue-os com água à temperatura ambiente e seque-os. Refrigere-os a descoberto de um dia para o outro até que sequem e formem uma película.

5. Defume os perus a quente a 85 °C até que atinjam a temperatura interna de 74 °C (cerca de 4 h).

6. Esfrie-os completamente antes de servi-los. O peito de peru defumado pode ser coberto e refrigerado por até 2 semanas.

» **NOTA DO CHEF** Em vez de defumar o peito de peru a quente, é possível defumá-lo na assadeira por aproximadamente 1 h, assando-o no forno a 135 °C até que atinja a temperatura interna de 74 °C (cerca de 30 min).

» **VARIAÇÃO** PEITO DE PERU DEFUMADO COM BOURBON: prepare o peito de peru defumado conforme as instruções acima, defumando-o na assadeira por 1 h conforme as instruções da "Nota do chef". Ferva suavemente 240 mℓ de bourbon, 120 mℓ de maple syrup e 57 g de açúcar demerara. Mantenha esse glacê aquecido. Pincele o peru com ele 2 ou 3 vezes durante os últimos 30 min de cozimento no forno.

» **IDEIAS PARA APRESENTAÇÃO** O peru defumado proporciona uma ótima apresentação em bufê, especialmente se for fatiado diante dos convidados. Ele também pode ser fatiado e arrumado em uma travessa com relish de cranberry (p. 589). Fatie-o para compor sanduíches ou corte-o em cubos para fazer uma salada de peru defumado ou uma salada Cobb.

# Pato defumado

RENDIMENTO: 6 PATOS

6 patos de Pequim ou Long Island (1,81 kg a 2,72 kg cada)

## salmoura para pato
360 mℓ de vinho da Madeira
6 folhas de louro

1½ colher (chá)/1,5 g de folha de tomilho
1½ colher (chá)/1,5 g de sálvia picada
1½ colher (chá)/1,5 g de zimbro
11,52 ℓ de salmoura básica para ave (p. 214)

---

1. Retire o excesso de gordura dos patos.

2. Junte o vinho da Madeira, as ervas e os zimbros à salmoura básica.

3. Pese os patos individualmente e injete uma quantidade de salmoura equivalente a 10% do seu peso em cada um. Coloque-os em um recipiente fundo de plástico ou aço inox. Despeje a salmoura sobre os patos de modo que fiquem submersos. Use um prato ou papel de PVC para mantê-los completamente imersos. Refrigere-os por 12 h para que curem.

4. Enxágue os patos com água à temperatura ambiente e deixe-os de molho em água fresca por 1 h; seque-os. Refrigere-os a descoberto por no mínimo 8 h ou de um dia para o outro para que sequem e formem uma película.

5. Defume-os a quente a 85 °C até que atinjam a temperatura interna de 74 °C (cerca de 4h30 a 5 h).

6. Esfrie os patos completamente antes de servi-los. O pato defumado pode ser coberto e refrigerado por até 2 semanas.

» **IDEIA PARA APRESENTAÇÃO** O pato defumado pode ser usado em vários pratos, incluindo hors-d'oeuvre, saladas e pratos principais. Ele compõe a salada de pato defumado e macarrão malfatti (p. 156), o roulade de foie gras com salada de beterraba assada e peito de pato defumado (p. 479) e o peito de pato defumado ao estilo niçoise (p. 467).

# Peito de pato moulard defumado no chá ao estilo asiático

RENDIMENTO: 6 PEITOS

6 peitos de pato moulard desossados (1,59 kg por peito duplo)

11,52 ℓ de salmoura básica para aves (p. 214)

## mistura para defumação

43 g de folha de chá preto

113 g de açúcar demerara

50 g de arroz jasmine cru

1 colher (sopa)/6 g de grão de pimenta szechwan

2 paus inteiros de canela amassados

7 g de zeste de laranja

1. Cubra os peitos totalmente com a salmoura e refrigere-os por 12 h para que curem. Enxágue e seque.

2. Junte a mistura de defumação no fundo de uma assadeira descartável. Coloque um rack sobre a mistura de defumação, ponha os peitos curados sobre o rack e cubra a assadeira com outra assadeira. Defume-os por 8 min.

3. Asse-os no forno a 135 °C até que atinjam a temperatura interna de 63 °C (de 30 min a 40 min).

4. Esfrie os patos completamente antes de servi-los. O peito de pato defumado pode ser coberto e refrigerado por até 2 semanas.

» **NOTA DO CHEF** Para obter um produto final mais crocante, derreta a pele lentamente em uma panela para sauté com algumas gotas de água. Para uma versão com gordura reduzida, remova completamente a pele antes de defumar o pato e reserve-a. Coloque a pele reservada por cima do pato ao assá-lo, para evitar que seque.

» **IDEIA PARA APRESENTAÇÃO** Este estilo de pato pode compor uma travessa de tira-gostos ao estilo asiático ou a salada de macarrão sobá (p. 139).

# Jarrete de porco defumado

RENDIMENTO: 15,88 kg

| | |
|---|---|
| 20,41 kg de jarrete de porco | 11,52 ℓ de salmoura básica para carne (p. 214) |

1. Coloque os jarretes de porco em um recipiente fundo de plástico ou aço inox.

2. Despeje a salmoura por cima dos jarretes de modo que fiquem cobertos. Use um prato ou filme de PVC para mantê-los totalmente submersos. Refrigere-os por 3 dias para que curem.

3. Enxágue os jarretes com água fria e deixe-os de molho em água fresca por 1 h; escorra-os. Refrigere-os a descoberto de um dia para o outro para que sequem e formem uma película.

4. Defume-os a quente a 85 °C até que atinjam a temperatura interna de 66 °C (cerca de 4 h).

5. Esfrie os jarretes completamente antes de guardá-los. O jarrete de porco defumado pode ser coberto e refrigerado por até 6 semanas.

» **NOTA DO CHEF** O jarrete de porco defumado constitui um alimento básico em muitas culinárias e uma concentrada fonte de sabor para ensopados, sopas, feijões, verduras refogadas e chucrute.

# Bacon básico

RENDIMENTO: 9,16 kg

2 barrigas de porco frescas com pele (4,54 kg cada)

cura seca básica

227 g de sal

156 g de açúcar

45 g de Insta-cure #1

1. Pese as barrigas de porco.

2. Misture bem os ingredientes da cura. Meça a quantidade necessária de cura de acordo com a seguinte proporção: 227 g de cura seca para cada 4,54 kg de barriga fresca.

3. Esfregue a mistura de cura nas barrigas, tendo o cuidado de cobri-las por inteiro. Coloque-as com a pele para baixo em cubas de plástico ou de aço inox.

4. Refrigere-as por 7 a 10 dias para que curem, virando-as a cada dois dias.

5. Enxágue as barrigas com água ligeiramente morna. Coloque-as de molho em água fresca por 30 min e seque-as. Pendure-as em ganchos e refrigere-as por 18 h para que sequem e formem uma película.

6. Defume-as a quente a 85 °C até que atinjam a temperatura interna de 68 °C (cerca de 3h30); esfrie-as. Remova o couro.

7. Fatie ou corte imediatamente o bacon conforme necessário para assá-lo, salteá-lo, grelhá-lo ou usá-lo como tempero em outros pratos, ou embrulhe-o e refrigere-o por até 2 semanas.

1. *Durante a cura, a barriga de porco solta água, o que firma ligeiramente a sua textura. Vire as barrigas a cada dois dias.*

2. *Uma vez defumado, o bacon encolhe ligeiramente e adquire uma coloração mais escura.*

» **NOTA DO CHEF** O bacon é um exemplo de item defumado completamente cozido que é primeiro curado a seco de acordo com o método convencional, baseado na proporção-padrão de duas partes de sal para uma parte de açúcar.

Uma barriga de porco curada perde de 7% a 8% do seu volume de água durante a cura e a defumação.

» **VARIAÇÕES** BACON CURADO NO MEL: substitua o açúcar por 680 g de mel na cura seca básica (acima).

BACON CURADO NO AÇÚCAR DEMERARA: substitua o açúcar por açúcar demerara na cura seca básica (acima) e ajuste a proporção sal-açúcar em 10 partes de sal para 8 partes de açúcar.

BACON CURADO EM MAPLE SYRUP: substitua o açúcar granulado por açúcar de bordo e reduza a quantidade de sal para 198 g.

# Lombo de porco defumado

RENDIMENTO: 7,26 kg

3 lombos de porco desossados (3,18 kg cada)   11,52 ℓ de salmoura básica para carne (p. 214)

1. Corte os lombos na metade, se desejar; amarre-os com corda ou rede.

2. Pese os lombos individualmente e injete uma quantidade de salmoura equivalente a 10% do seu peso em cada um. Coloque-os em um recipiente de plástico ou aço inox.

3. Despeje a salmoura sobre os lombos de modo que fiquem cobertos. Use um prato ou filme de PVC para mantê-los completamente submersos. Refrigere-os por 3 dias para que curem.

4. Enxágue os lombos com água ligeiramente morna e coloque-os de molho em água fresca por 1 h; seque-os. Refrigere-os a descoberto por no mínimo 16 h para que sequem e formem uma película.

5. Defume-os a quente a 85 °C até que atinjam a temperatura interna de 68 °C (cerca de 4 h), ou até que a carne fique ligeiramente cor-de-rosa devido ao nitrito.

6. Fatie e sirva os lombos imediatamente, ou cubra-os e refrigere-os por até 2 semanas.

» **VARIAÇÃO** LOMBO CANADENSE: apare o lombo até o músculo do olho. Corte-o na metade, se desejar, e amarre-o com corda ou rede. Injete salmoura nele e cure-o, submerso na salmoura, por 2 dias. Defume-o e guarde-o como o lombo de porco defumado.

» **IDEIAS PARA APRESENTAÇÃO** Fatie o lombo de porco em uma estação de preparo de bufê e ofereça--o com uma variedade de chutneys e relishes (pp. 584-590). Ele também fica excelente em sanduíches e saladas. As aparas comestíveis podem ser acrescentadas a patês, terrinas, sopas e ensopados.

# Tasso (porco defumado ao estilo cajun)

RENDIMENTO: 2,04 kg

1 sobrepaleta de porco (cerca de 2,27 kg)
113 g de cura seca básica (p. 234)

### mistura de temperos

14 g de pimenta-branca moída

1½ colher (sopa)/9 g de pimenta-de-caiena
14 g de manjerona moída
14 g de pimenta-da-jamaica moída
14 g de macis moído

1. Corte a carne perpendicularmente à fibra em fatias de 3 cm de espessura.

2. Pressione as fatias de porco na cura seca; cure-as por 3 h à temperatura ambiente.

3. Remova a cura com água fria, escorra completamente a carne e seque-a.

4. Junte os ingredientes da mistura de temperos; polvilhe todos os lados da carne com a mistura e refrigere-a a descoberto de um dia para o outro até que seque e forme uma película.

5. Defume o porco a quente a 85 °C até que ele atinja a temperatura interna de 68 °C e a sua cor se assente (cerca de 2 h).

6. Utilize o tasso imediatamente ou embrulhe-o e refrigere-o por até 2 semanas.

» **NOTA DO CHEF** Tasso é um produto suíno picante, curado e defumado, usado principalmente como ingrediente aromatizante em pratos da culinária cajun, como gumbo e jambalaya.

# Presunto inteiro defumado

RENDIMENTO: 1 PRESUNTO DEFUMADO

1 presunto fresco (pernil de porco com osso, cerca de 9,07 kg)

1 receita de salmoura básica para carne (p. 214)

1. Apare o presunto, deixando 15 cm de pele ao redor da perna. Remova o osso e pese o presunto; injete nele uma quantidade de salmoura equivalente a 10% do seu peso nos pontos de injeção mostrados na p. 208. Coloque-o em um recipiente de plástico ou aço inox.

2. Despeje a salmoura de modo a encobrir o presunto. Use um prato ou plástico de PVC para mantê-lo completamente submerso. Refrigere o presunto por 7 dias para que cure.

3. Enxágue-o com água fria e coloque-o de molho em água fresca por no mínimo 1 h ou de um dia para o outro. Refrigere-o a descoberto por 16 h para que seque e forme uma película.

4. Defume-o a quente a 85 °C até que atinja a temperatura interna de 66 °C (cerca de 12 h).

5. Fatie o presunto para preparos frios; reaqueça, fatie e sirva-o imediatamente; ou cubra-o e refrigere-o por até 2 semanas.

» **IDEIA PARA APRESENTAÇÃO** O presunto defumado pode ser usado de várias maneiras; pode ser fatiado quente no bufê ou enrolado em massa de brioche e assado para uma apresentação mais elegante. Utilize-o em qualquer receita de patê ou terrina que peça presunto, tanto como recheio quanto como guarnição interna. As suas aparas podem ser usadas em diversos sanduíches e saladas ou para aromatizar pratos de macarrão e sopas.

# Contrafilé bovino defumado no forno

RENDIMENTO: 1,36 kg

1,47 kg de contrafilé limpo e sem cauda

### mistura de ervas

3 dentes de alho amassados
1 colher (sopa)/3 g de alecrim picado
1 colher (sopa)/3 g de tomilho picado
2 colheres (chá)/6,5 g de sal
1 colher (sopa)/6 g de pimenta-do-reino moída

1. Apare a capa de gordura a 3 mm; retire os ligamentos dorsais. Amarre a carne para lhe dar um formato uniforme.

2. Junte os ingredientes da mistura de ervas e espalhe-a por igual sobre a carne. Refrigere-a a descoberto de um dia para o outro.

3. Defume a carne no forno a 85 °C até que atinja a temperatura interna de 60 °C (3h30 a 4 h).

4. A defumação no forno realça a carne e proporciona um sabor de brasa. Ela pode ser servida como entrada ou esfriada e fatiada como item de bufê.

» **NOTA DO CHEF** Este prato também pode ser defumado na assadeira. Reveja as informações sobre defumação na assadeira, na p. 212. Defume a carne na assadeira de 20 min a 30 min. Remova-a do defumador e termine de assá-la a 135 °C, removendo-a quando atingir a temperatura interna de 54 °C, para que chegue à temperatura final de 60 °C. Visto que este preparo não cura a carne, ela deve ser consumida dentro de 3 a 4 dias.

# Sobrepaleta suína grelhada à moda da Carolina

RENDIMENTO: 3,63 kg A 4,08 kg DE CARNE DESFIADA

2 sobrepaletas suínas (2,27 kg a 2,72 kg cada uma)

## mistura seca para grelhados

57 g de páprica doce
28 g de pimenta-malagueta em pó
2 colheres (sopa)/20 g de sal
1 colher (sopa)/6 g de cominho moído
28 g de açúcar
1 colher (sopa)/6 g de mostarda em pó
2 colheres (chá)/4 g de pimenta-do-reino moída
2 colheres (sopa)/12 g de tomilho desidratado
2 colheres (sopa)/12 g de orégano desidratado
1 colher (chá)/2 g de pimenta-de-caiena

1. Apare o excesso de gordura da sobrepaleta, deixando aproximadamente 1,5 mm na carne. Toste a gordura remanescente em um padrão de treliça para permitir que os temperos penetrem.

2. Junte os ingredientes da mistura seca e esfregue-a sobre a superfície inteira da carne suína. Refrigere a carne de um dia para o outro. Coloque-a sobre as grelhas.

3. Defume-a a quente a 85 °C até que atinja a temperatura interna de 68 °C (de 2 h a 3 h).

4. Retire a carne do osso e desfie-a à mão. Remova o excesso de gordura.

5. Use a carne imediatamente ou esfrie-a, embrulhe-a e refrigere-a por até 7 dias.

» **NOTA DO CHEF** Esta mistura para grelhados pode ser usada em outros cortes de carne suína, incluindo costela, lombo assado e cottage butt.

# Pancetta

RENDIMENTO: 9,16 kg

2 barrigas de porco frescas com pele (4,54 kg cada)

## cura seca
454 g de sal
113 g de açúcar demerara
113 g de pimenta-do-reino quebrada
57 g de zimbro amassado
8 folhas de louro amassadas
2 colheres (chá)/4 g de noz-moscada ralada
2 colheres (sopa)/6 g de folha de tomilho
8 dentes de alho amassados até virarem uma pasta
28 g de Insta-cure #1

---

1. Pese as barrigas de porco.

2. Em uma tigela, junte os ingredientes da cura e misture-os bem. Pese a quantidade necessária de cura de acordo com a seguinte proporção: 227 g de cura seca para cada 4,54 kg de barriga fresca.

3. Cure as barrigas conforme os passos 1 a 4 da receita de bacon básico (p. 234).

4. Enxágue as barrigas com água fria. Remova a pele.

5. Enrole a pancetta em forma de cilindro e amarre-a bem apertado, se desejar. Pendure-a e deixe-a secar por 2 a 3 semanas em local seco e fresco.

6. Fatie a pancetta para salteá-la ou usá-la em outros preparos, ou embrulhe-a bem e refrigere-a por 2 a 3 semanas.

» **NOTA DO CHEF** A pancetta pode ser preparada no seu formato natural, conhecido como "stresa", ou enrolada em forma de cilindro e amarrada antes de secar, em formato chamado de "arrotolata".

*1. Amarre a pancetta com barbante de cozinha para manter o formato.*

*2. Depois de secar, a pancetta pode ser preparada e servida como desejado.*

# Carne bovina seca ao estilo romano

RENDIMENTO: 1,81 kg

2,49 kg de lagarto ou coxão duro bovino

### marinado

2,88 ℓ de vinho tinto seco, ou conforme necessário para cobrir a carne

113 g de sal

1 colher (sopa)/6 g de pimenta-do-reino quebrada

1 colher (chá)/2 g de floco de pimentão vermelho

2 folhas de louro

1 ramo de alecrim

28 g de Insta-cure #2

7 dentes de alho amassados até virarem pasta

1. Apare a carne e coloque-a em um réchaud fundo ou outro recipiente adequado.

2. Junte os ingredientes do marinado.

3. Despeje o marinado sobre a carne até encobri-la. Use um prato ou filme de PVC para mantê-la submersa. Refrigere-a por 8 dias para que cure. Vire a carne ao menos uma vez por dia conforme ela cura.

4. Retire-a do marinado, seque-a, embrulhe-a em uma musselina limpa e pendure-a para que seque em local fresco e seco por 4 a 5 dias.

5. Fatie a carne em tiras bem finas e sirva-a imediatamente, ou embrulhe-a e refrigere-a até o momento de usar. (Consulte as autoridades sanitárias locais se houver alguma dúvida quanto à segurança e ao consumo deste item.)

» **IDEIA PARA APRESENTAÇÃO** Esta carne seca é um excelente componente de antepasto e também pode ser servida com pão com casca dura e um bom azeite de oliva.

# Sardinha curada

RENDIMENTO: 1,36 kg

Sal a gosto
680 g de filé de sardinha fresca com pele
600 mℓ de vinagre branco
Zestes de 2 limões
3 dentes de alho amassados

2 colheres (chá)/2 g de folha de tomilho
2 colheres (chá)/2 g de salsinha picada
Sal a gosto
Pimenta-do-reino moída a gosto
960 mℓ de azeite de oliva extravirgem, e mais se necessário

1. Espalhe uma camada homogênea de 3 mm de sal sobre uma assadeira de plástico. Coloque os filés de sardinha sobre o sal, com a pele para cima. Cubra-os com outra camada de 3 mm de sal. Deixe-os curar por 15 min.

2. A pele da sardinha é frágil, portanto remova o sal dos filés delicadamente com um pincel. Coloque-os em uma panela de réchaud e cubra-os com o vinagre. Deixe-os curarem por 20 min.

3. Enxágue cuidadosamente os filés com água fria. Escorra-os em várias camadas de papel-toalha, com a pele para cima.

4. Misture as zestes de limão, o alho e as ervas. Espalhe a mistura no fundo de uma panela de réchaud e polvilhe-a com sal e pimenta. Por cima, arrume os filés em uma camada e cubra-os com o azeite de oliva. Refrigere-os por 24 h.

5. Remova cuidadosamente os filés do réchaud. Sirva-os com suco de limão ou com pão e salada verde. Também é possível servi-los como bruschetta, com tomates marinados.

# Confit de pato

RENDIMENTO: 1,36 kg

2,27 kg a 2,72 kg de coxa de pato moulard

## mistura de cura

57 g a 85 g de sal
57 g de açúcar demerara
1 colher (sopa)/6 g de quatre épices (p. 639) (opcional)

2 colheres (chá)/2 g de folha de tomilho
3 dentes de alho amassados
10 grãos de pimenta preta
2 colheres (chá)/2 g de alecrim picado
1,92 ℓ de gordura de pato

1. Desmembre as coxas de pato e apare o excesso de gordura. Reserve as aparas para utilizá-las em um fundo ou similar.

2. Junte os ingredientes da cura. Esfregue bem os pedaços de pato com a mistura de cura.

3. Coloque o pato em uma panela de aço inox, cubra-o e pressione-o com um peso. Refrigere-o por 1 ou 2 dias para que cure.

4. No segundo ou terceiro dia, enxágue o restante da cura dos pedaços de pato e seque-os.

5. Ferva a gordura de pato suavemente; acrescente os pedaços e ferva-os em fogo brando por 3 h, ou até que fiquem macios ao toque do garfo.

6. Deixe o confit esfriar na gordura de pato, à temperatura ambiente. Cubra-o e refrigere-o na gordura. Remova-o da gordura conforme necessário e use-o de acordo com as instruções das receitas.

» **NOTA DO CHEF** A gordura de pato dessa receita pode ser gordura reservada, inclusive a pele gordurosa, ou comprada. Coe-a de modo apropriado; assim, você poderá reutilizá-la em uma segunda receita de confit.

1. Apare o excesso de gordura da coxa de pato e reserve-o para uso posterior.

2. Depois de curar o pato sob refrigeração, enxágue o excesso de cura e seque a coxa.

3. Ferva a coxa em fogo baixo até que ela esteja macia ao toque do garfo.

4. Esfrie e guarde a coxa pronta na gordura da fervura até a hora de utilizá-la.

CINCO | ALIMENTOS CURADOS E DEFUMADOS

# Confit de pato com crosta de noz-pecã com pudim de pão, salada de miniespinafre e vinagrete de chalota e alho

RENDIMENTO: 10 PORÇÕES

### crosta de noz-pecã

198 g de noz-pecã

170 g de farinha de trigo comum

Sal a gosto

Pimenta-do-reino moída a gosto

3 ovos batidos

60 mℓ de leite

60 mℓ de azeite de oliva

1,36 kg de coxa de confit de pato (10 coxas) (p. 244)

### pudim de pão

227 g de foie gras em cubos

14 g de manteiga

170 g de cebola fatiada

2½ colheres (sopa)/25 g de sal, ou a gosto

Pimenta-de-caiena a gosto

Pimenta-do-reino moída a gosto

1 dente alho

4 ovos

360 mℓ de creme de leite fresco

Molho tabasco verde a gosto

1 colher (chá)/5 mℓ de molho inglês

4 xícaras/960 mℓ de cubo de pão branco sem casca

Queijo parmesão ralado finamente a gosto

### salada de miniespinafre

284 g de chalota cortada em pedaços de 3 mm

43 g de alho amassado

128 g de cebola picada finamente

240 mℓ de vinagre balsâmico

480 mℓ de azeite de oliva

Sal e pimenta-do-reino moída a gosto

1 cebola roxa em fatias finas

454 g de miniespinafre ou outras folhas verdes

---

1. Para fazer a crosta de noz-pecã, misture no processador de alimentos as nozes-pecã e a farinha. Pulse até que as nozes fiquem bem moídas, tendo o cuidado de não processá-las demais e transformá-las em uma pasta. Tempere a mistura com sal e pimenta. Junte os ovos, o leite e o azeite de oliva e misture-os bem.

2. Coloque as coxas de confit de pato em uma panela de réchaud. Espalhe uma camada de 1 cm de espessura da mistura de nozes sobre elas. Asse-as no forno a 177 °C até que dourem. Mantenha-as aquecidas.

3. Unte uma forma de 1,92 ℓ com *spray* de óleo.

4. Para fazer o pudim de pão, preaqueça uma frigideira grande em fogo médio-alto. Acrescente os cubos de foie gras e cozinhe-os, mexendo cuidadosamente com uma colher de pau, por cerca de 30 min por lote. Remova os cubos e escorra-os em papel-toalha, deixando a gordura na panela. Acrescente a manteiga à panela, depois a cebola e salteie-a até que fique translúcida (cerca de 5 min).

Acrescente o sal, a pimenta-de-caiena e a pimenta-do-reino. Acrescente o alho e salteie a mistura por mais 1 min. Remova-a do fogo e deixe-a esfriar.

**5.** Em uma tigela grande, bata os ovos por 30 s. Acrescente o creme de leite fresco e tempere-os com sal, pimenta-de-caiena, molho tabasco e molho inglês. Bata até misturá-los bem. Junte a mistura de cebola. Acrescente os cubos de pão e misture-os bem. Junte os cubos tostados de foie gras. Despeje a mistura na forma preparada e polvilhe-a com queijo. Asse-a a 177 °C até que o pudim se assente (de 45 min a 55 min). Se a sua parte superior começar a dourar durante o cozimento, cubra-o com papel-alumínio. Remova o pudim do forno e deixe-o esfriar.

**6.** Para fazer a salada, junte as chalotas, o alho, a cebola e o vinagre balsâmico. Mexa junto o azeite de oliva e tempere a mistura com sal e pimenta para fazer um vinagrete. Misture a cebola roxa e o espinafre e incorpore-os ao molho de salada.

**7.** Divida a salada em 10 pratos resfriados. Corte um quadrado de 5 cm de pudim de pão e coloque ao lado dela. Disponha uma coxa de confit de pato sobre a salada de espinafre.

# Confit de bacon e uva

RENDIMENTO: 595 g

454 g de bacon em pedaço

567 g de uva vermelha sem sementes

1. Se necessário, remova a pele do bacon. Corte-o longitudinalmente em tiras grossas e depois em fatias de 6 mm.

2. Em uma panela fria e seca, comece a cozinhá-lo em fogo baixo. Mexa o bacon a cada 2 min ou 3 min, até que fique crocante e escuro (cerca de 1h30). Uma espuma grossa e densa aparecerá sobre o bacon, que ficará vermelho-escuro, com pedaços quase pretos a se desprenderem.

3. Acrescente as uvas e continue a cozinhar em fogo baixo até que elas se desmanchem (de 25 min a 30 min). Para soltar o restante do suco, amasse as uvas na lateral da panela com uma colher de pau.

4. Coloque o confit em um recipiente cuja altura seja maior do que a largura e resfrie-o, para que toda a gordura suba à superfície. Remova a gordura, aqueça o confit e sirva-o.

# Rillettes de porco

RENDIMENTO: 2,27 kg

2,27 kg de sobrepaleta de porco bem gordurosa, em cubos

454 g de mirepoix em cubos grandes

1 sachet d'épices padrão

2,88 ℓ de caldo claro de carne (p. 643), ou conforme necessário

2 colheres (sopa)/20 g de sal, ou a gosto

2 colheres (chá)/4 g de pimenta-do-reino moída, ou a gosto

1. Coloque a carne de porco, o mirepoix e o sachet em uma caçarola de fundo grosso. Acrescente o caldo até quase cobrir a carne.

2. Ferva-a em fogo brando no fogão ou braseie-a no forno a 177 °C até que fique cozida e bem macia (ao menos 2 h).

3. Retire-a e reserve o fundo e a gordura derretida. Descarte o mirepoix e o sachet. Deixe a carne esfriar um pouco.

4. Transfira-a a uma tigela resfriada. Acrescente sal e pimenta. Bata-a em velocidade baixa até que ela se quebre em pedaços. Teste o tempero e a consistência. Para ajustar a consistência (a qual deve ser de patê, nem líquida nem seca), acrescente um pouco da gordura e do caldo. Faça qualquer ajuste necessário antes de rechear a forma.

5. Divida os rillettes em formas de cerâmica de 960 mℓ, no máximo. Coloque um pouco da gordura reservada por cima e deixe-os esfriar antes de servi-los. (Para efeitos decorativos, a gordura pode ser sulcada.) Os rillettes podem ser refrigerados de 2 a 3 semanas.

» **VARIAÇÕES** RILLETTES DE FRANGO DEFUMADO: substitua a carne suína por 1,36 kg de coxa de frango defumado a frio e 907 g de sobrepaleta suína.

RILLETTES DE PATO: substitua a carne suína por carne de pato e acrescente ao sachet um pequeno ramo de alecrim.

seis

## SALSICHAS

# A palavra "salsicha" vem do latim "salsus", que significa "salgado". As primeiras salsichas surgiram na Roma e na Grécia antigas e eram feitas com vários alimentos disponíveis.

A salsicha Lucanica, produzida na região da Itália conhecida atualmente como Basilicata, viajou com os conquistadores romanos para a França antiga e aguçou o apetite dos gauleses pela salsicha, esse versátil e útil alimento. A mesma salsicha longa, não segmentada, temperada e defumada ainda é consumida hoje em dia, tendo inclusive encontrado espaço em outras culinárias. Em Portugal e no Brasil, ela é chamada de "linguiça", na Espanha de "longaniza", e na Grécia de "loukanika".

Na Idade Média, formas regionais de salsicha começaram a evoluir para formas definitivas e únicas em toda a Europa. Temperos e ervas mudavam de região para região, assim como a escolha por defumar ou secar a salsicha ou ainda por consumi-la fresca. Era comum a adição de grãos e batatas a fim de fazer render a escassa ou cara oferta de carne. Alguns cristãos devotos faziam salsicha de peixe para consumir nos dias de jejum de carne. Até mesmo o tipo de lenha usada para defumar salsichas e outras comidas variava entre as regiões, proporcionando sutis particularidades de sabor.

Culturas vizinhas também exerceram influência sobre esse importante alimento. As culinárias influenciadas pelos alemães e franceses deram origem às salsichas de sangue e acrescentaram à sua produção itens como maçãs e especiarias tradicionais, tais quais noz-moscada, pimenta-da-jamaica e coentro. As salsichas do Mediterrâneo, por sua vez, são em geral feitas de carne de porco ou de carneiro e temperadas com erva-doce, alecrim e orégano.

Há três categorias básicas de salsicha: salsichas frescas, salsichas cozidas e salsichas defumadas.

As salsichas frescas são salsichas cruas; antes de serem servidas, elas são comumente fritas, tostadas, grelhadas, assadas ou braseadas.

As salsichas cozidas são escalfadas ou cozidas no vapor depois de moldadas; podem ser fatiadas e servidas frias ou grelhadas, assadas ou fritas.

As salsichas defumadas e secas são defumadas a frio ou a quente e depois deixadas para curar até atingirem a textura desejada; elas podem ser preparadas da mesma forma que as cozidas.

As salsichas que não são totalmente cozidas durante o processo de defumação ou não são totalmente secas devem ser cozidas por completo antes do consumo. Ao defumar salsichas até o seu completo cozimento, às vezes é vantajoso aumentar lentamente a temperatura do defumador durante o processo. Nas duas primeiras horas, defume as salsichas em um ambiente a 49 °C; depois, aumente a temperatura para 54 °C por mais 2 horas, até finalizar o processo de defumação a 82 °C.

## INGREDIENTES DE SALSICHAS

As salsichas são feitas pela moagem de carnes cruas com sal e temperos. Essa mistura é então colocada dentro de um revestimento natural ou artificial. Os "recipientes" originais eram feitos de intestino, estômago ou outras partes animais. De fato, a palavra italiana para salsicha, "insaccati", significa literalmente "ensacado".

# Temperaturas e tempos de congelamento e armazenamento de carne de porco certificada

| TEMPERATURA MÍNIMA | TEMPO MÍNIMO |
|---|---|
| –15 °C | 20 dias |
| –23 °C | 12 dias |
| –29 °C | 6 dias |

## ingrediente principal

Tradicionalmente, as salsichas são feitas com os cortes mais duros da perna ou da paleta. Quanto mais exercitado for o músculo, mais desenvolvido será o seu sabor. Qualquer dureza da carne é eliminada no processo de moagem.

A carne para salsicha é aparada, se necessário, e cortada em cubos ou tiras. Os temperos ou a mistura de cura são combinados com a carne antes da moagem.

## carne de porco certificada

As salsichas de porco que passam por longos processos de defumação ou secagem, mas que não são cozidas, devem ser preparadas com carne certificada, tratada de maneira a destruir os patógenos responsáveis pela triquinose. A carne de porco certificada pode ser comprada ou preparada por conta própria. Para prepará-la, coloque-a em recipientes de 15 cm de profundidade e congele-a de acordo com o tempo mencionado na tabela.

## gordura

A gordura é parte integral de qualquer salsicha saborosa. Nas receitas antigas, a porcentagem de gordura considerada apropriada para a farce (recheio) era de até 50%; atualmente, no entanto, é de 25% a 30%.

Para reduzir a quantidade de gordura de uma receita a um nível ainda mais baixo, é necessário grande entendimento do papel de cada ingrediente no recheio, assim como uma análise cuidadosa da nova versão, a fim de garantir que ela vai satisfazer as expectativas.

Embora todos os tipos de gordura animal já tenham sido usados na produção de salsicha em alguma época, a maioria das receitas contemporâneas de farce pede gordura de porco (da papada ou o toucinho) ou creme de leite fresco.

## temperos e misturas de cura

As salsichas apresentadas neste capítulo são feitas com sal de cozinha comum, mas é

*Para obter a melhor textura possível, use a proporção de peso aproximada de 70% de carne para 30% de gordura.*

possível substituí-lo por outros tipos, como sal kosher ou marinho. Não se esqueça de pesar o sal, já que tipos distintos têm relações entre volume e peso diferentes.

Para que as salsichas secas ou defumadas a frio sejam curadas por completo e de maneira segura, devem incluir nitrato ou uma combinação de nitrito e nitrato; existe uma mistura de sal de cura que se chama "Prague Power II". As salsichas defumadas a quente e as salsichas frescas não precisam de nitrito.

Açúcar, dextrose, mel e diversos outros tipos de xarope são acrescentados à mistura de cura para suavizar o sabor da salsicha e tornar o produto final mais úmido. (Para mais informações sobre o papel dos adoçantes e agentes de cura, veja as pp. 205-209.)

## especiarias

Especiarias são acrescentadas à carne moída na forma de sementes inteiras torradas ou de misturas especiais. As especiarias inteiras devem ser moídas antes do uso. Ao preparar misturas de especiarias em grande quantidade, guarde-as em latas ou potes herméticos, longe do calor, da luz e da umidade. (Veja receitas de misturas de especiarias no capítulo 12, "Receitas básicas".)

## ervas

Muitas receitas de salsicha pedem ervas desidratadas, que devem ser manuseadas da mesma forma que os temperos desidratados. Já as ervas frescas devem ser enxaguadas e completamente secas antes de picadas. As ervas desidratadas podem ser substituídas por ervas frescas, mas isso altera o gosto do produto final; sendo assim, experimente uma amostra. Como regra geral, é necessário usar duas ou três vezes mais ervas frescas do que desidratadas.

## aromáticos

Vários tipos de ingredientes aromáticos podem ser incluídos nas receitas de salsicha, como vegetais, vinhos e zestes cítricos.

Os vegetais são geralmente cozidos, embora possam ser usados crus em receitas especiais. O método e o grau de cozimento influenciam o sabor final do prato. Qualquer ingrediente cozido deve ser esfriado completamente antes de ser incorporado à salsicha.

Outros temperos e condimentos aromáticos incluem molhos prontos (tabasco e inglês, por exemplo), alho e cebola em pó e caldos. Ingredientes muito ácidos, como vinagres, devem ser utilizados com cuidado; o seu uso exagerado pode resultar em uma textura granulosa.

# ESCOLHA, MANUTENÇÃO E USO DE EQUIPAMENTOS

Siga as seguintes diretrizes para preparar os equipamentos.

1. **Certifique-se de que o equipamento esteja em excelentes condições.** Avalie qualquer maquinário usado na cozinha e verifique regularmente a sua funcionalidade e segurança. As lâminas estão afiadas? Os componentes de segurança estão funcionando bem? Os cabos e pinos da tomada estão em boas condições?

2. **Certifique-se de que o equipamento esteja totalmente limpo antes de iniciar o trabalho.** Todas as peças do equipamento devem ser minuciosamente limpas e esterilizadas após o uso. A contaminação cruzada é um problema sério, especialmente no caso de alimentos muito processados e manuseados, como a salsicha.

3. **Resfrie qualquer parte do equipamento que venha a ter contato com os ingredientes da salsicha.** Coloque as peças no freezer ou na geladeira, ou resfrie o equipamento rapidamente colocando-o em uma pia ou em um recipiente com água e gelo. Se a mistura da salsicha se aquecer

durante o processo de produção, pode ser necessário esfriá-la junto com o equipamento antes de continuar.

4. **Escolha a ferramenta certa para o trabalho. Não sobrecarregue o seu equipamento**. Se não possui o equipamento adequado para produzir uma receita volumosa, divida-a em partes.

5. **Monte o moedor corretamente**. Certifique-se de que a lâmina esteja rente ao disco. Assim, o alimento será cortado com perfeição, e não rasgado ou desfiado. Antes de montar ou desmontar o aparelho, verifique se ele está desconectado da tomada.

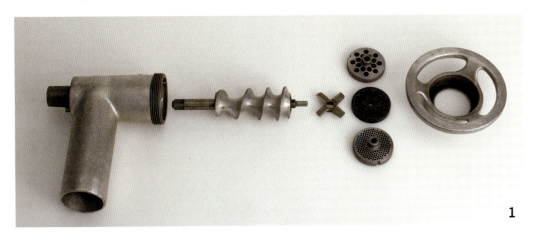

1. Componentes de um moedor de carne. Da esquerda para a direita: suporte do eixo moedor; eixo moedor; lâmina de corte; tamanhos de disco; tampa.

2. Antes de moer qualquer carne, mergulhe em água gelada todas as peças do equipamento que ficarão em contato direto com os ingredientes, a fim de resfriá-las.

3. Coloque a lâmina do moedor com a face plana de frente para o disco, para que a carne seja moída da forma correta.

## moagem progressiva

Algumas salsichas e receitas de farce pedem que a carne ou a gordura seja moída em uma sucessão de discos cada vez menores. Isso é o que se chama de "moagem progressiva". Os discos usados geralmente são o de 9 mm, o de 6 mm e o de 3 mm. Esse método resulta em um recheio de textura fina e uniforme, que facilita a moagem da carne em pedaços muito pequenos. A carne ou a gordura deve estar entre –2 °C e –1 °C para que a carne seja adequadamente moída. Durante a moagem progressiva, pode ser necessário resfriar a carne ou a gordura antes de passá-la em cada disco.

*Carnes moídas progressivamente. De cima para baixo: moagem grossa, moagem média e moagem fina.*

# SALSICHAS DE MOAGEM BÁSICA

As salsichas produzidas por meio do método básico de moagem apresentam uma textura de média a grossa. Quando não são embutidas, recebem o nome de "bulk". As salsichas frescas, cozidas, defumadas e secas são feitas com o método básico de moagem.

1. **Moa a carne resfriada e cortada em cubos junto de outros ingredientes, conforme a receita, até obter a textura desejada**. Idealmente, a carne deve estar entre –2 °C e –1 °C ao ser moída. Ela, como qualquer alimento, precisa ser cortada em um tamanho e um formato que caibam no tubo do moedor. Você não deve forçar o alimento para dentro do tubo com um pilão. Quando ele é cortado corretamente, o eixo moedor o empurra de maneira uniforme ao longo do equipamento, sem a necessidade de pressão adicional. Se o alimento foi cortado de modo correto e ainda assim grudar nas laterais do tubo, talvez seja necessário forçar levemente a sua entrada. Mas se a carne não fluir suavemente pelo moedor, pare imediatamente; isso é sinal de que ela está sendo espremida e rasgada em vez de cortada com precisão. Desmonte o moedor, remova qualquer obstrução e remonte-o.

2. **Misture a carne moída da salsicha em velocidade baixa por 1 min, depois em velocidade média entre 15 s e 30 s, ou até que fique homogênea**. Uma vez que a carne esteja adequadamente moída, deve ser misturada por tempo suficiente apenas para que os componentes gordos e magros se distribuam igualmente, assim como os condimentos e demais temperos. O processo de mistura também dá continuidade à ativação da miosina, a proteína solúvel em água responsável pela textura final da salsicha. A farce não deve descansar por mais do que alguns minutos após a

moagem e a mistura, ou então não embutirá os invólucros de modo apropriado e apresentará muitas bolhas de ar sob a superfície da tripa. A carne pode ser misturada com uma colher de pau, sem a ajuda de máquina. Para manter a salsicha resfriada, coloque a tigela na qual está armazenada sobre um recipiente cheio de gelo. Acrescente qualquer líquido aos poucos, certificando-se de que esteja frio. Se usar uma batedeira elétrica, verifique se as partes que entram em contato com a salsicha estão devidamente resfriadas. Não encha demais a tigela; é mais eficiente, tanto a curto quanto a longo prazo, trabalhar em partes. Se a batedeira for enchida além da conta, a mistura poderá ficar desigual; além disso, a fricção desnecessária superaquecerá a salsicha. O tempo total de mistura é de 1 min a 3 min, dependendo da qualidade da carne. A salsicha se estará bem misturada quando os ingredientes se tornarem mais homogêneos. O recheio deve estar com uma aparência viscosa e uma textura levemente grudenta.

3. **A mistura de salsicha está pronta para ser experimentada, guarnecida e moldada** (pp. 261-267).

## SALSICHAS FERMENTADAS SECAS E SEMISSECAS

As salsichas fermentadas existem há centenas de anos, e o seu sabor e a sua aparência característicos ainda agradam muitas pessoas ao redor do mundo. O seu sabor forte se deve ao ácido lático produzido durante a fermentação. Em geral, as salsichas semissecas são cozidas; ainda assim, têm vida de prateleira relativamente longa, em razão da acidez produzida na fermentação e, no caso das defumadas, da presença dos componentes da fumaça. Algumas vezes, elas são defumadas a frio. Normalmente, a sua produção leva apenas uma ou duas semanas. Alguns exemplos de salsicha semisseca são o salaminho, a mortadela e a cervelat. Uma das salsichas secas mais famosas é o salame. As salsichas secas são um pouco mais trabalhosas de produzir e requerem atenção maior por causa do tempo de maturação. A sua fabricação exige processos de produção extremamente higiênicos, além de cuidado com o ambiente de produção.

nitrato e nitrito, e açúcares, como dextrose e sacarose. É comum acrescentar um iniciador à mistura (especialmente no caso de salsichas semissecas), a fim de aumentar a quantidade de bactérias amigas que realizam o processo de fermentação da carne. É fundamental usar carne suína com selo de certificação (ver página 253), para ter certeza de que ela se encontra livre de triquinose. A carne não pode ter tecido conjuntivo em demasia; como a salsicha não é cozida antes do consumo, esse tecido não é decomposto. Também é importante manter uma proporção adequada de umidade na salsicha, pois o excesso de água cria um ambiente favorável ao desenvolvimento de bactérias nocivas. O sal ajuda a quebrar as proteínas e a dar sabor, além de possuir propriedades antimicrobianas; entretanto, a adição de sal em excesso retarda a fermentação. Já o açúcar age como alimento para os organismos necessários à fermentação.

### ingredientes

Salsichas fermentadas são geralmente feitas de carne bovina ou suína, água (60% a 70% do peso da carne), sal, agentes de cura, como

### produção

Durante a produção de salsicha fermentada, é essencial inibir ou eliminar o crescimento de bactérias nocivas que possam causar deterio-

**1.** A carne de salsichas fermentadas deve ser curada durante dois a três dias antes da moagem.

**2.** Depois de moer a carne, recheie o invólucro, tomando cuidado para não recheá-lo demais ou de menos.

**3.** Conforme a salsicha seca, a umidade evapora da sua superfície e é sugada do seu interior, o que comprime o invólucro e firma a textura.

**4.** Completamente seca, a salsicha pronta deve apresentar uma cor brilhante e uma textura lisa e ligeiramente maleável.

ração. Alguns ingredientes que apresentam propriedades antimicrobianas são: sal, agentes de cura, alho, cravo, canela e, com menor eficácia, pimentão vermelho moído, sálvia e orégano. É crucial misturar cuidadosamente a carne com o sal e os agentes de cura, para que eles fiquem bem distribuídos. Ela deve ser curada durante dois a três dias antes da adição dos demais temperos e da moagem.

É igualmente essencial manter a carne extremamente fria, praticamente congelada. Ela deve ficar entre −2 °C e −1 °C, e a gordura, entre −15 °C e −23 °C. Depois da moagem, a única etapa que resta (opcional) é a embutidura e defumação. A salsicha tem de ser embutida de modo adequado. A falta de recheio produz bolhas de ar; já o excesso causa rupturas.

Mantenha a salsicha em um ambiente climatizado durante a maturação. É fundamental que o nível de umidade seja adequado. Conforme a salsicha seca, a água evapora da sua superfície e a umidade é sugada do seu interior para manter o equilíbrio de umidade das células.

Se a umidade do ambiente for muito baixa, a secagem da superfície da salsicha será mais rápida do que a retirada da umidade do seu interior, e, assim, o invólucro formará uma barreira que não deixará a umidade escapar (isso se chama "endurecimento do invólucro"). Já se a umidade do ambiente for muito alta, a água não evaporará da superfície da salsicha. A umidade do entorno deve ser diminuída à medida que a salsicha matura, a fim de manter constante a proporção de evaporação. Como regra geral, a salsicha não deve perder mais do que 1% do seu peso por dia. Ela começa a se firmar conforme seca porque o ácido lático desnatura as proteínas.

## salsichas prontas

A fermentação que ocorre durante o processo de secagem produz acido lático e acido acético, o que diminui o nível de pH para 4,6 a 5,2 no caso das salsichas semissecas e para 5 a 5,3 no caso das secas. As salsichas semissecas podem perder até 15% do seu peso original conforme secam, enquanto as secas chegam a perder até 30%. A combinação entre baixo nível de umidade e baixo pH estende a vida de prateleira desses produtos, pois cria um ambiente hostil à proliferação de bactérias. O produto acabado deve ter uma cor brilhante, um leve sabor de fermento e uma textura lisa e ligeiramente maleável.

Ocasionalmente, as salsichas secas acumulam um fungo branco (micélio) na superfície, o qual não é nocivo. Elas podem ser cortadas em fatias finas e simplesmente servidas com queijo, picles e baguete.

## SALSICHAS EMULSIONADAS

As salsichas emulsionadas, como a Frankfurt e a mortadela, são feitas a partir de uma mistura básica chamada de "farce 5-4-3", que reflete a proporção dos ingredientes: cinco partes de carne crua aparada para quatro partes de gordura (da papada do porco) para três partes de água (na forma de gelo) por peso. Muitas salsichas emulsionadas são escalfadas antes da defumação. Depois de prontas, elas devem ser adequadamente embaladas, embrulhadas e refrigeradas. Se houver necessidade, é possível congelar as salsichas emulsionadas enquanto ainda se encontram cruas.

Para fazer salsichas emulsionadas:

1. **Cure e depois moa a carne no disco fino**. A carne deve ser limpa de qualquer cartilagem, tendão ou tecido conjuntivo. Acrescente a mistura de cura; revista a carne uniformemente. A carne curada é moída no disco fino e deve ser mantida bem resfriada durante a moagem da gordura. A carne e a gordura devem ser mantidas separadas nessa fase.

2. **Moa a gordura suína resfriada no disco fino**. Pode ser que a gordura (a da papada é a mais usada) esteja parcialmente congelada após ter sido cortada em cubos. Moa-a no disco fino do moedor e mantenha a gordura moída resfriada até o momento de usá-la.

3. **Processe a carne moída junto com o gelo picado até que a sua temperatura fique abaixo de −1 °C**. Coloque a carne na tigela da batedeira ou do processador de alta velocidade. Se a batedeira ou o processador não possuírem a potência necessária, não se formará uma emulsão adequada. Acrescente o gelo por cima da carne e comece a processar a mistura. Processe-a até que a sua temperatura caia para menos de −1 °C antes de começar a aumentar.

4. **Acrescente a gordura moída à carne quando a temperatura chegar a 4 °C**. Verifique a temperatura com frequência para se certificar de que a mistura esteja

**1.** *Trabalhando sobre o gelo, moa a carne resfriada e a gordura suína separadamente no disco fino do moedor de carne.*

**2.** *Junte a carne e o gelo e processe-os sem parar até que a temperatura da mistura caia para menos de −1 °C.*

**3.** *Quando a mistura atingir 4 °C, depois de mexê-la continuamente, acrescente a gordura moída e continue misturando.*

**4.** *A salsicha emulsionada pronta deve apresentar uma textura homogênea e quase esponjosa.*

dentro do limite desejado. A gordura é acrescentada exatamente neste momento, pois assim forma uma boa emulsão com a carne magra. A ação mecânica da mistura com a fricção criada pelo gelo áspero e o efeito do sal produzem uma textura leve, quase esponjosa.

5. **Acrescente o leite desnatado em pó (e qualquer outro tempero remanescente) quando a temperatura chegar entre 7 °C e 10 °C.** Continue a processar o recheio até que ele atinja 14 °C. Esse processo exige que a salsicha alcance uma temperatura mais alta do que outras salsichas e outros recheios para que a gordura se liquidifique o bastante para se misturar com a carne magra. A textura da salsicha emulsionada deve ser muito homogênea. Para obter melhores resultados, raspe a tigela conforme mistura a salsicha.

## temperaturas internas adequadas para salsichas emulsionadas

| | |
|---|---|
| Peixe | 63 °C |
| Porco | 66 °C |
| Boi e vitela | 66 °C |
| Cordeiro | 66 °C |
| Carne de caça | 66 °C |
| Ave (incluindo fígado de ave) | 74 °C |

*Prove o tempero do recheio pronto antes de embuti-lo no invólucro. Para isso, cozinhe uma pequena porção dele em filme de PVC até que pareça pronto ao toque.*

Faça uma prova e avalie o recheio antes de guarnecer, moldar e finalizar a salsicha. Este passo importante demora para ser feito de modo adequado, mas pode economizar tempo e dinheiro. Para realizar o teste, embrulhe uma porção de 28 g de recheio em filme de PVC e cozinhe-o até atingir a temperatura interna adequada. Antes de experimentar, esfrie-o até a correta temperatura de servir. Verifique o seu sabor, o seu tempero e a sua consistência.

## GUARNIÇÃO

Algumas receitas de salsicha pedem guarnição. Geralmente, o item de guarnição é cortado em cubos e acrescentado ao recheio depois de provado e seu tempero ajustado. Queijo, vegetais, carnes curadas ou defumadas, nozes e frutas secas são exemplos de guarnições acrescentadas a salsichas. Incorpore a guarnição à mistura-base com uma batedeira elétrica ou à mão, sobre um recipiente cheio de gelo.

## MOLDANDO AS SALSICHAS

A carne da salsicha pode ser usada na sua forma solta (bulk), em bolinhos ou embutida em invólucros naturais ou sintéticos e depois moldada em corrente, laço, espiral, etc. do filme para formar um cilindro sólido. Uma vez enrolada, a salsicha pode ser cortada em bolinhos. A salsicha solta também pode ser moldada em bolinhos e embrulhada em redanho.

### salsicha solta ou bulk

Para moldar a salsicha solta em forma de cilindro, coloque cerca de 454 g em um quadrado de filme de PVC. Enrole a salsicha e torça as pontas

### salsicha em invólucro

Atualmente, existem numerosos tipos de invólucro, tanto naturais quanto sintéticos. Os invólucros sintéticos, feitos de diversos materiais de qualidade alimentar (incluindo colágeno, plástico, papel e polpa de madeira), são impermeáveis e podem ser comestíveis ou não. Também podem ser coloridos, forrados com ervas ou rendados. Eles têm a vantagem de oferecer uma barreira para o gás e a umidade ao mesmo tempo em que mantêm a aparência de um invólucro fibroso não revestido. Do ponto de vista comercial, outra vantagem é o tamanho-padrão do seu reservatório; assim, a quantidade de recheio é sempre a mesma, tornando o processo de embutidura mais uniforme e eficiente. As salsichas feitas com invólucro sintético apresentam vida de prateleira mais longa, menos perda de umidade e maior proteção microbiológica em comparação àquelas feitas com invólucro natural.

Os invólucros naturais são feitos com intestino e estômago de carneiro, de porco e de gado. Aqueles usados em salsichas frescas são lavados, raspados, tratados e classificados segundo o seu tamanho e a sua característica, depois salgados, embalados e transportados em salmoura ou propilenoglicol, para se manterem conservados. Embora sejam menos uniformes quanto ao tamanho do que os artificiais, os invólucros naturais têm aparência e textura mais tradicionais, proporcionando aquele estalo especial e aquela mordida macia tão exigidos pelos atuais consumidores especializados.[1]

Já os invólucros bovinos são feitos de várias partes do intestino: intestino grosso, delgado e ceco. O diâmetro de cada tipo de invólucro varia. Segmentos individuais são geralmente feitos de invólucro de carneiro, ovelha ou porco; já as salsichas maiores, de intestino grosso ou ceco bovino (veja a tabela de invólucros, na p. 265).

---

1 A vantagem de usar tripas naturais em linguiças defumadas é que a tripa encolhe igualmente em relação ao recheio. Isso mantém a linguiça mais bonita. (N. E.)

**1.** *Invólucros naturais. No sentido horário, a partir do canto superior direito: ceco bovino, intestino grosso bovino, intestino delgado bovino, carneiro e porco.*

**2.** *Invólucros sintéticos. Da esquerda para a direita: invólucro sintético não poroso e não comestível e invólucro sintético poroso e comestível.*

## preparando invólucros naturais

1. **Enrole o invólucro e armazene-o coberto de sal.** Abra o invólucro e remova qualquer nó. Forme pilhas do comprimento desejado. Se for guardá-lo por vários dias, cubra-o com sal.

2. **Antes de usar o invólucro, enxágue-o meticulosamente com água fria.** Force a água através do invólucro para retirar todo o sal. Repita esse passo quantas vezes forem necessárias para remover qualquer traço de sal e outras impurezas.

3. **Se for preciso, corte o invólucro no comprimento desejado (consulte receitas específicas).** Amarre um nó em uma das pontas do invólucro.

**1.** *Invólucros naturais devem ser enrolados em pilhas menores, mais fáceis de manusear.*

**2.** *Se não forem usados imediatamente, os invólucros enrolados devem ser cobertos com sal e refrigerados.*

**3.** *Para preparar os invólucros para o uso, lave-os por dentro com água fria, removendo qualquer resíduo de sal e impurezas.*

**4.** *Sele os invólucros limpos com um barbante de cozinha amarrado em uma das pontas.*

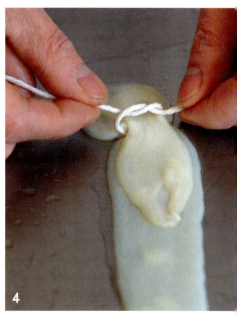

SEIS | SALSICHAS  263

## Invólucros de carneiro (aproximadamente 27 m)

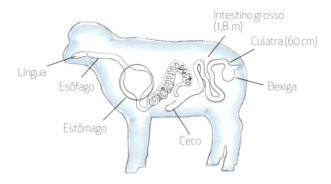

## Invólucros de porco

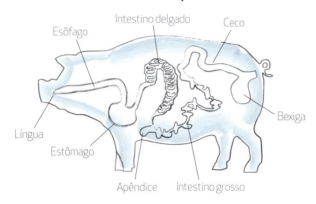

## Invólucros bovinos

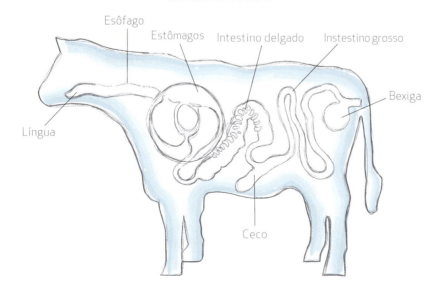

# tabela de invólucros

## INVÓLUCROS DE CARNEIRO

| ITENS | TAMANHO | COMPRIMENTO | CAPACIDADE | COMENTÁRIOS/USOS |
|---|---|---|---|---|
| Intestino delgado | 18 mm ou menos | 91 m por novelo | 17,23 kg a 18,59 kg | Coquetel de Frankfurt. |
| Intestino delgado | 24 mm a 26 mm (2,4 m por kg) | 91 m por novelo | 27,21 kg a 29,04 kg | Salsicha de porco, Frankfurt, andouille. |
| Intestino delgado | 28 mm ou mais | 91 m por novelo | 29,48 kg a 31,75 kg | Cachorro-quente, vienense, italiana. |

## INVÓLUCROS DE PORCO

| ITENS | TAMANHO | COMPRIMENTO | CAPACIDADE | COMENTÁRIOS/USOS |
|---|---|---|---|---|
| Intestino delgado | 32 mm a 35 mm (1,2 m por kg) | 91 m por novelo | 47,63 kg a 52,16 kg | Estilo camponês, de porco, Frankfurt grande, pepperoni. |
| Intestino grosso | 10 cm | 3,3 m (6,9 m por peça) | 45,35 kg a 56,69 kg | Salsicha de sangue, sopressata. |
| Ceco | 5 cm ou mais | 1,2 m | 1,8 kg a 3,62 kg | Salsicha de fígado, Braunschweiger. |
| Ceco costurado | 10 cm | 91 cm | 3,86 kg a 4,31 kg | Salame, Liverwurst. |

## INVÓLUCROS BOVINOS

| ITENS | TAMANHO | COMPRIMENTO | CAPACIDADE | COMENTÁRIOS/USOS |
|---|---|---|---|---|
| Intestino delgado (enrolado) | 43 mm a 46 mm | 33,52 m por peça | 34,02 kg a 36,28 kg (9 m por kg) | Salsicha de fígado, mortadela bologna, Kielbasa, de sangue, Mettwurst Holsteiner. |
| Intestino grosso | 60 mm a 65 mm | 17,37 m por peça (5,5 m por kg) | 31,75 kg a 36,29 kg | Salsicha estilo Lyoner e outras mortadelas, cervelat seco e semisseco, salame seco e cozido, kishke, salsicha de vitela. |
| Ceco | 120 mm | 58 cm a 69 cm | 7,71 kg a 9,07 kg | Capocola, bologna grande, Lebanon Bologna, salame cozido. |

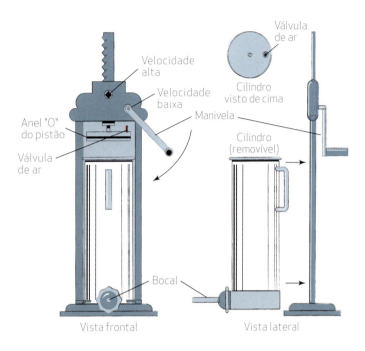

*Diagrama de uma embutideira de salsicha.*

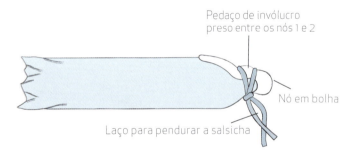

*Para dar um nó em bolha correto, amarre uma das pontas do invólucro com um nó simples, dobre a sobra do invólucro sobre o nó e amarre-o com outro nó.*

# embutindo o invólucro

A seguir, está descrito o processo de embutidura de invólucros de salsicha com máquina:

1. **Monte e encha a máquina de embutir de modo adequado.** Lubrifique o bocal da máquina e a mesa de trabalho com um pouco de água para evitar que o invólucro grude e rasgue. Certifique-se de que todas as partes da máquina que entrarão em contato com a farce estejam limpas e resfriadas. Encha a máquina com a carne de salsicha, socando-a bem para remover as bolhas de ar.

2. **Pressione a salsicha para dentro do invólucro preparado.** Coloque a ponta aberta do invólucro sobre o bocal da máquina. Pressione a salsicha para dentro do invólucro (se estiver usando uma embutideira manual ou recheando à mão, coloque a ponta aberta sobre o bocal da embutideira manual ou sobre a ponta do saco de confeiteiro). Segure o invólucro com firmeza conforme o recheio passa pelo bocal para dentro dele.

3. **Torça ou amarre a salsicha no formato desejado.** Para dividir a salsicha em segmentos, use um dos seguintes métodos: pressione o invólucro nos pontos onde os segmentos serão divididos e então torça esses pontos em direções opostas, ou amarre o invólucro com barbante de cozinha nos intervalos desejados. No caso de salsichas grandes, é preciso fazer um segundo nó, chamado de nó em bolha, e deixar um espaço com ar, para que ela possa expandir durante o cozimento.

Depois de moldar a salsicha em forma de segmentos, laços, etc., perfure o invólucro com uma agulha, faca ou ferramenta similar para permitir a saída das bolhas de ar.

**1.** Depois de ajustar o invólucro sobre a ponta do tubo de alimentação, comece a embutir a salsicha retirando lentamente o invólucro do tubo conforme o recheio é expelido.

**2.** Quando os invólucros estiverem completamente recheados e amarrados, seccione a salsicha enrolando os segmentos e amarrando-os com barbante de cozinha.

**3.** Verifique se há bolhas de ar dentro dos invólucros e remova-as perfurando com uma agulha.

**4.** O tamanho do invólucro varia em função do animal do qual ele provém. No sentido horário, a partir de cima: mortadela embutida em ceco bovino, kielbasa embutida em intestino grosso bovino, salsichas de peru defumado e maçãs embutidas em invólucro de carneiro e chouriço embutido em invólucro suíno.

SEIS | SALSICHAS

# Salsicha para o café da manhã

RENDIMENTO: 4,99 kg DE SALSICHA SOLTA/85 SEGMENTOS (57 g CADA)

4,54 kg de sobrepaleta suína desossada em cubos (70% carne magra, 30% gordura)

### temperos

50 g de sal

21 g de pimenta-branca moída

2½ colheres (sopa)/9 g de tempero à base de tomilho, alecrim, manjericão, noz-moscada e pimenta moída

480 mℓ de água gelada

12,80 m de invólucro de carneiro enxaguado (opcional)

1. Misture a sobrepaleta com os temperos combinados. Resfrie bem a mistura, até quase congelar.

2. Moa a mistura de salsicha no disco médio (6 mm) do moedor de carne e deposite-a em uma tigela colocada sobre um banho de gelo.

3. Em uma batedeira equipada com pá, misture-a em velocidade média por 1 min, acrescentando água ao poucos.

4. Continue misturando em velocidade média por 15 min a 20 min, ou até que ela fique grudenta ao toque.

5. Faça um teste. Ajuste o tempero e a consistência antes de formar os bolinhos, cilindros ou embutir os invólucros e moldar segmentos individuais de 13 cm de comprimento.

6. Frite, asse, grelhe ou toste a salsicha até que ela atinja a temperatura interna de 66 °C, ou refrigere-a por até 3 dias.

# Salsicha de pimenta-verde

RENDIMENTO: 5,22 kg DE SALSICHA SOLTA/46 SEGMENTOS OU BOLINHOS (113 g CADA)

4,54 kg de sobrepaleta suína desossada em cubos (70% carne magra, 30% gordura)

## temperos

99 g de sal
43 g de pimenta-malagueta em pó
5 colheres (chá)/10 g de cominho
5 colheres (chá)/10 g de páprica doce
5 colheres (chá)/10 g de orégano picado
5 colheres (chá)/10 g de manjericão picado

1½ colher (chá)/3 g de cebola em pó
6 dentes de alho amassados
5 colheres (chá)/25 mℓ de molho tabasco

340 g de pimenta poblano assada, sem sementes, descascada e cortada em cubos de 3 mm
3 pimentas jalapeño sem sementes e bem picadas
360 mℓ de água gelada

6,40 m de invólucro suíno enxaguado

1. Misture a sobrepaleta com os temperos combinados. Resfrie bem a mistura, até quase congelar.

2. Moa a mistura de salsicha no disco fino (3 mm) do moedor de carne e deposite-a em uma tigela colocada sobre um banho de gelo.

3. Misture-a em velocidade baixa por 1 min, acrescentando aos poucos a pimenta poblano, a pimenta jalapeño e a água gelada. Mexa a mistura de salsicha em velocidade média por 15 s a 20 s, ou até que ela fique grudenta ao toque. Ajuste o tempero e a consistência antes de embutir os invólucros prontos e moldar segmentos de 10 cm de comprimento.

4. Frite, asse, grelhe ou toste a salsicha até que ela atinja a temperatura interna de 66 °C, ou cubra-a e refrigere-a por até 3 dias.

# Salsicha de carne de veado

RENDIMENTO: 4,99 kg/85 SEGMENTOS (57 g CADA)

2,27 kg de paleta de veado desossada em cubos
1,13 kg de sobrepaleta suína desossada em cubos
1,13 kg de toucinho em cubos

## temperos

106 g de sal
43 g de dextrose
128 g de cebola em pó
2 colheres (chá)/4 g de pimenta-do-reino moída
2½ colheres (chá)/4 g de zimbro amassado
½ colher (chá)/1 g de alho em pó
2½ colheres (sopa)/7,5 g de sálvia bem picada

440 mℓ de caldo claro de carne (p. 643) ou caldo de veado (p. 644) frio
12,80 m de invólucro de carneiro enxaguado

---

1. Misture a paleta de veado, a sobrepaleta suína e o toucinho com os temperos combinados. Resfrie bem a mistura, até quase congelar.

2. Moa a mistura de salsicha no disco fino (3 mm) do moedor de carne e deposite-a em uma tigela colocada sobre um banho de gelo.

3. Misture-a em velocidade baixa por 1 min, acrescentando aos poucos o caldo frio claro ou de veado. Misture-a em velocidade média por 15 min a 20 min, ou até que fique pegajosa ao toque. Faça um teste. Ajuste o tempero e a consistência antes de embutir os invólucros prontos e moldar segmentos de 13 cm de comprimento.

4. Frite, asse, grelhe ou toste a salsicha até que ela atinja a temperatura interna de 66 °C, ou cubra-a e refrigere-a por até 3 dias.

» **NOTA DO CHEF** A salsicha de carne de veado faz excelente uso dos cortes e das aparas menos macios da paleta ou perna. Ela pode ser utilizada para dar outra dimensão a um prato principal que contenha cortes nobres como lombo ou costela.

# Salsicha italiana doce

RENDIMENTO: 4,99 kg DE SALSICHA SOLTA/44 SEGMENTOS (113 g CADA)

4,54 kg sobrepaleta suína desossada em cubos (70% carne magra, 30% gordura)

## temperos

99 g de sal

28 g de dextrose

28 g de pimenta-do-reino moída grosseiramente

28 g de semente inteira de erva-doce

7 g de páprica doce

480 mℓ de água gelada

7,01 m de invólucro suíno enxaguado

---

1. Misture a sobrepaleta suína com os temperos combinados. Resfrie bem a mistura, até quase congelar.

2. Moa a mistura de salsicha no disco grosso (9 mm) do moedor de carne e deposite-a em uma tigela colocada sobre um banho de gelo.

3. Misture-a em velocidade baixa por 1 min, acrescentando água aos poucos.

4. Continue misturando em velocidade média por 15 min a 20 min, ou até que ela fique pegajosa ao toque. Faça um teste. Ajuste o tempero e a consistência antes de moldar segmentos.

5. Recheie os invólucros prontos e torça-os em segmentos de 13 cm de comprimento. Corte-os em segmentos individuais.

6. Frite, asse, grelhe ou toste a salsicha até que ela atinja a temperatura interna de 66 °C, ou cubra-a e refrigere-a por até 3 dias.

» **VARIAÇÕES** SALSICHA ITALIANA PICANTE: substitua as sementes de erva-doce e a páprica doce por 113 g de mistura picante para salsicha italiana (p. 641).

SALSICHA ITALIANA COM QUEIJO: moa 907 g de queijo provolone em cubos, 454 g de queijo parmesão em cubos e 57 g de salsinha picada junto com a carne suína, no passo 2. Esta receita rende aproximadamente 50 segmentos de 128 g cada. Ou corte os invólucros em pedaços de 38 cm de comprimento e enrole-os em espiral, como mostrado na p. 267. Prenda a espiral com um espeto de 15 cm de comprimento e asse ou toste a salsicha.

SALSICHA ITALIANA COM GORDURA REDUZIDA: apare toda a gordura externa da sobrepaleta suína. Moa 907 g de arroz pilaf bem cozido com a carne suína, no passo 2. Esta salsicha pode ser temperada a gosto com misturas de temperos doces ou picantes.

# Bratwurst alemã

RENDIMENTO: 4,99 kg DE SALSICHA SOLTA/44 SEGMENTOS (113 g CADA)

4,54 kg de sobrepaleta suína desossada em cubos (70% carne magra, 30% gordura)

## temperos

85 g de sal

14 g de sálvia esfregada

21 g de pimenta-branca moída

½ colher (chá)/1 g de semente de salsão moída

½ colher (chá)/1 g de noz-moscada moída

480 ml de água gelada

6,70 m de invólucro suíno enxaguado e amarrado em um dos lados

---

1. Misture a sobrepaleta suína com os temperos combinados. Resfrie bem a mistura, até quase congelar.

2. Moa a mistura de salsicha no disco fino (3 mm) do moedor de carne e deposite-a em uma tigela colocada sobre um banho de gelo.

3. Misture-a em velocidade baixa por 1 min, acrescentando água aos poucos. Continue misturando em velocidade média de 15 min a 20 min, ou até que ela fique pegajosa ao toque. Faça um teste. Ajuste o tempero e a consistência antes de moldar.

4. Recheie os invólucros prontos e torça-os em segmentos de 13 cm de comprimento.

5. Escalfe a salsicha em água fervente (74 °C) até que ela atinja a temperatura interna de 66 °C (15 min a 18 min); em seguida, mergulhe-a em um banho de gelo até que atinja a temperatura interna de 16 °C.

6. Salteie, grelhe, toste ou asse a salsicha apenas até que ela aqueça, ou embrulhe-a e refrigere-a por até 7 dias.

» **NOTA DO CHEF** Para fazer salsichas bratwurst menores (10 cm de comprimento), use invólucro de carneiro.

# Merguez

RENDIMENTO: 4,54 kg DE SALSICHA SOLTA/27 SEGMENTOS (170 g CADA)

3,18 kg de apara de carne de cordeiro magra em cubos
360 ml de vinho tinto
2 colheres (chá)/9 g de Insta-cure #1
99 g de sal
2 colheres (sopa)/24 g de açúcar

907 g de gordura da ponta da agulha bovina em cubos

### temperos

43 g de páprica
43 g de cominho moído
459 g de pimentão vermelho tostado, sem pele e sem sementes
1 colher (sopa)/9 g de pimenta-malagueta amassada
85 g de harissa (p. 593)
1½ colher (chá)/3 g de quatre épices (p. 639)
43 g de alho amassado

11,58 m de invólucro de carneiro enxaguado

---

1. Junte as aparas de cordeiro, o vinho tinto, o Insta-cure #1, o sal e o açúcar e marine a mistura por até 1 h.

2. Acrescente a gordura bovina e os temperos combinados e misture-os bem. Resfrie bem a mistura, até quase congelar.

3. Moa a mistura de salsicha no disco médio (6 mm) do moedor de carne e deposite-a em uma tigela colocada sobre banho-maria invertido (recipiente cheio de gelo).

4. Misture-a em velocidade baixa por 1 min e depois em velocidade média por 15 min a 20 min, ou até que ela fique pegajosa ao toque.

5. Faça um teste. Ajuste o tempero e a consistência antes de moldar.

6. Recheie os invólucros de carneiro prontos e torça-os em segmentos de 38 cm de comprimento. Corte-os em segmentos individuais. Faça uma espiral com cada segmento e firme-a com um espeto de 15 cm de comprimento.

7. Frite, asse, grelhe ou toste a salsicha até que ela atinja a temperatura interna de 66 °C, ou embrulhe-a e refrigere-a por até 7 dias.

# Salsicha ao estilo de Szechuan

RENDIMENTO: 4,99 kg DE SALSICHA SOLTA/44 SEGMENTOS (113 g CADA)

6,80 kg de sobrepaleta suína desossada em cubos (70% carne magra, 30% gordura)

## temperos

78 g de sal

43 g de prague powder II (sal de cura)

156 g de açúcar

78 g de pimenta-malagueta em pó

1½ colher (chá)/3 g de pimenta-branca moída

14 g de mistura chinesa de cinco especiarias (p. 638)

1½ colher (sopa)/9 g de grão de pimenta de Sichuan em pó

165 mℓ de molho de soja

105 mℓ de licor branco (baijiu) ou vodca

9,75 m de invólucro suíno enxaguado e amarrado em um dos lados

---

1. Misture a sobrepaleta com os temperos combinados, o molho de soja e o licor. Resfrie bem a mistura, até quase congelar.

2. Moa a mistura de salsicha no disco médio (6 mm) do moedor de carne e deposite-a em uma tigela colocada sobre um banho-maria invertido.

3. Misture-a em velocidade baixa por 1 min e depois em velocidade média por 15 min a 20 min, ou até que ela fique pegajosa ao toque. Faça um teste. Ajuste o tempero e a consistência antes de moldar.

4. Recheie os invólucros prontos e torça-os em segmentos de 20 cm de comprimento.

5. Seque-os por 3 dias.

6. Faça pequenos furos nos invólucros. Cozinhe-os no vapor até que atinjam a temperatura interna de 66 °C (cerca de 15 min). Salteie, grelhe, toste ou asse a salsicha apenas até que ela aqueça, ou embrulhe-a e refrigere-a por até 7 dias.

# Kassler liverwurst

RENDIMENTO: 16 SALSICHAS (454 g CADA)

2,27 kg de sobrepaleta suína desossada em cubos
1,81 kg de fígado de porco
1,36 kg de gordura de papada em cubos ou barriga de porco sem pele

### temperos

113 g de sal
½ colher (chá)/2 g de Insta-cure #1
2 colheres (chá)/4 g de pimenta-branca moída
2 colheres (chá)/4 g de tempero para patê (p. 641)

113 g de cebola bem picada
340 g de fécula de batata

240 mℓ de vinho branco seco
12 ovos inteiros

454 g de presunto fervido, em cubos pequenos
128 g de pistache escaldado, sem pele e cortado na metade
16 invólucros de intestino grosso bovino com 30 cm de comprimento cada, enxaguados e amarrados em um dos lados

---

1. Junte o porco, o fígado e a gordura de papada com os temperos combinados.

2. Moa a mistura progressivamente, passando-a do disco grosso (9 mm) para o disco fino (3 mm), e deposite-a em uma tigela colocada sobre banho-maria invertido.

3. Em uma batedeira, bata em velocidade baixa a mistura de carne com a cebola e a fécula de batata por 1 min.

4. Acrescente o vinho e os ovos e misture os ingredientes em velocidade baixa por 1 min, ou até que a combinação fique relativamente homogênea. Bata-a em velocidade média por 15 s a 20 s, ou até que ela fique pegajosa ao toque. Faça um teste. Ajuste o tempero e a consistência antes de guarnecer e moldar.

5. Sobre um banho de gelo e à mão, incorpore o presunto e o pistache ao recheio.

6. Recheie os invólucros prontos, amarrando cada ponta com um nó em bolha.

7. Escalfe a salsicha a 74 °C até que atinja a temperatura interna de 68 °C; em seguida, coloque-a em água gelada e seque-a.

8. Defume-a a frio a 27 °C até obter a cor desejada (de 2 h a 4 h).

9. Escalfe, salteie, grelhe ou asse a salsicha apenas até que ela aqueça, ou embrulhe-a e refrigere-a por até 1 semana.

# Salsicha de cordeiro picante

RENDIMENTO: 4,54 kg DE SALSICHA SOLTA

3,18 kg de paleta de cordeiro cortada em cubos de 3 cm
907 g de gordura de papada cortada em cubos de 3 cm
454 g de pancetta cortada em cubos de 1 cm

### temperos

28 g de alho amassado
113 g de chalota bem picada
57 g de sal
1 colher (chá)/2 g de pimenta-do-reino moída
1¼ colher (chá)/2,5 g de floco de pimentão vermelho
1½ colher (chá)/3 g de páprica
2 colheres (chá)/4 g de coentro moído
1 colher (chá)/5 g de Insta-cure #1
28 g de mel
2 colheres (sopa)/6 g de tomilho moído grosseiramente
½ xícara/24 g de salsinha de folha lisa
2 colheres (chá)/2 g de alecrim picado grosseiramente

180 mℓ de caldo de galinha (p. 643) gelado

7,32 m de invólucro suíno lavado por dentro e enxaguado

---

1. Junte a carne de cordeiro, a gordura de papada e a pancetta; misture-as com os temperos combinados. Resfrie bem a mistura, até quase congelar.

2. Moa a mistura progressivamente, passando-a do disco grosso (9 mm) para o disco médio (6 mm), e deposite-a em uma tigela colocada sobre banho-maria invertido.

3. Em uma batedeira com pá, bata a farce em velocidade baixa por 1 min, acrescentando o caldo de galinha aos poucos. Bata-a em velocidade média por 15 s a 20 s, ou até que ela fique pegajosa ao toque.

4. Faça o teste de escalfar e ajuste o tempero a gosto. Recheie os invólucros prontos e torça-os em segmentos de 13 cm de comprimento.

5. Sem cobri-la, posicione a salsicha em um rack colocado sobre uma assadeira e refrigere-a de um dia para o outro, para que ela seque e forme uma película.

6. Defume-a a frio por 2 h a 27 °C.

7. A salsicha pode ser escalfada, grelhada ou salteada até que atinja a temperatura interna de 66 °C.

# Salsicha de verão

RENDIMENTO: 4,99 kg DE SALSICHA SOLTA/4,54 kg

2,5 kg de paleta bovina desossada em cubos (70% carne magra, 30% gordura)

2,14 kg de sobrepaleta suína desossada, em cubos (70% carne magra, 30% gordura)

### temperos

85 g de sal

135 g de fermento lácteo em pó

2¾ colheres (chá)/13 g de Insta-cure #1

57 g de dextrose

4 colheres (chá)/8 g de pimenta-do-reino moída

1½ colher (sopa)/9 g de coentro em pó

5 colheres (chá)/10 g de mostarda em pó

1½ colher (chá)/3 g de alho em pó

10 invólucros de intestino grosso bovino com 25 cm de comprimento, enxaguados e amarrados com nó duplo em uma ponta

1. Moa a carne bovina no disco médio (6 mm) do moedor de carne. Resfrie-a se necessário.

2. Misture bem a carne bovina e a carne suína com os temperos combinados. Transfira a mistura para uma tigela, cubra-a com filme de PVC e refrigere-a entre 3 °C e 4 °C por 2 a 3 dias para que cure.

3. Moa a mistura de salsicha progressivamente, passando-a do disco grosso (9 mm) ao disco fino (3 mm), e deposite-a em uma tigela colocada sobre um banho de gelo. Bata-a em velocidade baixa por 1 min. Continue batendo em velocidade média de 15 min a 20 min, ou até que ela fique pegajosa ao toque. Faça um teste. Ajuste o tempero e a consistência antes de moldar.

4. Recheie os invólucros, amarrando-os com um nó em bolha. Refrigere a salsicha a descoberto de um dia para o outro, para que seque e forme uma película.

5. Defume-a a frio a 27 °C por 12 h a 24 h. Defume-a a quente a 71 °C até que atinja a temperatura interna de 68 °C. Seque-a por 1 h a 2 h em um defumador.

6. Fatie e sirva a salsicha imediatamente, ou embrulhe-a e refrigere-a por até 2 semanas.

» **IDEIA PARA APRESENTAÇÃO** A salsicha de verão pode ser fatiada e usada sobre farces ou servida dentro de batatas.

# Landjäger

RENDIMENTO: 5,67 kg/30 A 35 SEGMENTOS DE 15 cm

3,4 kg de paleta bovina desossada limpa e cortada em cubos de 3 cm

2,27 kg de carne de porco magra, desossada, certificada (ver nota do chef), limpa e cortada em cubos de 3 cm

14 g de Insta-cure #2

## temperos

1½ colher (chá)/3 g de alho em pó

150 mℓ de água gelada

2 colheres (chá)/4 g de semente de alcaravia moída

28 g de dextrose

128 g de sal

85 g de fermento lácteo em pó

¾ colher (chá)/1,5 g de pimenta-do-reino moída finamente

2,44 m a 3,05 m de invólucro suíno pronto, ou conforme necessário

---

1. Em uma tigela, junte a carne bovina, a carne de porco e o Insta-cure. Coloque a mistura em sacos plásticos seláveis, retire o ar deles e congele-os parcialmente.

2. Moa a mistura progressivamente, passando-a do disco grosso (9 mm) ao disco fino (3 mm), e deposite-a em uma tigela colocada sobre banho-maria invertido de gelo.

3. Transfira a carne moída para uma batedeira equipada com pá e acrescente os temperos combinados. Bata-a em velocidade baixa até que a carne fique pegajosa (cerca de 1 min).

4. Faça um teste de sabor e ajuste o tempero a gosto.

5. Coloque a mistura em um embutidor de salsicha, verificando se não há bolhas de ar. Recheie os invólucros prontos e pressione a salsicha em uma fôrma landjäger (ver nota do chef).

6. Coloque a fôrma em uma travessa de plástico. Cubra a fôrma com filme de PVC e coloque duas tábuas de cortar sobre ela para comprimir a salsicha. Remova a salsicha da fôrma e coloque-a na geladeira à temperatura de 3 °C a 4 °C, por 2 a 4 dias, para que mantenha o formato quadrado.

7. Defume a salsicha a frio a 21 °C ou menos usando nogueira ou outra lenha à sua escolha, de 12 h a 24 h.

8. Seque-a a 18 °C sob umidade relativa de 60% por 3 a 4 dias, até que atinja a firmeza desejada.

9. A salsicha pode ser guardada por até 2 semanas na geladeira ou por 1 a 2 meses no freezer.

» **NOTA DO CHEF** Como esta salsicha é seca e não cozida, a carne de porco deve ser certificada, para evitar triquinose. A carne certificada pode ser comprada ou feita por conta própria por meio do congelamento da carne de porco na temperatura apropriada e pelo período de tempo determinado (ver p. 253).

A fôrma landjäger é usada para moldar a salsicha. A prensa é geralmente feita de madeira de lei e tem entre 46 cm e 51 cm de comprimento. No centro dela, há uma vala retangular de 3 cm de largura e 2 cm de profundidade. Depois que a salsicha é embutida, os segmentos são colocados na fôrma e cobertos com filme de PVC. Duas tábuas de cortar colocadas sobre a fôrma comprimem a salsicha, criando o formato tipicamente retangular das salsichas landjäger.

# Salsicha de pato defumada

RENDIMENTO: 2,26 kg

1,59 kg de carne de pato resfriada e cortada em cubos de 3 cm

680 g de gordura de papada resfriada e cortada em cubos de 3 cm

### temperos

43 g de sal

¼ colher (chá)/0,5 de g de pimenta-do-reino moída

½ colher (chá)/2 g de Insta-cure #1

14 g de mel

43 g de tomilho picado finamente

2 colheres (chá)/2 g de alecrim picado grosseiramente

4 colheres (chá)/4 g de sálvia picada grosseiramente

57 g de alho amassado

113 g de chalota bem picada

57 g de gordura de pato derretida

3,66 m de invólucro suíno lavado por dentro e enxaguado

---

1. Junte a carne de pato e a gordura de papada; misture-a com o sal, a pimenta, o Insta-cure #1, o mel e as ervas.

2. Em uma panela para sauté pequena, sue o alho e as chalotas na gordura de pato em fogo baixo até que fiquem macios (cerca de 2 min ou 3 min). Escorra o excesso de gordura e refrigere o alho e as chalotas até que esfriem por completo.

3. Quando estiverem frios, acrescente-os à carne. Resfrie-a bem, até quase congelar.

4. Moa a carne no disco médio (6 mm) do moedor de carne e deposite-a em uma tigela colocada sobre gelo.

5. Com uma pá, bata o recheio em velocidade baixa por 15 s a 20 s, ou até que a mistura fique pegajosa ao toque.

6. Faça o teste de escalfar e ajuste o tempero a gosto.

7. Recheie os invólucros prontos e torça-os em segmentos de 13 cm de comprimento.

8. Em um rack colocado sobre uma assadeira, refrigere a salsicha, sem cobri-la, de um dia para o outro, para que ela seque e forme uma película.

9. Defume-a a frio a 27 °C por 2 h.

10. A salsicha pode ser escalfada, grelhada ou salteada até que atinja a temperatura interna de 74 °C.

» **NOTA DO CHEF** Se desejar, acrescente água ou caldo à mistura de salsicha seguindo a proporção de 454 g de líquido para cada 4,54 kg de carne. O líquido adicional repõe alguma umidade perdida durante a mistura, dissolve o tempero na salsicha e ajuda a emulsioná-la. Avalie a salsicha durante o teste de sabor, acrescentando líquido se necessário.

# Linguiça andouille cajun

RENDIMENTO: 5,44 kg

### mistura de temperos cajun

71 g de sal
1 colher (chá)/2 g de pimenta-de-caiena
1 colher (chá)/2 g de pimenta-do-reino moída
½ colher (chá)/1 g de pimenta-branca moída
28 g de páprica
1½ colher (chá)/3 g de cebola em pó
1½ colher (chá)/3 g de alho em pó

### salsicha

4,54 kg de sobrepaleta suína (80% carne magra, 20% gordura)
2½ colheres (chá)/12 g de Insta-cure #1
14 g de açúcar
85 g de leite em pó desnatado
113 g de mistura de temperos cajun
½ colher (chá)/1 g de pimenta-de-caiena
480 mℓ de água

4,88 m de invólucro suíno enxaguado

1. Para preparar a mistura de especiarias cajun, combine todos os temperos. Reserve-a.

2. Apare a sobrepaleta e corte-a em cubos de 3 cm. Junte o Insta-cure #1, o açúcar, o leite em pó, a mistura de especiarias, a pimenta-de-caiena e a água. Misture bem os ingredientes. Resfrie bem a mistura, até quase congelar.

3. Moa a carne no disco médio (6 mm) e depois no disco fino (3 mm), colocando-a em uma tigela resfriada. Misture-a até que fique viscosa.

4. Teste o recheio para avaliar o sabor e a textura. Após o teste de escalfar, a salsicha deve estar homogênea e soltar alguma umidade quando espremida. Ajuste o tempero a gosto.

5. Recheie os invólucros prontos e torça-os em segmentos de 13 cm a 15 cm de comprimento.

6. Pendure a salsicha de um dia para o outro em um local com baixa unidade e boa circulação de ar, para que ela seque e forme uma película.

7. Defume-a a frio a uma temperatura entre 4 °C e 21 °C, por 4 h a 5 h. Cozinhe-a como desejar, ou embale a vácuo e refrigere-a por 1 semana ou congele-a por até 6 meses.

# Chouriço colombiano

RENDIMENTO: 4,76 kg

2,27 kg de sobrepaleta suína cortada em cubos de 3 cm

907 g de paleta ou ponta de agulha bovina aparada e cortada em cubos de 3 cm, sem gordura visível

907 g de toucinho sem pele

### temperos

92 g de sal

156 g de leite em pó desnatado

14 g de dextrose

2 colheres (chá)/9 g de Insta-cure #1

2½ colheres (chá)/5 g de pimenta-branca moída

21 g de cominho moído

28 g de páprica

170 g de cebolinha cortada em cubos de 6 mm

150 ml de água gelada

6,40 m de invólucro suíno

---

1. Resfrie o equipamento e misture as carnes suína e bovina e o toucinho com os temperos combinados, exceto a cebolinha. Resfrie bem a mistura, até quase congelar.

2. Moa a carne no disco grosso (9 mm) do moedor de carne e coloque-a em uma tigela dentro de um recipiente com gelo.

3. Congele o toucinho. Moa-o no disco médio (6 mm).

4. Coloque a carne e o toucinho moídos na batedeira, acrescentando a cebolinha e a água. Bata a mistura em velocidade baixa por 1 min e em velocidade média por 10 s a 20 s, ou até que fique viscosa.

5. Faça o teste de sabor; ajuste o tempero a gosto.

6. Recheie os invólucros suínos prontos, meça-os e divida-os em segmentos de 13 cm de comprimento. Amarre-os com um barbante de cozinha fino. Não os corte.

7. Sem cobri-la, pendure a salsicha no refrigerador de um dia para o outro, para que ela seque e forme uma película.

8. Defume-a a frio por 12 h a 14 h, ou até que ela fique defumada conforme desejado. Se necessário, seque-a por mais 12 h. Se quiser remover ainda mais a umidade e concentrar o sabor, seque-a por 1 a 3 dias adicionais.

» **NOTA DO CHEF** Para fazer a versão fresca desta salsicha, não use o Insta-cure #1.

# Salsicha Frankfurt

RENDIMENTO: 4,99 kg DE SALSICHA SOLTA/70 SEGMENTOS (71 g CADA)

1,98 kg de paleta bovina magra desossada e em cubos

1,59 kg de gordura de papada parcialmente congelada e em cubos

1,20 kg de gelo picado

## mistura de cura

78 g de sal

1¾ colher (chá)/8 g de Insta-cure #1

38 g de dextrose

## mistura de temperos

14 g de cebola em pó

7 g de pimenta-branca moída

7 g de semente de coentro moída

7 g de noz-moscada moída

½ colher (chá)/1 g de alho em pó

189 g de leite em pó desnatado

13,41 m de invólucro de carneiro enxaguado

---

1. Combine a carne bovina com a mistura de cura. Resfrie bem a combinação, até quase congelar. Moa a carne progressivamente, passando-a do disco grosso (9 mm) ao disco fino (3 mm), e deposite-a em uma tigela colocada sobre um banho de gelo. Deposite-a no freezer e resfrie-a novamente até quase congelar.

2. Moa a gordura progressivamente, passando-a do disco grosso (9 mm) ao disco fino (3 mm), e deposite-a em uma tigela colocada sobre banho-maria invertido; reserve-a. Transfira a carne moída para a tigela resfriada de uma batedeira ou de um processador de alta velocidade. Acrescente o gelo e a mistura de temperos à carne moída. Processe os ingredientes até que a temperatura da mistura caia para −1 °C. Continue a processar até que a temperatura da mistura chegue a 4 °C.

3. Acrescente a gordura e processe a mistura até que a sua temperatura chegue a 7 °C. Acrescente o leite em pó desnatado e continue a processar até que a temperatura chegue a 14 °C. Faça um teste. Ajuste o tempero e a consistência antes de moldar.

4. Recheie os invólucros prontos, torça-os e amarre-os em segmentos de 15 cm. Pendure a salsicha a descoberto na geladeira de um dia para o outro, para que seque e forme uma película.

5. Defume-a a quente a 71 °C até obter a cor desejada (aproximadamente 45 min). Escalfe-a na água a 73 °C até que atinja a temperatura interna de 68 °C (cerca de 10 min a 20 min); em seguida, coloque-a em água gelada até que atinja a temperatura interna de 16 °C. Seque-a.

6. Salteie, grelhe, toste ou asse a salsicha até aquecê-la, ou embrulhe-a e refrigere-a por até 7 dias.

» **VARIAÇÃO** SALSICHA FRANKFURT COM GORDURA REDUZIDA: aumente em 907 g a quantidade de carne e diminua em 907 g a quantidade de gordura. Outras combinações de carne de porco, vitela e carne bovina podem ser usadas.

# Mortadela Bologna

RENDIMENTO: 4,99 kg DE SALSICHA SOLTA/14 SEGMENTOS

1,98 kg de paleta bovina desossada em cubos

1,59 kg de gordura de papada de porco parcialmente congelada e em cubos

1,19 kg de gelo picado

### mistura de cura

78 g de sal

1¾ colher (chá)/8 g de Insta-cure #1

28 g de dextrose

### mistura de temperos

37 g de cebola em pó

14 g de pimenta-branca moída

1¾ colher (chá)/3,5 g de semente de cominho moída

1¾ colher (chá)/3,5 g de noz-moscada moída

191 g de leite em pó desnatado

1 pedaço de invólucro de ceco bovino ou 8 pedaços de invólucro de intestino grosso bovino cortados em comprimentos de 15 cm, amarrados com nó em bolha em uma das pontas

---

1. Combine a carne com a mistura de temperos. Resfrie bem a combinação até quase congelar. Moa a carne progressivamente, passando-a do disco grosso (9 mm) ao disco fino (3 mm), e deposite-a em uma tigela colocada sobre um banho de gelo. Deposite-a no congelador e resfrie-a novamente até quase congelar.

2. Moa a gordura de papada progressivamente, passando-a do disco grosso (9 mm) ao disco fino (3 mm), e deposite-a em uma tigela colocada sobre um banho de gelo. Transfira a carne moída para a tigela resfriada de uma batedeira ou de um processador de alta velocidade. Acrescente o gelo e a mistura de especiarias à carne moída. Processe os ingredientes até que a temperatura da mistura caia para −1 °C. Continue a processar até que a temperatura aumente para 4 °C.

3. Acrescente a gordura de papada e processe a mistura até que a sua temperatura chegue a 7 °C. Acrescente o leite em pó desnatado e continue a processar até que a temperatura chegue a 14 °C. Faça um teste. Ajuste o tempero e a consistência antes de moldar.

4. Recheie os invólucros prontos e amarre cada ponta com um nó em bolha. Pendure a salsicha, sem cobri-la, na geladeira de um dia para o outro, para que seque e forme uma película.

5. Defume-a a quente a 71 °C até obter a cor desejada (aproximadamente 1 h a 2 h). Escalfe-a na água a 74 °C até que atinja a temperatura interna de 68 °C (10 min a 30 min para intestino delgado; 1 h a 3 h para ceco); em seguida, coloque-a em água gelada até que atinja a temperatura interna de 16 °C. Seque-a.

6. Fatie e sirva a mortadela, ou embrulhe-a e refrigere-a por até 2 semanas.

» **VARIAÇÃO** MORTADELA BOLOGNA DE PRESUNTO: acrescente à mistura 1,59 kg de carne suína curada, cortada em cubos de 2 cm a 3 cm. Esta variação produz 10 salsichas de 35 cm cada uma com invólucro bovino (os invólucros devem ser pré-cortados em pedaços de 40 cm e amarrados) ou 1 salsicha de 6,58 kg com ceco bovino.

# Kielbasa Krakowska

RENDIMENTO: 6,8 kg

4,54 kg de presunto fresco desossado, cortado em cubos de 1 cm e resfriado até quase congelar

1,36 kg de sobrepaleta suína cortada em cubos de 1 cm a 3 cm e resfriada até quase congelar

907 g de toucinho cortado em cubos de 1 cm a 3 cm e resfriado até quase congelar

960 mℓ de água gelada

64 g de sal

2 colheres (chá)/9 g de Insta-cure #1

2 colheres (sopa)/12 g de dextrose

3½ colheres (sopa)/21 g de alho em pó

1¼ colher (chá)/2,5 g de pimenta-branca moída

1 colher (chá)/2 g de coentro moído

2 colheres (sopa)/12 g de mostarda em pó

½ colher (chá)/1 g de manjerona picada grosseiramente

2,44 m a 3,05 m de invólucro de intestino grosso bovino

---

1. Moa metade do presunto fresco no disco grosso (9 mm) do moedor de carne. Reserve o restante do presunto para a guarnição.

2. Moa a sobrepaleta suína progressivamente, passando-a do disco grosso (9 mm) ao disco fino (3 mm), e deposite-a em uma tigela colocada sobre banho-maria invertido.

3. Moa o toucinho progressivamente, passando-o do disco grosso (9 mm) ao disco fino (3 mm), e coloque-a em uma tigela sobre um recipiente com gelo.

4. Coloque as carnes e o toucinho em uma tigela e acrescente todos os ingredientes restantes, exceto o invólucro.

5. Bata a mistura em velocidade baixa por 1 min e em velocidade média por 10 s a 20 s, certificando-se de que todas as especiarias fiquem misturadas de forma homogênea.

6. Recheie os invólucros prontos e torça-os em segmentos de 61 cm de comprimento.

7. Pendure a salsicha a descoberto no refrigerador de um dia para o outro, para que ela seque e forme uma película.

8. Defume-a a quente a 54 °C por cerca de 1 h.

9. Aplique uma fumaça densa e aumente a temperatura da fumaça para 71 °C a 74 °C.

10. Mantenha a salsicha no defumador até que a sua temperatura interna chegue a 67 °C (de 2 h a 3 h, dependendo do defumador).

11. Quando a salsicha estiver cozida, coloque-a em água fria até que a sua temperatura interna chegue a 16 °C.

12. Refrigere-a de um dia para o outro.

# Salsicha francesa de alho

RENDIMENTO: 4,99 kg DE SALSICHA SOLTA/7 SEGMENTOS

2,38 kg de sobrepaleta suína desossada cortada em cubos de 6 mm a 1 cm

1,02 kg de paleta bovina magra cortada em cubos de 6 mm a 1 cm

794 g de gordura de papada cortada em cubos de 6 mm a 1 cm e parcialmente congelada

595 g de gelo picado

### mistura de cura

85 g de sal

1 colher (sopa)/14 g de Insta-cure #1

28 g de dextrose

### mistura de temperos

2 colheres (sopa)/18 g de alho picado

14 g de pimenta-branca moída

3½ colheres (chá)/7 g de mostarda em pó

99 g de leite em pó desnatado

2,55 m de invólucro de intestino grosso bovino enxaguado, cortado em pedaços de 36 cm de comprimento e amarrado em uma das pontas

---

1. Misture a carne de porco com metade da misture de cura. Resfrie bem a carne e reserve-a para a guarnição.

2. Misture a carne bovina com o restante da mistura de cura e a mistura de temperos. Resfrie bem a carne, até quase congelar. Moa-a progressivamente, passando do disco grosso (9 mm) ao disco fino (3 mm), e deposite-a em uma tigela colocada sobre banho-maria invertido. Coloque-a no congelador até que fique semicongelada (começando a congelar, mas não sólida ainda).

3. Moa a gordura de papada progressivamente, passando-a do disco grosso (9 mm) ao disco fino (3 mm), e deposite-a em uma tigela colocada sobre um banho de gelo; reserve-a.

4. Transfira a carne moída para a tigela resfriada de uma batedeira ou de um processador de alta velocidade. Acrescente o gelo à carne moída. Processe os ingredientes até que a temperatura da mistura caia a –1 °C. Continue a processar até que a temperatura aumente para 4 °C.

5. Acrescente a gordura e processe a mistura até que a sua temperatura chegue a 7 °C. Acrescente o leite em pó desnatado e continue a processar até que ela atinja 14 °C. Faça um teste. Ajuste o tempero e a consistência antes de moldar.

6. Com uma batedeira ou à mão, incorpore a guarnição de porco à salsicha sobre banho-maria invertido. Recheie os invólucros prontos e amarre cada ponta com um nó em bolha. Pendure a salsicha a descoberto na geladeira, para que seque e forme uma película.

7. Escalfe-a na água a 74 °C até que atinja a temperatura interna de 66 °C; em seguida coloque-a em água gelada até que atinja a temperatura interna de 16 °C. Seque-a. Fatie e sirva a salsicha imediatamente, ou embrulhe-a e refrigere-a por até 7 dias.

» **NOTA DO CHEF** Para obter uma cor de defumado mais intensa, defume a salsicha a frio a 27 °C por até 12 h e, para finalizar o cozimento, escalfe-a conforme descrito no passo 7 acima.

» **VARIAÇÃO** SALSICHA DE PATO: substitua todas as carnes por carne de pato. Em vez de invólucro bovino, use invólucro suíno, cortado em pedaços de 13 cm de comprimento. Siga os passos acima.

# Salsicha bratwurst suíça fina

RENDIMENTO: 4,99 kg DE SALSICHA SOLTA/88 SEGMENTOS (57 g CADA)

1,52 kg de alcatra ou coxão mole de vitela desossada cortada em cubos e parcialmente congelada

1,52 kg de gordura de papada cortada em cubos e parcialmente congelada

1,36 kg de gelo picado

## mistura de cura

92 g de sal

21 g de dextrose

## mistura de temperos

3½ colheres (chá)/7 g de pimenta-branca moída

5 colheres (chá)/9 g de mostarda em pó

1½ colher (chá)/3 g de noz-moscada moída

1 colher (chá)/2 g de gengibre moído

191 g leite em pó desnatado

13,42 m de invólucro de carneiro enxaguado

---

1. Junte a vitela com a mistura de cura. Resfrie bem a vitela, até quase congelar. Moa-a progressivamente, passando-a do disco grosso (9 mm) ao disco fino (3 mm), e deposite-a em uma tigela colocada sobre banho-maria invertido. Moa a gordura de papada progressivamente, passando-a do disco grosso (9 mm) ao disco fino (3 mm), e deposite-a em uma tigela colocada sobre um banho de gelo; reserve-a separadamente. Coloque no freezer e resfrie-a novamente até quase congelar.

2. Transfira a vitela moída para a tigela resfriada de uma batedeira ou de um processador de alta velocidade. Acrescente o gelo picado e a mistura de temperos à vitela.

3. Processe os ingredientes até que a temperatura da mistura chegue a –1 °C. Continue a processar até que a temperatura aumente para 4 °C.

4. Acrescente a gordura e processe a mistura até que atinja 7 °C. Acrescente o leite em pó desnatado e continue a processar até que a temperatura da mistura chegue a 14 °C. Faça um teste. Ajuste o tempero e a consistência antes de moldar.

5. Recheie os invólucros prontos, torça-os e amarre-os em segmentos de 13 cm de comprimento.

6. Escalfe a salsicha na água a 73 °C até que a sua temperatura interna chegue e 66 °C (10 min a 20 min); em seguida, coloque-a em água gelada até que a sua temperatura interna atinja 16 °C. Seque-a.

7. Salteie, grelhe ou asse a salsicha até que ela esquente, ou embrulhe-a e refrigere-a por até 7 dias.

» **VARIAÇÕES** CHIPOLATA: siga os passos acima, embutindo a salsicha em invólucro de carneiro e dividindo-o em segmentos de 8 cm de comprimento.

WEISSWURST: omita o gengibre e a mostarda. Acrescente zestes de limão picados finamente, a gosto.

# Mortadela

RENDIMENTO: 4,99 kg DE SALSICHA SOLTA/11 SEGMENTOS (454 g CADA)

1,76 kg de sobrepaleta suína desossada cortada em cubos e parcialmente congelada

1,42 kg de gordura de papada cortada em cubos e parcialmente congelada

1,05 kg de gelo picado

## mistura de cura

71 g de sal

14 g de dextrose

43 g de Insta-cure #1

83 mℓ de vinho branco seco

## mistura de temperos

4 colheres (chá)/8 g de pimenta-branca moída

1 colher (sopa)/6 g de noz-moscada moída

2¼ colheres (chá)/4,5 g de páprica doce

2½ colheres (chá)/5 g de noz-moscada moída

2¾ colheres (chá)/5,5 g de semente de coentro moída

¾ colher (chá)/1,5 g de cravo moído

¾ colher (chá)/1,5 g de folha de louro moídas

3/8 colher (chá)/0,75 g de alho em pó

170 g de leite em pó desnatado

## guarnição

369 g de gordura de porco em cubos, escaldada e esfriada

156 g de pistache escaldado e descascado

11 invólucros de intestino grosso bovino com 25 cm de comprimento, enxaguados e amarrados em uma das pontas

1. Junte a carne de porco com a mistura de cura. Resfrie bem a carne, até quase congelar. Moa-a progressivamente, passando-a do disco grosso (9 mm) ao disco fino (3 mm), e deposite-a em uma tigela colocada sobre banho-maria invertido. Coloque-a no congelador até que fique semicongelada (começando a congelar, mas não sólida ainda).

2. Moa a gordura de papada progressivamente, passando-a do disco grosso (9 mm) ao disco fino (3 mm), e deposite-a em uma tigela colocada sobre um banho de gelo; reserve-a.

3. Transfira a carne de porco moída para a tigela resfriada de um processador de alimentos. Acrescente o gelo picado e a mistura de temperos à carne. Processe os ingredientes até que a temperatura da mistura chegue a −1 °C. Continue a processar até que a temperatura aumente para 4 °C.

4. Acrescente a gordura e processe a mistura até que a sua temperatura chegue a 7 °C. Acrescente o leite em pó desnatado e continue a processar até que a temperatura atinja 14 °C. Faça um teste. Ajuste o tempero e a consistência antes de moldar.

5. Sobre um banho de gelo, junte os ingredientes da guarnição. Recheie os invólucros prontos e amarre-os com um nó de bolha.

6. Pendure a salsicha a descoberto na geladeira de um dia para o outro, para que seque e forme uma película.

7. Escalfe-a a 74 °C até que atinja a temperatura interna de 65 °C (de 2h30 a 3 h); em seguida, coloque-a em água gelada até que a sua temperatura interna atinja 16 °C. Seque-a.

8. Refrigere-a a descoberto de um dia para o outro em travessas forradas com papel-toalha, para que forme uma película.

9. Se desejar, defume-a a frio a 26 °C por 1 h a 2 h. Fatie e sirva a salsicha imediatamente, ou embrulhe-a e refrigere-a por até 3 semanas.

» **IDEIA PARA APRESENTAÇÃO** Para uma guarnição não convencional, acrescente 369 g de gordura de porco cortada em cubos de 6 mm, escaldada e resfriada, e 35 g de grãos inteiros de pimenta-preta demolhados em água quente e escorridos.

# Salsicha de frango e vegetais

RENDIMENTO: 4,99 kg DE SALSICHA SOLTA/88 SEGMENTOS (57 g CADA)

2,18 kg de carne de sobrecoxa de frango em cubos

936 g de gelo picado

### mistura de cura

64 g de sal

21 g de dextrose

### guarnição

156 g de cenoura em cubos pequenos

156 g de salsão em cubos pequenos

312 g de cebola em cubos pequenos

1½ colher (sopa)/22,5 mℓ de óleo vegetal

624 g de cogumelo em cubos pequenos

165 mℓ de vinho branco seco

1½ colher (sopa)/4,5 g de salsinha de folha lisa picada

### mistura de temperos

14 g de pimenta-branca moída

2½ colheres (chá)/5 g de tempero à base de tomilho, alecrim, manjericão, noz-moscada e pimenta moída

¾ colher (chá)/1,5 g de tomilho em pó

156 g de leite em pó desnatado

10,52 m de invólucro de carneiro enxaguado e amarrado em uma das pontas

---

1. Junte o frango com a mistura de cura. Moa o frango progressivamente, passando-o do disco grosso (9 mm) ao disco fino (3 mm), e deposite-o em uma tigela colocada sobre banho-maria invertido. Coloque-o no congelador até que fique semicongelado (começando a congelar, mas não sólido ainda).

2. Salteie a cenoura, o salsão e a cebola no óleo até que cozinhem. Acrescente os cogumelos e salteie-os até que soltem água e então acrescente o vinho e reduza a mistura até quase secá-la. Resfrie-a.

3. Transfira o frango moído para a tigela resfriada de uma batedeira ou de um processador de alta velocidade. Acrescente o gelo picado e a mistura de temperos por cima do frango. Processe os ingredientes até que a temperatura da mistura chegue a −1 °C. Continue a processar até que a temperatura suba para 7 °C.

4. Acrescente o leite em pó desnatado e continue a processar até que a mistura chegue a 14 °C. Transfira-a para uma tigela. Trabalhando sobre banho-maria invertido, combine a guarnição. Faça um teste. Ajuste o tempero e a consistência antes de moldar.

5. Recheie os invólucros prontos e amarre-os em segmentos de 13 cm de comprimento. Cozinhe a salsicha em água a 77 °C até que atinja a temperatura interna de 74 °C; em seguida, coloque-a em água gelada até que a sua temperatura interna chegue a 16 °C. Seque-a.

6. Salteie, grelhe ou toste a salsicha até aquecê-la, ou embrulhe-a e refrigere-a por até 3 dias.

# Braunschweiger

RENDIMENTO: 4,99 kg DE SALSICHA SOLTA/11 SALSICHAS (454 g CADA)

2,07 kg de fígado suíno em cubos
822 g de sobrepaleta suína desossada em cubos
1,25 kg de bacon em cubos
468 g de gelo picado

## mistura de cura

92 g de sal
1¾ colher (chá)/8 g de Insta-cure #1
28 g de dextrose

## mistura de temperos

14 g de cebola em pó

1 colher (sopa)/6 g de pimenta-branca moída
½ colher (chá)/1 g de pimenta-da-jamaica moída
½ colher (chá)/1 g de cravo moído
½ colher (chá)/0,50 g de sálvia moída
½ colher (chá)/1 g de manjerona moída
½ colher (chá)/1 g de noz-moscada moída
½ colher (chá)/1 g de gengibre moído

208 g leite em pó desnatado
3,35 m de invólucro de intestino grosso bovino enxaguado, cortado em pedaços de 25 cm de comprimento e amarrado com um nó em bolha

---

1. Junte o fígado e a sobrepaleta suína com a mistura de cura. Resfrie bem a carne, até quase congelar. Moa-a progressivamente, passando-a do disco grosso (9 mm) ao disco fino (3 mm), e deposite-a em uma tigela colocada sobre banho-maria invertido. Coloque-a no congelador e resfrie-a novamente até quase congelar.

2. Moa o bacon no disco fino (3 mm); reserve-o separadamente.

3. Transfira o fígado e a carne de porco moídos para a tigela resfriada de uma batedeira ou de um processador de alta velocidade. Acrescente o gelo picado e a mistura de temperos à carne. Processe os ingredientes até que a temperatura da mistura caia para −1 °C. Continue a processar até que a temperatura aumente para 4 °C.

4. Acrescente o bacon moído e processe a mistura até que ela chegue a 7 °C. Acrescente o leite em pó desnatado e continue a processar até que a temperatura atinja 14 °C. Faça um teste. Ajuste o tempero e a consistência antes de moldar.

5. Recheie os invólucros prontos e amarre-os com um nó em bolha. Pendure a salsicha a descoberto de um dia para o outro no refrigerador, para que seque e forme uma película.

6. Defume-a a quente a 71 °C até obter a cor desejada (de 1h30 a 2 h).

7. Cozinhe-a na água a 74 °C até que atinja a temperatura interna de 66 °C; em seguida, coloque-a em água gelada para que chegue à temperatura interna de 16 °C. Seque-a. Fatie e sirva a salsicha imediatamente, ou embrulhe-a e refrigere-a por até 2 semanas.

# Salsicha de frutos do mar

RENDIMENTO: 4,99 kg DE SALSICHA SOLTA/88 SEGMENTOS (57 g CADA)

### mousseline

1,52 kg de filé de linguado em cubos
1,52 kg de vieira sem músculo
14 g de sal
28 g de tempero Old Bay
99 g de farinha de rosca fresca
1,32 ℓ de creme de leite fresco frio
6 claras de ovo

### guarnição

510 g de camarão descascado, limpo e cortado em cubos de 6 mm
510 g de carne de caranguejo ou lagosta em cubos (de três lagostas de 567 g, escaldadas)
510 g de carne de salmão cortada em cubos de 6 mm
510 g de vieira sem coral
2 colheres (sopa)/6 g de salsinha fresca picada

12,08 m de invólucro de carneiro enxaguado ou 6,10 m de invólucro suíno enxaguado

---

1. Junte o linguado, as vieiras, o sal e o tempero Old Bay. Moa a mistura no disco fino (3 mm) do moedor de carne. Resfrie-a no freezer por 15 min.

2. Coloque a farinha de rosca de molho em metade do creme de leite fresco para fazer uma panada.

3. Bata os frutos do mar no processador de alimentos para fazer um purê liso. Acrescente as claras de ovo e a panada. Junte o restante do creme de leite fresco e pulse. Faça um teste. Ajuste o tempero e a consistência antes de moldar.

4. Incorpore os ingredientes da guarnição até que fiquem distribuídos de forma homogênea; cubra a mistura e refrigere-a.

5. Recheie os invólucros prontos e torça-os em segmentos de 13 cm.

6. Cozinhe a salsicha na água a 74 °C até que atinja a temperatura interna de 63 °C. Coloque-a em água gelada até que atinja a temperatura interna de 16 °C. Seque-a.

7. Para servir imediatamente, remova o invólucro e salteie a salsicha em manteiga clarificada até que doure ou reaqueça-a no forno a 177 °C por 10 min a 12 min. Como alternativa, embrulhe-a e refrigere-a por até 3 dias.

» **NOTA DO CHEF** Para fazer uma salsicha de tira-gosto, torça-a em segmentos de 8 cm de comprimento. Na foto ao lado, a salsicha é acompanhada com batatas fingerling.

# Salsicha de maçã e sangue

RENDIMENTO: 4,99 kg DE SALSICHA SOLTA/44 SEGMENTOS (113 g CADA)

78 g de farinha de rosca fresca

660 ml de creme de leite fresco

2,64 l de sangue bovino

35 g de sal

1 colher (chá)/2 de quatre épices (p. 639)

28 g de açúcar demerara

1,67 kg de toucinho cortado em cubos pequenos

1,25 kg de cebola cortada em cubos pequenos

1,02 kg de maçã sem miolo, descascada, salteada e batida em purê

13,41 m de invólucro suíno cortado em pedaços de 61 cm e amarrado em um dos lados

1. Coloque a farinha de rosca de molho no creme de leite fresco para fazer uma panada. Misture-os com cuidado para umedecer o pão por igual.

2. Misture o sangue com o sal, o quatre épices e o açúcar demerara.

3. Derreta 397 g de toucinho em uma frigideira grossa.

4. Acrescente a cebola e a deixe suar até que fique translúcida, mas não dourada.

5. Acrescente o restante do toucinho, a maçã, a panada e o sangue temperado. Misture-os.

6. Aqueça a mistura com cuidado, mexendo, até que ela chegue a 38 °C. Remova-a do fogo.

7. Com um funil, recheie os invólucros, certificando-se de que todos os componentes estejam homogeneamente distribuídos. Não os recheie demais, para evitar que a salsicha estoure durante o cozimento.

8. Cozinhe a salsicha na água a 74 °C e cozinhe-a por 20 min; perfure-a com uma agulha. Se soltar um líquido marrom, ela está pronta; se soltar sangue, cozinhe-a por mais alguns minutos e verifique novamente.

9. Quando estiver cozida, coloque a salsicha em água gelada por 5 min; escorra-a, seque-a em papel-toalha, coloque-a em uma assadeira e pincele-a com banha ou gordura de pato derretida. Refrigere-a para finalizar o resfriamento.

» **NOTA DO CHEF** A mistura da salsicha de sangue, diferentemente de outras salsichas, é relativamente líquida, o que permite o uso de um funil para rechear os invólucros.

» **IDEIA PARA APRESENTAÇÃO** Para servir, corte a salsicha em segmentos, espete toda a sua superfície com um garfo e salteie-a ou grelhe. Os acompanhamentos mais tradicionais são purê de batata ou batata frita, anéis de maçã fritos e chucrute.

# Salsicha de pato e foie gras

RENDIMENTO: 3,63 kg

907 g de carne de um pato inteiro
680 g de carne de coxa de frango
113 g de chalota bem picada
57 g de manteiga
680 g de foie gras classe B (remova apenas a veia principal)
2 colheres (chá)/9 g de Insta-cure #1
60 ml de brandy
57 g de sal

840 ml a 960 ml de creme de leite fresco
57 g sal
½ colher (chá)/1 g de pimenta-branca moída
57 g de trufa picada grosseiramente
2 maços de ciboulette bem picada
2 maços de cerefólio picado grosseiramente

9,14 m de invólucro de carneiro enxaguado

1. Corte o pato e o frango em cubos de 1 cm. Resfrie-os ou congele-os parcialmente. Moa a carne no disco médio (6 mm) do moedor de carne. Misture as chalotas e a manteiga em uma panela pequena, sue-as em fogo baixo até que fiquem macias (de 6 min a 8 min). Escorra o excesso de manteiga e esfrie-o no refrigerador. Corte o foie gras em cubos de 8 mm.

2. Junte o pato e o frango moídos, o foie gras, a chalota, o Insta-cure #1, o brandy e o sal. Coloque-os na tigela resfriada do processador de alimentos, pulse por 5 s e raspe as laterais com uma espátula de borracha. Repita esse processo por 3 ou 4 vezes, ou até que a mistura fique parcialmente lisa.

3. Faça quatro adições de creme de leite, raspando as laterais da tigela após cada adição, até que a mistura fique lisa e homogênea. Passe-a através de uma peneira.

4. Tempere o recheio com sal e pimenta; acrescente as trufas e as ervas.

5. Faça um teste para checar o sabor e a consistência.

6. Recheie os invólucros de carneiro e torça-os em segmentos de 5 cm de comprimento. Perfure-os com uma agulha.

7. Escalfe a salsicha na água a 74 °C até que a sua temperatura interna chegue a 74 °C; escorra-a e esfrie-a em um banho de gelo. Para finalizar, a salsicha pode ser escalfada, salteada ou grelhada.

# Salsicha de alho

RENDIMENTO: 3,18 kg (4 SALSICHAS DE 25 cm CADA)

2,27 kg de sobrepaleta suína cortada em cubos de 1 cm a 3 cm e parcialmente congelada

454 g de gordura de papada cortada em cubos de 1 cm a 3 cm e parcialmente congelada

300 mℓ de água gelada

43 g de sal

14 g de açúcar

1½ colher (chá)/9 g de pimenta-do-reino moída grosseiramente

21 g de alho amassado até virar pasta

1 pitada de pimenta-de-caiena

1 colher (chá)/2 g de alho em pó

1 colher (chá)/5 g de Insta-cure #1

2,66 m de invólucro de intestino delgado bovino cortado em pedaços de 38 cm e amarrado em uma das pontas

1. Moa a carne de porco e a gordura separadamente no disco grosso (9 mm) do moedor de carne.

2. Em uma batedeira equipada com pá, misture a carne e a gordura em velocidade baixa. Acrescente a água e o restante dos ingredientes, com exceção dos invólucros, e bata-os até que fiquem bem misturados (cerca de 1 min).

3. Em velocidade média, bata-os por 30 s a 40 s, ou até que a mistura emulsione.

4. Faça um teste e ajuste o tempero e a consistência.

5. Recheie os invólucros, deixando barbante suficiente para amarrar os dois nós de bolha juntos e para pendurar as salsichas.

6. Pendure as salsichas a descoberto na geladeira de um dia para o outro, para que sequem e formem uma película.

7. Defume as salsichas a frio a 21 °C até que adquiram uma coloração rosada (cerca de 6 h).

8. Coloque as salsichas na água a 77 °C e, em fogo baixo, cozinhe-as lentamente até que a sua temperatura interna chegue a 68 °C (cerca de 25 min). Refrigere--as até o momento de usar.

9. Essas salsichas devem ser servidas frias ou próximas da temperatura ambiente, assim como a salada de batata.

# Chouriço seco

RENDIMENTO: 4,54 kg

4,54 kg de sobrepaleta suína (90% carne magra, 10% gordura) cortada em cubos e resfriada

71 g de sal

240 de mℓ vinagre branco

28 g de páprica

3 colheres (sopa)/18 g de pimenta-de-caiena

3 colheres (sopa)/32 g de alho em pó granulado

3 colheres (sopa)/18 g de orégano desidratado

2 colheres (chá)/4 g de pimenta-do-reino moída

2 colheres (chá)/9 g de Insta-cure #2

3 colheres (sopa)/61 g de xarope de milho desidratado

360 mℓ de fermento lácteo em pó

240 mℓ de água gelada

6,1 m de invólucro suíno, 35 a 38 cm

---

1. Moa a carne resfriada (0 °C a 2 °C) no disco grosso (9 mm) do moedor de carne.

2. Acrescente a ela o restante dos ingredientes, exceto os invólucros; misture-os à mão. Transfira a carne para um recipiente hermético e retire o ar. Refrigere-a entre 1°C e 3 °C de um dia para o outro, para que cure.

3. Antes de embutir, moa novamente a carne no disco médio ou grosso.

4. Recheie os invólucros prontos e torça-os em segmentos de 13 cm a 15 cm de comprimento.

5. Coloque a salsicha em espetos de defumar, com espaçamento de 8 cm a 10 cm, e deixe-a amadurecer por 3 dias entre 21 °C e 24 °C, com umidade de 70% a 80%. Depois disso, seque-a por 15 dias entre 10 °C e 13 °C, com umidade de 60% a 70%. A salsicha deve ficar farelenta e apresentar perda de umidade de aproximadamente 10%.

6. Ela pode ser colocada em um recipiente posteriormente preenchido com banha.

» **NOTA DO CHEF** O chouriço pode ser feito com qualquer combinação de carnes magras ou exclusivamente com sobrepaleta suína.

sete
---
# TERRINES, PATÊS, GALANTINES E ROULADES

*Os franceses são famosos* por suas contribuições ao mundo das terrines, dos pâtés e de outras especialidades de farce. Esses pratos, que vão desde o pâté grand-mère camponês, com o seu apelo rústico, ao luxuoso pâté de foie gras e trufas, são parte de uma tradição internacional de receitas frias clássicas. Este capítulo aborda os métodos de preparo de quatro farces principais (simples, de estilo camponês, gratin e mousseline) e os métodos de moldagem usados na produção de itens com farces (terrines, pâté en croûte, galantines e roulades), bem como um componente especial da cozinha fria (foie gras). Há também diversos exemplos de terrines não tradicionais que não levam farce.

## FARCES

Um dos componentes básicos dos itens de charcutaria e garde manger é a preparação conhecida como "farce". Trata-se de uma emulsão de carne magra e gordura estabelecida quando os ingredientes são combinados e moídos, coados ou batidos em purê. Dependendo do método de moagem ou de emulsificação e da intenção de uso, a farce pode apresentar uma consistência lisa ou ser mais grossa e texturizada. O resultado não deve ser uma mistura apenas: é necessário que seja uma emulsão, para que a preparação não perca a forma quando fatiada. A farce deve ser saborosa e provocar uma sensação agradável na boca.

Ela é usada em quenelles, salsichas, patês, terrines, roulades e galantines, bem como no preparo de recheios de outros itens (uma farce de salmão pode ser utilizada como recheio de paupiette de linguado, por exemplo). Cada estilo de farce possui uma textura particular. Os quatro estilos principais são:

» **Farces simples**. Combinam partes iguais de carne e de gordura suínas com outra carne dominante por meio de um processo progressivo de moagem e emulsificação. As carnes e a gordura são cortadas em cubos, temperadas, curadas, descansadas, moídas e processadas.

» **Farces de estilo camponês**. Possuem textura um pouco mais grossa. Tradicionalmente, são feitas com carne e gordura suínas; muitas vezes, contêm uma proporção de fígado e outros ingredientes de guarnição.

» **Farces gratin**. Uma parte da carne dominante é salteada e resfriada antes de ser moída. O termo "gratin" deriva de "gratiné", que significa "gratinado".

» **Mousselines**. São feitas com carnes brancas magras e macias, como veado, aves, peixes ou mariscos. A inclusão de creme de leite e ovos confere à mousseline uma textura e uma consistência caracteristicamente leves.

## ingredientes principais

As farces, assim como as salsichas, são feitas com produtos crus, à exceção da farce gratin. Ao selecionar cortes de carne vermelha e branca, opte por aqueles bem exercitados, já que possuem um sabor mais pronunciado do que cortes mais tenros, como contrafilé ou filé-mignon. As carnes usadas na guarnição, por sua vez, podem ser mais delicadas: lombo de cordeiro, coelho, porco ou peito de frango, por

**1.** *Quando moldadas em fôrma de quenelles e escalfadas, as farces podem ser utilizadas como guarnição.*

**2.** *Farces podem ser usadas para rechear tortellini e outras massas.*

**3.** *Farces podem ser moldadas como roulades e escalfadas.*

**4.** *Quando feitas como terrines, as farces podem ser cozidas e servidas em fatias grandes.*

SETE | TERRINES, PATÊS, GALANTINES E ROULADES

exemplo. Muitas receitas de mousseline de camarão ou de vieira levam lúcio ou linguado, que proporciona uma boa liga primária.

Em quantidade adequada, a gordura também é importante. O sabor do toucinho é considerado neutro, e ele pode ser combinado com a maioria das carnes. As mousselines feitas com carnes brancas delicadas, peixes ou frutos do mar normalmente pedem creme de leite fresco.

Ao preparar a carne e o toucinho da farce, é preciso limpá-los de qualquer cartilagem, tendão ou pele. A carne deve então ser cortada em cubos que caibam sem dificuldade no tubo do moedor ou sejam rapidamente moídos no processador de alimentos.

## sal e temperos

O sal tem um papel crucial na produção de farces de boa qualidade. Ele age na liberação das proteínas da carne (tais proteínas são a fonte primária da "liga" da farce) e também contribui com o seu sabor único. Muitas receitas clássicas pedem temperos em pó, como o quatre épices, uma combinação de pimenta-do-reino, noz-moscada, canela e cravo. O tempero ou a conservação da carne em marinada antes da moagem realça o seu sabor.

Ervas, vegetais aromáticos, como cebolas, cogumelos, além de vinhos, conhaques, bebidas alcoólicas à base de grãos e vinagres também são usados na produção de farces. Em alguns casos, utiliza-se uma redução de alho ou chalota, ervas, vinhos, glace de viande ou volaille e outros ingredientes aromáticos; essa redução deve ser completamente resfriada antes de adicionada às carnes.

Quando se está aprendendo a fazer farces, é importante seguir as fórmulas básicas com cuidado, testá-las e prová-las a cada novo preparo.

## ligas secundárias

As proteínas da carne e da gordura de peixe e a água são as fontes principais da estrutura, textura e liga das farces. Em casos especiais, no entanto, principalmente de farces de estilo camponês e gratin, é preciso adicionar uma liga secundária. Há três tipos básicos de liga secundária: ovos, leite em pó desnatado e panadas. As panadas são feitas de itens com bastante amido (farináceos): purê de arroz ou batata bem cozidos, pão encharcado no leite ou pâté à choux, uma massa feita com farinha, água, manteiga e ovos.

## ingredientes de guarnição

Guarnições permitem ao chef conferir cor, sabor e textura a uma fórmula básica. A quantidade de guarnição adicionada à farce varia desde algumas nozes picadas e espalhadas

*Ligas secundárias. Em sentido horário, a partir do canto superior esquerdo: ovos, leite em pó desnatado, purê de batata cozida, pão encharcado no leite, purê de arroz cozido e pâté à choux.*

**1.** *A incorporação ou mistura de guarnições à farce pronta produz uma dispersão aleatória.*

**2.** *Para produzir uma dispersão centralizada, ou em mosaico, disponha a guarnição na terrine enquanto enche a fôrma.*

em um patê até a guarnição predominante, firmada por uma quantidade pequena de farce ou aspic, de uma terrine.

Há duas maneiras de adicionar guarnição a uma farce. Ela pode ser simplesmente incorporada; nesse caso, é conhecida como "guarnição aleatória". A segunda maneira de introduzir guarnição é colocá-la na farce durante o preenchimento da fôrma ou a moldagem de roulades ou galantines; esse tipo de guarnição é conhecido como "mosaico" ou "guarnição centralizada". No momento de formar e posicionar a guarnição, é preciso tomar cuidado para que cada fatia exiba uma aparência consistente e uniforme, independentemente de ser uma fatia do final ou do centro do patê.

Ao preparar farces para uma apresentação ou competição, pode ser interessante revestir levemente a guarnição com gelatina em pó ou albume (clara de ovo desidratada, em pó) ou com uma combinação de ambos os itens, a fim de criar uma cola. Isso melhora a aderência da farce à guarnição, diminuindo a possibilidade de que elas se separem no instante em que o item é fatiado.

## fazendo farces

### resfriando ingredientes e equipamentos

Na preparação de farces, é essencial manter os ingredientes e equipamentos em uma temperatura apropriada. Se a farce for mantida abaixo de 4 °C, a comida ficará fora da zona de perigo, reduzindo o risco de intoxicações alimentares. O controle de temperatura também é fundamental para a obtenção dos melhores resultados. Quando são mantidas bem geladas durante o processamento, a mistura e o cozimento, as farces requerem menos gordura e mantêm uma textura lisa e uma sensação agradável na boca. Em geral, o seu sabor também fica melhor.

### moendo

O equipamento mais usado na moagem de carnes para farces simples, de estilo camponês e gratin é o moedor de carne. (Reveja as precauções e instruções mostradas nas pp. 254-255, no capítulo 6, "Salsichas".)

Algumas fórmulas de farce pedem que uma porção ou toda a carne e a gordura sejam moídas por meio de um método conhecido como "moagem progressiva" (ver p. 256). Revise a receita para determinar se precisará de um ou mais discos de moagem. Moa a carne direta-

SETE | TERRINES, PATÊS, GALANTINES E ROULADES

mente sobre a tigela da batedeira colocada dentro de um banho de gelo.

Já as farces mousseline são normalmente feitas em um processador de alimentos do começo ao fim. Contudo, alguns chefs preferem moer a carne ou o peixe antes de colocá-los na tigela do processador.

## misturando e processando

Uma vez moída, a farce é misturada de modo a incorporar uniformemente qualquer tempero, panada ou outro ingrediente. Um tempo de mistura adequado é crucial no desenvolvimento da textura correta.

A farce pode ser misturada com espátula de borracha, colher de pau, batedeira ou processador de alimentos. Tome cuidado para não misturá-la demais (especialmente se você estiver usando um aparelho) nem encher a tigela em demasia. Dependendo da quantidade do produto, 1 min a 3 min na velocidade mais baixa são suficientes. A cor e a textura da farce mudam levemente quando ela é misturada de forma correta.

O processador de alimentos proporciona uma mistura rápida e uma textura mais macia. A maioria desses equipamentos trabalha com lotes pequenos. É muito importante ficar de olho na farce que está sendo processada, pois bastam alguns segundos para que ela passe do ponto de mistura adequado. Isso pode causar a formação de bolsões ou bolhas de ar dentro do item, o que representa uma distração em um prato servido a um convidado ou a perda de pontos em uma competição.

## testando a farce

As farces são escalfadas diretamente em um líquido (no caso das galantines, roulades e quenelles), cozidas em banho-maria (terrines) ou assadas dentro de uma massa (pâté en croûte). A sua qualidade só pode ser certificada depois que se encontram cozidas. Com o método de teste é possível avaliar a qualidade, o tempero e a textura de uma farce.

O gosto e a textura da porção de teste não são exatamente iguais aos do produto final, já que os itens de farce são no geral deixados para descansar por dois ou três dias antes de serem servidos. Contudo, com a experiência, você será capaz de treinar o seu paladar para reconhecer as evidências de qualidade e detectar os defeitos da farce.

**1.** *Uma combinação de carne moída e temperos a gosto.*

**2.** *Uma vez que estejam completamente misturados, a carne e os temperos devem se apresentar homogeneamente dispersos, e a farce, ligeiramente pegajosa.*

Se a textura estiver ruim, determine com exatidão o tipo de problema. A farce que estiver borrachuda pode ser melhorada com a adição suplementar de gordura e creme de leite. Já uma farce solta pode ser melhorada com a adição de claras de ovo ou panada. No entanto, antes de fazer qualquer mudança drástica, é fundamental levar em consideração se o produto final será prensado ou coberto com aspic.

## farce simples

Esta farce básica é usada no preparo de patês, terrines e galantines. Geralmente, ela é feita por meio da moagem da carne e da gordura no disco médio do moedor e do seu processamento em uma batedeira ou um processador.

Processe a carne moída com qualquer ingrediente adicional. Você pode acrescentar um ovo para lhe conferir mais liga. Algumas receitas também incluem uma quantidade de creme de leite fresco, o que dá à farce uma textura macia e mais sabor.

Uma vez testada a farce e feitos os ajustes de tempero e consistência, os ingredientes da guarnição são adicionados. Você pode fazer isso com uma batedeira ou à mão, sempre trabalhando sobre banho-maria invertido, a fim de manter a farce resfriada.

As farces simples são utilizadas para rechear pâté en croûte ou no preparo de terrines e galantines. (Para mais informações sobre o preparo de pâté en croûte, terrines e galantines, ver pp. 308-318.)

## farce de estilo camponês

As farces de estilo camponês, tradicionalmente feitas com carne e fígado de porco, são menos refinadas em textura e mais fortes em sabor do que as demais.

Sua textura é obtida por meio da moagem da carne suína no disco grosso do moedor, a qual é posteriormente reservada em sua maior parte. Se desejar, você pode moer uma porção da carne no disco médio antes de misturar a farce à panada e processá-la tal qual a farce simples. A carne moída grosseiramente e a farce processada são então misturadas.

Como pelo menos uma parte da farce de estilo camponês possui textura mais grossa, as receitas quase sempre incluem uma panada, que ajuda a manter a forma do produto final depois do cozimento.

**1.** *As farces de estilo camponês caracterizam-se pela inclusão de duas moagens diferentes de carne, muitas vezes com a adição de uma panada.*

**2.** *A farce pronta apresenta uma textura pegajosa e relativamente grossa, devido às diferentes moagens da carne.*

## farce gratin

A farce gratin assemelha-se à farce simples, exceto quanto à maneira como a carne principal é preparada. No seu caso, a carne é rapidamente selada, o suficiente apenas para realçar o sabor e a cor, mas não para cozinhá-la por completo. As mudanças sofridas pela carne nesse processo exigem a adição de uma panada a fim de produzir a textura desejada.

O primeiro passo é selar a carne. Aqueça bem a frigideira ou a grelha, sele todos os lados da carne o mais rápido possível e esfrie-a, também com rapidez. A melhor maneira de fazer isso é trabalhar com lotes pequenos e evitar a sobrecarga da frigideira. Transfira a carne para uma travessa e resfrie-a rapidamente na geladeira ou no freezer. Um passo opcional é preparar uma redução aromática para dar sabor à farce.

Siga o mesmo procedimento da farce simples para moer a carne e processe-a junto com a panada e qualquer outro ingrediente pedido na receita. Teste a farce corretamente antes de adicionar os ingredientes da guarnição. As farces gratin servem aos mesmos usos gerais das farces básicas.

## farce mousseline

Embora possa haver variações entre diferentes receitas de farce mousseline, a fórmula básica a seguir é um bom ponto de partida. Na quantidade indicada, o creme de leite produz uma textura própria para terrines e outros itens fatiados de farce. Se a mousseline for utilizada no preparo de um timbale ou similares, a quantidade de creme de leite poderá ser aumentada até quase o dobro do indicado abaixo:

» Carne branca magra ou peixe: 454 g
» Sal: 1 colher (chá)/3 g
» Ovo (ou clara de ovo): 1 ovo grande
» Creme de leite: 240 mℓ

**1.** A farce gratin obtém o seu sabor do cozimento da carne principal antes do processamento.

**2.** Assim como a farce básica, a farce gratin possui uma textura homogênea e ligeiramente pegajosa.

**1.** Finalize a mousseline com creme de leite para lhe dar uma textura e uma sensação aveludadas na boca.

**2.** Uma vez misturada, a mousseline pode ser passada através de uma peneira, o que proporciona uma textura fina.

Ao preparar a farce mousseline, você pode simplesmente cortar os ingredientes principais em cubos e moê-los no processador de alimentos, ou então moer o ingrediente principal no disco grosso ou médio do moedor de carne antes de processá-lo com uma clara de ovo. Quando utilizar frutos do mar, é importante lembrar que alguns tipos de marisco, como lagosta e vieira, retêm mais líquido do que outros e, portanto, demandam uma proporção menor de creme de leite.

Processe a carne e o sal o suficiente apenas para formar uma pasta com textura uniforme. Adicione a clara de ovo, seguida do creme de leite.

Para bater a mousseline corretamente, é importante raspar os lados da tigela do processador. Continue a processar somente até que a farce fique lisa e homogênea, o que em geral leva 30 s.

Para obter uma mousseline bem leve, você pode incorporar o creme à farce manualmente. Esse método exige mais tempo e precisão, mas o resultado vale o esforço. Para adicionar mais creme de leite do que sugere a fórmula básica, tanto a mistura-base quanto o creme devem estar bem resfriados. Sempre trabalhe sobre banho-maria invertido.

Farces finas podem ser passadas através de uma peneira, o que lhes confere textura bastante delicada. Certifique-se de que a farce esteja suficientemente fria enquanto trabalha e divida-a em lotes bem pequenos para evitar que ela se esquente durante o processo.

As farces mousseline são com frequência utilizadas como tira-gosto ou recheio, ou para revestir ou envolver peixes poché e supreme de frango. Elas também são usadas para formar camadas de mousseline de diferentes cores em receitas de terrines com efeitos especiais.

# TERRINES

A terrine, forma abreviada do prato classicamente conhecido como "pâté en terrine", é descrita como uma mistura de farce assada em uma fôrma de argila com tampa. O seu nome deriva da associação com o material da fôrma, que antigamente era feita somente com argila não esmaltada, ou terracota. Hoje em dia, as fôrmas de terrine são produzidas com materiais como aço inoxidável, alumínio, cerâmica, ferro esmaltado, plástico refratário ou argila esmaltada. Elas são mais duráveis e higiênicas do que aquelas de argila não esmaltada preferidas pelos charcuteiros do passado. As fôrmas também possuem diversos formatos, podendo ser triangulares, meio-cilíndricas e trapezoides.

Terrines menores, com metade ou um terço do tamanho das fôrmas tradicionais, são cada vez mais comuns. Elas exigem mais tempo e precisão e são mais difíceis

Fatias de: 1) farce básica; 2) farce de estilo camponês; 3) farce gratin; 4) farce mousseline. Esta foto mostra as diferenças de cor e textura entre os produtos prontos.

*Fôrmas de terrine: 1) fôrma de pâté en croûte; 2) fôrma trapezoide; 3) fôrma triangular; 4) fôrma meio-cilíndrica; 5) fôrma de ferro fundido esmaltado de 1 kg; 6) fôrma de ferro fundido esmaltado de 1,4 kg.*

SETE | TERRINES, PATÊS, GALANTINES E ROULADES

de executar, demonstrando assim o nível de habilidade do chef. O seu tamanho reduzido também é melhor para apresentações elaboradas de aperitivos, pois permite ao chef arrumar duas ou três fatias em vez de trabalhar com uma fatia grande. Outra vantagem reside no fato de que as porções menores estimulam pessoas que normalmente não comem terrines a experimentá-las. Além disso, facilitam o controle do tamanho da porção, já que algumas terrines são pesadas. Os diversos materiais e formatos oferecem ao garde manger um caminho eficiente para impressionar o comensal.

Tradicionalmente, as terrines eram servidas na fôrma. Hoje em dia, é mais comum servi-las em fatias; isso possibilita ao chef maior controle tanto sobre a apresentação quanto sobre as porções, o que é do interesse de todos, convidados e cozinheiros. Em alguns casos especiais, no entanto, as terrines ainda são servidas na fôrma. Uma terrine de foie gras, por exemplo, pode ser oferecida em uma pequena fôrma decorativa, acompanhada de torradas de brioche; os convidados usam uma colher ou faca especial para se servir.

Algumas terrines não tradicionais são feitas com itens de guarnição como carnes ou aves assadas, vegetais assados ou grelhados, salmão poché ou lombo de cordeiro tostado com um pouco de aspic. Assim, assemelham-se a queijos-de-cerdo. Entre as receitas deste capítulo, um exemplo é a terrine de cordeiro tostado, alcachofra e cogumelos (p. 342). As terrines feitas com legumes em camada podem ser ligadas com um creme ou queijo, como a terrine de vegetais assados com queijo de cabra (p. 352) e a terrine de mozarela, prosciutto e tomate assado (p. 353).

## fazendo terrines de farce

1. **Forre a fôrma de terrine para prepará-la.** Tradicionalmente, as fôrmas de terrine eram forradas com toucinho e depois recheadas com a farce e demais guarnições pedidas na receita. Esse forro, também conhecido como "chemise" ou "casaco", ainda é usado hoje em dia, mas o toucinho pode ser substituído por prosciutto, bacon, peritônio, crepes, alho-poró, espinafre ou mesmo algas. Ele nem sempre é necessário e pode ser substituído por filme de PVC, o qual facilita a remoção da terrine.

2. **Encha a fôrma com a farce e a guarnição.** Use uma espátula para pressionar a farce em todos os cantos e remova as bolhas de ar. Dobre o forro sobre a farce de modo a cobri-la completamente e cubra a terrine com a tampa ou papel-alumínio. Com cuidado, bata a terrine na mesa de trabalho para eliminar as bolhas de ar restantes.

3. **Cozinhe a terrine em banho-maria.** As terrines devem ser cozidas completamente a uma temperatura regulada com todo o cuidado. O banho-maria isola a terrine de temperaturas extremas. Deposite a fôrma cheia e coberta dentro de uma assadeira colocada sobre um pano de prato limpo ou sobre várias camadas de papel-toalha. Adicione água fervente o bastante para cobrir dois terços ou três quartos da altura da fôrma. Monitore a temperatura do banho-maria, que deve ficar constantemente entre 71 °C e 77 °C. O forno por volta de 149 °C deve manter a temperatura do banho-maria adequada. Ajuste a temperatura do forno se necessário.

4. **Cozinhe até atingir a temperatura interna correta.** Cozinhe as terrines de peixe, frutos do mar e porco até que a sua temperatura interna chegue a 63 °C. Cozinhe farces de carne de boi, vitela, veado ou carneiro até que a sua temperatura interna atinja 68 °C. Cozinhe farces de frango até que a sua temperatura interna atinja 74 °C. Use um termômetro de carne para medir a temperatura interna da terrine. Lembre-se de levar em conta que ela continua o cozimento fora do forno para determinar se a terrine está pronta. O cozimento fora do forno varia dependendo do material, tamanho e formato da fôrma e também da farce.

*1. Depois de revestir a fôrma de terrine com filme de PVC e o forro escolhido, neste caso presunto, preencha-a com a farce preparada, alisando o topo.*

*2. Asse a terrine em banho-maria para controlar a sua temperatura dentro do forno.*

*3. Uma vez que a terrine esteja fria depois de assar, prense-a com uma placa de prensagem e pesos. Deixe-a na geladeira de um dia para outro.*

*4. Se desejar, cubra a terrine com aspic derretido quando ela estiver completamente fria.*

SETE | TERRINES, PATÊS, GALANTINES E ROULADES

5. **Resfrie, comprima e guarde a terrine até o momento de servir.** Remova a terrine cozida do banho-maria e deixe-a descansar à temperatura ambiente até que a sua temperatura interna baixe para 32 °C. Coloque um peso sobre a terrine. Para criar uma, corte um pedaço de isopor, acrílico ou madeira do tamanho da fôrma. Embrulhe o peso em filme de PVC ou papel-alumínio para aumentar a sua vida útil. Coloque um peso de 907 g sobre a placa. Coloque todos os elementos dentro de uma panela de réchaud e refrigere a terrine por dois ou três dias, pelo menos, para amadurecer o seu sabor. Se quiser, revista-a com aspic derretido. (As técnicas e proporções de aspic podem ser encontradas na p. 22.)

**1.** *Ao preparar uma terrine com aspic, use aspic em quantidade suficiente apenas para ligar os ingredientes principais, sem dominá-los.*

**2.** *Trabalhando sobre banho-maria invertido, monte camadas de recheio com aspic e guarnições, permitindo que cada camada solidifique ligeiramente antes de adicionar as guarnições.*

**3.** *Uma vez que a terrine esteja montada e embrulhada, aplique uma placa de prensagem e um peso até que ela fique completamente sólida.*

**4.** *Para desenformar a terrine pronta, vire a fôrma sobre uma tábua de cortar, segurando a sobra do filme de PVC e puxando a fôrma para cima.*

## terrines com aspic

Para produzir terrines com aspic de alta qualidade, você deve, é claro, preparar e temperar os ingredientes principais com cuidado, já que eles são a base da terrine. O aspic, ainda que seja uma parte importante do prato, é adicionado em quantidade suficiente apenas para ligar os ingredientes principais de maneira adequada. Mesmo assim, é necessário selecionar uma base líquida rica e saborosa. Caldos claros, consommés, sucos e vinhos são usados sozinhos ou combinados no preparo de aspics com força de gel a qual permita fatiá-los. Como alternativa ao aspic, é possível utilizar caldo reduzido, glace de viande ou essência. A ação de cozinhar o fundo elimina a água ao mesmo tempo que mantém as proteínas gelatinosas.

O aspic pode ser preparado de antemão e refrigerado. Para utilizá-lo, aqueça-o em banho-maria apenas até que derreta. Ele deve ser incorporado enquanto ainda estiver morno, para que se combine corretamente com os ingredientes, que não podem estar muito frios, caso contrário o aspic endurecerá ao entrar em contato com eles.

## pâté en croûte

### fazendo pâté en croûte

Hoje em dia, é comum fazer pâté en croûte em fôrmas retangulares. A vantagem delas é que têm dimensões regulares e lados retos. Isso favorece um cozimento uniforme e reduz as chances de a massa ficar crua. Outra razão para escolher fôrmas retangulares é a sua capacidade de gerar fatias uniformes. No entanto, um pâté en croûte oval pode causar maior impacto visual se for servido inteiro em um bufê ou exposto inteiro em uma loja.

1. **Forre a fôrma com massa.** Primeiro, abra as folhas de massa até uma espessura de 3 mm a 6 mm. É importante abrir a massa de modo uniforme, tomando cuidado para não rasgá-la ou esticá-la enquanto forra a fôrma.

2. **Faça marcas na massa apertando delicadamente os lados da fôrma contra ela.** Isso forma um padrão apropriado dentro da fôrma. Para forrar fôrmas de terrine retangulares, deixe um excedente de massa de 1 cm, mais o necessário para cobrir a abertura do topo, além de 1 cm de cada lado. Para fôrmas ovais ou redondas, deixe um excedente de 2,5 cm a 3,75 cm.

3. **Remova o excesso de massa nos cantos antes de transferi-la para a fôrma.** Reserve o excesso de massa para reforçar as aberturas que você fará em cima do patê e quaisquer decorações que pretenda fazer.

4. **Coloque a massa dentro da fôrma.** Faça isso de modo que o excedente de um dos lados da fôrma cubra completamente a parte de cima dela e se estenda por pelo menos 1 cm do lado oposto. O excedente do outro lado deve ser de aproximadamente 1 cm. Use um pouco de egg wash para "colar" a massa nos cantos da fôrma e aperte as junções.

5. **Se desejar, adicione um segundo forro.** Toucinho é geralmente usado, mas prosciutto e outras fatias finas de carne cozida podem ser utilizadas para criar um efeito especial.

6. **Preencha a fôrma com a farce e guarnições.**

7. **Dobre o forro e depois o excedente de massa sobre o topo da farce.** Aperte a ponta da massa sobreposta para que ela apresente a mesma grossura dos três outros lados.

8. **Uma crosta superior, ou capa, é a maneira tradicional de terminar de cobrir a farce com massa.** Patês com

lados retos podem ser preparados sem capa separada. Para isso, faça o seguinte: remova os pinos da fôrma, coloque o fundo da fôrma sobre a parte de cima do patê, reintroduza os pinos e inverta a montagem inteira. Assim, a parte superior fica lisa e limpa, sem camadas adicionais de massa. Isso também faz que o peso do patê e da fôrma segure as junções dos cantos do recipiente, impedindo que estourem enquanto o patê assa.

9. **Patês ovais e redondos devem ter uma capa separada**. Corte um pedaço de massa grande o bastante para cobrir a fôrma completamente. Corte qualquer excedente e dobre as pontas para dentro da fôrma.

10. **Asse o patê e adicione a chaminé e as decorações da massa que desejar**. É preciso fazer um pequeno corte na massa superior do patê para permitir que o vapor escape durante o cozimento. Caso contrário, a pressão interna fará que a massa estoure. Certifique-se de que o escape atravesse por completo todas as camadas de massa e de forro. Para reforçar a abertura do escape, cole um anel de massa em volta do buraco com um pouco de egg wash. Insira um cilindro de papel-alumínio, conhecido como "chaminé", para impedir que o buraco se feche enquanto o patê estiver no forno.

11. **Adicione as decorações feitas com o excesso da massa**. Pincele toda a superfície com egg wash para lhe dar cor e brilho e também para prender o anel de massa e as outras decorações do topo.

12. **Como método alternativo, cubra o patê com papel-alumínio e asse-o parcialmente a 232 °C por 15 min, ou até que a massa adquira uma aparência seca e dourada**. Depois, remova o papel-alumínio, faça uma ou duas aberturas no topo usando cortadores redondos e pincele-o com egg wash.

13. **Prenda as decorações na capa, colando-as com ovo**. Finalmente, pincele toda a parte de cima com egg wash. Retorne o patê descoberto ao forno e termine de assá-lo a 177 °C até que ele atinja a temperatura interna apropriada.

14. **Resfrie o pâté en croûte e finalize-o com aspic**. Deixe o patê esfriar de 32 °C a 38 °C. Insira um funil na chaminé de alumínio e preencha-o com aspic derretido.

15. **Refrigere o patê por no mínimo 24 h e no máximo três dias antes de fatiá-lo e servi-lo**. Uma vez formado, assado e finalizado com aspic, o pâté en croûte pode ser guardado por cinco a sete dias, aproximadamente.

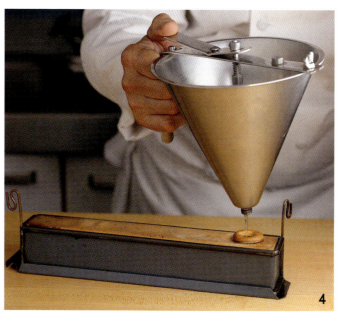

**1.** Usando pedaços de massa cortados no tamanho de cada lateral, forre a fôrma, selando as junções da massa.

**2.** Depois de forrar a massa, neste caso com toucinho, espalhe a farce uniformemente por dentro da fôrma.

**3.** Depois de cobrir a farce com o excedente de massa, faça um pequeno buraco no topo da massa e cole uma chaminé em anel sobre ele.

**4.** Uma vez assado e esfriado, despeje aspic derretido através da chaminé, diretamente ou com um funil, para selar o pâté en croûte.

SETE | TERRINES, PATÊS, GALANTINES E ROULADES

# GALANTINES E ROULADES

As galantines como as conhecemos atualmente são populares desde a época da Revolução Francesa (1789-1799). O chef da casa do marquês de Brancas, M. Prévost, foi quem inventou esse prato salgado e frio, feito de ave desossada recosturada dentro de sua pele, cozida em um saboroso caldo e preservada em gelatina natural. A origem do prato parece ser simples. A origem da palavra, no entanto, é menos óbvia.

De acordo com a *Larousse Gastronomique*, o termo deriva basicamente da palavra do francês antigo para galinha: "géline" ou "galine". De acordo com essa fonte, a associação é tão específica, que, sozinha, a palavra "galantine" presume galinha, a não ser que se especifique o contrário. Outros especialistas promoveram a ideia de que "galantine" derivaria da palavra "gelatina", tendo a grafia atual suplantado gradualmente outras formas da palavra, como "galentyne", "galyntyne", "galandyne" e "galendine".

Dois termos adicionais, "ballotine" e "dodine" são ocasionalmente usados com o sentido de "galantine". As ballotines podem ser servidas quentes ou frias. As dodines, em geral também feitas de ave, especialmente pato e ganso, parecem-se bastante com as galantines, exceto pelo fato de que são assadas em vez de escalfadas e sempre servidas quentes.

Já os roulades se diferenciam das galantines por serem enroladas em musselina ou filme de PVC, e não em uma "capa" de pele. Ademais, ao passo que as galantines são associadas diretamente com aves, as roulades não têm tal característica. As roulades são feitas de uma gama de produtos-base, incluindo foie gras e farces mousseline feitas de peixe ou ave.

## fazendo galantines e roulades

1. **Remova cuidadosamente a pele e desosse a ave para fazer a galantine.** Ao se preparar uma galantine, o primeiro passo é remover cuidadosamente a pele da ave. Faça uma incisão ao longo da espinha dorsal, puxe a pele na direção contrária da carne e corte-a. Mantenha a pele em um pedaço único e apare-a no formato de um retângulo uniforme. Se quiser, reserve o peito ou o filé para usar como guarnição. Essas partes podem ser tostadas ou curadas. Também podem ser arranjadas como guarnição central ou formar a parte exterior da galantine depois de serem achatadas.

2. **Recheie e enrole a galantine ou a roulade.** Abra uma folha de filme de PVC e/ou musselina, a qual deve ser alguns centímetros maior do que a peça de pele. Se utilizar musselina, lembre-se de lavá-la bem e torcê-la; a musselina deve estar úmida, mas não molhada.

    Abra a pele sobre a musselina ou sobre o filme de PVC e recheie-a com a farce e as guarnições. Você pode bater o peito de frango com um martelo de carne e colocá-lo sobre a pele, com a farce ao meio, ou então espalhar a farce sobre a pele e usar o peito de frango como guarnição. Enrole cuidadosamente a galantine ou a roulade em volta da farce. As pontas da pele devem se sobrepor ligeiramente, cerca de 1 cm, formando uma junção. A roulade pode ser enrolada como rocambole, criando-se um efeito espiralado, ou como galantine, mantendo-se a guarnição centralizada. Prenda a galantine ou a roulade: dobre as pontas e aperte a farce no sentido contrário às extremidades. Talvez você precise da ajuda de alguém para manter o formato compacto enquanto amarra as pontas.

3. **Escalfe ou asse a galantine ou a roulade.** Normalmente, galantines e roulades são escalfadas. Coloque a galantine ou a roulade em uma panela com caldo

1. Remova a pele do frango em uma peça única e reserve-a.

2. Coloque uma camada de guarnição (neste caso, peitos de frango inteiros) e uma de farce pronta sobre a pele.

3. Depois de enrolar a galantine, amarre as duas pontas com barbante de cozinha e o meio com duas tiras de musselina.

4. Para finalizar a galantine, escalfe-a em fundo de galinha.

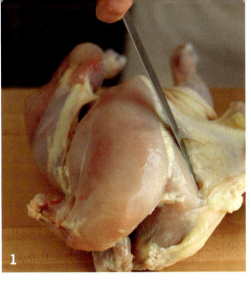

1. Também é possível enrolar a galantine em filme de PVC. Ainda assim, é preciso amarrá-la com firmeza.

2. A ballotine é uma galantine enrolada em papel-alumínio, assada sobre um rack e depois tostada para ganhar uma cor dourada.

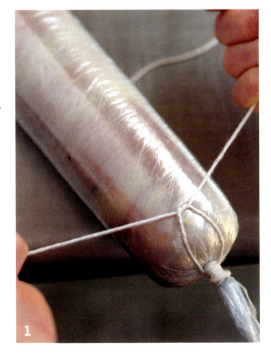

SETE | TERRINES, PATÊS, GALANTINES E ROULADES

fervente em fogo brando (você pode usar água se a roulade estiver enrolada em filme de PVC em vez de musselina).

Para manter a galantine submersa, use pequenos pratos como peso; isso ajuda a cozinhá-la por igual. A ballotine assada é colocada sobre um mirepoix ou um rack e cozida, a descoberto, até atingir a temperatura interna apropriada. Outro método para assar a ballotine consiste em embrulhar a galantine em papel-alumínio, assá-la no forno até que fique pronta, depois desembrulhá-la e tostar a pele até adquirir uma cor dourada; esse método permite que o recheio endureça durante o cozimento, mantendo a forma cilíndrica da ballotine.

Uma vez cozida (teste a temperatura interna para obter melhores resultados), a galantine deve ser resfriada por completo. Isso pode ser feito diretamente no líquido de cozimento; a roulade é, em geral, retirada do líquido para ser resfriada. Galantines e roulades devem ser reembrulhadas para que adquiram uma aparência uniforme e apetitosa.

# FOIE GRAS

O foie gras é um dos itens mais luxuosos do mundo. Os seus registros mais antigos remontam a 5000 a.C. As tumbas dedicadas a Ti, um conselheiro do faraó, mostram cenas de egípcios alimentando gansos com figos.

A primeira receita de patê de foie gras a ser publicada saiu no *Le cuisinier gascon*, um livro de receitas de 1740. Jean-Pierre Clause desenvolveu outro método clássico em Estrasburgo; ele combinou foie gras com trufas, embrulhou-os em massa folhada e os assou. O chef Auguste Escoffier incluiu uma versão desse prato, pâté strasbourgeois, no *Le guide culinaire*.

Hoje em dia, o foie gras é feito com fígado tanto de ganso quanto de pato. Os chefs americanos podem finalmente adquirir foie gras fresco. Izzy Yanay, um israelense que se mudou para os Estados Unidos em 1981, produz foie gras de pato moulard, uma raça híbrida resultante do cruzamento entre o pato muscovy (ou barbary) e o pato pequim.

## usando foie gras

### classes

O foie gras pode ser classificado como A, B ou C com base no tamanho, na aparência e na textura do fígado.

Para fazer parte da classe A, o fígado deve pesar no mínimo 680 g e ser redondo e firme, sem imperfeições. Esses fígados são utilizados em terrines e patês.

O foie gras da classe B pesa entre 454 g e 539 g e deve possuir boa textura, mas não é tão redondo como o foie gras da classe A. Essa é uma boa opção para assar ou refogar.

O foie gras que pesa menos do que 454 g, é ligeiramente achatado e tem algumas imperfeições visuais é classificado como classe C. Esses fígados podem ter alguns pontos moles. São utilizados principalmente em mousses.

### na entrega

1. **Inspecione o foie gras**. Este é um produto caro, seja qual for a classe. Certifique-se de receber a qualidade pela qual está pagando. Primeiro, verifique se a embalagem está intacta. Qualquer rasgo ou furo pode danificar o foie gras. Pese-o por conta própria e inspecione-o cuidadosamente à procura de imperfeições inesperadas.

2. **Prepare o foie gras para armazenamento sob refrigeração**. Deposite o foie gras sobre uma cama de raspa de gelo colocada em uma panela de réchaud perfurada dentro de uma panela de réchaud normal.

*Classes de fois gras, da esquerda para a direita: A, B, C.*

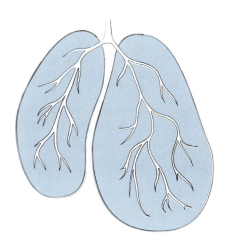
*Rede de veias do foie gras.*

Coloque mais gelo em volta do fígado e mantenha a panela no refrigerador até a hora de preparar o foie gras.

3. **Mantenha o foie gras à temperatura ambiente por no mínimo 2 horas**. Isso facilita a retirada das veias. Inspecione a sua superfície e remova qualquer machucado, imperfeição ou traço de bile verde com uma faca bem afiada.

4. **Separe o foie gras em lóbulos e remova as veias**. Segurando o fígado com as duas mãos e seguindo o corte natural, separe com cuidado os dois lóbulos. Faça um corte de aproximadamente um terço da profundidade no lóbulo. Com gestos de puxar e soltar, revele a rede de veias. Comece do topo do lóbulo, onde as veias são mais grossas, e remova-as com uma pinça, a ponta da faca ou com os próprios dedos. Tente retirar a maior parte da rede de veias (em um só pedaço, se possível). Se as veias pequenas se quebrarem, elas se tornarão mais difíceis de segurar. Trabalhe com cuidado, mas rapidamente, para evitar manusear o foie gras em demasia. Os lóbulos devem ficar o mais intactos possível. Esse procedimento requer prática, porém, uma vez dominado, leva apenas alguns minutos.

5. **Deixe o foie gras de molho em água salgada com gelo por no mínimo 2 horas**. Esse processo remove o excesso de sangue e atenua o sabor de fígado. Remova-o da salmoura e seque-o com papel-toalha.

Se você não for usá-lo na sequência, armazene o foie gras limpo e bem embrulhado em filme de PVC à temperatura de 1 °C. É importante conservá-lo o mais resfriado possível; isso o mantém saudável e firme, facilitando o seu corte.

## marinando foie gras

Terrines, patês e roulades de foie gras normalmente pedem foie gras marinado. Coloque o foie gras limpo em um recipiente e adicione os temperos indicados na receita. Sauternes, vinho do Porto, conhaque e Armagnac estão entre os ingredientes clássicos da marinada. Você também pode querer incorporar temperos adicionais, tais como quatre épices, canela ou pimenta-da-jamaica, para dar ao prato um sabor especial. Vire o foie gras na marinada a fim de revesti-lo por igual e deixe-o descansar, coberto e refrigerado, por no mínimo 12 h e no máximo 24 h.

Patês, roulades e terrines de foie gras ainda são feitos de acordo com métodos tradicionais. Atualmente, são apresentados ao comensal em recipientes de cerâmica, cortados em fatias ou moldados como quenelles. Uma apresentação clássica, popularizada por Fernand Point, traz o foie gras assado dentro de um brioche. Mousse de foie gras é outro item popular e tem sido utilizado com sucesso em canapés e aperitivos especiais (veja a página 564).

# Pâté grand-mère

RENDIMENTO: 1 TERRINE DE 1,36 kg/18 A 20 PORÇÕES (71 g CADA)

567 g de fígado de galinha sem tendões
1 colher (sopa)/15 ml de óleo vegetal, conforme necessário
28 g de chalota bem picada
2 colheres (sopa)/30 ml de brandy

### temperos

1½ colher (sopa)/15 g de sal
1 colher (chá)/5 g de Insta-cure #1
1 colher (chá)/2 g de pimenta-do-reino moída grosseiramente, mais o necessário para forrar
½ colher (chá)/1 g de tomilho em pó
¼ colher (chá)/0,5 g de folha de louro em pó

482 g de sobrepaleta suína em cubos
1 colher (sopa)/3 g de salsinha de folha lisa picada

### panada

71 g de pão branco sem casca, em cubos pequenos
150 ml de leite morno
2 ovos
90 ml de creme de leite
¼ colher (chá)/0,5 g de pimenta-branca moída
1 pitada de noz-moscada ralada

8 fatias de toucinho (1,5 mm de grossura), ou conforme necessário para forrar
180 ml a 240 ml de aspic (p. 67) derretido (opcional)

1. Sele rapidamente os fígados em óleo quente; remova-os da panela e resfrie-os. Salteie as chalotas na mesma panela; deglace-as com o brandy e adicione-as aos fígados. Misture-os com os temperos. Resfrie a mistura completamente.

2. Passe a sobrepaleta, a mistura de fígado e chalota e a salsinha pelo moedor de carne, passando-as progressivamente do disco grosso (9 mm) para o disco fino (3 mm). Acondicione a carne na tigela da batedeira, dentro de um banho-maria invertido.

3. Misture o pão e o leite; deixe a mistura de molho para formar a panada. Adicione os ovos, o creme de leite, a pimenta e a noz-moscada. Adicione as carnes moídas e bata a mistura em velocidade média até que fique homogênea (cerca de 1 min). Teste a farce e, se necessário, ajuste o tempero antes de prosseguir.

4. Forre uma fôrma de terrine com filme de PVC e depois com as fatias de toucinho, deixando uma beirada para fora. Salpique o toucinho com pimenta-do-reino moída, preencha a fôrma com a farce e cubra-a com as pontas da gordura. Deixe-a na geladeira durante a noite, para que cure. Tampe a terrine e asse-a em banho-maria a 77 °C, em um forno a 150 °C, até que a terrine atinja a temperatura interna de 74 °C (aproximadamente 60 min a 75 min).

5. Remova a terrine do banho-maria e deixe-a esfriar até que ela atinja uma temperatura interna entre 32 °C e 38 °C. Prense-a com uma chapa de prensagem e um peso de 907 g de um dia para o outro. Como alternativa, escorra o líquido da terrine, adicione aspic o suficiente para revesti-la e cobri-la e refrigere-a por 2 dias. Depois desse tempo, a terrine está pronta para ser fatiada e servida, ou embrulhada e refrigerada por até 10 dias.

# Terrine de campanha (pâté de campagne)

RENDIMENTO: 1 TERRINE DE 1,36 kg/18 A 20 PORÇÕES

680 g de sobrepaleta suína com o excesso de gordura aparado

### temperos

57 g de chalota bem picada

21 g de sal

4 bagas de zimbro bem esmagadas

3 dentes de alho amassados

2 colheres (sopa)/6 g de salsinha de folha lisa picada

2 colheres (chá)/4 g de tomilho picado

2 colheres (chá)/4 g de cogumelo porcini seco e moído em pó

½ colher (chá)/2 g de Insta-cure #1

¼ colher (chá)/0,5 g de pimenta-do-reino moída grosseiramente

⅛ colher (chá)/0,25 g de tempero para patê (p. 641)

227 g de fígado de galinha ou foie gras em cubos de 1 cm

113 g de toucinho sem pele, em cubos de 1 cm

### panada

60 mℓ de creme de leite fresco

1 ovo

43 g de farinha de rosca fresca

1 colher (sopa)/15 mℓ de Calvados

### guarnição

28 g de trufa negra em cubos de 5 mm

85 g de toucinho em cubos de 5 mm e escaldado

1 colher (chá)/2 g de grão de pimenta-verde

43 g de pistache escaldado e descascado

454 g de presunto defumado em fatias finas

1. Corte 227 g da sobrepaleta em cubos de 5 mm e reserve-os para a guarnição. Corte também em cubos os 453 g de sobrepaleta remanescentes e misture-os com os temperos. Passe essa mistura e os fígados de galinha ou foie gras e o toucinho por um moedor de carne, moendo-os progressivamente do disco de 6 mm até o disco de 3 mm. Misture os ingredientes da panada em uma tigela e bata-os até que a mistura fique lisa. Adicione a panada à mistura de carne moída junto com a sobrepaleta em cubos.

2. Prepare um teste de escalfar e ajuste o tempero conforme necessário.

3. Misture as trufas, o toucinho escaldado, os grãos de pimenta-verde e os pistaches e adicione-os à farce.

4. Forre a fôrma escolhida com filme de PVC, seguido das fatias finas de presunto, deixando uma beirada sobressalente de ambos. Preencha a fôrma com a farce, cobrindo esta com o presunto e o filme de PVC.

5. Asse a terrine em banho-maria a 77 °C, em forno a 150 °C, até que ela atinja a temperatura interna de 74 °C (para fígado de galinha) ou 63 °C (para foie gras). (Isso não leva em consideração o cozimento que continua depois de retirado do forno.)

6. Aplique uma chapa de prensagem e um peso de 454 g sobre a terrine e refrigere-a por no mínimo 24 h. Corte-a em fatias de aproximadamente 6 mm.

» **NOTA DO CHEF** Você pode substituir o presunto por 907 g de toucinho prensado para nivelar, congelar e fatiar finamente.

# Patê de fígado de galinha

RENDIMENTO: 1 TERRINE DE 1,36 kg/18 A 20 PORÇÕES

1,02 kg de fígado de galinha limpo e com os tendões removidos

720 mℓ de leite, ou conforme necessário para deixar os fígados de molho

21 g de sal

¼ colher (chá)/1 g de Insta-cure #1

340 g de toucinho em cubos médios

71 g de chalota bem picada

3 dentes de alho amassados

2 colheres (chá)/4 g de pimenta-branca moída

¾ colher (chá)/1,5 g de pimenta-da-jamaica em pó

¾ colher (chá)/1,5 g de mostarda em pó

57 g de farinha de rosca fresca

3 colheres (sopa)/45 mℓ de xerez

128 g de farinha para pão

1 colher (sopa)/9 g de gelatina em pó

5 ovos

270 mℓ de creme de leite fresco

1. Coloque os fígados de galinha de molho no leite com 2¼ colheres (chá)/7,5 g de sal e o Insta-cure #1 entre 12 h e 24 h. Quando os fígados estiverem prontos, escorra-os bem e seque-os com papel-toalha absorvente.

2. Bata todos os ingredientes, menos o creme de leite, em um liquidificador até obter uma pasta lisa e solta.

3. Passe-a através de uma peneira de metal, depositando-a em uma tigela de aço inoxidável.

4. Adicione o creme de leite.

5. Refrigere a mistura por 2 h.

6. Coloque a farce em uma fôrma de terrine forrada com filme de PVC, tampe-a e cozinhe-a em banho-maria a 77 °C, em forno a 149 °C, até que ela atinja a temperatura interna de 74 °C (45 min a 1 h).

7. Remova-a do forno e deixe-a esfriar em temperatura ambiente por 30 min.

8. Aplique uma chapa de prensagem e um peso de 454 g sobre a terrine e refrigere-a de um dia para o outro antes de desenformá-la e fatiá-la.

» **VARIAÇÃO** PATÊ DE FÍGADO DE GALINHA DEFUMADO: corte 340 g de fígado de galinha em cubos médios e defume-os em uma assadeira (ver p. 212) para obter uma guarnição saborosa e contrastante. Para obter ainda mais sabor, forre a terrine com presunto fatiado.

# Smørrebrød leverpostej

RENDIMENTO: 1 TERRINE DE 1,05 kg/18 A 20 PORÇÕES

680 g de fígado de galinha cuidadosamente limpo, aparado e finamente moído

227 g de bacon finamente moído

1 ovo

1 colher (chá)/3 g de sal

2 colheres (chá)/4 g de pimenta-do-reino moída

2 colheres (chá)/4 g de pimenta-da-jamaica moída

2 filés de anchova amassados

14 g de manteiga

1 colher (sopa)/9 g de farinha de trigo comum

240 mℓ de leite

2 cebolas finamente picadas

2 dentes de alho finamente picados

### guarnição de beterraba picante

2 colheres (sopa)/30 mℓ de vinagre branco

1,81 kg de minibeterraba

3 paus de canela quebrados

2 colheres (chá)/4 g de cravos inteiros

300 mℓ de vinagre de vinho branco

85 g de açúcar

18 fatias de pão de centeio preto

1. Misture os fígados e o bacon moídos com o ovo, o sal, a pimenta-do-reino, a pimenta-da-jamaica e as anchovas. Reserve a mistura na geladeira.

2. Em uma panela pequena, derreta a manteiga sobre fogo médio, misture a farinha e cozinhe-as por 1 min. Adicione o leite aos poucos, misturando a combinação com um batedor, e ferva-a suavemente até que engrosse. Deixe a mistura esfriar por completo.

3. Adicione as cebolas e o alho e adicione à mistura resfriada de fígados.

4. Aqueça água em uma panela para fazer um banho-maria. Transfira a mistura de fígados para uma fôrma de terrine de 20 cm x 3 cm x 5 cm e cubra-a com papel-alumínio e tampa. Coloque a fôrma em uma panela de réchaud e encha a panela com a água quente até quase o topo da fôrma de terrine. Asse-a no forno a 204 °C até que a terrine alcance a temperatura interna de 74 °C (aproximadamente 60 min). Remova a tampa e o papel-alumínio. Deixe a terrine esfriar até a temperatura ambiente e depois refrigere-a.

5. Para fazer a guarnição, encha uma panela pequena com água fria, adicione o vinagre branco e aqueça-a sobre fogo médio. Adicione as beterrabas e cozinhe-a até que fiquem macias.

6. Descasque as beterrabas e corte o topo e o fundo delas enquanto ainda estão quentes. Corte-as transversalmente em fatias finas e insira-as em uma tigela. Adicione a canela e os cravos.

7. Aqueça o vinagre de vinho branco com o açúcar até que este se dissolva por completo, despeje-o sobre as beterrabas e refrigere-as até o momento de servir.

8. Para servir, escorra as beterrabas. Remova a terrine resfriada da fôrma e corte-a em fatias de 43 g. Coloque cada fatia sobre um pedaço de pão de centeio e cubra-a com 57 g de beterraba.

# Terrine de pato e presunto defumado

RENDIMENTO: 1 TERRINE DE 1,36 kg/18 A 20 PORÇÕES

539 g de coxa e sobrecoxa de pato sem pele e desossadas

276 g de toucinho

### guarnição

35 g de manteiga

1¼ peito de pato sem pele, em cubos de 1 cm

425 g de presunto defumado, em cubos de 1 cm

28 g de chalota bem picada

1¼ colher (chá)/3,75 g de alho amassado

75 mℓ de vinho do Porto

1¼ colher (sopa)/9 g de farinha de trigo comum

¼ colher (chá)/1 g de Insta-cure #1

14 g de sal

1 ovo

143 mℓ de creme de leite fresco

1¼ colher (chá)/2,5 g de pimenta-do-reino moída grosseiramente

¾ colher (chá)/1,5 g de tempero para aves (tomilho, louro em pó e pimenta)

180 mℓ a 240 mℓ de aspic (p. 67) derretido, opcional

---

1. Corte a carne da coxa e da sobrecoxa e o toucinho em cubos de 1 cm. Reserve-os.

2. Para preparar a guarnição, derreta a manteiga em uma frigideira. Doure o peito de pato e o presunto; remova-os e resfrie-os. Sue as chalotas e o alho. Adicione o vinho do Porto e reduza-o até formar um caldo bem grosso; resfrie-o bem.

3. Junte a mistura de carne de coxa e sobrecoxa com a farinha, o Insta-cure #1 e o sal; mexa até revestir a carne por completo. Passe essa mistura por um moedor de carne, moendo-a progressivamente do disco grosso (9 mm) para o disco fino (3 mm), depositando-a na tigela da batedeira, colocada em banho-maria invertido.

4. Adicione o ovo e o creme à carne moída. Bata-a em velocidade média por 1 min, até que fique homogênea. Adicione a pimenta-do-reino e o tempero para aves; misture-os para incorporá-los à farce.

5. Teste a farce e, se necessário, ajuste o tempero antes de continuar.

6. À mão e sobre um banho de gelo, incorpore a mistura da guarnição à farce.

7. Forre uma fôrma de terrine com filme de PVC, deixando uma beirada sobressalente. Comprima a farce dentro da fôrma e cubra-a com o filme de PVC. Tampe a terrine e asse-a em banho-maria a 77 °C, em forno a 149 °C, até que ela atinja a temperatura interna de 74 °C (de 60 min a 75 min).

8. Remova a terrine do banho-maria e deixe-a esfriar até que chegue a uma temperatura interna entre 32 °C a 38 °C. Aplique uma placa de prensagem e peso de 907 g sobre ela e deixe-a na geladeira de um dia para o outro. Alternativamente, escorra o líquido da terrine, adicione aspic o suficiente para revesti-la e cobri-la e refrigere-a por 2 dias. A terrine então estará pronta para ser fatiada e servida, ou embrulhada e refrigerada por até 5 dias.

# Terrine de camarão defumado e lentilha

RENDIMENTO: 1 TERRINE DE 907 g/16 A 18 PORÇÕES

113 g camarão

### salmoura

720 mℓ de água
28 g de sal
28 g de açúcar
227 g de gelo

142 g de lentilha verde
960 mℓ de caldo de galinha (p. 643), ou mais conforme necessário
1 sachet d'épices
1 colher (chá)/2 g de cominho
1 colher (chá)/2 g de coentro
1 colher (chá)/2 g de pimenta-malagueta em pó
43 g de pepino em cubos pequenos
43 g de pimentão vermelho assado e em cubos pequenos

43 g de cebolinha em fatias
43 g de tomate descascado, sem sementes e em cubos pequenos
28 g de gelatina em pó
4 cenouras cortadas longitudinalmente em fatias de 3 mm
180 mℓ a 240 mℓ de aspic (p. 67) derretido

### guarnição

60 mℓ de suco de limão siciliano
60 mℓ de azeite de oliva
1 colher (chá)/3 g de sal
⅛ colher (chá)/0,25 g de pimenta-de-caiena
1 jacatupé em julienne
½ pimentão vermelho em julienne
½ pimentão amarelo em julienne
½ cenoura em julienne
Casca de 1 abobrinha italiana, em julienne

1. Coloque os camarões em espetos, passando-os pela espinha dorsal, com a casca para baixo. Misture os ingredientes da salmoura, adicione os espetos com os camarões e deixe-os descansando de um dia para o outro. Remova os camarões da salmoura, seque-os com papel-toalha absorvente e deposite-os em camada única sobre um rack colocado em uma assadeira pequena. Deixe a assadeira na geladeira, ao lado do ventilador, até que os camarões sequem (de 40 min a 1 h). Defume-os a frio por 1 h.

2. Cozinhe os espetos de camarão defumado em forno a 149 °C até que atinjam a temperatura interna de 64 °C (aproximadamente 15 min). Descasque e limpe os camarões, cortando-os longitudinalmente ao meio; reserve-os.

3. Cozinhe as lentilhas no caldo de galinha temperado com o sachet d'épices, o cominho, o coentro e a pimenta em pó até que fiquem macias (aproximadamente 1 h). Escorra-as, reservando o líquido de cozimento. Deixe que as lentilhas esfriem e então adicione o pepino, o pimentão vermelho, a cebolinha e o tomate. Se necessário, ajuste o tempero.

4. Adicione fundo de galinha ao líquido de cozimento em quantidade suficiente para completar 570 mℓ e coloque-o em uma tigela média. Salpique-o com gelatina e deixe-o hidratar entre 10 min e 15 min.

5. Em uma panela média, ferva água e coloque sobre ela a tigela com o caldo, para formar um banho-maria. Misture a gelatina até que se dissolva completamente e o líquido esteja quente ao toque (aproximadamente 38 °C). Reserve a gelatina.

6. Em uma caçarola com água salgada, cozinhe as cenouras sobre fogo brando até que fiquem macias. Coloque-as em um banho de gelo e seque-as em papel-toalha absorvente.

7. Para montar a terrine, primeiro forre a fôrma com filme de PVC. Coloque as cenouras de atravessado sobre a fôrma e aperte-as cuidadosamente com uma espátula de borracha. Corte qualquer excesso de cenoura nas laterais da terrine. Adicione lentilha o suficiente para encher metade da fôrma e depois acrescente gelatina até cobrir as lentilhas. Arrume uma camada de camarão sobre as lentilhas a fim de formar uma fileira contínua de um lado ao outro da fôrma. Adicione outra camada de lentilha e cubra-a com gelatina. Por fim, coloque mais duas fileiras de camarão.

8. Preencha o restante da fôrma com lentilhas, comprimindo-as ligeiramente e formando um pequeno monte. Adicione aspic o bastante para cobrir as lentilhas e depois cubra-o com uma camada de cenouras. Refrigere a terrine até o momento de servir.

9. Para preparar a guarnição, misture o suco de limão siciliano, o azeite, o sal e a pimenta-de-caiena. Adicione todos os legumes em julienne e misture bem para revesti-los com o molho.

10. Para servir, corte a terrine em fatias de 28 g. Arrume as fatias em um prato com a guarnição de legumes.

*Terrine de camarão defumado e lentilha*

# Terrine de salmão defumado e mousse de salmão defumado

RENDIMENTO: 1 TERRINE/10 PORÇÕES

6 a 10 fatias finas de salmão defumado batido levemente entre filme de PVC

142 g de pedaço de salmão defumado

180 g de velouté de peixe

28 g de gelatina em pó com força de mousse, hidratada e aquecida

120 ml de creme de leite fresco batido em picos moles

¼ colher (chá)/1,25 ml de molho tabasco

Sal a gosto

Pimenta-do-reino moída a gosto

1. Forre uma fôrma de terrine com filme de PVC, deixando um excedente grande o suficiente para cobrir a terrine pronta. Arrume as fatias de salmão defumado em uma camada única e uniforme, cobrindo o interior da fôrma. Reserve as sobras para formar outras camadas.

2. Para fazer a mousse, bata os pedaços de salmão defumado e o velouté em um processador de alimentos até obter um purê liso. Deposite o purê em uma tigela colocada sobre um banho-maria quente, adicione a gelatina hidratada e misture-os bem. Transfira o purê para um banho-maria invertido (de gelo), misturando constantemente a fim de impedir que a gelatina engrosse, até que a temperatura dele atinja 21 °C. Enquanto estiver misturando, adicione um terço do creme de leite batido. Mexendo suavemente, adicione o restante. Quando a mousse estiver quase pronta, acrescente cuidadosamente o molho tabasco, o sal e a pimenta-do-reino.

3. Com um saco de confeitar, preencha metade da fôrma de terrine com a mousse de salmão. Cubra-a com uma camada de salmão defumado fatiado. Complete com o restante da mousse.

4. Cubra a terrine com as pontas do filme de PVC e refrigere-a por 30 min. Coloque uma placa de prensagem e um peso de 907 g sobre ela e leve-a à geladeira até que a mousse esteja pronta.

5. Desenforme a terrine e corte-a em fatias de aproximadamente 6 mm antes de servi-la.

# Terrine de pato com pistache e cereja desidratada

RENDIMENTO: 1 TERRINE DE 1,36 kg/18 A 20 PORÇÕES

794 g de carne de pato aparada e cortada em cubos (de uma ave de 1,81 kg a 2,27 kg)

227 g de toucinho

### temperos

1 colher (sopa)/10 g de sal

2 colheres (sopa)/6 g de sálvia picada

1 colher (chá)/2,25 g de pimenta-branca

1 colher (sopa)/3 g de salsinha de folha lisa picada

¼ colher (chá)/1 g de Insta-cure #1

### guarnição

113 g de presunto em cubos pequenos

85 g de pistache torrado e descascado

71 g de cereja desidratada

8 fatias finas de presunto (1,5 mm), ou o necessário para forrar

---

1. Misture 454 g da carne de pato, o toucinho e os temperos e passe-os por um moedor de carne, primeiro pelo disco médio (6 mm), depois pelo disco fino (3 mm).

2. Sele os cubos de pato remanescentes e o presunto; deixe-os esfriar.

3. Teste a farce e ajuste o tempero antes de adicionar a guarnição.

4. Trabalhando sobre um banho-maria invertido, incorpore o pato selado, o presunto, os pistaches e as cerejas.

5. Forre a fôrma de terrine com filme de PVC e com as fatias de presunto, deixando uma beirada sobressalente; adicione a farce, prensando-a bem. Dobre o presunto e o filme de PVC sobre a terrine e cubra a fôrma. Asse-a em banho-maria a 77 °C, em forno a 149 °C, até que a sua temperatura interna atinja 74 °C (50 min a 60 min).

6. Deixe a terrine descansar por 1 h. Coloque uma placa de prensagem e um peso de 907 g sobre ela e deixe-a na geladeira de um dia para o outro ou por até 3 dias. Fatie-a e sirva-a imediatamente, ou embrulhe-a e refrigere-a por até 7 dias.

# Terrine de lagosta e vegetais de verão

RENDIMENTO: 1 TERRINE DE 1,36 KG/18 A 20 PORÇÕES

170 g de vieira em cubos
170 g de camarão em cubos

### temperos

1½ colher (sopa)/22,5 mℓ de Pernod
1½ colher (chá)/7,5 mℓ de suco de limão
1½ colher (chá)/5 g de sal
1 colher (chá)/2 g de pimenta-branca moída
¾ colher (chá)/2,25 g de zeste de limão

1 pitada de pimenta-de-caiena
2 claras de ovo
225 mℓ de creme de leite fresco gelado

### guarnição

425 g de vegetais variados em cubos de 6 mm, cozidos, escorridos e frios (ver nota do chef)
425 g de carne de lagosta escalfada e em cubos médios

1. Moa as vieiras, os camarões e os temperos em um processador de alimentos para fazer uma farce mousseline. Bata os ingredientes até formar uma pasta relativamente lisa. Adicione as claras de ovo. Com a máquina funcionando, adicione aos poucos o creme de leite, só até incorporá-lo à pasta. Passe a farce por um tamis, se necessário.

2. Teste a farce e ajuste o tempero antes de prosseguir.

3. À mão e sobre um banho de gelo, adicione a guarnição à farce.

4. Unte a fôrma de terrine com óleo e forre-a com filme de PVC, deixando uma beirada sobressalente. Encha a fôrma com a farce, pressionando-a para não deixar bolhas de ar. Dobre o filme de PVC sobre a farce de modo a cobrir a terrine completamente e tampe-a.

5. Asse a terrine em banho-maria a 77 °C, em forno a 149 °C, até que a sua temperatura interna atinja 63 °C (60 min a 70 min).

6. Remova a terrine do banho-maria e deixe-a esfriar até 32 °C. Aplique uma placa de prensagem e um peso de 907 g sobre ela e deixe-a na geladeira de um dia para o outro ou por até 3 dias. Fatie-a e sirva imediatamente, ou embrulhe e guarde na geladeira por até 7 dias.

» **NOTA DO CHEF** Para a guarnição de vegetais, opte entre brócolis, cenoura, abobrinha italiana, abóbora e cogumelos (shiitake ou outros).

» **IDEIA PARA APRESENTAÇÃO** Sirva a terrine com maionese básica (p. 36) aromatizada com manjericão picado e guarnição de tomate concassé.

# Terrine de camarão com salada de macarrão

RENDIMENTO: 1 TERRINE/12 PORÇÕES

### farce mousseline de camarão

269 g de camarão (aproximadamente 26 a 30) descascado, limpo e moído

1 colher (chá)/3 g de sal

1 ovo

165 mℓ de creme de leite fresco

### temperos

2 cebolinhas bem picadas

1 colher (sopa)/3 g de cebolinha francesa bem picada

3 colheres (sopa)/9 g de manjericão picado

1 colher (sopa)/15 mℓ de xerez seco

1 colher (sopa)/15 mℓ de molho de soja claro

14 g de nam prig pow (pasta de pimenta tailandesa ao óleo)

Pimenta-do-reino moída a gosto

170 g de camarão (aproximadamente 16 a 20) descascado, limpo e em cubos médios

### terrine

240 g de espinafre limpo

20 camarões descascados e limpos

1 colher (sopa)/9 g de gelatina em pó

1 colher (sopa)/5 g de clara de ovo em pó (albumina)

496 g de farce mousseline de camarão (acima)

### salada asiática de macarrão

454 g de macarrão celofane ou harusame

1 colher (sopa)/15 mℓ de óleo de gergelim tostado, ou mais conforme necessário

6 cogumelos shiitake pequenos

1 cenoura em julienne

½ pimentão vermelho sem sementes e em julienne

4 cebolinhas cortadas na diagonal em fatias finas

### molho

60 mℓ de vinagre de vinho de arroz

2 colheres (sopa)/30 mℓ de molho de soja

1 colher (sopa)/15 mℓ de mirin

2 colheres (chá)/6 g de nam prig pow (pasta de pimenta tailandesa ao óleo)

1 colher (chá)/3 g de capim-limão (somente o miolo branco) moído

1 dente de alho amassado

Sal a gosto

Pimenta-do-reino moída a gosto

150 mℓ de óleo vegetal

2 colheres (chá)/10 mℓ de óleo de gergelim

### molho de gengibre

2 tomates amarelos ou pimentões amarelos

2 tomates vermelhos ou pimentões vermelhos

1 colher (sopa)/9 g de gengibre moído

2 cebolinhas bem picadas

1 colher (sopa)/15 mℓ de molho de soja

Suco de 1 limão-siciliano

1 colher (sopa)/15 mℓ de óleo de amendoim

1 colher (chá)/3 g de sal

Pimenta-do-reino moída a gosto

---

1. Para fazer a mousseline, coloque o camarão moído e o sal no processador de alimentos com lâmina afiada e bata-os por 10 s, raspando os lados da tigela duas vezes. Adicione o ovo e bata os ingredientes por mais 10 s. Raspe os lados. Adicione o creme de leite em um fio contínuo, processando por apenas mais 5 s, parando uma vez para raspar os lados da tigela. Transfira a farce a uma tigela e adicione os temperos. Teste-a e, se necessário, ajuste o tempero.

2. Misture delicadamente os demais ingredientes da mousseline, somente até incorporá-los. Reserve a mistura até a hora de montar a terrine.

3. Escalde levemente o espinafre (cerca de 5 s). Tome cuidado para não cozinhá-lo demais. Coloque-o imediatamente em um banho de gelo para provocar um choque de temperatura e depois arrume as folhas de espinafre em camada única sobre papel-toalha absorvente, para que sequem. Reserve-as.

4. Para montar a terrine, primeiro forre a fôrma com filme de PVC. Arranje uma camada de camarões inteiros dentro dela. Salpique a camada com gelatina e clara de ovo em pó. Cubra-a com uma camada de espinafre. Utilizando um saco de confeitar, preencha a fôrma com a mousseline de camarão. Se sobrar camarão ou espinafre para fora da terrine, dobre-os por cima da farce.

5. Asse a terrine em banho-maria a 71 °C, em forno a 149 °C, até que ela atinja a temperatura interna de 60 °C (aproximadamente 30 min).

6. Deixe a terrine esfriar até uma temperatura interna entre 32 °C e 38 °C. Coloque uma placa de prensagem e um peso de 907 g sobre ela e refrigere-a de um dia para o outro.

7. Desenforme a terrine, remova o filme de PVC e reembrulhe-a hermeticamente com várias camadas de filme de PVC. Corte-a em fatias de 1 cm. Para reservá-las, arrume-as sequencialmente sobre uma assadeira forrada com filme de PVC e refrigere-as.

8. Para fazer a salada de macarrão, coloque o macarrão celofane em uma tigela e cubra-o com água fervente. Deixe-o de molho até que fique macio (de 2 min a 3 min). Assim que estiver macio, escorra-o, coloque-o em água gelada para provocar um choque de temperatura e escorra-o novamente. Corte o macarrão, para que os pedaços não fiquem muito longos. Misture-o com o óleo de gergelim e reserve na geladeira até o momento de usar.

9. Remova os talos do shiitake e corte-o em fatias de 3 mm de grossura. Salteie em uma quantidade pequena de óleo de gergelim. Reserve na geladeira junto com os outros vegetais já preparados para a salada.

10. Para fazer o molho, junte todos os ingredientes exceto os óleos e misture-os bem. Com um batedor, adicione os óleos. Misture. Prove e ajuste o tempero a gosto. Pouco antes de servir, misture os ingredientes da salada ao molho para revesti-los.

11. Para fazer o molho de gengibre, descasque os tomates, retire as sementes e corte-os em cubos pequenos. Separe os cubos de tomates em duas tigelas, de acordo com a cor. Divida os outros ingredientes pela metade e adicione-os às duas tigelas. Ajuste o tempero a gosto.

12. Para servir, coloque 57 g de salada de macarrão no centro de cada prato. Arrume 3 fatias de terrine em cada prato e decore-o com 28 g de molho vermelho e 28 g de molho amarelo.

# Terrine mediterrânea de frutos do mar

RENDIMENTO: 1 TERRINE DE 1,36 kg/18 A 20 PORÇÕES

### mousseline

284 g de vieira em cubos

113 g de camarão descascado, limpo e em cubos

2 colheres (chá)/6,5 g de sal

½ colher (chá)/1 g de pimenta-branca moída

2 claras de ovo

150 mℓ de creme de leite fresco com infusão de açafrão, gelado (ver nota do chef)

### guarnição

227 g de camarão (aproximadamente 16 a 20) cortado em 8 pedaços

227 g de vieira em quartos

1 colher (sopa)/3 g de salsinha picada

2 colheres (chá)/2 g de manjericão picado

---

1. Para preparar a farce mousseline, processe as vieiras, os camarões, o sal, a pimenta, as claras e o creme de açafrão até formar uma mistura lisa.

2. Teste a farce e, se necessário, ajuste o tempero antes de prosseguir.

3. Trabalhando sobre banho-maria invertido, misture os ingredientes da guarnição à farce.

4. Forre uma fôrma de terrine com filme de PVC, deixando uma beirada sobressalente, e preencha-a com a farce. Dobre o filme de PVC por cima da farce e tampe a terrine.

5. Asse a terrine em banho-maria a 77 °C, em forno a 149 °C, até que a sua temperatura interna atinja 60 °C (aproximadamente 20 min a 25 min).

6. Remova-a do banho-maria e deixe esfriar até que atinja uma temperatura interna entre 32 °C e 38 °C. Deixe a terrine descansar sob refrigeração de um dia para o outro. Fatie e sirva imediatamente, ou embrulhe e refrigere por até 3 dias.

» **NOTA DO CHEF** Para fazer o creme com infusão de açafrão, aqueça 150 mℓ de creme de leite fresco a 71 °C. Tire-o do fogo e adicione uma pitada de açafrão amassado. Deixe o açafrão de molho no creme até que desenvolva uma cor dourada bem vibrante. Deixe o creme resfriar completamente antes de usá-lo na mousseline.

» **IDEIA PARA APRESENTAÇÃO** Esta terrine pode ser servida com o coulis de pimentão vermelho (p. 64).

336  GARDE MANGER

# Terrine de frango e lagostim

RENDIMENTO: 1 TERRINE DE 1,36 kg/18 A 20 PORÇÕES

### mousseline

680 g de peito de frango moído
3 claras de ovo
1 colher (sopa)/10 g de sal
¾ colher (chá)/1,5 g de pimenta-do-reino moída
270 mℓ de essência de frutos do mar (p. 338) resfriada
90 mℓ de creme de leite fresco resfriado

### guarnição

340 g de cauda de lagostim cozida, descascada e limpa
1½ pimenta chipotle em molho de adobo, moída
9 cogumelos shiitake em cubos médios, salteados e resfriados
3 colheres (sopa)/9 g de coentro picado
1½ colher (sopa)/4,5 g de dill picado

---

1. Para fazer a farce mousseline, processe o frango moído, as claras de ovo, o sal e a pimenta-do-reino. Com a máquina funcionando, adicione a essência de frutos do mar e o creme de leite, batendo apenas até incorporá-los. Passe a mousseline por um tamis, se necessário.

2. Teste a farce e, se necessário, ajuste o tempero antes de prosseguir.

3. Sobre um banho de gelo, incorpore à farce as caudas de lagostim, as pimentas chipotle, os cogumelos, o coentro e o dill.

4. Unte a fôrma de terrine com óleo e forre-a com filme de PVC, deixando uma beirada sobressalente. Preencha a fôrma com a farce, pressionando-a para não deixar bolhas de ar. Dobre o forro sobre a terrine de modo a cobri-la totalmente; tampe-a.

5. Asse a terrine em banho-maria a 77 °C, em forno a 149 °C, até que a sua temperatura interna atinja 74 °C (aproximadamente entre 60 min e 75 min).

6. Remova a terrine do banho-maria e deixe-a esfriar até que atinja a temperatura interna de 32 °C. Aplique uma placa de prensagem e um peso de 907 g sobre ela e refrigere-a de um dia para o outro, no mínimo, e no máximo por 3 dias. Fatie e sirva, ou embrulhe e refrigere por até 7 dias.

» **NOTA DO CHEF** A essência de frutos do mar pode ser preparada com as cascas reservadas dessa receita ou de outros usos. Sempre congele cascas que não serão usadas dentro de 12 h.

# Essência de frutos do mar

RENDIMENTO: 270 ml

680 g de casca de lagostim, lagosta ou camarão
1½ colher (sopa)/22,5 ml de óleo vegetal
3 chalotas bem picadas
3 dentes de alho amassados
540 ml de creme de leite fresco

5 folhas de louro
1½ colher (sopa)/9 g de pimenta-malagueta em pó
1 colher (sopa)/6 g de tempero para aves (tomilho, louro em pó e pimenta)
3 colheres (sopa)/45 ml de glace de volaille ou viande (pp. 643 e 644)

1. Salteie as cascas no óleo até ficarem com um vermelho vivo. Adicione as chalotas e o alho; salteie-os até que se aromatizem.

2. Adicione o creme de leite fresco, as folhas de louro, a pimenta em pó e o tempero para aves; reduza a mistura até metade do seu volume original. Adicione o glace e passe a essência através de uma musselina (o volume final deve ser de 270 ml); resfrie-a até uma temperatura menor do que 4 °C.

# Terrine de veado

RENDIMENTO: 1 TERRINE DE 1,36 kg/18 A 20 PORÇÕES (71 g CADA)

907 g de paleta ou pernil de veado

454 g de toucinho

### temperos

60 mℓ de vinho tinto

½ colher (chá)/1 g de cravo moído

1 colher (sopa)/2 g de grão de pimenta-do-reino quebrado

1 colher (sopa)/5 g de Insta-cure #1

28 g de cebola bem picada, salteada e fria

1½ colher (sopa)/15 g de sal

2 colheres (chá)/4 g de pimenta-do-reino moída

28 g de cogumelo porcini ou morel desidratado e moído até virar pó

3 ovos

180 mℓ de creme de leite fresco

1 colher (sopa)/3 g de estragão picado

1 colher (sopa)/3 g de salsinha de folha lisa picada

### guarnição

57 g de uva-passa dourada embebida em 120 mℓ de brandy e escorrida

113 g de cogumelo em cubos, salteado e frio

8 fatias finas de presunto (1,5 mm), ou conforme necessário para forrar

1. Corte a carne de veado e o toucinho em cubos. Coloque-os de molho com os temperos e deixe-os marinar na geladeira de um dia para o outro.

2. Moa a carne de veado e o toucinho marinados para preparar uma farce simples. Em uma batedeira com a tigela gelada, misture a carne moída com os ovos, o creme de leite, o estragão e a salsinha. Bata a mistura em velocidade média até que ela fique homogênea (aproximadamente 1 min). Adicione à farce as passas e os cogumelos.

3. Forre a terrine com filme de PVC e depois com o presunto, deixando uma beirada sobressalente. Preencha-a com a farce e dobre o presunto e o filme por cima dela. Tampe a terrine.

4. Asse a farce em banho-maria a 77 °C, em forno a 149 °C, até que a sua temperatura interna atinja 66 °C (de 60 min a 70 min).

5. Remova a terrine do banho-maria e deixe-a esfriar até uma temperatura interna de 32 °C a 38 °C. Aplique uma placa de prensagem e um peso de 907 g sobre ela e deixe-a na geladeira de um dia para o outro. A terrine então estará pronta para ser fatiada e servida, ou embrulhada e refrigerada por até 10 dias.

# Terrine de frango e foie gras em gelatina

RENDIMENTO: 1 TERRINE DE 1,36 kg/18 A 20 PORÇÕES

### terrine

680 g de foie gras limpo
2 colheres (chá)/10 g de Insta-cure #1
2 colheres (chá)/4 g de açúcar
1 frango inteiro
454 g de cenoura picada grosseiramente
340 g de aipo-rábano picado grosseiramente
6 ℓ de caldo de galinha (p. 643)
1 bouquet garni
18 folhas de gelatina
Salsinha picada a gosto

### molho ravigote

240 mℓ de vinagre de vinho tinto
180 mℓ de vinagre balsâmico
240 mℓ de óleo de amendoim
Chalotas finamente picadas a gosto
1 maço de cebolinha francesa picada
4 tomates concassé

1. Deixe o foie gras marinar, coberto e sob refrigeração, de um dia para o outro com o Insta-cure #1 e o açúcar.

2. Remova o foie gras da marinada e cozinhe-o por 45 min em forno a 149 °C. Remova-o do forno e deixe-o esfriar.

3. Em uma panela, ferva o frango, as cenouras e o aipo-rábano no caldo com o bouquet garni. Cozinhe até que o frango atinja a temperatura interna de 82 °C. Remova o frango, deixe o caldo esfriar e coe-o para remover os vegetais. Tempere, se necessário, e reduza o caldo até 1,92 ℓ de líquido.

4. Hidrate a gelatina em água fria e adicione-a ao caldo de galinha.

5. Desosse o frango, removendo completamente a pele e a gordura, desfie a carne e corte-a em cubos.

6. Para montar a terrine, primeiro forre a fôrma com filme de PVC. Arrume uma camada de frango de modo a cobrir a parte interna da fôrma. Adicione uma camada de salsinha e cubra-a com uma camada de foie gras. Continue adicionando camadas até preencher a terrine. Adicione o caldo reduzido com gelatina. Aplique uma placa de prensagem e um peso de 907 g sobre a terrine e deixe-a na geladeira de um dia para o outro.

7. Para fazer o molho, misture os vinagres, o óleo, as chalotas, a cebolinha e o tomate concassé. Corte a terrine em fatias de 6 mm e sirva-a com o molho.

# Terrine de cordeiro tostado, alcachofra e cogumelos

RENDIMENTO: 1 TERRINE DE 1,36 kg/18 A 20 PORÇÕES

1,36 kg de lombo de cordeiro com osso

### temperos

2¼ colheres (chá)/4,5 g de curry em pó
2¼ colheres (chá)/4,5 g de semente de salsão
2½ colheres (sopa)/15 g de semente de coentro inteira
1½ colher (sopa)/19 g de semente de erva-doce
1½ colher (sopa)/9 g de za'atar em pó (ver nota do chef)
3 colheres (sopa)/30 g de sal
3 colheres (sopa)/18 g de semente de cominho
1½ colher (chá)/3 g de semente de anis-estrelado

Azeite de oliva a gosto

128 g de cogumelo cèpes ou similar cortado em quartos
Sal a gosto
Pimenta-branca moída a gosto

### aspic

43 g de massa de tomate
340 g de mirepoix
720 mℓ de caldo de galinha (p. 643)
28 g de gelatina em pó

4½ bases de alcachofra cozidas e cortadas em quartos
3 colheres (sopa)/9 g de estragão picado
3 colheres (sopa)/9 g de salsinha picada

---

1. Desosse o lombo inteiro, reservando separadamente os lombos e os lombinhos. Reserve os ossos para preparar um caldo.

2. Corte longitudinalmente os lombos de cordeiro em dois pedaços para obter 4 tiras de lombo mais 2 pedaços de lombinho.

3. Torre os temperos, moa-os e esfregue-os sobre o cordeiro. Deixe o cordeiro marinar por 4 h.

4. Em uma frigideira bem quente, toste o cordeiro em óleo até que fique ao ponto. Deixe-o esfriar e reserve-o.

5. Salteie os cogumelos em óleo quente, tempere-os com sal e pimenta e cozinhe-os bem. Deixe-os esfriar e reserve-os.

6. Doure os ossos em forno pré-aquecido a 232 °C. Adicione a massa de tomate e o mirepoix à assadeira com os ossos e asse-os até que dourem. Transfira os ossos e o mirepoix para uma panela e adicione o caldo de galinha. Ferva a mistura suavemente e reduza-a a um terço do volume original.

7. Passe-a através de uma musselina para coá-la e esfrie-a sobre um banho de gelo. Quando estiver fria, adicione a gelatina e deixe-a hidratar (aproximadamente 15 min); aqueça-a para clareá-la. Aqueça o aspic até 49 °C.

8. Unte a fôrma de terrine com óleo e forre-a com filme de PVC, deixando uma beirada sobressalente. Misture o cordeiro, os cogumelos, as alcachofras, o estragão e a salsinha. Reserve 180 mℓ de aspic; misture bem o restante à carne e encha a fôrma de terrine. Despeje o aspic reservado por cima, espalhando-o sobre toda a superfície da terrine. Use mais caldo se necessário.

9. Cubra a terrine com a beirada do filme de PVC e coloque uma placa de prensagem e um peso de 907 g sobre ela. Refrigere-a por no mínimo 24 h antes de fatiá-la e servi-la, ou embrulhe-a e refrigere-a por até 10 dias.

» **NOTA DO CHEF** Um lombo de cordeiro inteiro com osso de tamanho médio rende aproximadamente 454 g de carne de lombo e lombinho.

O za'atar é uma mistura de especiarias proveniente do Oriente Médio feita de sumagre e tomilho moídos. Ela pode ser comprada ou feita de acordo com a necessidade.

» **IDEIA PARA APRESENTAÇÃO** Sirva esta terrine com homus (p. 60) e pão sírio cortado em triângulos.

# Terrine de cogumelo portobello grelhado

RENDIMENTO: 1 TERRINE DE 1,13 kg/14 A 16 PORÇÕES

### cogumelo portobello grelhado

2,72 kg de cogumelo portobello

150 mℓ de azeite de oliva

3 colheres (sopa)/27 g de alho bem amassado

1 colher (sopa)/3 g de tomilho amassado grosseiramente

1 colher (sopa)/3 g de alecrim amassado grosseiramente

Sal a gosto

Pimenta-do-reino moída a gosto

120 mℓ de caldo de galinha (p. 643) quente

### alcachofra

720 mℓ de água

Suco de 1 limão

Sal a gosto

3 alcachofras aparadas

### tomate seco no forno

6 tomates italianos sem miolo, cortados longitudinalmente ao meio

1 colher (chá)/1 g de folha de tomilho

1 colher (chá)/1 g de orégano bem picado

1 colher (chá)/1 g de manjericão picado

Sal a gosto

Açúcar a gosto

1 colher (sopa)/15 mℓ de azeite de oliva extravirgem

### vinagrete balsâmico

120 mℓ de vinagre balsâmico

120 mℓ de água

14 g de gelatina em pó

1 dente de alho amassado

2 chalotas bem picadas

Sal a gosto

Pimenta-do-reino moída a gosto

14 g de mel

2 colheres (sopa)/6 g de tomilho picado

4 colheres (chá)/4 g de manjerona picada

180 mℓ de azeite de oliva extravirgem

90 mℓ de óleo vegetal

16 dentes de alho assados em azeite de oliva e frios

2 pimentões amarelos sem sementes, assados e descascados

2 pimentões vermelhos sem sementes, assados e descascados

### óleo de tomate

3 colheres (sopa)/45 mℓ de azeite de oliva

2 dentes de alho amassados

28 g de cebola bem picada

28 g de cenoura picada finamente

240 mℓ de tomate italiano enlatado sem sementes

2 colheres (sopa)/6 g de manjericão em chiffonade

240 mℓ de azeite de oliva extravirgem

Sal a gosto

### queijo feta batido com pimenta ancho

16 pimentas ancho secas sem sementes

4 tomates italianos cortados em quartos

7 dentes de alho

480 mℓ de vinho branco

960 mℓ de caldo de vegetais

2 cebolas brancas descascadas e cortadas em quartos

680 g de queijo feta

60 mℓ de azeite de oliva extravirgem

Pimenta-do-reino moída a gosto

### guarnição

15 azeitonas kalamata

15 azeitonas picholine

15 azeitonas niçoise

15 bagas de alcaparra cortadas ao meio

3 ramos de cerefólio

---

1. Para preparar os cogumelos grelhados, remova e descarte os talos e as guelras dos cogumelos portobello. Misture as tampas dos cogumelos com o azeite, o alho, o tomilho, o alecrim, o sal e a pimenta.

GARDE MANGER

2. Coloque os cogumelos de cabeça para baixo em uma grelha preaquecida e cozinhe-os em temperatura média alta por 3 min de cada lado. Remova-os da grelha, coloque-os em uma panela de réchaud, adicione o caldo quente e cubra-os com papel-alumínio. Asse os cogumelos no forno a 177 °C até que fiquem macios. Deixe-os esfriar e reserva-os na geladeira.

3. Para preparar as alcachofras, misture a água, o suco de limão e o sal em uma caçarola sobre fogo médio alto. Adicione as alcachofras e cozinhe-as até que fiquem macias. Esfrie as alcachofras no líquido e reserve-as.

4. Para preparar os tomates secos no forno, deposite-os com o lado cortado para cima em um rack colocado sobre uma assadeira. Salpique os tomates com tomilho, orégano, manjericão, sal e açúcar e regue-os com azeite. Asse-os no forno de convecção a 107 °C até que fiquem mais do que meio secos (aproximadamente 2 h). Remova-os do forno, esfrie-os na geladeira e reserve-os.

5. Para preparar o vinagrete balsâmico, misture o vinagre balsâmico com 120 mℓ de água em temperatura ambiente. Salpique o líquido uniformemente com gelatina e deixe-a hidratar por 5 min; depois, aqueça a mistura sobre banho-maria até que a gelatina se encontre completamente dissolvida.

6. Adicione à mistura de vinagre o alho, as chalotas, o sal, a pimenta, o mel, o tomilho e a manjerona e combine-os bem. Com um batedor, adicione os óleos e ajuste o tempero se necessário. Reserve a mistura.

7. Para montar a terrine, forre uma fôrma triangular com filme de PVC. Pincele os cogumelos grelhados com o vinagrete de balsâmico e forre o interior da fôrma com aproximadamente metade dos cogumelos, em uma camada sobreposta. Arrume uma fileira de dentes de alho assados sobre os cogumelos e pincele-os generosamente com o vinagrete. Remova as alcachofras do líquido de cozimento, arranje-as em uma camada sobre o alho e pincele-as generosamente com o vinagrete. Por cima, forme uma camada de tomates secos e pincele-os generosamente com o vinagrete. Faça uma camada de pimentões amarelos assados e pincele-os generosamente com o vinagrete. Arranje uma camada de pimentões vermelhos assados e pincele-os generosamente com o vinagrete. Cubra-os com os cogumelos remanescentes e pincele-os com o vinagrete.

8. Cubra firmemente a fôrma com filme de PVC. Coloque uma placa de prensagem e um peso de 907 g sobre a terrine e deixe-a na geladeira de um dia para o outro. Desenforme-a e reserve-a na geladeira até a hora de servir.

9. Para fazer o óleo de tomate, aqueça o azeite em uma panela sobre fogo médio. Adicione o alho, a cebola e a cenoura e sue-os até que fiquem macios (aproximadamente 3 min); não deixe que dourem. Adicione os tomates e cozinhe-os suavemente por 10 min. Remova-os do fogo e adicione o manjericão.

10. Bata a mistura de tomate em um processador de alimentos por 30 s. Retorne o purê de tomate à panela e adicione o azeite. Levante fervura suave e cozinhe-o por 30 min. Remova-o do fogo e passe-o por um chinois. Tempere o purê com sal, se necessário, e reserve-o.

*continua*

11. Misture as pimentas ancho, os tomates italianos, o alho, o vinho, o fundo e as cebolas brancas em uma panela sobre fogo médio, fervendo a mistura suavemente por 1 h. Transfira-a para um liquidificador ou processador de alimentos e bata-a até formar um purê liso. Transfira o purê para uma panela sobre fogo baixo e reduza-o até obter uma pasta grossa com coloração roxo-escuro. Remova-a do fogo, deixe-a esfriar e reserve-a na geladeira.

12. Para finalizar o queijo feta batido com pimenta ancho, misture 120 ml do purê de ancho com o queijo, óleo e pimenta em um processador de alimentos e bata a mistura até formar um purê perfeitamente homogêneo e liso. Ela deve ser bem alaranjada. Resfrie-a por 30 min e molde-a em quenelles pequenas.

13. Para servir, corte a terrine em fatias de 3 cm e arrume as fatias no centro de uma travessa de tira-gosto de modo que o topo da terrine aponte para cima. Coloque as quenelles de feta batido, as azeitonas, as alcaparras e os ramos de cerefólio em volta das fatias de terrine. Regue-as generosamente com o vinagrete de balsâmico e o óleo de tomate. Sirva imediatamente.

Terrine de cogumelo portobello grelhado

# Terrine de vegetais assados com queijo de cabra

RENDIMENTO: 1 TERRINE DE 1,36 kg/18 A 20 PORÇÕES

### vegetais

907 g de abobrinha italiana
907 g de abóbora-amarela
567 g de berinjela
907 g de tomate
2 cogumelos portobello

### marinada

2 colheres (sopa)/30 mℓ de azeite de oliva
1 colher (sopa)/15 g de mostarda de Dijon
1 colher (sopa)/3 g de salsinha de folha lisa picada
1 colher (sopa)/3 g de cebolinha francesa picada
2 dentes de alho amassados, refogados e esfriados
2 colheres (chá)/10 g de pasta de anchova (aproximadamente 4 filés)
2 colheres (chá)/2 g de alecrim picado
14 g de mel
2 colheres (chá)/6,5 g de sal
½ colher (chá)/1 g de pimenta-branca moída

227 g de queijo de cabra fresco
2 ovos

---

1. Corte todos os legumes longitudinalmente em fatias de 3 mm de espessura.

2. Misture os ingredientes da marinada e adicione-a aos vegetais.

3. Forre assadeiras com papel-manteiga untado com óleo e distribua os vegetais em uma só camada.

4. Seque-os no forno a 93 °C por 1 h, ou até que os vegetais fiquem secos, mas não quebradiços. Remova-os do forno e deixe-os esfriar.

5. Misture o queijo de cabra com os ovos para fazer o creme.

6. Forre uma fôrma de terrine com filme de PVC, deixando uma beirada sobressalente, e monte a terrine alternando camadas de vegetais e de queijo até que ela esteja cheia. Cubra-a com o filme de PVC.

7. Tampe a terrine e asse-a em banho-maria a 77 °C, em forno a 149 °C, até que ela atinja a temperatura interna de 63 °C (aproximadamente 60 min).

8. Remova a terrine do banho-maria e deixe-a esfriar um pouco.

9. Aplique uma placa de prensagem e um peso de 907 g sobre ela e refrigere-a de um dia para o outro, no mínimo, e no máximo por 3 dias. Fatie e sirva imediatamente, ou embrulhe e refrigere por até 7 dias.

» **NOTAS DO CHEF** Um saco de confeitar facilita a distribuição uniforme do creme de queijo dentro da fôrma. Os vegetais podem ser marinados e grelhados em vez de secados.

Para servi-la fria, siga os passos de 1 a 6, mas não asse a terrine. Embrulhe-a e refrigere, fatiando imediatamente antes de servir.

# Terrine de mozarela, prosciutto e tomate assado

RENDIMENTO: 1 TERRINE DE 1,36 kg/18 A 20 PORÇÕES

| | |
|---|---|
| 269 g de macarrão de espinafre (p. 653) | 75 mℓ de azeite de oliva |
| 411 g de mozarela (p. 394), ou comprada | 2½ colheres (chá)/7,5 g de sal |
| 1,63 kg de tomate maduro | 2½ colheres (chá)/5 g de pimenta-do-reino moída |
| 6 colheres (sopa)/18 g de manjericão em chiffonade | 269 g de fatia fina de prosciutto (1,5 mm) |

1. Abra a massa de macarrão em folhas finas e apare-as de modo a fazê-las caber dentro da fôrma de terrine. Cozinhe suavemente as folhas de massa em água salgada fervente até que fiquem macias. Escorra-as, refresque-as em água fria e escorra-as novamente. Reserve-as.

2. Prepare a mozarela como descrito na p. 394 até o passo 4. Com um rolo, abra e estique a mozarela em folhas finas (3 mm de grossura), aparando-as de modo a fazê-las caber dentro da fôrma de terrine. Se utilizar mozarela comprada, corte-a em fatias finas.

3. Corte os tomates em fatias de 6 mm de grossura e tempere-os com manjericão, azeite de oliva, sal e pimenta.

4. Arrume os tomates em um rack de assar e seque-os no forno a 93 °C por 2 h ou 3 h. Deixe-os esfriar e reserve-os.

5. Forre a terrine com filme de PVC, deixando uma beirada sobressalente.

6. Monte a terrine com camadas de macarrão, prosciutto, mozarela e tomates assados; cada camada deve cobrir toda a superfície da fôrma. Repita o processo até que todos os ingredientes sejam utilizados e a fôrma se encontre cheia, terminando com uma camada de macarrão. Dobre o filme de PVC sobre o topo da terrine e alise-a.

7. Cubra-a com uma tampa e coloque-a em banho-maria no forno a 121 °C por 30 min.

8. Aplique uma placa de prensagem e um peso de 907 g sobre a terrine e deixe-a na geladeira de um dia para o outro. Fatie-a e sirva-a imediatamente, ou refrigere-a por até 3 dias.

9. Para servir, corte-a em fatias de 9 mm de espessura, sem tirar o filme de PVC. Remova o filme depois de arrumar as fatias no prato.

» **IDEIA PARA APRESENTAÇÃO** Essa terrine pode ser servida com um vinagrete de tomate ou balsâmico e uma salada verde. Grissini (p. 654) ou fatias de pão francês cobertas com tapenade (p. 60) também são bons acompanhamentos.

# Terrine de foie gras

RENDIMENTO: 1 TERRINE DE 907 g/ 10 A 12 PORÇÕES (71 g CADA)

1,25 kg de foie gras classe A
2 colheres (sopa)/20 g de sal
2 colheres (chá)/4 g de pimenta-branca moída
1 colher (sopa)/12 g de açúcar

½ colher (chá)/1 g de gengibre em pó
¼ colher (chá)/1 g de Insta-cure #1
480 mℓ de vinho do Porto branco, Sauternes, Armagnac ou conhaque

1. Limpe os fígados, remova todas as veias e seque-os bem. Misture 1 colher (sopa)/10 g do sal, 1 colher (chá)/2 g da pimenta, o açúcar, o gengibre, o Insta-cure e o vinho do Porto. Adicione os fígados à mistura e refrigere-os de um dia para o outro.

2. Forre a fôrma de terrine com filme de PVC.

3. Remova o foie gras marinado da geladeira e arranje-os na fôrma de modo que não sobrem espaços vazios. O lado liso dos foie gras deve formar o exterior da terrine; tempere-os a gosto com o restante do sal e da pimenta. Preencha a fôrma até a borda interna e pressione os pedaços para remover as bolhas de ar. Tampe a fôrma.

4. Asse a terrine em banho-maria, mantendo-a na temperatura constante de 71 °C, por 45 min a 50 min. A temperatura do forno talvez tenha de ser ajustada para que a temperatura da água permaneça constante. Se ela ficar muito quente, adicione água fria imediatamente. O foie gras apresenta textura e sabor ideais quando cozido até a temperatura interna de 53 °C. (Verifique as temperaturas certificadas com as autoridades sanitárias locais.)

5. Remova a terrine do banho-maria e deixe-a descansar por no mínimo 2 h à temperatura ambiente; escorra a gordura. Cubra a terrine com uma placa de prensagem e um peso de 454 g a 907 g. Refrigere-a por no mínimo 24 h e no máximo 48 h, para que mature.

6. Remova o filme de PVC e retire cuidadosamente a gordura congelada. Embrulhe firmemente a terrine com um novo pedaço de plástico filme. Fatie e sirva imediatamente, ou refrigere por até 3 dias.

**NOTAS DO CHEF** Para determinar a quantidade de foie gras necessária para encher uma fôrma de terrine de qualquer tamanho, simplesmente meça o volume de água que cabe na terrine. O volume em mililitros corresponde ao peso em gramas de foie gras.

Para facilitar o serviço, fatie a terrine sem remover o filme de PVC. Remova-o depois de arrumar as fatias no prato. Para fazer isso, o ideal é usar uma faca chanfrada morna. Guarde qualquer gordura removida no passo 5 para refogar vegetais e batatas.

**VARIAÇÃO** ROULADE DE FOIE GRAS: prepare o foie gras como indicado para a terrine. Arranje o foie gras marinado sobre um pedaço grande de filme de PVC; embrulhe-o firmemente para formar uma roulade. Se desejar, coloque trufas inteiras dentro dos lóbulos de foie gras antes de enrolar a roulade. Escalfe-a em banho-maria a 71 °C até que ela atinja a temperatura interna de, no máximo, 53 °C. Remova-a da água, deixe-a esfriar e torne a embrulhá-la. Refrigere-a por no mínimo 24 h antes de fatiá-la. Esta roulade também pode ser assada em brioche e servida como tira-gosto.

**IDEIAS PARA APRESENTAÇÃO** Terrines de foie gras podem ser fatiadas e apresentadas em pratos ou servidas diretamente na fôrma. Escolha os acompanhamentos com cuidado. Você pode querer consultar o sommelier ou recomendar à equipe do salão que auxilie os convidados na escolha do vinho ou de outra bebida mais apropriada para acompanhar a terrine.

No momento de servir a terrine, remova o peso e levante cuidadosamente a placa de prensagem. Para lhe dar uma aparência mais arrumada, alise o topo com uma faca pequena e limpe as bordas da fôrma com um pano. Você também pode sulcar a parte de cima e formar uma estampa, caso a terrine seja servida diretamente na fôrma.

**1.** *Trabalhando cuidadosamente, remova a rede de veias do interior de cada lóbulo de foie gras.*

**2.** *Preencha com o foie gras a fôrma forrada com filme de PVC de modo que os fígados assumam o formato do recipiente.*

**3.** *Depois de descansar a terrine assada, escorra a gordura excedente e reserve-a para outros usos.*

**4.** *A terrine pronta possui uma cor uniforme e mantém a sua forma quando fatiada.*

# Terrine ao estilo camponês

RENDIMENTO: 1 TERRINE DE 1,36 kg/18 A 20 PORÇÕES

284 g de sobrepaleta suína em cubos de 1 cm a 3 cm
454 g de acém de vitela em cubos de 1 cm a 3 cm
227 g de toucinho em cubos de 1 cm a 3 cm
14 g de manteiga
2 chalotas em fatias finas
2 dentes de alho amassados
120 mℓ de xerez
1½ colher (sopa)/9 g de tempero para patê (p. 641)
2 colheres (sopa)/20 g de sal
1 colher (chá)/2 g de pimenta-do-reino moída
⅛ colher (chá)/0,5 g de Insta-cure #1

### emulsão

2 ovos grandes
120 mℓ creme de leite fresco
1 colher (sopa)/10 g de sal
57 g de farinha de rosca fresca

### guarnição

170 g de presunto defumado em cubos pequenos
170 g de toucinho em cubos pequenos
113 g de amêndoa torrada e cortada ao meio
85 g de uva-passa cortada em quartos e demolhada no vinho branco
3 colheres (sopa)/9 g de salsinha de folha lisa picada grosseiramente
2 colheres (sopa)/6 g de cebolinha francesa em pedaços de 6 mm a 1 cm de comprimento

---

1. Remova a gordura e os tendões da sobrepaleta e do acém. Remova quaisquer pedaços de pele e glândulas do toucinho. Refrigere as carnes até o momento de usar.

2. Aqueça uma panela para sauté pequena sobre fogo médio baixo e derreta a manteiga. Refogue as chalotas e o alho na manteiga até que fiquem levemente dourados (2 min a 3 min). Deglace-os com 20 ml de xerez e deixe a mistura esfriar até a temperatura ambiente. Adicione as chalotas e o alho refogados e esfriados à sobrepaleta e ao acém. Adicione o tempero para patê, o sal, a pimenta e o Insta-cure.

3. Moa a mistura de carne uma vez no disco grosso (9 mm) e mantenha-a sobre um banho de gelo. Moa metade da mistura no disco médio (6 mm). Misture as duas partes de carne moída.

4. Adicione os ingredientes da emulsão à farce, ainda sobre o banho-maria invertido. Misture-os bem e adicione a guarnição. Escalfe uma amostra para testar o tempero, ajustando-o se necessário.

5. Unte levemente uma fôrma de terrine com óleo e forre-a com filme de PVC, deixando uma beirada sobressalente.

6. Utilizando um saco de confeitar, adicione um terço da farce à fôrma e alise-a para formar uma camada uniforme. Adicione mais um terço e alise. Repita com o restante da mistura. Cubra a terrine com o filme de PVC excedente e tampe-a.

7. Asse a terrine em banho-maria de 71 °C a 77 °C, em forno a 177 °C, até que a terrine atinja a temperatura interna de 68 °C.

8. Deixe a terrine esfriar à temperatura ambiente, coloque uma placa de prensagem e um peso de 907 g sobre ela e refrigere-a de um dia para o outro.

9. Desembrulhe a terrine e embrulhe-a de novo em filme de PVC. Para servir, corte-a em fatias de 6 mm de grossura e depois pela metade, na diagonal, se desejar.

# Terrine de moleja e foie gras

RENDIMENTO: 1 TERRINE DE 1,25 kg/16 A 18 PORÇÕES

454 g de moleja de vitela
240 mℓ de leite
1,92 ℓ de court bouillon (p. 645)
360 g de foie gras classe B
14 g de albume em pó ou gelatina em pó (opcional)

## mousseline

454 g de vitela magra
1 clara de ovo
240 mℓ de creme de leite fresco
2 colheres (sopa)/20 g de sal
½ colher (chá) /1 g de pimenta-branca moída

1 colher (sopa)/3 g de cerefólio picado
1 colher (sopa)/3 g de ciboulette picada
8 fatias finas de língua defumada cozida (1,5 mm), ou conforme necessário para forrar

---

1. Deixe a moleja de molho no leite de um dia para o outro. Escorra-a e escalfe-a no court bouillon a 77 °C até que fique ao ponto e um pouco rosa por dentro. Esfrie-a e remova as membranas. Corte a moleja em pedaços de aproximadamente 3 cm.

2. Corte o foie gras em cubos de 2 cm. Salpique-o com albume em pó, se optar por usá-la.

3. Processe a vitela, a clara de ovo, o creme de leite, o sal e a pimenta até formar uma mistura homogênea para fazer uma farce mousseline.

4. Teste a farce e ajuste o tempero antes de prosseguir.

5. Adicione a moleja, o foie gras e as ervas à farce.

6. Forre uma fôrma de terrine com filme de PVC e língua fatiada, deixando uma beirada sobressalente.

7. Encha a fôrma com a farce e alise-a com uma espátula. Cubra-a com língua e filme de PVC. Asse-a em banho-maria a 77 °C, em forno a 149 °C, até que atinja a temperatura interna de 59 °C (60 min a 70 min).

8. Remova a terrine do banho-maria e deixe-a esfriar até que atinja uma temperatura interna entre 32 °C e 38 °C. Aplique uma placa de prensagem e um peso de 907 g sobre ela e deixe-a na geladeira de um dia para o outro. Fatie e sirva imediatamente, ou embrulhe e refrigere por até 3 dias.

# Pâté en croûte de peru

RENDIMENTO: 1,13 kg/14 A 16 PORÇÕES (71 g CADA)

340 g de carne de coxa e sobrecoxa de peru limpa e em cubos

170 g de sobrepaleta suína em cubos

170 g de toucinho em cubos

¼ colher (chá)/1 g de Insta-cure #1

2 colheres (chá)/6,5 g de sal

2 chalotas bem picadas

2 dentes de alho amassados

1 colher (sopa)/15 mℓ de óleo vegetal

90 mℓ de brandy

6 bagas de zimbro amassadas

2 colheres (sopa)/28 g de mostarda de Dijon

1 colher (sopa)/3 g de sálvia picada

1 colher (sopa)/3 g de tomilho picado

1 pitada de noz-moscada em pó

½ colher (chá)/1 g de pimenta-do-reino moída

2 colheres (sopa)/30 mℓ de glace de viande ou volaille (pp. 643-644) derretida (opcional)

1 ovo

## guarnição

28 g de cereja desidratada demolhadas em Triple Sec

28 g de damasco desidratado cortado em quartos e demolhado em Triple Sec

680 g de massa de batata-doce (p. 651)

8 fatias de presunto (1,5 mm de espessura), ou conforme necessário para forrar

3 pedaços de peito de peru cortados em tiras de 3 cm de largura e do comprimento da fôrma

60 mℓ de egg wash (1 ovo inteiro batido com 15 mℓ leite)

180 mℓ a 240 mℓ de aspic (p. 67) derretido

1. Misture a carne de coxa e de sobrecoxa, a sobrepaleta, o toucinho, o Insta--cure e o sal e moa a mistura no disco fino (3 mm) do moedor de carne.

2. Refogue as chalotas e o alho no óleo; deglace-os com o brandy. Deixe-os esfriar.

3. Combine as carnes moídas, a mistura de chalota, as bagas de zimbro, a mostarda, a sálvia, o tomilho, a noz-moscada, a pimenta e o glace de viande; deixe-os marinar por 1 h.

4. Transfira as carnes moídas para um processador de alimentos com lâmina e vasilha gelados e adicione o ovo. Processe a mistura por 1 min, ou até que fique lisa.

5. Teste a farce e ajuste o tempero antes de prosseguir.

6. Trabalhando sobre um banho-maria invertido, escorra os ingredientes da guarnição e adicione-os à farce.

7. Abra a massa e forre uma fôrma articulada. Forre a massa com o presunto fatiado, deixando uma beirada excedente.

8. Adicione metade da farce à fôrma forrada. Cubra-a com peito de peru e com a farce remanescente.

9. Dobre o presunto e a massa sobre a farce, cortando qualquer excesso. Adicione uma capa (ver nota do chef). Corte e reforce chaminés; pincele a superfície com o egg wash.

10. Asse o patê no forno a 232 °C de 15 min a 20 min; reduza a temperatura para 177 °C e termine de assar até que a sua temperatura interna atinja 74 °C (aproximadamente 50 min).

11. Retire o patê do forno e deixe-a esfriar até 32 °C a 38 °C. Usando um funil, despeje aspic pelas chaminés. Refrigere o patê por no mínimo 24 h. Fatie-o e sirva-o imediatamente, ou embrulhe-o e refrigere-o por até 5 dias.

» **NOTA DO CHEF** Em vez de fazer uma capa separada, você pode inverter o patê antes de cortar as chaminés, como descrito na p. 314.

SETE | TERRINES, PATÊS, GALANTINES E ROULADES

# Galantine de pato à moda asiática

RENDIMENTO: 1 GALANTINE DE 907 g/10 A 12 PORÇÕES

1 pato (1,81 a 2,27 kg)
480 ml de salmoura básica para ave (p. 214)

### marinada

3 dentes de alho amassados
2 chalotas bem picadas, refogadas e frias
2 colheres (chá)/6 g de gengibre bem picado
1 colher (sopa)/15 ml de óleo vegetal
170 g de sobrepaleta suína magra em cubos
170 g de toucinho em cubos
1 colher (sopa)/15 ml de molho de ostra
1 colher (sopa)/15 ml de molho de soja
2 colheres (chá)/10 ml de óleo de gergelim
1 colher (sopa)/3 g de tomilho bem picado
1 colher (sopa)/3 g de coentro bem picado
1 pimenta jalapeño sem talo, sem sementes e picada finamente
½ colher (chá)/1 g de mistura chinesa de cinco especiarias (p. 638)
21 g de mel
¼ colher (chá)/1 g de Insta-cure #1

6 cogumelos shiitake sem talo e em cubos pequenos
113 g de cenoura cozida, em cubos pequenos
3 cebolinhas bem picadas
2 colheres (chá)/6 g de gelatina em pó

1. Remova a pele do pato em um só pedaço, começando pela parte de trás. Desosse o pato; reserve as coxas para a farce e o peito para a guarnição. Corte em cubos o peito e adicione-os à farce.

2. Cubra os peitos de pato com a salmoura; refrigere-os por 4 h.

3. Abra a pele sobre uma assadeira forrada com filme de PVC e congele-a. Depois de congelada, raspe-a com uma faca para remover o excesso de gordura.

4. Refogue o alho, as chalotas e o gengibre no óleo vegetal e deixe-os esfriar. Adicione-os na carne de coxa e de sobrecoxa de pato, as aparas de peito, a sobrepaleta, o toucinho, o molho de ostra, o molho de soja, o óleo de gengibre, o tomilho, o coentro, a pimenta jalapeño, as especiarias, o mel e o Insta-cure. Deixe marinar por 1 h.

5. Moa a carne no disco médio (6 mm) do moedor. Resfrie-a, se necessário, antes de moê-la no disco fino (3 mm).

6. Transfira as carnes moídas para a tigela gelada da batedeira. Bata-as em velocidade média até que a mistura fique homogênea (1 min).

7. Teste a farce e ajuste os temperos antes de prosseguir.

8. Misture os cogumelos, a cenoura e a cebolinha à gelatina. Trabalhando sobre banho-maria invertido, adicione os vegetais à farce.

9. Coloque a pele de pato sobre um pedaço grande de filme de PVC. Usando um saco de confeitar, distribua a farce sobre a pele e alise-a com uma espátula. Coloque os peitos no centro e enrole-os na fôrma de uma galantine. Embrulhe a galantine em papel alumínio, formando um roulade.

10. Coloque a galantine sobre uma assadeira e asse-a no forno a 149 °C até que a sua temperatura interna atinja 74 °C (50 min a 60 min).

# Roulade de lombo de porco

RENDIMENTO: 1 ROULADE DE 1,36 kg/18 A 20 PORÇÕES

1 lombo de porco (aproximadamente 794 g)

### salmoura

600 mℓ de salmoura básica para carne (p. 214)

3 anis-estrelados amassados

71 g de gengibre picado grosseiramente

2½ colheres (chá)/5 g de grão de pimenta Szechwan quebrado

### mousseline

539 g de peito de frango moído

2½ colheres (chá)/8,5 g de sal

71 g de clara de ovo

285 mℓ de creme de leite fresco

2½ colheres (chá)/7,5 g de alho amassado

2½ colheres (chá)/7,5 g de gengibre bem picado

1¼ colher (chá)/6,25 mℓ de molho de soja escuro

1¼ colher (chá)/6,25 mℓ de xerez

3½ cebolinhas bem picadas

¾ colher (chá)/1,5 g de pimenta-do-reino moída

38 mℓ de glace de volaille ou viande (pp. 643-644) morno

Albume ou gelatina em pó, conforme necessário (opcional)

---

1. Apare o lombo; depois de apará-lo, devem restar de 284 g a 340 g de carne.

2. Cubra o lombo com os ingredientes da salmoura; use um prato ou filme de PVC para mantê-lo completamente submerso. Refrigere-o por 12 h. Enxágue-o e seque-o totalmente.

3. Para preparar a mousseline de frango, coloque o frango moído e sal na tigela de um processador de alimentos. Processe o frango até formar uma pasta relativamente lisa. Adicione as claras de ovo. Com a máquina ligada, adicione o creme de leite fresco e processe os ingredientes somente até que o creme se incorpore. Passe a farce por um tamis e adicione os ingredientes restantes da mousseline.

4. Teste a farce e ajuste o tempero antes de prosseguir.

5. Espalhe metade da mousseline sobre um pedaço de filme de PVC. (Salpique o lombo com albume ou gelatina em pó, se desejar; ver nota do chef.) Coloque o lombo no centro e espalhe o restante da mousseline sobre ele. Enrole-a firmemente para formar um cilindro e prenda as suas pontas com barbante. Cozinhe o roulade em banho-maria a 77 °C, em forno a 149 °C, até que a sua temperatura interna atinja 74 °C (50 min a 60 min).

6. Remova o roulade do banho-maria e deixe-o esfriar. Embrulhe-o de novo para dar liga entre o lombo e a farce.

7. Refrigere-o por no mínimo 24 h e no máximo 2 dias. Fatie e sirva o roulades imediatamente, ou embrulhe-o e refrigere-o por até 7 dias.

» **NOTA DO CHEF** Faça uma mistura composta por 50% de albume e 50% de gelatina em pó. Salpique o lombo com essa mistura para controlar a umidade liberada por ele durante o cozimento. Assim, a farce não absorverá umidade extra.

# Galantine de frango

RENDIMENTO: 1 GALANTINE DE 1,81 kg/28 A 30 PORÇÕES

### panada

2 ovos

3 colheres (sopa)/45 mℓ de brandy

85 g de farinha

1 colher (sopa)/10 g de sal

1 colher (chá)/2 g de tempero para patê (p. 641)

¼ colher (chá)/0,5 g de pimenta-branca moída

240 de mℓ creme de leite fresco quente

1 frango (aproximadamente 1,36 kg) desossado, sem a ponta das asas e com a pele removida de modo intacto

454 g de sobrepaleta suína em cubos de 3 mm e resfriada

180 mℓ de vinho da Madeira

113 g de presunto fresco ou língua cozida em cubos de 6 mm

113 g de pistache sem casca e escaldado

14 g de trufa negra picada

Caldo de galinha (p. 643), conforme necessário

1. Para preparar a panada, misture os ovos com os outros ingredientes, exceto o creme de leite.

2. Ajuste a mistura de ovos com o creme de leite quente. Adicione o creme à mistura de ovos e cozinhe-a sobre fogo baixo até que engrosse.

3. Pese a carne da coxa e da sobrecoxa do frango. Adicione uma quantidade igual de sobrepaleta suína, ou o bastante para completar 907 g de carne. Moa a carne de coxa e de sobrecoxa e a sobrepaleta duas vezes no disco fino (3 mm) do moedor.

4. Mantenha o peito do frango em pedaços grandes à medida que desossa o frango. Fatie os peitos ou abra-os em corte borboleta.

5. Bata o peito de frango com um martelo de carne até que ele fique com uma grossura de 3 mm, coloque-o sobre uma assadeira forrada com filme de PVC, cubra-o com filme e refrigere-o.

6. Corte os filezinhos de frango em cubos de 1 cm a 2 cm. Tempere-os a gosto. Misture-os com o vinho da Madeira e refrigere a mistura por no mínimo 3 h.

7. Escorra o peito de frango, reservando o vinho da Madeira. Adicione o vinho e a panada à mistura de carne moída. Misture-os bem.

8. Incorpore o presunto, os pistaches e as trufas. Misture-os bem.

9. Abra a pele reservada sobre filme de PVC e cubra-a com o peito de frango batido. Adicione a farce e enrole a galantine firmemente.

10. Coloque a galantine em caldo de galinha, encobrindo-a, e cozinhe-a a 77 °C até que a sua temperatura interna chegue a 74 °C (60 min a 70 min).

11. Transfira a galantine e o líquido de cozimento para um recipiente. Deixe-os esfriar em temperatura ambiente. Remova a galantine do caldo e embrulhe-a em uma musselina limpa para que a sua textura se solidifique; resfrie-a por no mínimo 12 h. Desembrulhe e fatie a galantine para servi-la.

» **NOTA DO CHEF** Nas receitas clássicas, a galantine é embrulhada em musselina e escalfada em caldo de galinha fortificado.

oito
---
## QUEIJOS

*Imagine o balcão de uma loja de queijo* BEM ABASTECIDA. UMA PASTA COR DE MARFIM SURGE DA CASCA POLVILHADA DE BRANCO DO QUEIJO CAMEMBERT DA NORMANDIA E DO QUEIJO ROBIOLA DE PIEMONTE. SUPERFÍCIES SECAS E ESFARELADAS INSINUAM O SABOR AFIADO DO CHEDDAR INGLÊS OU DO GRANULADO GRANA PADANO DA LOMBARDIA. POR BAIXO DAS ENORMES E ACHATADAS RODAS COR DE PALHA DO COMTÉ MATURA, UMA PASTA DOURADA, TRANSFORMADA DO LEITE DAS PASTAGENS DO ÚLTIMO VERÃO DO FRANCO-CONDADO. CAPTURAR A DIVERSIDADE DE ESTILOS EM UMA AMOSTRA COMO ESSA É UM DESAFIO CAPAZ DE DESARMAR OS SENTIDOS.

---

Entender a diversidade existente no mundo inteiro é uma tarefa ainda mais formidável. Este capítulo explica a história, a técnica e a teoria da fabricação de queijo com o objetivo de ajudar o chef garde manger a melhor avaliá-lo e servi-lo. O estudo dos métodos de produção dos diferentes estilos de queijo desmistifica esse alimento versátil e antigo.

Seja um chèvre fresco de Sonoma com o seu aroma brilhantemente lático e caprino ou um grayson da Virgínia com a sua casca vermelha e o seu aroma pungente, todos os queijos contam uma história de produção única e possuem qualidades específicas que determinam a sua aplicação na cozinha fria. Seguindo um olhar detalhado da história e do processo de fabricação do queijo, este capítulo oferece métodos de avaliação que dão ao garde manger o poder de transmitir as características específicas de queijos nobres como o manchado e cremoso Cabrales, da Espanha, ou o herbáceo e adocicado Shepherd, de Vermont.

O norte-americano consome em média mais de 13,6 kg de queijo por ano, e o número e a variedade de produtos importados e domésticos disponíveis nos Estados Unidos continuam a crescer. Já no Brasil, o consumo de queijo é de apenas 3,5 kg por pessoa ao ano. O garde manger deve entender de onde vem a diversidade dessa vasta seleção. Com esse conhecimento, é possível escolher o queijo apropriado a qualquer aplicação. A familiaridade com os estilos de queijo melhora a comunicação com o consumidor, cada vez mais interessado em itens exclusivos de regiões específicas. Um bom entendimento da sua fabricação permite até mesmo que a estação do garde manger se torne um local de produção de queijo, mas somente com um respeito cauteloso pela história e ciência do processo. Processo que requer um entendimento aguçado de higienização e de controle biológico, além de paciência. A fabricação de queijo é lenta, e muitas vezes não se obtém sucesso na primeira tentativa. Este capítulo oferece diretrizes para a produção de vários queijos básicos, os quais, com ajustes, podem enriquecer a oferta da cozinha fria.

## HISTÓRIA E DESENVOLVIMENTO

Os primeiros esforços de produção de queijo se deram no clima árido da Mesopotâmia, entre os anos 6000 e 7000 a.C. Dessas primeiras tentativas simples de preservar os sólidos que precipitavam do leite de cabra e de vaca coalhados evoluiu uma gama de cores, texturas, aromas e sabores que acabou por fazer do queijo um dos alimentos mais complexos e fascinantes à disposição do garde manger atual.

A complexidade do queijo começa com a complexidade do leite, o seu ingrediente primário. Esse líquido opaco é um alimento fascinante por si só, pois contém todos os nutrientes necessários a um mamífero recém-nascido. Já foram identificados no leite mais de 100 mil moléculas e compostos químicos distintos. Ele passa pelas fases de emulsão, suspensão e solução coloidal, que, ao mobilizarem macro e micronutrientes, fazem desse fluido heterogêneo o alimento ideal para cordeiros, cabritos e bezerros. Como produto nutricional concentrado destinado a amamentar animais, o leite é rico em proteína, gordura e açúcar, sólidos que se encontram dispersos no seu soro. A principal função do produtor de queijo é separar os sólidos do leite e o soro de modo a preservar a massa residual de proteína, gordura, açúcar e umidade.

### composição comparada do leite, por animal

| ANIMAL | GORDURA % | CASEÍNA % (PROTEÍNA DO LEITE) | LACTOSE % (AÇÚCAR DO LEITE) | PROTEÍNAS DO SORO % (MINERAIS) | CINZAS % |
|---|---|---|---|---|---|
| Vaca | 3,9 | 2,7 | 4,6 | 0,6 | 0,75 |
| Cabra | 6,0 | 3,3 | 4,6 | 0,7 | 0,84 |
| Ovelha | 9,0 | 4,6 | 4,7 | 1,1 | 1,0 |
| Búfala | 6,0 | 3,8 | 4,5 | 0,7 | 0,75 |

*Fonte: Cheesemaking Practice (Scott, Robinson e Wilbey, 1998).*

TAIS DIRETRIZES COMPARATIVAS estão sujeitas a variações de acordo com a raça dos animais e com o ambiente em que são criados. Além disso, o leite de cada animal possui qualidades únicas, que não são imediatamente visíveis em uma tabela como essa. Durante o verão e no começo do outono, alguns rebanhos de vaca – especialmente das raças Jersey e Guernsey – podem produzir leite com muito mais do que 5% de nata. Por ser naturalmente mais homogêneo do que o leite de vaca, o leite de cabra é especialmente adequado a práticas longas de coalho lático, descritas mais adiante. Embora as ovelhas geralmente produzam menos por cabeça do que outros animais, a porcentagem de gordura e de proteína comparativamente alta do seu leite proporciona ao produtor de queijo maior rendimento com o mesmo volume. O búfalo-asiático, menos comum, é notoriamente criado no Lácio e na Campânia, no sul da Itália, onde fabricantes transformam o leite em queijos pasta filata. Um exemplo do desenvolvimento constante da tradição queijeira ao redor do mundo é uma fazenda pioneira de Quebec, no Canadá, a qual também produz queijos pasta filata com leite de búfala-asiática.

## os beneditinos, cistercienses e trapistas e a tradição queijeira

O ESTILO DE VIDA MONÁSTICO das ordens beneditina e cisterciense da Europa medieval, um espaço de tempo que cobre desde o século VI até o século XVI d.C., enfatizava a autossuficiência. As suas regras também proibiam o consumo de carne. Além do queijo ser uma boa fonte de proteína, a sua produção nos mosteiros combinava com as normas de autossuficiência comunal da vida monástica. As abadias católicas da Idade Média desenvolveram primeiro queijos de casca florescida e queijos de casca lavada, que se tornaram fontes de renda para elas.

Esses princípios remanescem ainda hoje. Monges cistercienses trapistas do sul da Bélgica produzem queijo chimay desde 1862. No mosteiro Nossa Senhora dos Anjos, em Virgínia, freiras cistercienses fazem queijos como o seu golden gouda desde 1990. Essas ordens mantêm e promovem a tradição e o ofício seculares da produção artesanal de queijo.

Ao mesmo tempo que os macronutrientes do leite alimentam com particular presteza mamíferos jovens, a sua rica nutrição, a sua alta atividade de água e o seu pH relativamente neutro apetecem também a microorganismos. Por essa razão, o Food and Drug Administration (FDA), órgão governamental norte-americano responsável pelo controle dos alimentos, considera o leite um alimento potencialmente perigoso. Depois de retirado de um animal lactante, o leite, à temperatura ambiente, começa a azedar rapidamente à medida que as bactérias naturais do ácido lático consomem a lactose. As linhagens bacterianas *Lactococcus lactis* subsp. *lactis* e *Lactococcus lactis* subsp. *cremoris* são comuns a quase todas as amostras de leite cru, por exemplo. Outras linhagens bacterianas, como a *Lactococcus helveticus*, que é resistente ao calor e frequentemente usada na produção de queijos dos Alpes, tal qual o emmenthal, podem ser estimuladas ou introduzidas pelo produtor. Bactérias como essas consomem a lactose do leite e produzem ácido lático, azedando-o consideravelmente a temperaturas que variam de 25 °C a 41 °C, dependendo da biologia específica de cada linhagem.

Segundo evidências históricas, há 4 mil anos o leite raramente era ingerido fresco no longo trecho entre os Balcãs e a Ásia Central. A alta temperatura ambiente dessa região, onde começou a produção de laticínios, indica que ele era consumido como uma bebida fermentada parecida com iogurte. O líquido rico em açúcar fermentava rapidamente em razão da presença de bactérias, e essa acidificação natural interrompia a suspensão de proteínas. Coagulando-se, as proteínas ou engrossavam o líquido ou se precipitavam como uma massa. Uma vez que eram removidas do soro, tinha origem um queijo simples. Além desse método natural de acidificação, produtores pioneiros descobriram que a adição da coalheira, um extrato enzimático presente no quarto estômago de animais ruminantes jovens, também coagulava o leite. A partir desse estágio tecnológico e histórico, a fabricação de queijo se desenvolveu diversificadamente de acordo com a paisagem e o clima dos lugares para os quais a prática migrou.

Histórica e atualmente, o local da produção tem impacto enorme sobre o tipo de queijo fabricado. Regiões montanhosas provaram-se mais adequadas à criação de ovelhas e cabras, enquanto planícies férteis mostraram suportar gado de pastagem. As regiões da Europa Central especializaram-se em queijos frescos e coalhados; já as tradições dos Alpes Suíços favoreceram a produção de robustos queijos envelhecidos, feitos com coalheira. Iogurtes e bebidas de leite fermentado, como o kefir, popularizaram-se no Leste Europeu, no subcontinente indiano e em partes da Ásia, ao passo que queijos amadurecidos com mofo proliferaram no Oeste Europeu. As práticas comerciais também ditaram os estilos de queijo. Os do Reino Unido, apesar de serem produzidos no campo, encontraram compradores nas cidades; assim, os produtores prensavam, amarravam e amadureciam as rodas de queijo até que essas ficassem duras e resistentes. Em várias regiões francesas, o mercado desenvolveu-se de outra maneira, permitindo a produção de queijos macios para consumo local. Nos Estados Unidos, diversas tradições europeias se juntaram a outras para criar uma vibrante cultura de queijo, que também produz as próprias variedades originais, como colby, jack e brick.

## queijo de leite cru é melhor?

NOS ESTADOS UNIDOS, as leis federais exigem que todo queijo comercializável seja feito com leite pasteurizado ou amadurecido por no mínimo sessenta dias. A legislação brasileira também determina que o leite utilizado na fabricação de queijos industrializados seja submetido à pasteurização ou tratamento térmico equivalente. Isso vale tanto para queijos importados quanto domésticos. Os defensores do queijo produzido com leite cru afirmam que a pasteurização não mata apenas as bactérias prejudiciais, mas também muitas outras linhagens que surgem naturalmente e que são desejáveis para dar complexidade ao sabor do produto. Outros dizem que o queijo pode às vezes desenvolver um sabor "cozido" como resultado da pasteurização do leite. Produtores com frequência observam que, na fabricação artesanal de laticínios, o leite cru geralmente obtém um coalho mais firme e possivelmente um rendimento maior do que o pasteurizado.

O queijo feito com leite pasteurizado não é inferior. A boa qualidade inicial do leite, a escolha e o uso apropriados das culturas de bactéria na acidificação e no amadurecimento do produto e o cuidado com detalhes podem resultar em um queijo delicioso. De fato, a pasteurização ajuda o produtor artesanal a controlar a acidificação e o amadurecimento do queijo de forma bastante precisa.

As maiores diferenças entre o queijo feito com leite pasteurizado e o feito com leite cru não provêm do tratamento de calor em questão, mas, sim, da procedência e da qualidade do leite utilizado. A maior parte da produção industrial tem início com leite de diversas origens que foi transportado, armazenado e padronizado antes de ser transformado em queijo. Esse leite, apesar de pasteurizado, deve a sua falta de personalidade ao sistema industrial pelo qual passa. Em geral, ele não tem o sabor intenso e complexo do leite fresco que é transformado de imediato em queijo na fazenda, independentemente de ter sido pasteurizado. A pasteurização confere uniformidade e credibilidade ao processo de produção de queijo, pois remove bactérias não desejadas e desconhecidas – um benefício para qualquer novato da indústria leiteira.

Ao longo do tempo, a hospitalidade do leite ao crescimento bactericida tem resultado em preocupação e descobertas relativas a saneamento na indústria de laticínios. Josiah Twamley, comerciante de queijo britânico do século XVIII, lamentou no seu livro técnico *Dairying Exemplified, or the Business of Cheese-Making* [*Exemplos da indústria leiteira, ou a fabricação de queijo*] que o número de leiterias inferiores em qualidade excedia em muito o número de leiterias de nível excelente. Twamley atribuiu a inconsistência na qualidade dos queijos à falta de padronização de procedimentos e de limpeza da sua época. Ainda na segunda metade do século XIX, havia episódios de "intoxicação por queijo" em Nova York, provavelmente atribuíveis à listeriose. A pesquisa do químico francês Louis Pasteur sobre a teoria microbiológica da doença ganhou reconhecimento durante esse tempo, e na virada do século XX itens como culturas bacterianas de solidificação direta e coalheiras produzidas industrialmente já eram comuns na fabricação de queijo. Atualmente, depois de séculos de produção – tanto bem-sucedida quanto dúbia –, princípios de saneamento imperam na indústria leiteira. Ao visitar uma leiteria artesanal, mesmo que pequena, nos Estados Unidos, espera-se encontrar superfícies e equipamentos limpos e não porosos, além do uso constante de métodos de saneamento químicos ou de calor. Culturas bacterianas puras, coalheiras limpas e medidores de pH representam desenvolvimentos que ao longo do tempo ajudaram produtores de queijo a ganhar controle sobre o resultado do seu trabalho. As leiterias atuais se empenham para manter uma consistência aceitável por meio da monitoração constante do processo de produção do queijo em nível microbial.

A variedade de estilos de queijo só existe graças à volatilidade do leite e aos desafios da sua produção. Como já foi dito, o clima e a geografia de um lugar frequentemente restringem o tipo de animal adequado à paisagem. Veja os exemplos da Grécia, da Holanda e do norte da França. Na Grécia Antiga, a paisagem seca favorecia a criação de cabras e ovelhas, e o clima quente fez dos resistentes queijos salmourados, como o feta, uma sábia opção. Vacas migraram para as terras baixas do noroeste da Europa em 3000 a.C. em busca do clima temperado e das pastagens suculentas. Os queijos holandeses pioneiros, como o gouda e o edam, foram desenvolvidos por meio de um processo que envolvia a lavagem da coalhada com água – um passo que remove lactose da coalhada e resulta em um queijo mais suave, mais estável e cujo envelhecimento é mais lento. Esse processo único foi benéfico para os holandeses durante o seu domínio dos mares e do comércio transoceânico nos séculos XVII e XVIII, já que a estabilidade do queijo tornava-o apropriado para longas viagens de barco sob o calor equatorial. Finalmente, os queijos de leite de vaca do norte da França, como o camembert da Normandia e o brie de Meaux, foram desenvolvidos para serem vendidos na vizinha Paris dentro de duas ou três semanas a partir da produção. A sua casca branca, que expressava o bolor natural daquela região, se tornou um padrão mundial para a maior parte dos queijos macios amadurecidos. Atualmente, esses dois queijos são protegidos pelo Insitut National des Appellation d'Origine (Instituto Nacional das Denominações de Origem) como produtos de terroir. Assim, cada queijo esconde uma história por trás.

E a história da produção de queijo nos remete a uma época de grande transformação nos Estados Unidos. Desde a abertura da primeira fábrica de queijo norte-americana a produzir em grande escala, em Rome, Nova York, em 1851, esse alimento tomou um caminho agressivo em direção à industrialização. Os benefícios econômicos da produção centralizada, combinados com as tentativas de padronizar a qualidade do produto e garantir a segurança alimentar, resultaram na mercantilização do queijo em escala global. O preço das *commodities* de queijo flutuam anonimamente na bolsa de mercadorias de Chicago, com pouca referência à longa história por trás da peça-padrão de 18,14 kg de cheddar norte-americano. O queijo processado, inventado na Suíça em 1912 por produtores que queriam aumentar o tempo de prateleira dos seus produtos, redefiniu o queijo como uma massa doce e de cor laranja brilhante para um grande segmento do público norte-americano. No entanto, produtores artesanais e do campo nunca deixaram de preservar a individualidade de queijos regionais exclusivos. O termo francês "terroir" indica as qualidades específicas que um alimento ou uma bebida traz do lugar em que é produzido, e muitos queijos artesanais americanos são testemunhas da sua origem única. Uma quantidade crescente de produtores norte-americanos de queijo artesanal segue enriquecendo essa tradição, sugerindo um movimento em favor da diversidade que a história do queijo concebe – beneficiando, assim, o garde manger.

# PRODUÇÃO DE QUEIJO

Entender a produção de queijo traz muitas vantagens. O garde manger deve compreender o processo para que possa melhor transmitir as qualidades do queijo ao cliente. Conhecendo-o, ele é capaz de formar opiniões embasadas sobre a qualidade do produto. Ademais, o vocabulário especializado que acompanha esse conhecimento pode servir de apoio nas discussões entre o garde manger e os produtores. Esses têm a responsabilidade de garantir bons queijos por meio do controle de ingredientes e do processo de produção. Tal responsabilidade se estende ao garde manger ambicioso que decide fazer queijo na cozinha. Apesar deste capítulo conter receitas de queijo, os detalhes da atual seção são mais importantes do que qualquer relação de quantidade ou temperatura de ingredientes. A qualidade dos ingredientes básicos e a adoção dos processos corretos são essenciais para produzir ótimos queijos.

## material básico para a fabricação de queijo

A produção de queijo depende do controle do tempo e da temperatura. Um desafio significativo que ela apresenta é manter temperaturas precisas para o leite e para o coalho. Além disso, o produtor deve monitorar a temperatura ambiente, a umidade do entorno e as condições de amadurecimento. Nas leiterias artesanais e industriais, equipamentos comuns, como pasteurizadores, cubas com camisa de vapor, liras de queijo e quartos ou caves de amadurecimento climatizadas facilitam esse controle. A fabricação de pequena escala em cozinha comercial requer investimento mínimo, mas há aparatos disponíveis que ajudam a manter o rigor da feitura de queijo. Assim, embora seja possível pasteurizar com sucesso o leite em banho-maria, pequenos pasteurizadores elétricos existentes no mercado fazem o trabalho com mais precisão. Enquanto uma faca e um batedor de ovos servem para cortar o coalho do queijo, liras especializadas de metal realizam a mesma tarefa com mais facilidade e uniformidade. Geralmente, no entanto, o processo de fabricação de queijo requer pouco mais do que já está à disposição do garde manger.

O equipamento necessário à produção de queijo em uma cozinha comercial deve incluir os seguintes itens:

- » Banho-maria com capacidade suficiente, ou chaleira a vapor.
- » Termômetro digital.
- » Culturas de queijo selecionadas.
    Mesófilas.
    Termófilas.
    Culturas de amadurecimento.
- » Cloreto de cálcio ($CaCl_2$).

OITO | QUEIJOS 371

- » Coalheira.
- » Concha de aço inoxidável.
- » Faca longa e fina ou batedor de arame comprido.
- » Musselina.
- » Formas para queijo (cestas ou aros).
- » Sal kosher em flocos (puro, sem aditivos como iodo ou antiumectantes).
- » Esteiras plásticas para drenagem.
- » Racks de arame de aço inoxidável.
- » Espaço de armazenamento apropriado para o amadurecimento.
- » Medidor de pH.

*Culturas bacterianas desidratadas de solidificação direta para acidificação do leite e amadurecimento da casca. Da esquerda para a direita: 1) Penicillium candidum; 2) Brevibacterium linens; 3) Penicillium roqueforti; 4) TA61, 5. MA4001.*

## origens e qualidade do leite

Como a qualidade do leite determina a qualidade do queijo, é de se esperar que um queijo seja tão bom quanto o leite do qual é feito. O leite de vaca comercial, isto é, o leite integral que tenha sido pasteurizado, padronizado a 3,5% de nata e homogeneizado, produz um queijo adequado. Frequentemente, é necessário adicionar cloreto de cálcio ao leite comercializado a fim de corrigir as proteínas degradadas durante o armazenamento e a pasteurização e produzir um coalho mais forte. O cloreto de cálcio pode ser encontrado em qualquer fornecedor de materiais para produção de queijo. Nesse caso, também pode ser necessário aumentar a dosagem da coalheira. O leite pasteurizado mas não homogeneizado geralmente produz um coalho melhor do que o leite típico comercial. O leite cru, tal como sai do animal, normalmente apresenta os melhores resultados e contém a maior proporção de nata entre essas três opções, dependendo, claro, da época do ano e do tipo e da raça do animal. Você pode pasteurizar o leite por conta própria para garantir que a sua integridade seja preservada tanto quanto possível, sem deixar de controlar a presença de qualquer flora bacteriana indesejável (ver boxe da p. 373). Para obter o melhor leite, tente estabelecer uma boa relação com um produtor local. O leite fresco da fazenda possui sabor e qualidades difíceis de serem batidos.

Imagine uma pastagem de final de primavera no estado de Nova York, líder na queijaria artesanal norte-americana com mais de 35 produtores de pequena escala. Azevém, festuca e trevo branco crescem em tons brilhantes de verde. Em pastos de feno adjacentes, brotam alfafa rica em proteína, trevo vermelho e grama Timothy. Entre essas plantas comumente cultivadas, gramas e flores selvagens diversificam a paisagem e enriquecem a dieta dos animais. É aí que o sabor e a qualidade do queijo têm início, evidenciando-se na cor dourada da nata do leite produzido pelas vacas no começo da

## pasteurização do leite

PASTEURIZAÇÃO é um processo de calor que reduz significativamente a presença de micro-organismos no leite. Os produtores de queijo podem começar o processo com uma "ficha limpa", a qual povoarão com a própria escolha de linhagens bacterianas.

Para pasteurizar o leite cru, aqueça-o cuidadosamente em um banho-maria ou uma chaleira até 63 °C, sempre mexendo-o com uma colher de aço inoxidável. Mantenha o leite nessa temperatura por 30 minutos, sem deixar de misturar lentamente, e então o esfrie com rapidez até a temperatura desejada. Note que durante o período de esfriamento ele fica especialmente suscetível a infecções por bactérias e mofos indesejáveis.

Alguns estados dos Estados Unidos permitem a venda de leite cru, outros não. Em 2012, o Food and Drug Administration revisava as políticas da produção de queijo a partir de leite cru. Certifique-se de conhecer as leis da sua jurisdição quanto à venda e ao processamento de leite cru antes de iniciar a produção.

---

primavera, ou na densidade dos sólidos do leite de inverno, quando os animais descansam por mais tempo nos estábulos e dependem do feno de verão concentrado. O queijo serve como registro sazonal: amarela no verão e desenvolve uma cor mais pálida no inverno. Algumas organizações europeias ainda exigem que determinados queijos sejam feitos somente durante certas épocas do ano. Por exemplo, o ossau-iraty de Montagne, nos Pirineus Franceses, é produzido somente entre os dias 10 de maio e 15 de setembro, quando as ovelhas pastam nos terrenos elevados. Outras legislações de queijo, como a para fazer o queijo comté, ditam a dieta das vacas. Essas restrições levam em consideração o impacto significativo que as dietas e os períodos de lactação têm sobre o leite e sobre o queijo resultante.

Ao reforçarem a dieta dos animais com grãos, os fazendeiros tornam-se capazes de controlar com precisão a quantidade de lipídios, proteínas, minerais e forragem que os seus rebanhos consomem. Por exemplo, uma típica ração peletizada para cabras pode conter 20% de proteína, 2% de gordura e 8% de fibra crua, e essa grande quantidade de proteína aumenta o nível de proteína do leite, resultando em uma coalhada mais firme na produção de queijo. Os animais ainda podem se alimentar de diversas outras rações nutritivas – porém não convencionais –, como cevada usada, cascas de amêndoas ou sementes de algodão residuais da indústria têxtil. Essa prática é particularmente comum na Califórnia, um estado leiteiro rico em subprodutos agrícolas. Ao procurar leite para fazer queijo, é importante saber com que tipo de ração o fazendeiro alimenta os seus animais. Isso afeta profundamente a qualidade e o sabor do leite.

Ao conhecer um possível fornecedor, peça para visitar a sala de ordenha e o tanque de armazenamento principal. Junto com o tipo de ração, o saneamento da ordenha e o método de armazenamento são vitais à qualidade do leite. Essas áreas devem estar visivelmente limpas, e os animais devem aparentar boa saúde. Entre os problemas comuns que os produtores de leite enfrentam com os seus rebanhos, estão a mastite (infecção da mama) e a contagem alta de células somáticas no leite, relacionada a ela. O leite produzido por um animal com infecção na mama normalmente rende menos queijo, e esse ainda apresenta sabores estranhos. O fazendeiro também deve mostrar que o leite do rebanho contém contagens baixas ou inexistentes de bactérias coliformes, como *E. coli*. É importante estar em constante comunicação com o produtor sobre esses assuntos durante a feitura do queijo.

De acordo com o Departamento de Agricultura dos Estados Unidos, o leite cru pode

# queijo: um alimento vivo

ESTES MICRO-ORGANISMOS COMUNS utilizados na produção de queijo representam a gama de opções que o produtor tem ao seu dispor.

| CULTURA | UTILIZAÇÃO |
| --- | --- |
| *Lactococcus lactis* subsp. *lactis* | Linhagem natural que age na acidificação em geral. |
| *Streptococcus thermophilus* | Utilizada em processos de alta temperatura, como no caso de alguns queijos alpinos envelhecidos. |
| *Lactobacillus bulgaricus* | Confiável em processos de alta temperatura; comum em iogurtes. |
| *Lactobacillus helveticus* | Resistente a altas temperaturas de cozimento; comum em queijos de estilo alpino. |
| *Propionibacterium freudenreichii* | Produz furos de gás e componentes de sabor. |
| *Brevibacterium linens* | Cultura de amadurecimento de superfície comum a queijos de casca lavada. |
| *Geotrichum candidum* | Mofo branco de superfície. |
| *Penicillium roqueforti* | Mofo azul de crescimento interno, como no roquefort. |
| *Penicillium candidum* | Mofo branco de superfície comum a queijos macios e amadurecidos, como o brie e o camembert. |

Diferentes tipos de queijo exigem culturas bacterianas ou misturas de culturas heterofermentativas diferentes. O propósito delas é múltiplo: produção de ácido lático, produção de sabor e amadurecimento avançado do queijo. A utilização de culturas diretas garante a consistência do produto final. Essas culturas diretas estão disponíveis na forma de líquido congelado ou de pó liofilizado. As culturas diretas em pó liofilizado, normalmente empacotadas em bolsas metalizadas, devem ser guardadas no congelador. Se você abrir o pacote e não utilizá-lo completamente, sele-o com fita adesiva e retorne-o ao congelador. Use a porção remanescente o mais rápido possível, porque tais culturas absorvem umidade e podem perder a vitalidade. A quantidade de unidades ou de culturas contidas nos pacotes é indicada em etiquetas. Cheque com o produtor ou o fornecedor a dosagem recomendada de cultura.

ser armazenado por até 72 horas antes de ser processado. O melhor leite para fazer queijo é aquele retirado no mesmo dia – idealmente, o processo deve começar com o leite à temperatura corporal do animal. Ainda que seja mantido refrigerado de 2 °C a 4 °C e agitado, o leite apresenta considerável degradação dentro de três dias: a contagem total de bactérias dobra e a qualidade das gorduras e proteínas perde-se significativamente – para prejuízo do produtor de queijo. O leite cru deve permanecer sob baixas temperaturas de refrigeração durante o armazenamento, o que inclui o transporte. É preciso ter especial cuidado com quantidades pequenas de leite (menos de 38,4 litros, por exemplo), mais suscetíveis a mudanças de temperatura. Não verta ou agite o leite violentamente, pois a força do impacto e da aeração podem danificá-lo. Esse tipo de cuidado é importante durante todo o processo de produção de queijo. Ao trabalhar com leite, coalho e queijo, sempre opere com cautela. Evite o manuseio bruto do leite e do coalho em cada estágio. Aqueça o leite gradualmente, maneje o coalho delicadamente, salgue queijos novos com cuidado e monitore o seu amadurecimento a fim de evitar mudanças de temperatura e umidade.

## o processo de transformação: fazendo o leite virar queijo

A transformação do leite em queijo começa com o aquecimento do leite à temperatura ideal para o crescimento das culturas bacterianas de acidificação. Ao pasteurizar leite cru na cozinha garde manger, passe o leite da temperatura de pasteurização para a temperatura de inoculação desejada e mantenha-o nela. Senão, aqueça o leite lentamente por meio de agitação constante. Para obter melhores resultados, faça isso em um banho-maria enquanto mistura o leite continuamente, para que o calor se distribua por igual. Algumas cozinhas dispõem de chaleiras com camisa de vapor, as quais proporcionam um calor ideal, leve e uniforme; mesmo assim, lembre-se de misturar. Idealmente, o processo de produção de queijo deve deixar pouco ou nenhum resíduo dentro da panela ou chaleira. Com exceção do esfriamento após a pasteurização, a maioria dos processos de feitura de queijo não envolve temperaturas regressivas, mas, pelo contrário, temperaturas que sempre aumentam. Aprenda a regular com precisão a fonte de calor e leve em consideração o calor latente do recipiente, que pode continuar a aquecer o leite e o coalho por bastante tempo depois que ela for desligada. O superaquecimento do leite durante a pasteurização pode desnaturar as proteínas e inutilizá-lo para a produção de queijo. O aquecimento além da temperatura tolerada pelas culturas de fermento inibe-as e compromete significativamente o sucesso e a incolumidade do queijo.

## passos básicos da produção de queijo

As três principais maneiras de fazer queijo diferem entre si quanto aos métodos de feitura do coalho. O jeito mais simples e rápido de fazer queijo é produzir um coalho de ácido. Nesse método, a adição de um ácido, como vinagre ou ácido cítrico, sob alta temperatura causa a coagulação das proteínas do leite. Queijos feitos com esse método incluem o paneer indiano e o mascarpone e a ricota italianos. Eles não requerem culturas bacterianas e em geral devem ser consumidos logo depois de feitos.

A segunda maneira de fazer queijo é solidificar o coalho com uma coalheira. Existem diversos tipos de coagulantes enzimáticos, tanto sintéticos quanto naturais. A coalheira pode ser utilizada na produção de queijos frescos, como o queijo de fazenda (farmer's cheese), ou queijos envelhecidos, como o havarti e o cheddar.

O último método, o coalho lático, leva 18 horas ou mais para formar o coalho por meio da acidificação natural das bactérias. Esse processo inclui uma pequena quantidade de coalheira,

# que tipo de coalheira utilizar?

TRADICIONALMENTE, a coalheira provém do quarto estômago de ruminantes jovens. As enzimas quimosina e pepsina agem sobre a caseína, coalhando o leite. Alternativas às coalheiras animais dão ao produtor de queijo mais opções. Note que nem todas as coalheiras são igualmente eficazes e que elas dependem da temperatura do processo.

## COALHEIRAS ANIMAIS

Coalheiras especializadas de cabrito, cordeiro e bezerro permitem que o produtor combine o coagulante com o leite a ser utilizado. A coalheira de bezerro é considerada um coagulante de referência por causa da sua tradição e eficácia em uma variedade de temperaturas. A coalheira animal não é adequada para vegetarianos e também não pode receber o certificado kosher.

## COALHEIRAS DE PEPSINA

Coalheiras de pepsina podem ser extraídas do estômago de uma variedade de animais, incluindo não ruminantes, como os porcos. Elas não são adequadas para vegetarianos e também não podem receber o certificado kosher.

## COALHEIRAS MICROBIANAS

Alternativas comuns às coalheiras animais, as microbianas normalmente apresentam um bom desempenho. O organismo *Mucor miehei* é fonte ideal para esse tipo de coalheira. A coalheira microbiana é adequada para vegetarianos e pode ser certificada como ingrediente kosher.

## QUIMOSINA RECOMBINANTE

Esse coagulante bastante eficaz é produzido por bactérias geneticamente modificadas. O seu uso não é comum na produção de queijos artesanais. Coalheiras desse tipo são adequadas para vegetarianos e podem ser certificadas como ingrediente kosher. No entanto, elas provavelmente não se qualificam para a produção orgânica.

## COALHEIRAS VEGETAIS

O extrato de algumas plantas, como bardana, urtica e figueira, pode ser utilizado na coagulação do leite. Um exemplo é o queijo português Serra da Estrela, que utiliza um extrato de flor do cardo para coalhar o leite de ovelha. Esses coagulantes apresentam uma eficácia incerta e geralmente não se encontram disponíveis comercialmente. Coalheiras vegetais são adequadas para vegetarianos e podem ser certificadas como ingrediente kosher.

que garante um coalho firme e limita a migração da nata para a superfície do leite durante o longo período de endurecimento. (Quando utiliza a coalheira, o método pode ser denominado "coalho semilático"). O crottin de Chavignol, feito com leite de cabra, e o saint-marcellin, com leite de vaca, exemplificam esse processo, especialmente comum na tradição francesa.

Os itens seguintes tratam apenas de coalhos láticos e de coalheira. Para mais informações sobre coalhos de ácido, ver receitas da próxima seção.

## inoculação

O primeiro passo do processo de fabricação de queijo é ajustar a temperatura do leite contra a incubação de bactérias. Culturas de solidificação direta constituem a forma de inoculação preferida pela maioria dos produtores artesanais dos Estados Unidos, porque são muito eficientes e fáceis de armazenar e medir. Adicione as culturas de solidificação direta ao leite assim que ele atingir a temperatura adequada – normalmente, entre 20 °C e 32 °C para estirpes

**1.** *Misture o leite suave e constantemente enquanto o aquece até a temperatura do processo.*

**2.** *Hidrate as culturas de solidificação direta despejando-as de maneira uniforme sobre a superfície do leite. Espere entre 3 min e 5 min antes de mexer.*

**3.** *Dilua a coalheira em água fria antes de adicioná-la ao leite.*

OITO | QUEIJOS    377

mesofílicas e 35 °C e 41 °C para estirpes termofílicas. Salpique os grãos de cultura desidratada sobre a superfície do leite parado. Permita que os grãos se reidratem aí entre 2 min e 4 min e depois misture-os com leves movimentos ascendentes e descendentes (uma pequena concha de aço inoxidável funciona bem). As culturas de solidificação direta demoram de 45 min e 60 min para começar a acidificar o leite, mas, após esse tempo, consomem a lactose e acidificam-no com muita rapidez. No caso do coalho lático, o tempo de acidificação do leite é concomitante com a presença de uma pequena quantidade de coalheira. Nos dois métodos, a coalheira líquida é geralmente adicionada de 25 min a 60 min depois da inoculação, dependendo do tipo de queijo.

*Quando está pronto, o coalho lático se afasta das bordas do recipiente e apresenta rachaduras na sua superfície. Retire cuidadosamente o excesso de soro com uma concha.*

## coagulação

Em geral, o termo "coalheira" se refere de forma abrangente à variedade de coagulantes enzimáticos disponíveis para a produção de queijo, provenientes de fontes tanto animais quanto não animais (ver boxe da p. 376). As enzimas quimosina e pepsina da coalheira agem sobre a proteína caseína do leite, coagulando-a. As coalheiras são oferecidas em pó, em tabletes e na forma líquida, essa última bastante confiável e a mais comum. Mantenha a coalheira na geladeira. Ao medir uma coalheira líquida para fazer queijo, sempre a dilua em uma pequena quantidade de água fria antes de introduzi-la no leite. Adicione a coalheira diluída com movimentos ascendentes e descendentes e então segure a concha imóvel dentro do leite para ajudar o líquido a parar de se mexer. Preste atenção ao ponto de floculação, que normalmente ocorre de 5 min a 8 min depois da introdução da coalheira: o leite deixará de ser um líquido fluido para se tornar mais grosso, passando a demonstrar atributos de gel. Com a ponta de uma faca, agite levemente a superfície do leite para observar essa transição. Em geral, o tempo total de coagulação do coalho é um múltiplo específico do tempo de floculação. Por exemplo, se o ponto de floculação ocorrer 5 min depois da introdução da coalheira e a receita pedir uma multiplicação por quatro, você deverá testar o ponto do coalho dentro de 20 min. É importante que o leite permaneça parado durante a coagulação, já que a coalheira faz que a caseína do leite se ligue, formando uma matriz. Não mude a panela de lugar. Conserve a temperatura ativa do leite pelo tempo de coagulação; a coalheira é mais eficiente em temperaturas mais altas, e as condições ideais para a acidificação bacteriana devem continuar durante a coagulação. As receitas deste capítulo levam em conta uma coalheira-padrão norte-americana.

No caso do coalho lático, a pequena quantidade de coalheira utilizada e a acidez crescente do leite fazem que o coalho endureça mais lentamente. Dependendo da quantidade

# monitorando a acidificação durante o processo de fabricação do queijo

O LEITE ACIDIFICA-SE significativamente durante o processo de fabricação do queijo, o que significa que o nível de pH cai. Os fabricantes de queijo acompanham com cuidado o desenvolvimento da acidez, medindo a acidez de titulação (AT) ou o pH. A acidez de titulação requer uma dosagem de solução alcalina no leite com a presença do indicador fenolftaleína. O pH do leite pode ser medido com medidor de pH ou com azul de tornassol.

O leite de vaca fresco apresenta, em média, 0,15% de AT e pH de 6,6 a 6,0. Em um teste feito com o queijo caerphilly, do País de Gales, a AT subiu para entre 0,25% e 0,28% e o pH caiu para 5,7% a 5% durante a prensagem do coalho.

Essas mudanças podem parecer insignificantes, mas representam uma grande acidificação causada por atividade bacteriológica. Todos os queijos demonstram algum nível de acidificação, e receitas individuais muitas vezes sugerem a meta de acidez do leite em vários estágios do processo. Anote o desenvolvimento da acidez dos lotes de queijo durante a fabricação, incluindo leite fresco, leite amadurecido, soro do corte do coalho, soro do final da agitação ou cozimento e soro da mesa de drenagem. Essa informação serve como referência para o lote seguinte, e anomalias ajudam a identificar problemas no processo.

de cultura adicionada, o coalho demorará 18 horas ou mais para chegar ao ponto depois da inoculação. Quando o coalho lático estiver pronto, uma fina camada de soro cobrirá a sua superfície. Ele se afastará das bordas do recipiente e exibirá rachaduras. O soro e o coalho apresentarão um cheiro lático intenso, proveniente de um iogurte forte e ácido.

### cortando o coalho

O corte do coalho acelera a acidificação e acelera de maneira significativa o objetivo final da produção de queijo: o isolamento entre os sólidos e o líquido do leite e a preservação desses. Faça o "teste do corte limpo" para conferir o ponto do coalho. Insira uma faca plana, um dedo ou a mão inteira na superfície do coalho, em um ângulo de 30°. Ao levantar a mão ou a faca, verifique se o coalho se abre em uma fenda retilínea. Isso indica que ele está no ponto certo. Se o coalho estiver aguado ou empelotado, poderá precisar de mais tempo para endurecer. No caso do coalho de coalheira, espere mais 5 min ou 10 min e tente novamente. No caso do coalho ácido, o ponto certo só é alcançado com mais acidificação, o que chega a levar várias horas. Você pode pensar em adicionar cloreto de cálcio ao leite na próxima receita para auxiliar no endurecimento do coalho. Além disso, pode aumentar cuidadosamente a quantidade de coalheira, o que o ajuda a atingir o ponto. No entanto, a dosagem de coalheira requer uma mão leve, já que as enzimas podem conferir um sabor acre e amargo se utilizadas em excesso.

Corte o coalho no tamanho indicado na receita. A maioria delas pede um tamanho específico, como "tamanho de ervilha" ou "tamanho de avelã". Seja como for, o tamanho dos pedaços de coalho deve ser uniforme. Deixe o coalho descansar por 3 min a 5 min depois de cortá-lo. O coalho afundará, e o soro amarelado cobrirá a superfície. O volume do coalho está diretamente relacionado à umidade final do queijo; quanto maior ele for, mais soro terá o queijo. Isso pode gerar um queijo mais ácido, o que talvez não seja desejável. Portanto, é importante prestar atenção à acidificação do produto (ver boxe da p. 379).

A estrutura delicada do coalho lático não permite o mesmo tipo de trabalho realizado com o coalho de coalheira. Com o coalho lático pronto, muitos estilos de queijo requerem que pedaços grandes de coalho sejam cuidadosamente removidos com uma concha para formas pequenas. A alta acidez do coalho lático acelera a drenagem do queijo: durante a primeira hora dela, ele perde 50% ou mais do seu volume. Sacos de drenagem de *nylon*, parecidos com fronhas de travesseiro, também

**1.** *Quando atinge o ponto correto, o coalho de coalheira deve formar uma fissura uniforme ao ser levantado com uma faca ou com o dedo. Se o "teste do corte limpo" não for bem-sucedido, deixe que o coalho continue a endurecer.*

**2.** *Corte o coalho de coalheira em cubos do tamanho indicado na receita.*

**3.** *Remova cuidadosamente o coalho lático com uma concha, mantendo-o o mais intacto possível.*

**4.** *No caso de queijos frescos macios, o coalho lático pode ser escorrido através de uma musselina.*

podem ser utilizados na produção de queijos macios. A moldagem e a drenagem dos queijos láticos terminam aqui; já os coalhos de coalheira requerem mais alguns passos.

## cozinhando o coalho

Algumas receitas de coalho de coalheira requerem o aquecimento do coalho e do soro durante a mistura; outras, simplesmente a manutenção de determinada temperatura. Nos dois casos, essa fase permite que o coalho libere soro e se contraia – imagine uma clara de ovo diminuindo enquanto cozinha na frigideira. Antes de enformar o coalho, examine pedaços dele a fim de verificar a sua firmeza e a sua textura. O "teste da mão" revela a ligação do coalho: segure um punhado do coalho entre a palma e os quatro dedos de uma mão e aperte-o levemente. Ele deve formar uma massa mas ainda assim se desfazer em pedaços individuais. Em geral, o coalho deve ser firme com um toque macio e também deve se separar facilmente quando puxado.

**1.** *Cozinhando o coalho: aperte o coalho com a mão para verificar a sua textura durante o processo de escaldadura: se o "teste da mão" formar uma massa que possa ser separada facilmente, o coalho estará pronto para ser enformado.*

**2.** *Enformando o queijo: escorra o soro do coalho em um escorredor forrado com musselina.*

**3.** *Encha rapidamente a forma durante o processo de enformagem.*

OITO | QUEIJOS 381

## enformando o coalho

Para separar o coalho e o soro, o coalho é removido do soro ou então o soro é escorrido do coalho. O primeiro método pode introduzir uma quantidade maior de soro no queijo recém-formado, mas ajuda a manter os pedaços de coalho separados. No segundo método, o soro acidulante é escorrido com rapidez, mas o coalho remanescente pode ficar opaco e pegajoso prematuramente. Ao se trabalhar com quantidades pequenas em uma tigela, o mais comum é simplesmente escorrer todo o conteúdo para dentro de uma forma forrada com musselina. Meça o pH do soro escorrido do queijo nesse momento para se certificar de que os níveis de acidez desejados foram atingidos.

*Depois de encher a fôrma, vire o queijo duas ou três vezes durante as 3 horas subsequentes.*

## prensagem

Alguns queijos de coalheira requerem prensagem, um aumento gradual de pressão sobre o queijo. Para prensar o queijo, coloque-o debaixo da prensa ou de um peso e siga as indicações de tempo e pressão da receita. Uma simples prensa de alavanca exerce enorme pressão. Você pode empilhar pesos sobre o queijo quando a pressão exigida for menor (método semelhante ao de prensar terrine). Um balde serve como peso versátil, já que basta adicionar água a ele para aumentar a pressão.

Queijos novos devem permanecer em um ambiente quente e úmido à medida que escorrem o soro. Tanto os queijos láticos quanto os de coalheira precisam ser virados regularmente, não importa se estejam escorrendo dentro da prensa ou sobre uma mesa. O volume do queijo diminui. O soro escorrido tem de apresentar diminuição de pH em comparação com o teste inicial, o que indica acidez crescente. Isso vale principalmente para queijos láticos e semiláticos.

## salga

Enquanto alguns queijos, como o cheddar, pedem a salga do coalho antes da enformagem, a maioria é salgada depois de moldada e escorrida. O sal é vital para a estabilização e a desidratação do queijo, pois regula a sua atividade bacteriana, melhora o seu sabor e o deixa menos suscetível a infecções. Use cloreto de sódio puro não iodado, sem adição de agentes de fluxo. O sal kosher em flocos grandes é especialmente adequado à fabricação de queijo por conta da sua superfície grande, a qual permite que o sal se dissolva no queijo úmido e seja absorvido por ele.

Uma vez encerradas as fases de drenagem e de prensagem, salgue o queijo com a técnica de salga seca (salga da superfície) ou com uma salmoura. No caso de grandes rodas de queijo, a salga seca ocorre por vários dias; a cada dia, o sal penetra mais fundo no queijo novo. De-

*Salgar o coalho antes de enformá-lo é uma maneira de introduzir o sal.*

Depois de escorridos, os queijos láticos podem ser removidos das fôrmas e salgados à mão, com um saleiro grande. Um queijo macio amadurecido de 8 cm a 10 cm de diâmetro requer aproximadamente 1,5 g de sal de cada lado. Essa prática é utilizada com a maior parte dos queijos macios amadurecidos. Os queijos para espalhar não requerem sal para fins de preservação, mas o sal melhora o seu sabor. Salgue-os conforme necessário; em geral, usa-se a proporção de 2% a 3% de sal a cada quantidade de peso. Os queijos macios amadurecidos que dependem de culturas de amadurecimento como o mofo branco *Penicillium candidum* precisam primeiro desenvolver um pouco de fermento amarelado na sua superfície antes de o mofo tomar posse. Isso demora alguns dias e deve ser motivo de preocupação caso o queijo se torne cada vez mais mole ou apresente cheiro muito forte de fermento, o que indica um coalho excessivamente ácido. Se o queijo lático jovem secar rápido demais, remova-o para um ambiente mais úmido.

## amadurecimento

As características desejadas do queijo são desenvolvidas no ambiente de amadurecimento, em umidade relativa de 95% e temperatura de 13 °C. Culturas bacterianas e mofos de amadurecimento são muito ativos nos queijos jovens e continuam a acidificar e consumir os açúcares, as proteínas e as gorduras. Todos os queijos novos devem ser virados em intervalos regulares, normalmente a cada um ou dois dias. Se não forem virados regularmente, a concentração de umidade em um dos lados causará problemas e poderá levar ao estrago. Alguns queijos requerem tratamentos adicionais, como lavagem ou escovação. Ao manusear os queijos durante todo o processo de amadurecimento, procure por rugas e rachaduras que possam sinalizar problemas climáticos no ambiente.

As bactérias do ácido lático continuam a consumir lactose ao longo do amadurecimento. Além do ácido lático, elas produzem outras

pendendo da receita, um queijo de 2,5 kg pode demandar de 4 a 5 dias de salga. Se preferir utilizar a técnica da salmoura, salgue os queijos em uma solução saturada (20%) de cloreto de sódio à proporção de 3 h a 4 h para cada 450 g. Enquanto a salga inicialmente amolece a casca do queijo de coalheira novo que será envelhecido, as condições do ambiente em que esse trabalho acontece devem auxiliar na secagem dela, com o objetivo de torná-la pegajosa. Esse estágio crítico depende de um espaço com umidade relativa moderada (65%) e temperatura também moderada (24 °C). Se o queijo desenvolver uma película muito pegajosa e um aroma de fermento no segundo ou terceiro dia, você deverá removê-lo a um lugar mais seco. Uma vez formada a casca, ou pele, do queijo, o que pode levar de três a sete dias, ele passa à área de amadurecimento.

enzimas que decompõem componentes do queijo. Culturas de superfície como *Penicillium candidum* também o afetam ao introduzirem micélios, as raízes filiformes dos fungos, na sua pasta. A proteólise descreve a hidrólise das proteínas à medida que elas se decompõem em peptídeos e aminoácidos. A hidrólise das gorduras, ou lipólise, resulta em glicerídeos e ácidos de gordura livres que dão ao queijo os seus sabores pronunciados. Dependendo da sua umidade, essas transformações podem amolecer a pasta, como no caso dos queijos de casca lavada, ou gerar notas intensamente picantes, comuns em alguns queijos duros italianos.

Os queijos amadurecem de fora para dentro. Isso é claramente visível nos queijos macios; a pasta mais próxima à casca desenvolve uma textura cremosa e uma cor mais intensa do que centro branco e pálido. Nos queijos de amadurecimento duro, a pasta mais próxima à casca normalmente possui sabor mais intenso devido à desidratação avançada dessa parte.

## avaliando o desenvolvimento

Uma vez que o tempo de amadurecimento programado tenha transcorrido, retire amostras do queijo para acompanhar o seu progresso e verificar se ele se encontra pronto para ser consumido. Use uma sonda especial para remover a amostra. Inspecione a consistência da pasta interior, incluindo os buracos artificiais ou de gás. Analise o gradiente de cor desde a casca até a parte de dentro da pasta. Note o seu aroma. Retire um pedaço do interior do queijo, amasse-o e avalie a sua textura. Ao degustar, atente para a presença de sabores amargos negativos ou sabores ácidos intrusivos, bem como sabores láticos ricos.

Alguns sabores desagradáveis, como certo amargor ou notas azedas, podem ser corrigidos durante um amadurecimento mais longo. Em geral, o queijo se torna mais ácido, seco, perceptivelmente salgado e mais concentrado à medida que envelhece.

# RECEITAS DE QUEIJO: A TEORIA APLICADA

As receitas a seguir oferecem diretrizes para uma variedade de estilos de queijo. Em todas, a técnica de produção tem precedência sobre a lista de ingredientes. Afinal, os ingredientes são poucos, não incluindo muito mais do que leite, culturas, coagulantes e sal. O risco de produzir queijos imperfeitos aumenta de acordo com a complexidade do processo e o tempo de envelhecimento. Preste atenção aos detalhes e tome nota de variáveis tais como a temperatura do leite, a hora e a quantidade da dosagem de cultura, a acidez ao longo de todo o processo e as técnicas de salga, assim como do ambiente de amadurecimento. Notas detalhadas de cada lote de queijo servem de referência caso algum problema surja mais tarde e sugerem mudanças na abordagem do processo de fabricação do queijo em lotes subsequentes. Com exceção dos queijos frescos simples, talvez seja necessário completar vários lotes até chegar a uma abordagem que funcione para o leite disponível e para o ambiente da estação garde manger.

O leite processado comercialmente pode demandar a adição de cloreto de cálcio a fim de assegurar um coalho firme. O cloreto de cálcio é vendido em grãos e pode ser obtido com fornecedores de suprimentos para a fabricação de queijo. Para chegar à concentração ideal de 0,02% de cloreto de cálcio, adicione aproximadamente um oitavo de colher de chá, ou 0,63 mℓ de grão de cloreto de cálcio para cada 960 mℓ de leite. Dilua os grãos em 60 mℓ de água fria e misture a solução ao leite antes de começar o processo de produção.

As receitas desta seção fazem referência a vários tipos de cultura. O seu fornecedor de suprimentos pode lhe ajudar a determinar o tipo de cultura que cada queijo requer. De maneira geral, no entanto, as seguintes opções dão conta das necessidades das receitas apresentadas aqui:

## culturas mesófilas (para processamento em baixa temperatura)

- DANISCO CHOOZIT MA4001/MA4002
  Para queijos de amadurecimento duro, queijos tomme e alguns tipos de queijo macio.
- DANISCO CHOOZIT MM100/MM101
  Para queijos frescos, queijos de salmoura, como o feta, e alguns queijos azuis.

## culturas termófilas (para processamento em alta temperatura)

- DANISCO CHOOZIT TA61
  Para queijos duros do tipo italiano, mozarela e alguns queijos de estilo alpino.

## culturas suplementares (para serem utilizadas em conjunto com as seleções acima)

- CHRISTIAN HANSEN FLORA DANICA
  Cultura mesófila aromática para aromas láticos, usada especialmente em derivados de leite fermentados, como o creme de leite azedo, o crème fraîche e a manteiga de creme fermentado.
- ABIASA AROMA B
  Cultura mesófila aromática que confere um aroma mais rico a queijos frescos como o queijo de cabra macio.

- DANISCO CHOOZIT LH100
  Usada em combinação com culturas termófilas de amadurecimento na produção de queijos duros italianos e queijos de estilo alpino.
- PROPIONIBACTÉRIA
  Para formação de olhos em queijos suíços.

## culturas de amadurecimento (para desenvolvimento de casca ou de veias)

- DANISCO CHOOZIT PENICILLIUM CANDIDUM
  Para o desenvolvimento de casca com mofo em queijos amadurecidos moles, bem como de casca seca em queijos de estilo tomme; disponível em vários tipos.
- DANISCO CHOOZIT GEOTRICHUM CANDIDUM
  Para formação de casca junto com Penicillium candidum; disponível em vários tipos, embora alguns interfiram mais do que outros no crescimento de mofo; a escolha depende da preferência do produtor de queijo.
- DANISCO CHOOZIT PENICILLIUM ROQUEFORTI
  Para desenvolvimento de mofo azul em queijos azuis.
- DANISCO CHOOZIT CORYNEBACTERIA (BREVIBACTERIA LINENS)
  Para desenvolvimento de casca aromática vermelha ou laranja em queijos de casca lavada; disponível em vários tipos.

# Ricota

1,92 ℓ de soro cru ou pasteurizado
960 mℓ de leite cru ou pasteurizado
Sal (opcional)
60 mℓ de vinagre branco

---

1. Isole o soro: drene ou escorra o coalho enquanto faz o queijo inicial. Leve-o ao fogo e misture-o ocasionalmente para evitar que se queime.

2. Aqueça o soro a 71 °C. Essa temperatura destruirá qualquer coalheira remanescente. Em seguida, adicione o leite. A temperatura cairá; continue aquecendo o líquido até chegar a 77 °C, misturando-o ocasionalmente.

3. Quando a temperatura atingir 77 °C, adicione 6,5 g de sal para cada 960 mℓ de líquido, se desejar.

4. Desligue o fogo quando o líquido atingir 85 °C. Adicione 2/3 do vinagre. Se os coalhos albuminosos começarem a subir à superfície imediatamente, não adicione o restante do vinagre. Se os coalhos se formarem lentamente, ou se o soro permanecer opaco e amarelo, adicione-o.

5. Empurre os coalhos que se formam durante o primeiro minuto da beirada do recipiente para o centro. Em seguida, cubra o recipiente e deixe que os coalhos e o líquido descansem entre 10 min e 15 min em temperatura ambiente.

6. Com uma concha, remova os coalhos do soro e deixe o queijo escorrer. Outra opção é colocar o coalho em uma chinois forrada com filtro de café. Alternativamente, escorra cuidadosamente o conteúdo do recipiente em um escorredor forrado com musselina molhada, ou use um saco de drenagem de *nylon*. A utilização do saco de drenagem pode resultar em um coalho menos firme e resistente.

7. Guarde a ricota por até 10 dias sob refrigeração.

» **NOTAS DO CHEF** Este queijo secundário utiliza o soro rico em proteína e lactose resultante da produção do queijo de coalheira. A fabricação da ricota depende do calor e da acidez para desestabilizar a proteína do soro e formar um precipitado. Receitas com 100% de soro produzem uma ricota doce e com boa textura; entretanto, a maioria dos fabricantes artesanais dos Estados Unidos utiliza uma mistura de soro e leite. A proporção de soro para leite pode variar bastante, de 10 para 1 até 2 para 1. A adição de leite aumenta substancialmente o rendimento da ricota, de 1,36 kg para 4,54 kg para cada 45,36 kg de leite, dependendo da quantidade utilizada de leite. Ela também gera um queijo mais rico, mas com uma textura menos satisfatória. O leite integral ou desnatado pode ser utilizado sem a adição de soro; a maior parte da ricota industrializada é feita dessa maneira. Em cada caso, o queijo resultante possui umidade de 50% a 60%, uma margem variável de gordura, dependendo do leite utilizado, um gosto adocicado e tempo de prateleira curto.

Como o soro já está ácido por causa do processo de fabricação do queijo, a ação de aquecê-lo à temperatura de 80 °C a 85 °C pode causar a coagulação de algumas proteínas sem a adição de ácido. O pH do soro, que depende do tipo de queijo do qual ele procede, influencia essa reação. A idade do soro também é importante; use o soro até 3 h depois de fazer o queijo. O soro proveniente da produção de queijos láticos não é tão eficaz na produção de ricota.

*Os coalhos da ricota se formarão depois da introdução do ácido. O soro deve desenvolver uma cor verde.*

Os sólidos começam a se precipitar da mistura de soro e leite quando o pH atinge 6,0. Idealmente, os coalhos devem flutuar na superfície do líquido, facilitando a sua remoção. A acidificação excessiva faz que eles desçam ao fundo do recipiente, tornando necessário escorrer o soro antes de removê-los. É possível verificar se o rendimento da ricota é ideal não apenas pela quantidade de queijo produzida, mas também pela cor esverdeada e pela claridade do soro consumido que resulta do processo. Isso indica que a grande maioria das proteínas do soro coagulou e se precipitou para fora do líquido.

Para fazer ricota exclusivamente com leite integral, aqueça o leite a 85 °C e siga as mesmas instruções da receita, começando pelo passo 4.

Para fazer ricotta salata, ou ricota salgada, salgue e envelheça a ricota fresca. Escorra-a em um saco, misture 1 colher (sopa)/10 g de sal para cada 960 mℓ de leite ou soro e então prense o coalho em uma cesta de queijo forrada com musselina molhada até formar uma roda coesa e resistente (aproximadamente 12 h sob pressão de 2,27 kg). Coloque o queijo em um recipiente coberto (como uma caixa plástica) e envelheça-o na geladeira, virando e salgando levemente a superfície da roda com sal puro em flocos uma vez por dia, durante sete dias. Depois de uma semana de salga, amadureça o queijo por mais duas a quatro semanas na geladeira, mantendo-o em uma caixa fechada para protegê-lo da desidratação.

A Itália não é o único país a fazer queijo a partir do soro. Na Noruega, o mysost requer que o soro do leite de vaca seja fervido lentamente até se reduzir a uma pasta grossa e doce, a qual se transforma em um queijo firme. O brousse, queijo do sudeste francês, é feito com o soro do leite de cabra ou ovelha. Esses são apenas dois exemplos de outros usos que os fabricantes de queijo encontraram para o soro, este subproduto nutritivo e abundante da produção de queijo.

# Fromage blanc

Cloreto de cálcio (opcional)
3,84 ℓ de leite pasteurizado, desnatado ou integral

1 colher (chá)/5 mℓ de cultura mesófila
4 gotas/0,5 mℓ de coalheira (opcional)

1. Adicione cloreto de cálcio ao leite, se utilizá-lo. Aqueça o leite a 30 °C e salpique a cultura na superfície dele. Deixe que a cultura flutue sobre a superfície por 2 min e então, usando uma concha, misture o leite com lentos movimentos ascendentes e descendentes.

2. Se quiser, adicione 0,5 mℓ de coalheira diluída em 30 mℓ de água fria neste momento. Usando uma concha, misture o leite com lentos movimentos ascendentes e descendentes. A coalheira ajuda a formar um coalho mais firme, ainda que a acidificação e a coagulação naturais normalmente produzam um queijo sólido o bastante.

3. Incube o leite a 22 °C, sem mexê-lo, por 8 h a 12 h. Para preservar a temperatura ativa, coloque o recipiente coberto em um lugar quente (como uma prateleira sobre um forno quente) ou, se estiver utilizando uma tigela pequena, sele-a em uma caixa plástica insulada e cheia de água morna. O leite acidificará e coagulará.

4. Escorra o coalho em um escorredor forrado com musselina molhada ou em um saco de drenagem por 6 h a 12 h, a 22 °C. Quanto mais longo for o tempo de drenagem, mais ácido e firme será o queijo resultante. Mantenha o queijo escorrido na geladeira.

» **NOTAS DO CHEF** Com origem na Normandia, o fromage blanc tem se tornado um ingrediente comum na culinária francesa. Esse queijo lático, fresco e versátil pode ser feito a partir do leite desnatado ou integral e requer pouco trabalho. O fromage blanc produzido comercialmente se encontra disponível em diversas porcentagens de gordura, de 0% a 20% (sendo esse último enriquecido com creme de leite). A presente receita requer leite integral e dá origem a um queijo macio e cremoso com 3% a 5% de gordura, dependendo do tipo de leite utilizado. Para realizá-la com sucesso, é muito importante conservar a temperatura de incubação enquanto o queijo se desenvolve.

O fromage blanc pode ser utilizado para fazer cheesecake; para isso, ele deve ser escorrido até que atinja uma consistência seca e pastosa. Seco, ele também serve como uma opção menos gordurosa ao cream cheese. Misture-o com especiarias, ervas ou adoçantes para fazer um condimento aromatizado. No seu estado mais fino, o fromage blanc pode ser usado em substituição ao creme de leite no enriquecimento de molhos.

# Crème fraîche

960 mℓ de creme de leite pasteurizado     1 colher (chá)/5 mℓ de cultura mesófila

1. Aqueça o creme a 22 °C.

2. Adicione a cultura e deixe-a descansar sobre a superfície do creme por 2 min. Usando uma concha, misture a cultura e o creme com lentos movimentos ascendentes e descendentes por 5 min.

3. Mantenha a temperatura do creme a 22 °C por entre 15 h e 24 h. Pronto, o queijo deve ter pH igual a 4. Quando atinge a acidez desejada, o creme se assemelha a um coalho grosso.

4. Refrigere o creme engrossado depois de acidificá-lo. Ele endurece um pouco mais à medida que esfria.

» **NOTAS DO CHEF** A riqueza e a firmeza desse queijo dependem da concentração de gordura do creme de leite. Quando esse é proveniente de uma leiteria artesanal pequena pode não ser tão concentrado quanto aquele produzido industrialmente, que tem no mínimo 36% de nata. A utilização de creme de leite fresco de fazenda nesta receita de crème fraîche resulta em um produto rico e saboroso, que ressalta a qualidade dos ingredientes utilizados pelo garde manger.

A escolha da cultura é o que distingue o crème fraîche caseiro do produto comprado. A inclusão de culturas aromáticas como *Lactococcus lactis* supsb. *lactis biovar diacetylactis* enriquece o sabor do queijo, pois introduz subprodutos fermentados tais qual o diacetil amanteigado. Selecionar um creme de alta qualidade é o primeiro passo para obter um crème fraîche especial. O segundo é garantir que as culturas bacterianas desfrutem das condições necessárias para contribuírem com sabores láticos adicionais ao produto.

O crème fraîche é muito versátil. Ele pode substituir metade da maioneses em saladas de frango ou de batata e no coleslaw, conferindo-lhes uma acidez lática. Misture o crème fraîche ao creme de leite batido para obter uma cobertura mais pronunciada de tortas de frutas. Escorra o queijo de um dia para o outro em um escorredor forrado com musselina molhada para produzir uma variedade mais grossa, a qual pode ser empregada como creme de leite azedo.

# Mascarpone

960 mℓ de creme de leite pasteurizado

¼ colher (chá)/1,25 mℓ de ácido tartárico, conforme necessário

1. Aqueça o creme a 85 °C, misturando-o constantemente.

2. Desligue o fogo e adicione ao creme metade do ácido tartárico. Misture o creme e verifique se ele engrossa até atingir uma textura levemente granulosa. Se não engrossar o suficiente, adicione mais ácido tartárico.

3. Despeje o creme coalhado em um escorredor forrado com musselina molhada e deixe que ele escorra à temperatura ambiente por 1 h. Então, coloque o escorredor sobre uma tigela e deixe o queijo escorrer de um dia para o outro na geladeira.

» **NOTAS DO CHEF** Assim como a do crème fraîche, a textura do mascarpone pronto depende da concentração de nata do creme de leite. Um creme leve, com 30% a 36% de nata, é o ideal. O queijo mascarpone é um queijo cremoso, ácido e úmido. A sua textura é mais granulosa do que a do crème fraîche, e o seu sabor, mais adocicado, já que ele não leva culturas.

O mascarpone serve a aplicações doces e salgadas. Ele é essencial na sobremesa tiramisù e, como componente, adiciona riqueza a pratos de massa. Use-o como elemento adesivo em canapés, como recheio ou como componente de molhos.

# Camembert

Cloreto de cálcio (opcional)
7,86 ℓ de leite
⅛ colher (chá)/0,6 mℓ de cultura mesófila
⅛ colher (chá)/6 mℓ de *Penicillium candidum* em pó

1 pitada de *Geotrichum candidum* (opcional, para promover a formação de casca)
0,4 colher (chá)/2 mℓ de coalheira
Sal kosher em flocos a gosto

1. Adicione o cloreto de cálcio (se utilizá-lo) ao leite. Aqueça o leite a 29 °C.

2. Adicione a cultura mesófila. Adicione ⅛ colher de chá de *Penicillium candidum* em pó e *Geotrichum candidum* (se utilizar).

3. Deixe que as culturas se dissolvam na superfície do leite por 2 min a 4 min e então o misture com movimentos ascendentes e descendentes.

4. Amadureça o leite por 2 h; depois, adicione a coalheira diluída em 60 mℓ de água fria.

5. Deixe que o coalho endureça, sem mexê-lo, por 1h40. Com o teste do corte limpo, verifique se o coalho está pronto para ser cortado.

6. Com uma faca grande, corte o coalho em cubos de 2 cm × 2 cm. Deixe-o descansar por 5 min. Ele se acomodará no fundo do recipiente, depois solte-o com as mãos e então misture-o delicadamente por 10 min também com as mãos.

7. Deixe que o coalho descanse brevemente e então remova um pouco do soro da sua superfície. Com uma concha, transfira o coalho para formas altas em estilo camembert. Encha-as rapidamente à medida que escorrem até que todo o coalho seja utilizado. Durante as próximas 12 h, o queijo continuará a escorrer, diminuindo, de 13 cm até 3 cm, a sua altura final.

8. Mantenha o ambiente de drenagem entre 20 °C e 25 °C. Vire os queijos depois das primeiras 3 h ou 4 h de drenagem e, depois, duas vezes mais em intervalos de 90 min.

9. No dia seguinte, remova o queijo da fôrma, salgue-o uniformemente com 1,5 g de cada lado e use uma garrafa plástica de *spray* para pulverizar a superfície do queijo com uma solução de 240 ml de água e ⅛ colher (chá)/0,6 ml de *Penicillium candidum* em pó. Em um ambiente ideal, com umidade relativa de 80% a 85% e temperatura de 13 °C, a superfície secará ligeiramente em 2 ou 3 dias. Quando a casca apresentar uma levedação amarelada inicial, remova o queijo a um ambiente de amadurecimento com temperatura entre 10 °C e 13 °C, umidade relativa de 98% e pouco movimento de ar.

10. Vire o queijo diariamente. Se você estiver amadurecendo o queijo isoladamente em uma geladeira, utilize uma caixa plástica com pequenas aberturas para permitir ventilação; mantenha o queijo sobre esteiras de plástico. O primeiro mofo branco deve aparecer depois de cinco a sete dias. É crucial continuar virando o queijo diariamente, ou o mofo poderá aderir à esteira sobre a qual o queijo está apoiado.

11. Uma vez que uma camada uniforme do mofo branco encubra o queijo, embrulhe-o em um invólucro permeável de duas camadas (ver seção de armazenamento deste capítulo). Coloque o queijo na geladeira de 4 °C a 7 °C, onde ele continuará a amadurecer. O camembert estará pronto em 6 a 8 semanas.

» **NOTAS DO CHEF** Queijos com casca mofada estão entre os mais difíceis de produzir. Eles requerem uma progressão específica dos organismos de maturação da superfície e apresentam um teor de umidade especialmente alto, o que faz do seu amadurecimento um grande desafio. Quando são produzidos satisfatoriamente, no entanto, esses queijos oferecem uma pasta sensualmente macia, com sabores cremosos e balanceados de salinidade terrosa, acidez lática e doçura leitosa.

Queijos macios amadurecidos similares ao camembert ou brie são inconstantes. Entre as dificuldades comuns enfrentadas por produtores de queijo, estão a fermentação excessiva durante os primeiros passos do amadurecimento, a quebra rápida da pasta, o que gera uma pasta demasiadamente macia ou mesmo líquida, o deslizamento da casca e o amargor dela. Alterações na acidez do queijo feitas no momento da produção e ajustes à condição de amadurecimento provocam mudanças significativas no modo como o queijo amadurece e envelhece. Pequenas modificações nas culturas de amadurecimento também causam impactos significativos no produto final.

Um bom queijo macio amadurecido é melhor desfrutado sozinho. Ainda assim, algumas preparações tiram vantagem da pasta macia e do sabor de cogumelos desse estilo de queijo. Ele pode ser utilizado em sanduíches e saladas. Para servi-lo como entrada, embrulhe o queijo inteiro em massa de pastel e asse o aperitivo até que o seu exterior fique dourado e crocante e o seu interior, derretido.

# Queijo de fazenda envelhecido

26,88 ℓ de leite para produzir uma roda de 2,72 kg
½ colher (chá)/2,5 mℓ de cultura mesófila
⅛ colher (chá)/0,6 mℓ de cultura aromática
⅛ colher (chá)/0,6 mℓ de *Penicillium candidum* em pó
1,1 colher (chá)/5,5 mℓ de coalheira
78 g de sal

1. Aqueça o leite a 31 °C e adicione as culturas. Deixe-as hidratar na superfície do leite e então o misture com movimentos ascendentes e descendentes.

2. Deixe o leite amadurecer por 45 min.

3. Adicione o mofo e misture o leite.

4. Adicione a coalheira diluída em 120 mℓ de água fria.

5. Deixe o coalho endurecer e faça o teste do corte limpo depois de 40 min.

6. Corte o coalho em pedaços de 6 mm e descanse-o por 5 min.

7. Misture o coalho, esquentando-o constantemente (1 °C a cada 2 min), até que atinja 34 °C. Mantenha o coalho a 34 °C, misturando-o com frequência, até ficar pronto. Verifique o coalho com o teste da mão.

8. Remova o soro do coalho e misture o sal a ele. Espalhe o sal uniformemente sobre a superfície do coalho; não o misture muito.

9. Transfira o coalho para uma fôrma forrada com musselina. Não prense o queijo, mas vire-o 10 min após enformá-lo. Vire o queijo mais duas vezes em intervalos de 1 h e então escorra-o de um dia para o outro.

10. No segundo dia, desenforme o queijo e armazene-o sobre uma esteira de amadurecimento por 5 a 7 dias a 21 °C e umidade relativa de 90%. Permita que o queijo desenvolva uma pele seca. Até o quinto dia, a sua superfície pode começar a desenvolver um mofo branco. Vire o queijo todos os dias.

11. Uma vez que o queijo tenha desenvolvido uma pele seca com um pouco de mofo, envelheça-o por 2 a 3 meses a 13 °C e umidade de 95%. Se o mofo começar a crescer em excesso, escove o queijo com um pincel de cerdas macias.

» **NOTAS DO CHEF** Este simples queijo envelhecido leva sal no coalho e possui um sabor picante e terroso e uma pasta quebradiça. A inclusão do mofo ajuda a manter a casca e contribui com um aroma de cogumelos. Nesta receita, o mofo não age de maneira a amolecer a pasta.

Como o sal é adicionado ao coalho antes de se encher a fôrma, o queijo não requer salga adicional. À medida que amadurece, ele desenvolve uma acidez picante e marcante.

» **VARIAÇÃO** Para fazer uma versão apimentada deste queijo, adicione ao coalho 28 g de grão de pimenta-do-reino com o sal. Siga a receita normalmente.

# Queijo fresco semilático de leite de cabra

Cloreto de cálcio (opcional)
7,68 ℓ de leite de cabra pasteurizado
¼ colher (chá)/1,25 mℓ de cultura mesófila

⅛ colher (chá)/0,6 mℓ de cultura aromática
3 a 4 gotas de coalheira
Sal kosher em flocos a gosto

1. Adicione o cloreto de cálcio (se utilizá-lo) ao leite em uma panela. Aqueça o leite a 29 °C. Adicione as culturas à superfície do leite. Deixe que as culturas hidratem por 2 min; usando uma concha, misture o leite com movimentos ascendentes e descendentes. Mantenha a temperatura do leite a 27 °C por 5 h. Coloque a panela em um lugar quente, como uma prateleira colocada em cima do fogão. Outra alternativa é selar a panela e colocá-la no meio de uma caixa plástica e parcialmente cheia de água quente.

2. Depois de 5 h, dilua a coalheira em 30 mℓ de água fria e adicione-a ao leite, misturando-o com movimentos ascendentes e descendentes. Mantendo a temperatura de 27 °C, descanse o leite por 12 h. Não mova a panela durante esse tempo.

3. Depois de 12 h, se o coalho estiver formado, afastado da borda da panela e coberto com uma camada de soro amarelado, remova o excesso de soro e escorra o conteúdo do recipiente em um saco de drenar de *nylon*. Alternativamente, escorra o queijo em um escorredor forrado com musselina molhada. Cubra o queijo com musselina molhada e deixe-o escorrer por 24 h entre 21 °C e 27 °C.

4. Depois de 24 h, pese o queijo e adicione 2% do seu peso em sal. Por exemplo, se a receita render 907 g de queijo, você deverá adicionar 18,14 g de sal (907 g × 0,02 = 18,14 g). Coloque o queijo no refrigerador e deixe-o descansar por 24 h. O sal se distribuirá uniformemente durante esse tempo.

» **NOTAS DO CHEF** O aroma "de cabra" deste queijo é mais ou menos forte dependendo do leite utilizado. Para produzir um queijo macio de leite de vaca seguindo esta receita, dobre a quantidade de coalheira e adicione-a logo depois das culturas, a fim de impedir que o creme se separe do leite durante o longo período de acidificação. A beleza do queijo semilático está no seu forte sabor lático, na sua textura delicada e na simplicidade da sua produção. As desvantagens são a natureza lenta da sua feitura e o desafio de conservar as temperaturas apropriadas durante o processo. Esta receita requer dois dias para ser realizada e exige atenção plena.

Assim como outros queijos macios, o queijo fresco de leite de cabra é usado em recheios, saladas e molhos. Considere usá-lo em um strudel salgado. Alternativamente, se bem seco, pode ser usado no lugar do cream cheese ou da ricota em cheesecakes.

# Mozarela

| | |
|---|---|
| Cloreto de cálcio (opcional) | ½ colher (chá)/2,5 mℓ de cultura termófila |
| 15,36 ℓ de leite pasteurizado | 0,6 colher (chá)/3 mℓ de coalheira, conforme necessário |

1. Adicione o cloreto de cálcio (se utilizá-lo) ao leite. Aqueça o leite a 37 °C e introduza a cultura. Deixe que o leite se acidifique em temperatura ambiente por 2 h.

2. Adicione a coalheira diluída em 90 mℓ de água fria. Preste atenção ao tempo de floculação e multiplique-o por 3 para obter o tempo total de desenvolvimento do coalho (por exemplo: se o leite mostrar sinais de coagulação depois de 4 min, prepare-se para cortar o coalho após 12 min).

3. Corte o coalho em pedaços do tamanho de uma noz de avelã. Misture-o por 5 min a 10 min; permita que ele se acomode no fundo do recipiente por 30 min. Conserve a temperatura durante esse tempo (nesse momento, o pH desejado é de 6).

4. Depois do tempo de descanso, o coalho se unirá no fundo do recipiente. Remova-o e corte-o em tiras compridas de 5 cm de largura. Deixe que as tiras continuem a acidificar à temperatura ambiente. Reserve 7,68 ℓ de soro para o armazenamento do queijo pronto.

5. Submerja um pedaço pequeno do coalho em água a 74 °C para verificar o seu ponto. Quando pronto, ele desenvolve um brilho lustroso e pode ser esticado na água quente. Corte o coalho em cubos de 3 cm.

6. Misture 5,76 ℓ de água a 71 °C com 142 g de sal. Coloque os cubos na água quente e deixe que eles descansem por alguns minutos, verificando a sua firmeza. Quando o coalho se tornar maleável, coloque luvas e manipule os cubos de modo a formar uma massa uniforme. Apertando e puxando, adicione um pouco de água ao coalho. Estique-o para verificar se ele se encontra liso, uniforme e lustroso. Quando a massa estiver uniforme, forme bolas de coalho do tamanho desejado e coloque o queijo recém-formado em um banho de gelo salgado. Ele se firmará à medida que esfria.

7. Armazene o queijo pronto no soro remanescente da produção do coalho. Salgue o soro levemente, em saturação de 10%.

**NOTAS DO CHEF** A mozarela feita à mão é comum em muitas estações de garde manger, mas poucos chefs fazem o queijo a partir do próprio coalho fresco. Assim como outros queijos de pasta filata, a mozarela requer a produção de um coalho especialmente ácido, o qual exige, por sua vez, um longo tempo de acidificação.

A mozarela também pode ser feita com acidificação direta. Para isso, adicione 450 mℓ de vinagre a 15,36 ℓ de leite pasteurizado a 32 °C. Imediatamente depois dessa acidificação direta, adicione 3 mℓ de coalheira diluídos em 90 mℓ de água fria. Depois de 10 min, corte o coalho em pedaços do tamanho de uma noz de avelã, misture-o por 5 min a 10 min (mantendo-o a 32 °C) e então permita que ele se estabeleça no soro quente. Corte-o e então prossiga com o estiramento do coalho e o armazenamento do queijo em salmoura conforme explicado acima.

**1.** Cortando o coalho de mozarela a fim de prepará-lo para o estiramento.

**2.** Adicione água salgada e quente ao coalho pasta filata para obter uma massa plástica e lisa.

# Queijo tomme

Cloreto de cálcio (opcional)

26,88 ℓ de leite cru ou pasteurizado de vaca, cabra ou ovelha para produzir uma roda de 2,72 kg a 3,63 kg

½ colher (chá)/2,5 mℓ de cultura mesófila

⅛ colher (chá)/0,6 mℓ de cultura aromática

1,1 colher (chá)/5,5 mℓ de coalheira

---

1. Adicione o cloreto de cálcio (se utilizá-lo) ao leite. Aqueça o leite a 32 °C.

2. Adicione as culturas, deixando que hidratem sobre a superfície do leite durante 2 min antes de misturá-lo com uma concha, em suaves movimentos ascendentes e descendentes.

3. Deixe o leite acidificar por 40 min.

4. Adicione a coalheira diluída em 150 mℓ de água fria, misturando o leite com suaves movimentos ascendentes e descendentes; em seguida, tente fazer o leite ficar imóvel.

5. Conte o tempo que leva para o coalho começar a endurecer (tempo de floculação) e multiplique-o por 3. Por exemplo: se o ponto de floculação for atingido em 8 min, faça o teste do corte com o coalho depois de 28 min.

6. Se o coalho passar nesse teste, corte-o em pedaços do tamanho de uma ervilha após o tempo esperado de coagulação.

7. Cozinhe o coalho por 25 min, aumentando a temperatura em 0,5 °C a cada 3 min até que ela chegue a 35 °C e depois em 0,5 °C a cada 2 min até 37 °C.

8. Escorra o soro e coloque o coalho em formas, pressionando-o e amassando-o. Em seguida, coloque uma tampa em cada forma e prense-a com um peso de 4,54 kg por 1 h.

9. Vire o queijo depois da primeira hora e continue a prensá-lo. Vire e prense o queijo mais duas vezes durante um período de 4 h.

10. No segundo dia, coloque o queijo em uma salmoura saturada e deixe-o de molho; siga a proporção de 3 h para cada 454 g. Vire-o na metade da salga.

11. Deixe o queijo secar por vários dias antes de removê-lo a um ambiente de amadurecimento a 13 °C e umidade relativa de 95%. Vire o queijo a cada dois dias e estimule o crescimento de mofos selvagens. Se o mofo não se desenvolver, ou se desenvolver muito lentamente, borrife a superfície do queijo com uma solução de 0,6 mℓ de *Penicillium candidum* em pó em 960 mℓ de água, para ajudar a inoculá-la. Se o mofo crescer muito agressivamente, escove o queijo para controlar o seu crescimento. O queijo deve ficar pronto em 3 meses.

12. Vire-o a cada dois dias durantes as primeiras 4 semanas de amadurecimento e então uma vez por semana durante o segundo e o terceiro meses.

» **NOTAS DO CHEF** Os queijos tomme proporcionam um amplo leque de possibilidades. Em geral, eles não são prensados e frequentemente dependem de culturas mesófilas básicas e de culturas selvagens de amadurecimento de superfície. O tomme de Savoie, na França, é um exemplo clássico desse estilo. O toma italiano, da região de Piemonte, é similar, com uma estrutura ligeiramente aberta e pasta cremosa e um tanto quanto macia. Um queijo tomme normalmente exibe os mofos naturais da região onde é produzido. Esses dois exemplos são feitos com leite de vaca, mas também são usados leite de ovelha, leite de cabra ou uma mistura de leites. Esta receita básica serve como base para queijos semiduros amadurecidos de 8 a 12 semanas.

Os queijos tomme são mais fáceis de fazer do que aqueles que dependem do desenvolvimento uniforme de culturas de superfície. As dificuldades comuns à sua feitura aparecem durante o amadurecimento do queijo e incluem o enrugamento ou a quebra da casca em razão de condições imperfeitas de maturação ou o amargor da pasta. Alguns sabores amargos que se desenvolvem no começo do amadurecimento muitas vezes desaparecem com o tempo. Este queijo não é feito para maturar por mais do que 4 meses; depois desse tempo, ele apresenta pouco desenvolvimento positivo. O queijo tomme é melhor apreciado como componente de um prato de queijos, de saladas ou de sanduíches. Ele não derrete de maneira uniforme e geralmente solta gordura quando é aquecido.

# Queijo ao estilo alpino

Cloreto de cálcio (opcional)

69,12 ℓ de leite de vaca cru ou pasteurizado para produzir uma roda de 6,8 kg

¾ colher (chá)/3,75 mℓ de cultura termófila (*Streptococcus termophilus*)

⅛ colher (chá)/0,6 mℓ de *Lactobacillus helveticus*

⅛ colher (chá)/0,6 mℓ de *Lactobacillus lactis*

1 pitada de *Propionibacterium freudenreichii* subsp. *shermanii*

2,8 colher (chá)/14 mℓ de coalheira

Sal a gosto

---

1. Adicione o cloreto de cálcio (se utilizá-lo) ao leite. Aqueça o leite a 32 °C. Adicione as culturas, salpicando os grãos na superfície do leite e deixe que ele descanse durante 2 min. Misture as culturas ao leite. A cultura *Propionibacterium* incorpora-se mais facilmente se for diluída em uma pequena quantidade de leite a 32 °C antes de ser adicionada à panela. Deixe que as culturas se desenvolvam por 45 min.

2. Dilua a coalheira em 240 mℓ de água fria. Usando uma concha, misture-a ao leite com movimentos ascendentes e descendentes; na sequência, tente fazer o leite ficar imóvel.

3. Observe o ponto de floculação. Multiplique esse tempo por 3 para determinar o tempo que o coalho levará para chegar ao ponto. Por exemplo: se a floculação for perceptível depois de 12 min, retorne ao coalho após 36 min.

4. Passado esse tempo, teste a firmeza do coalho e corte-o em cubos de 6 mm.

5. Deixe que os cubos descansem por 3 min e então misture delicadamente o coalho por 40 min, mantendo a temperatura de 32 °C.

6. Aqueça o coalho e o soro em 0,5 °C a cada minuto, até chegar a 49 °C, misturando-o constantemente. Isso deve levar 30 min. Mantenha o coalho nessa temperatura final, misturando-o a cada 3 min a 5 min para impedir que ele se una. Quando o coalho estiver firme, faça o teste da mão.

7. Com uma concha, remova o soro do recipiente e então mova o coalho para uma fôrma grande, forrada com musselina. Não deixe que ele esfrie enquanto enche a fôrma. Cubra o queijo com a musselina e prense-o com um peso de 13,61 kg por 30 min.

8. Vire o queijo, torne a embrulhá-lo e prense-o novamente por mais duas vezes em intervalos de 1 h.

9. No dia seguinte, remova o queijo da prensa e coloque-o em uma salmoura saturada por 3 h para cada 907 g. Por exemplo: se o queijo pesar 6,8 kg, você deverá salgá-lo por um total de 45 h (22,5 horas de cada lado; o queijo flutuará, devendo ser virado na metade do processo de salga).

10. Depois de salgá-lo, mantenha o queijo em um ambiente a 18 °C com umidade relativa de 90%; deixe que ele se seque e desenvolva uma casca fina ao

longo de 10 dias. Passe por uma musselina molhada com solução de 5% de sal a cada dois dias para mantê-lo limpo, mas tome cuidado para não umedecê-lo. Vire o queijo todos os dias durante as primeiras 4 semanas de amadurecimento.

11. Mantenha o queijo em um ambiente a 18 °C por mais 4 semanas. Para protegê-lo e mantê-lo em um ambiente suficientemente úmido, considere armazená-lo sobre uma esteira plástica, dentro de uma caixa plástica com alguns furos. O queijo se expandirá significativamente durante as primeiras semanas de envelhecimento por causa da produção de gás da *Propionibacterium*. Durante esse tempo, se algum mofo difícil de erradicar crescer na superfície do queijo, limpe-o com uma solução de partes iguais de vinagre branco e água. Seque o queijo depois desse tratamento.

12. Continue a envelhecer o queijo em um ambiente com moderado movimento de ar, temperatura de 13 °C e umidade de 90% a 95%. Envelheça-o durante 4 ou 5 meses, virando-o uma vez a cada 2 ou 3 dias durante o primeiro mês.

13. Use uma sonda de queijo para avaliá-lo antes de cortar.

» **NOTAS DO CHEF** Os queijos de estilo alpino ganham o seu sabor amendoado único e a sua pasta lisa das altas temperaturas de cozimento praticadas durante o processo de fabricação. A adição de *Propionibacteria freudenreichii* subsp. *shermanii* provoca uma concentração de gás dentro do queijo durante o envelhecimento, dando origem aos buracos característicos, ou "olhos", de queijos como o emmenthal. É fundamental usar culturas termófilas na produção deste queijo, capazes de sobreviver às altas temperaturas do seu processo.

O queijo produzido por esta receita pode ser derretido e possui uma pasta elástica e um perfil de sabor adocicado e nucular. A roda de 6,8 kg se aproxima do tamanho tradicional de muitos queijos alpinos, mas rodas menores geram resultados semelhantes. Se for corretamente amadurecida, a roda apresentará distribuição uniforme de bolhas de ar dentro da pasta. Espaços grandes e centralizados não são tão desejáveis quanto buracos menores espalhados por todo o queijo.

» **VARIAÇÃO** Para fazer uma versão aromatizada com alcaravia ou cominho deste queijo suíço, ferva 113 g de semente de alcaravia ou cominho em água por 15 min. Coe as sementes, adicione a água aromatizada ao leite e prossiga com a receita. Depois de escorrer o soro do coalho e antes de prosseguir com a moldagem, adicione as sementes.

# AVALIANDO E CUIDANDO DO QUEIJO

Felizmente, a maioria dos vendedores de queijo é generosa com amostras. Caso contrário, seria muito desafiador (e caro) descobrir o que constitui um bom queijo. Cada queijo estabelece os próprios critérios, mas, em geral, um bom queijo apresenta equilíbrio de sabor, de aroma e de textura. A melhor maneira de desenvolver a apreciação e o vocabulário do mundo dos queijos é experimentá-los aos montes. Esta seção oferece técnicas básicas, vocabulário e exemplos para ajudar na avaliação e na descrição desse alimento, bem como sugestões sobre como preservar a sua qualidade por meio do armazenamento correto.

Nem todos os queijos nascem sob as mesmas circunstâncias, então sempre considere o contexto de um queijo ao avaliá-lo. Os industriais são capazes de manter uma ótima consistência ao mesmo tempo que são produzidos em grande volume, mas podem não ser tão especiais quanto os artesanais. Os queijos de produtores artesanais demonstram alguma variação de qualidade, mas muitas vezes oferecem perfis de sabor mais variados. Portanto, embora certos queijos possuam padrões de estilo e de composição, tome cuidado para não dispensar automaticamente aqueles que divergem das fórmulas prescritas. Lembre-se de que a enorme diversidade de queijo só existe graças às respostas criativas dos produtores às condições únicas da sua produção.

Definições rígidas e marcadores de estilo regularizam o queijo de acordo com padrões governamentais, competitivos e mercadológicos. Diretrizes de estilo sugerem, por exemplo, que o queijo camembert não deva ter mofos azuis na sua superfície, ou que um pedaço de comté francês não deva apresentar buracos na sua pasta. De maneira mais técnica, o Departamento de Agricultura dos Estados Unidos (USDA) define algumas categorias com base no teor de umidade e de gordura do produto. Por lei, a mozarela norte-americana deve possuir teor de umidade entre 52% e 60% e não menos do que 45% de gordura na massa seca (isto é, 45% dos sólidos do queijo, depois de desidratado, devem ser compostos de gordura). Conforme definido pelo Institut National de Apellation d'Origine et de la Qualité (Instituto Nacional de Designação de Origem e de Qualidade) francês, o camembert da Normandia tem de medir entre 10,5 cm e 11 cm de diâmetro e conter 45% de gordura na massa seca. Essas características determinam o que o queijo deve apresentar para ser fiel a um estilo. De todos os indicadores, as porcentagens de umidade e de gordura são as mais controladas.

Essa medida de gordura tem diferentes nomes e abreviações, dependendo do país de origem. Por exemplo, na Alemanha ela é chamada de Fett in der Trockenmasse (F.i.T.) e, na França, de Matière Grasse (MG). Nos Estados Unidos, os queijos artesanais e de fazenda podem ou não trazer tal informação; no caso deles, uma avaliação holística é mais importante do que de qualquer componente particular. Esta seção descreve alguns marcadores gerais de estilo de queijos frescos, de casca mofada, de casca natural, de casca lavada e azuis. Embora a classificação técnica dos queijos de acordo com a sua umidade e a sua firmeza seja mais comum, a presente abordagem leva em consideração os usos do garde manger baseados na aparência, no aroma, no sabor e na textura.

## maciez e teor de gordura

**NÃO SE DEIXE ENGANAR** pela cremosidade de um queijo: a sua textura macia não se deve a um alto teor de gordura. À exceção dos queijos frescos feitos com creme de leite, como o mascarpone, ou com leite fortificado, os mais macios frequentemente têm menos gordura por porção do que os queijos duros envelhecidos como o parmigiano-reggiano.

## avaliando o queijo

Ao escolher um queijo, avalie o aspecto visual, o aroma, o sabor e a consistência da pasta de cada amostra.

### avaliação visual

A avaliação visual da casca e do perfil do queijo cortado geralmente indica a qualidade da produção e o nível de amadurecimento do produto.

**QUEIJOS FRESCOS** Se for macio e espalhável como o chèvre, o fromage blanc ou o quark alemão, o queijo fresco deve apresentar coloração branco-pálida e textura fina. O chèvre contém entre 60% e 70% de umidade, mas a sua aparência é seca e ligeiramente granulosa. O fromage blanc, em contrapartida, é muitas vezes vendido como queijo lático macio tradicionalmente produzido sem coalheira; como ele pode ser feito com leite desnatado, integral ou fortificado com creme, a porcentagem de gordura na sua massa seca varia entre 0% e 20%, ou até mais. O teor de umidade da maioria dos queijos frescos varia conforme o tempo de drenagem. Alguns são visivelmente úmidos, assemelhando-se a um iogurte, ao passo que outros são claramente mais secos e podem ser empregados como pasta. O quark alemão e o tvorog russo, queijos frescos feitos com ou sem coalheira, também variam quanto ao porcentual de gordura e geralmente exibem uma textura mais seca, o que os torna especialmente adequados para rechear e assar. Note que os queijos frescos mais ácidos desenvolvem com facilidade mofos na superfície exposta, e algumas vezes tais mofos são difíceis de identificar. Os melhores queijos desse tipo são usados poucos dias depois de produzidos.

**QUEIJOS DE CASCA MOFADA** O mofo branco de um queijo de cabra do vale do Loire tal qual o sainte-maure ou de um queijo camembert de Vermont é parte integral dele. A aparência aveludada do mofo que se desenvolve na superfície do queijo deve envolvê-lo completa e uniformemente. Tipicamente, o mofo branco *Penincillium candidum* cresce em cooperação com o fermento *Geotrichum candidum*, resultando em uma coloração que varia de branco-marfim a amarelo-palha. As enzimas proteolíticas do mofo avançam de fora para dentro durante o envelhecimento do queijo. Ao fazer queijos macios amadurecidos, cuja borda exterior amadurece de modo a se tornar cada vez mais tenra, confira se a casca não desliza – ela tem de permanecer firmemente ligada ao queijo e não deve escorregar ou ser fácil de remover, como uma pele. Os queijos de casca mofada podem ou não exibir manchas de outro mofo, como o mofo escuro *Mucor*, ou diversos tons de azul. Os produtores artesanais têm uma dificuldade especial para controlar a influência de outros mofos nos queijos de casca mofada, principalmente aqueles que possuem apenas um ambiente de amadurecimento à sua disposição. Ao avaliar queijos macios amadurecidos de vários mofos, encare-os como a expressão da diversidade fúngica única do local de produção.

## o ácaro do queijo: um transtorno ao amadurecimento

O ÁCARO DO QUEIJO, *Tyroglyphus siro*, geralmente é considerado uma praga pelos produtores. Esses insetos minúsculos, invisíveis a olho nu, cavam trilhas na casca dura de queijos em processo de envelhecimento, deixando resíduos de pó. Ainda que alguns queijos se beneficiem da aeração produzida pela ação do ácaro, a maior parte dos produtores tenta controlá-lo, escovando regularmente a superfície dos queijos que maturam. Se não for controlado, o ácaro degrada a casca, fazendo-a parecer desigual, áspera ou porosa, e danifica significativamente o produto.

**QUEIJOS DE CASCA NATURAL** Muitos queijos envelhecidos semimacios (mais de 45% de umidade) e semiduros (35% a 45% de umidade) feitos por produtores artesanais e fazendeiros possuem casca natural. O tetilla, um queijo espanhol de leite de vaca, contém 50% de umidade e tem uma casca limpa, fina e amarelo-palha. O tomme de Savoie, queijo semiduro francês, desenvolve uma casca seca e mosqueada, expressiva dos numerosos mofos e fermentos do ambiente de produção. Dependendo do queijo, a casca natural pode demonstrar mais ou menos uniformidade de cor e culturas de amadurecimento. Esse tipo de casca, no entanto, sempre exibe integridade – rachaduras, áreas molhadas ou outros danos físicos indicam um queijo comprometido. A não ser por impressões deixadas pelas esteiras plásticas de drenagem ou dos racks metálicos de amadurecimento, a superfície da casca deve ser lisa. Se estiver extremamente enrugada ou convoluta, lembrando a superfície do

*1. Havarti holandês com buracos mecânicos na casca.*

*2. A estrutura do coalho é visível neste cheddar artesanal da fazenda Bobolink.*

*3. Gouda envelhecido (aqui com 4 anos) frequentemente desenvolve cristais de tirosina, um aminoácido, na pasta.*

*4. Este pecorino italiano revela a coloração mais escura da pasta próxima à casca.*

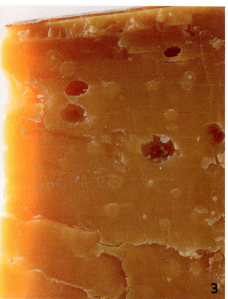

cérebro, a casca revela problemas no processo de fabricação ou cuidado impróprio durante o amadurecimento; se estiver rachada, sugere um ambiente de amadurecimento muito seco ou climaticamente instável. Estragos causados pelo ácaro do queijo, embora inevitáveis para alguns pequenos produtores, devem ser mínimos na maioria dos casos (ver boxe p. 401). Superfícies molhadas ou demasiadamente úmidas prenunciam estrago ou sabores estranhos, a não ser que o queijo seja de casca lavada ou fresco. Além disso, rodas que pareçam especialmente bulbosas denunciam estufamento tardio, condição causada pela infecção de vários tipos da bactéria *Clostridium*. O perfil de corte de tais rodas revelará bolhas de gás concentradas no centro, onde deveria haver pasta lisa – o que indica deficiências na alimentação dos animais ou nas práticas de saneamento, as quais tornam o queijo impróprio para consumo. Esses sintomas podem demorar seis semanas ou mais após o início do processo de amadurecimento para se desenvolverem.

Ao inspecionar um queijo cuja casca dura se ache bem desenvolvida, observe o gradiente de cor mais próximo dela. Se uma banda larga e escura correr perto da superfície do queijo, é provável que ele seja bastante envelhecido. Um gouda de 5 a 7 anos, por exemplo, exibe essa profundidade da casca. A análise visual também permite avaliar a estrutura do queijo. Buracos mecânicos, como os do stilton, grandes bolhas de ar ("olhos") produzidas por subproduto gasoso da *Propionibacteria*, como aquelas presentes no emmenthal, ou olhos pequenos, como os do havarti, dão indícios das culturas e das temperaturas utilizadas na produção. Além disso, a inspeção visual pode revelar a presença de cristais de lactato de cálcio, uma característica positiva comum em queijos duros envelhecidos como o parmigiano-reggiano e o cheddar inglês.

### QUEIJOS DE CASCA LAVADA

Geralmente considerados os queijos mais aromáticos entre todos, esses queijos tendem a mostrar qualidades táteis interessantes e uma cor única. A intensidade da cultura de amadurecimento *Brevibacterium linens* varia de queijo para queijo. O raclette suíço possui uma superfície pegajosa mas relativamente seca, enquanto o hooligan, produzido na fazenda Cato Corner, em Colchester, Connecticut, tem a casca mais viscosa. Os queijos de casca lavada não devem ser lodosos ou rachados e normalmente exibem uma variedade de cores que vai desde âmbar dourado até laranja muito avermelhado. Ocasionalmente, a sua cor é abrandada pelo branco do mofo, como no caso do reblochon francês. Note que cascas especialmente uniformes e coloridas podem ser resultado da adição de agentes colorantes. O muenster americano produzido industrialmente, por exemplo, imita a aparência de queijo de casca lavada por meio da adição de urucum, um colorante natural. Já o muenster tradicional da Alsácia (normalmente grafado como "munster") apresenta uma uniforme coloração laranja-cobre por causa da cultura que cresce na sua superfície. A pasta dos queijos de casca lavada pode ser desde firme até muito macia, dependendo da sua maturidade. Em temperatura ambiente, a pasta de queijos como o taleggio, o munster da Alsácia ou o pont l'évêque, deve transbordar da superfície cortada. Ao comprar queijos ainda mais maduros, tome cuidado: uma pasta mole geralmente indica que ele está prestes a passar do ponto. Os queijos de casca lavada têm de ser macios mas não liquefeitos.

### QUEIJOS AZUIS

Como o mofo azul só cresce na parte externa da superfície exposta ou na parte interna, todos os queijos azuis são porosos em algum grau. O stilton, por exemplo, mantém uma estrutura solta porque o seu coalho é escorrido e endurecido antes de ser enformado, o que cria passagens irregulares dentro do queijo. O roquefort, feito de leite de ovelha, desenvolve mofo azul nos longos canais gerados por "agulhamento" ou empurro de longas hastes na pasta com o objetivo de criar espaço para o mofo crescer e respirar.

## queijos de casca encerada: uma nota especial

A CERA MANTÉM A UMIDADE DO QUEIJO e o protege durante o amadurecimento contra a infecção de mofos. O enceramento também retarda o processo de maturação, permitindo que o queijo amadureça por mais tempo. Esses queijos não devem apresentar umidade entre a cera e a pasta. Entre os estilos comumente encerados, estão o gouda, o edam, o cheddar e o colby. Tradicionalmente, as cores da cera são usadas para indicar qualidade ou estilo. O preto normalmente se reserva a produtos mais envelhecidos, como um cheddar antigo, enquanto o vermelho indica um queijo mais novo, como um gouda jovem. Alguns produtores selam os seus queijos a vácuo em sacos de plástico grosso em vez de encerarem-nos. Nos Estados Unidos, o cheddar industrializado é normalmente envelhecido sob plástico em blocos de 18,14 kg. Alguns produtores artesanais também preferem a facilidade do selamento a vácuo à cera. Os queijos encerados são mais fáceis de armazenar do que outros, pois a cera age como uma barreira contra a desidratação em condições de refrigeração.

---

A maioria dos queijos azuis contém entre 30% e 50% de teor de umidade e 30% de gordura na sua massa seca. O cabrales espanhol, por exemplo, contém de 30% a 35% de água e aproximadamente 31% de gordura na massa seca. Alguns possuem uma pasta substancialmente mais macia do que outros. O gorgonzola maduro é macio e cremoso, assim como o bleu d'auvergneda francês, notavelmente mais macio do que exemplos mais firmes, tal qual o original blue da Point Reyes Farmstead Cheese, na Califórnia, que é feito no estilo de queijos azuis dinamarqueses. Por causa do seu alto teor de umidade, os queijos azuis são embrulhados em papel-alumínio.

### avaliação do aroma

O aroma do queijo diz bastante sobre o seu processo de produção, o seu estágio de amadurecimento e a sua saúde. Mesmo a acidez, uma característica de sabor, pode muitas vezes ser determinada a partir dos aromas láticos e frutados do produto. Diferentes estilos de queijo pressupõem perfis aromáticos específicos. Por exemplo, muitos queijos do estilo alpino com coalho cozido têm aroma de caramelo e de noz, ao passo que queijos ingleses mais ácidos frequentemente denunciam a sua origem através de aromas cortantes e picantes. Os queijos feitos com leite de cabra podem exalar um pronunciado aroma "caprino" por causa dos ácidos graxos específicos desse leite, os quais diferem daqueles do leite de vaca. O leite de ovelha também gera um aroma peculiar, que pode ser descrito como terroso, lembrando a lanolina. Cheiros de amônia, de "porão" ou de ranço são sinais de armazenamento ou amadurecimento indevidos ou de maturação excessiva.

**QUEIJOS FRESCOS** O queijo fresco deve exalar um aroma lático limpo, com notas de frutas ácidas. Esse aroma pode ser de leite, de iogurte, vivo, azedo ou doce. Tome cuidado com queijos frescos com cheiro de mofo ou sujo; isso pode indicar sabor amargo e vida de prateleira curta.

**QUEIJOS DE CASCA MOFADA** Frequentemente preferidos pelos consumidores por serem delicados e cremosos ao paladar e não intrusivos ao nariz, os queijos de casca mofada têm cheiro terroso e de cogumelos na casca e fortemente leitoso no interior. Esses aromas, geralmente suaves, prenunciam a harmonia e o equilíbrio de um queijo adequadamente envelhecido. Se esse tipo de queijo exalar cheiro de amônia ou intensamente frutado e azedo, é possível que tenha passado do ponto ou sido armazenado de modo impróprio.

### QUEIJOS DE CASCA NATURAL
Quando um queijo novo entra no ambiente de amadurecimento, o seu aroma doce e lático é bem mais simples do que aquele que exala quando sai, 5, 12 ou 200 semanas mais tarde. Por meio dos processos de proteólise e lipólise, muitos novos compostos aromáticos são desenvolvidos com a degradação de proteínas e gorduras. Procure por aromas terrosos, de nozes, caramelizados, de cogumelos, picantes e de frutas nos queijos de casca natural envelhecidos. Considere o aroma da casca em comparação com o da pasta. Um odor levemente animal ou de celeiro é perfeitamente aceitável, desde que não interfira no equilíbrio geral do queijo. Tome cuidado se ele exalar um cheiro forte de amônia. Permitir que o queijo embrulhado respire ajuda a dissipar o aroma de amônia; no entanto, produtos excessivamente maduros ou malcuidados continuam a soltar esse cheiro como indicação da sua putrefação.

### QUEIJOS DE CASCA LAVADA
A cultura de amadurecimento *Brevibacterium linens* é responsável pelo aroma pungente dos queijos de casca lavada. A *Brevibacterium linens* também cresce na pele humana, causando o característico mau cheiro do pé. O odor penetrante dos queijos de casca lavada é salgado e sedutoramente rico. Se for pútrido ou severamente desagradável, é possível que o queijo esteja maduro demais. Outros adjetivos e locuções que capturam o aroma desses queijos classicamente "fedidos", como o limburger alemão, o époisses francês e o fromage de Herve belga, são "carnudo", "terroso" e "de celeiro".

### QUEIJOS AZUIS
O aroma direto e marcante do *Penicillium roqueforti* anuncia a distância um queijo azul maduro, com as suas notas de terra e cogumelos e uma pontada quase metálica. Apesar de muitos queijos desse tipo possuírem sabor doce e terroso, o seu aroma às vezes sugere uma intensidade mais forte.

**1.** *Camembert da Normandia AOC, um queijo de casca mofada, na temperatura para servir.*

**2.** *Munster da Alsácia maduro, um queijo de casca lavada, na temperatura para servir.*

## avaliação do sabor

Quando se cheira um queijo de forma ortonasal, apenas alguns aromas são revelados; já quando se mastiga o queijo a fim de captar os seus aromas de forma retronasal, revela-se muito mais sobre ele. Isso também dá a conhecer, obviamente, os sabores e os gostos particulares do queijo. Atente ao equilíbrio de acidez e doçura. A acidez varia de acordo com o estilo do queijo, e a intensidade dos sabores normalmente é maior naqueles mais secos e envelhecidos. Explore as notas amargas no final do queijo. A amargura da casca representa um desafio aos produtores artesanais de queijo de casca mofada. Também note a intensidade do sal. Embora alguns queijos sejam intencionalmente muito salgados, como a ricota salata italiana ou o cotija mexicano, a salinidade não deve dominar o paladar, e sim complementar os outros sabores.

**QUEIJOS FRESCOS** Os sabores desse tipo de queijo variam bastante, dependendo do tipo de leite empregado, do teor de gordura e do teor de umidade. O gosto de cabra ou de ovelha pode ser evidente nos queijos frescos feitos com esses leites, mas não deve ser excessivo. Especialmente no caso do queijo de cabra, o sabor de caça, pronunciadamente animal, pode resultar do fato das cabras lactantes serem mantidas muito próximas a machos. Queijos mais gordurosos, como o crème fraîche, com aproximadamente 30% de gordura, e o mascarpone, com teor de gordura de 45% a 55%, proporcionam um sabor rico e completo, acentuado pela acidez equilibrada. Queijos frescos de coalheira, como o twarog polonês, são adocicados e leitosos.

**QUEIJOS DE CASCA MOFADA** Um bom queijo de casca mofada oferece sabores doces, salgados, ácidos e até um pouco amargos que se complementam. Enquanto o brie industrial apresenta um perfil restritamente doce e salgado, com uma sensação espessa na boca, os queijos artesanais dessa categoria possuem outros sabores, como de floresta, além de notas láticas amanteigadas, salinidade mineral que se demora na boca e acidez frutada, quase tropical. Tome cuidado com cascas e pastas amargas e com queijos que exalam cheiro de amônia mesmo depois de deixados para respirar: esses são sinais de falhas no processo de produção ou de armazenamento.

**QUEIJOS DE CASCA NATURAL** Esta grande categoria varia bastante em sabor, que pode ser desde adocicado e amendoado até picante e salgado. Nos queijos tomme, busque equilíbrio de acidez entre o doce e o salgado. Preste atenção à falta de amargor, que pode indicar excesso de coalheira ou envelhecimento impróprio. Muitos queijos em estilo alpino com coalho cozido, como o beaufort francês, o emmenthal suíço e o bergkäse austríaco, possuem notas caramelizadas e de nozes, por conta das altas temperaturas e das culturas termófilas usadas na sua produção. Por causa do seu processo específico de produção, desenvolvido para aumentar drasticamente a acidez durante a feitura, muitos cheddars ingleses e queijos similares apresentam um caráter azedo e vivaz, balanceado pela salinidade pronunciada. Os queijos pasta filata, como o caciocavallo ou o provolone, têm um sabor adocicado e leitoso quando mais jovens do que dois ou três meses e uma acidez mais intensa quando mais velhos.

**QUEIJOS DE CASCA LAVADA** A categoria mais aromática dos queijos frequentemente surpreende os consumidores com os seus sabores fortemente adocicados e salgados, acentuados por odores terrosos. O perfil de sabor quase carnudo de alguns queijos de casca lavada faz deles intensamente deleitosos, manifestando qualidades florestais, minerais e de celeiro. Na boca, a casca fina habitada pela bactéria *B. linens* oferece uma característica crocante que contrasta com a pasta macia.

**QUEIJOS AZUIS** O equilíbrio atingido por um bom stilton, cabrales, roquefort ou gorgonzola põe em contraste um forte toque de salinidade mineral e uma pasta cremosa e adocicada. O stilton tem um nível de acidez especialmente alto, mas a sua pasta cremosa e úmida suaviza o paladar e protege-o do seu sabor frutado potencialmente marcante. Em geral, essa categoria é um pouco mais salgada do que as demais – alguns queijos azuis podem mesmo ser salgados além da conta. Em conjunção com esse perfil está a mineralidade terrosa que resulta do crescimento extensivo do mofo *Penicillium roqueforti*.

## avaliação da textura

Dependendo da aplicação pretendida para o queijo, a sua textura pode determinar o quão apropriado ele é. Leve em conta a fragilidade ou a elasticidade da pasta, a sua qualidade granulosa na boca e o potencial de derretimento do queijo.

**QUEIJOS FRESCOS** Apesar de não derreterem bem, os queijos frescos constituem uma ótima base para aplicações na cozinha garde manger. Devido ao seu alto teor de umidade e à sua consistência uniforme, o fromage blanc pode ser adicionado a molhos. Queijos mais firmes, como o chèvre e o quark, dão ótimos recheios de itens assados. Muitos queijos frescos são bons para assar, pois possuem baixo teor de gordura e não se separam quando aquecidos.

**QUEIJOS MACIOS AMADURECIDOS** Esses queijos exibem zonas de textura variável. Em alguns, como o saint-andré, um queijo de creme da Normandia, a graduação clara do centro arenoso para o anel exterior, cremoso e macio, é evidente – esse seria considerado o estágio de amadurecimento ideal para um queijo desse tipo. Ao servi-los, é importante que o pedaço mostre os três elementos: o centro, a área externa amadurecida e a casca. Os queijos macios amadurecidos retos, como o camembert, atingem a maturidade quando a pasta se torna uniformemente macia e bojuda. Se inteiros, eles devem ceder à pressão; se cortados, o centro da pasta clara deve protuberar. Se forem amadurecidos em excesso, os queijos dessa categoria se tornarão liquefeitos, escorrendo para fora da casca mofada, e não servirão a nenhuma aplicação.

**QUEIJOS DE CASCA NATURAL** A textura dos queijos tomme e alpino e duros amadurecidos varia bastante. Os queijos tomme, que em geral são levemente prensados, podem ser desde moles até relativamente firmes. Os alpinos, como o beaufort francês ou o appenzeller suíço, frequentemente cozidos em altas temperaturas (46 °C) durante o processo de feitura, exibem uma pasta mais compacta e firme, com certa elasticidade; quando dobrados, esses queijos se quebram em linhas estriadas. O cheddar de fazenda, apesar de sofrer considerável pressão durante a prensagem (até 2,81 kg por centímetro quadrado), não perde a estrutura de coalho quando pronto. Os cheddars ingleses amadurecidos têm textura firme e seca, enquanto os americanos industrializados possuem uniformidade elástica e maior capacidade de derretimento. Entre os queijos duros, os grana italianos são cozidos em altas temperaturas (54 °C). Além disso, os pedaços do seu coalho são cortados

## capacidade de derretimento

A CAPACIDADE DE DERRETIMENTO do queijo depende de como está estruturada a caseína. Os queijos frescos e muito úmidos não derretem porque a presença de água interrompe a formação de uma matriz contínua da proteína. Outros queijos, como o parmesão, são muito secos e ácidos para derreterem de modo a formar uma massa pegajosa como aquela que se esperaria encontrar em um sanduíche grelhado. O pH do queijo também tem grande influência no potencial de derretimento. Um pH baixo pode resultar em um queijo empelotado, enquanto um pH mais alto pode conferir qualidades pegajosas.

em tamanho menor do que o de um grão de arroz, e, como ocorre com todos os queijos, esse processo peculiar tem impacto significativo na textura resultante, consideravelmente seca, fina e granulosa.

**QUEIJOS DE CASCA LAVADA** A textura desse tipo de queijo varia bastante. O seu tamanho tem enorme relação com o seu ritmo de amolecimento durante o processo de maturação. O taleggio, por exemplo, ostenta um grande volume: mede 20 cm × 20 cm, com mais de 3 cm de espessura. Ele amadurece de maneira uniforme, mas demora muito mais para fazê-lo do que um munster da Alsácia, que, na sua versão menor, possui apenas 10 cm de diâmetro e é muito mais fino. A pasta dos queijos de casca lavada pode ser mais firme ou mais macia dependendo do processo inicial de produção. O raclette suíço é um coalho cru, mas, mesmo assim, é prensado, o que resulta em uma pasta firme que retém elasticidade e possui capacidade superior de derretimento.

**QUEIJOS AZUIS** Dependendo do seu teor de gordura, os queijos azuis podem ser desde firmes e relativamente secos, como o cabrales espanhol, até macios e cremosos, como o bleu d'Auverge francês. O alto teor de umidade de muitos deles faz que, à medida que envelheçam, amoleçam e se degradem rapidamente. A aparência de um gorgonzola bem maduro se assemelha à de uma pasta, por exemplo.

## uma nota sobre qualidade e origem

Os queijos industrializados, como o havarti holandês, o colby norte-americano ou o cheddar australiano, são padronizados, com uma qualidade consistente. Ainda que sejam confiáveis, eles não oferecem ao consumidor a variedade de descobertas de que o mundo dos queijos é capaz. Já os artesanais e de fazenda, como o reblochon dos Alpes franceses, o ewe's blue da Oldchatham Sheepherding Company, no estado de Nova York, ou o seastack da Mt. Townsend Creamery, no estado de Washington, exemplificam a gama de peculiaridades e possibilidades que tornam memorável a experiência do comensal. Os pequenos produtores artesanais têm orgulho dos seus produtos e, pressupõe-se, só disponibilizam ao consumidor os seus melhores itens. De qualquer modo, o garde manger tem de avaliar cuidadosamente todos os queijos disponíveis no mercado a fim de garantir a utilização exclusiva de produtos excelentes.

## armazenando o queijo

Compre queijo regularmente e em pequenas quantidades. É difícil reproduzir na geladeira de um restaurante o armazenamento de uma fazenda produtora ou da cave de amadurecimento de um vendedor de queijo – e estamos falando de um alimento que estraga facilmente. Embora os queijos duros se mostrem duráveis em condições adequadas de armazenamento, ainda correm o risco de ressecar ou absorver aromas estranhos. Os queijos macios amadurecidos e os queijos de casca lavada devem ser comprados quando se encontram perto do auge da maturação, porém se degradam rapidamente – não os guarde além do ponto ideal na expectativa de vender mais. Sempre reabasteça a estação com novos queijos, de modo que todas as escolhas se destaquem. Prestando atenção à qualidade e ao desenvolvimento do queijo e armazenando-o corretamente, o garde manger pode manter uma seleção que gere lucro em vez de perda.

Depois de identificar e comprar queijos de boa qualidade, certifique-se de armazená-los corretamente. Idealmente, eles devem ser comprados com frequência e em pequenas quantidades, para que não sejam armazenados por muito tempo. Devido ao seu espaço exíguo, quente e úmido, a maioria das cozinhas profissionais não constitui um bom lugar para guardar queijos. Os refrigeradores comerciais

*Use um embrulho especial de duas camadas para armazenar queijo.*

são demasiadamente gelados e secos, o que pode desidratá-los. Assim, guarde-os em uma geladeira pequena reservada a esse uso (a fim de evitar que absorvam aromas invasivos de outros alimentos), com temperatura entre 7 °C e 16 °C e umidade entre 80% e 95%. Para isso, altere os ajustes da geladeira e mantenha um recipiente raso com água limpa no fundo, para aumentar a umidade.

A refrigeração retarda significativamente o processo de amadurecimento, pois diminui a atividade das culturas de amadurecimento; no entanto, ela infelizmente não introduz ar fresco no queijo – algo de que ele necessita. Essa é uma das razões para não armazenar queijo por longos períodos. É difícil reproduzir as condições ideais do amadurecimento com mofos ("affinage"). Evite embrulhar o queijo em materiais impermeáveis. Permita que ele respire. Embrulhos permeáveis de duas camadas, vendidos por alguns fornecedores, ajudam a manter o queijo limpo e protegido de correntes de ar ao mesmo tempo que lhe permitem respirar. Outra abordagem é colocar o filme de PVC somente sobre as superfícies cortadas do item, que continua a respirar pela casca exposta. Também é possível utilizar papel encerado, papel de açougue ou papel-manteiga em conjunto com o filme de PVC, o que pode ser especialmente útil no caso de queijos de casca lavada ou queijos macios amadurecidos. Queijos azuis, os quais em geral possuem alto teor de umidade, devem ser embrulhados em filme de PVC ou papel-alumínio.

A maioria dos queijos é idealmente armazenada à temperatura ambiente, protegida de altas temperaturas e movimentos de ar, mas capaz de respirar. Os queijos frescos não fermentados, como a ricota e o mascarpone, devem ser mantidos sob refrigeração; já outros queijos podem ser satisfatoriamente armazenados em baixa temperatura ambiente (de 16 °C a 18 °C) por um número determinado de dias. Embrulhe tais queijos em papel encerado especial, a fim de evitar desidratação, e guarde-os em uma área protegida.

O mofo é algo natural à maior parte dos queijos e, normalmente, não indica estrago. Como ele só cresce em superfícies expostas ao ar, muitos queijos artesanais criam mofo nas suas áreas cortadas. Em geral, o mofo que cresce na superfície cortada é o mesmo que originalmente se desenvolve na casca. Se um queijo tal desenvolver mofo na área cortada, apare uma fatia bem fina dela. Esse procedimento é conhecido como "facing" e é bastante comum no trato de queijos artesanais e de fazenda. Já se um queijo industrializado inadvertidamente desenvolver mofo na sua superfície, o FDA recomenda apará-la em 3 centímetros.

# DESCREVENDO E SERVINDO QUEIJOS

## servindo queijos

A apresentação do queijo, seja ele servido no prato ou no carrinho, requer uma familiaridade básica com o perfil dos produtos disponíveis e com a sua capacidade de serem provados em sucessão e em conjunto com outros alimentos e bebidas. Esta seção oferece um conjunto de vocábulos que descrevem as qualidades do queijo, além de combinações bem-sucedidas de alimentos e bebidas com queijos específicos e receitas de acompanhamento de queijo que complementam qualquer prato.

## o vocabulário do queijo

Ao descrever um queijo, use uma linguagem vívida que expresse a convergência entre a sua aparência, o seu aroma, o seu sabor e a sua textura. A pequena lista a seguir oferece novos termos que servem para explicar ao consumidor as qualidades sensoriais positivas do queijo. Esses termos também podem ser úteis para descrever a progressão de queijos em uma degustação ou a combinação de alimentos, bebidas e queijos.

| APARÊNCIA | AROMA | SABOR | TEXTURA |
|---|---|---|---|
| Uniforme | De celeiro | Ácido | Lisa |
| Coalhada | Caramelado | Robusto | Cremosa |
| Rachada | Frutado | Suave | Espalhável |
| Roliça | Caprino | Mordente | Elástica |
| Pasta de estrutura aberta | Gramíneo | Carnudo | Cristalizada |
| Mosqueada | Lático | Doce | Quebradiça |
| Pasta lisa | Metálico | Fermentado | Arenosa |
| Seca | De cogumelos | Salgado | Granulosa |
| Bojuda | Amendoado | Mofado | Molhada |
| Com buracos | Pungente | Picante | Untuosa |

Tábua de degustação: queijo de cabra fresco embrulhado em hoja santa da Mozzarella Company, do Texas; robiola due latte de Piemonte (mistura de leite de vaca e de ovelha); pecorino oro antico; pont l'evêque aromático da Normandia; e gouda duro de 4 anos da Holanda.

## arrumação do prato de queijo

Para o garde manger, esta é a oportunidade de exibir ao consumidor a diversidade de queijos selecionados. Paute-se por grupos temáticos ao planejar um prato de queijos. Leve em consideração os tipos de leite e de casca, a idade, o país de origem e os perfis aromáticos e de sabor. Ordene os queijos de acordo com a intensidade de sabor. Comece pelos frescos, passe para a seleção de queijos de casca mofada, mostre pedaços mais duros de queijos de casca natural, ofereça de casca lavada e termine com os azuis.

Para diversificar ao máximo, combine queijos de leites, de origens e de intensidades diferentes. Por exemplo: um prato de cinco queijos pode conter um queijo de cabra, um queijo de ovelha e um queijo de leite misturado. Pode incluir também um queijo duro amadurecido, um queijo de casca mofada, um queijo de casca lavada e um queijo fresco. Finalmente, pode representar as tradições de queijo da França, da Itália, da Holanda e dos Estados Unidos. A seguir, há alguns exemplos de tábuas de cinco queijos.

Tábua de queijos artesanais americanos: seastack de casca mofada amadurecido em cinzas, de Washington; crottin de leite de cabra moderadamente envelhecido, da Califórnia; gouda defumado, de Vermont; queijo envelhecido de leite de vaca, de Wisconsin; e queijo azul de leite de ovelha, de Nova York.

### TÁBUA DE DEGUSTAÇÃO DE QUEIJO

Queijo de cabra fresco da Califórnia (leite de cabra, fresco, americano).

Robiola due later da Itália (mistura de leite de vaca e de ovelha, casca mofada, italiano).

Pont l'Evêque da França (leite de vaca, casca lavada, francês).

Pecorino artesanal da Itália (leite de ovelha, envelhecido duro, italiano).

Gouda envelhecido da Holanda (leite de vaca, envelhecido duro, holandês).

Você também pode priorizar queijos de uma única origem. O prato pode destacar os estilos e as tradições do Reino Unido, por exemplo, um país que produz mais de setecentas variedades, de acordo com o British Cheese Board (Câmara Britânica do Queijo). A seleção pode ser como a seguinte:

### TÁBUA DE QUEIJOS DO REINO UNIDO

Caerphilly (leite de vaca, casca natural, ácido, pasta lisa).

Double Gloucester (leite de vaca, embrulhado em pano, cremoso e amendoado).

Cheshire (leite de vaca, embrulhado em pano, firme e picante).

Extra Mature Somerset Cheddar (leite de vaca, embrulhado em pano, quebradiço com notas picantes e carnudas).

Stilton (leite de vaca, úmido, amanteigado e mineral).

Outra possibilidade ainda é focar em uma classe particular. A ampla oferta de queijos artesanais e de fazenda dos Estados Unidos permite uma seleção bastante particular que representa as diferenças de tipo e de estilo de queijo:

## TÁBUA DE QUEIJOS ARTESANAIS E DE FAZENDA AMERICANOS

Seastack da Mt. Townsend Creamery, em Washington (leite de vaca, casca mofada, cremoso, gosto de cogumelos).

Crottin da Redwood Hill Farm, na Califórnia (leite de cabra, casca mofada, leitoso, gosto de cabra).

Gouda da Taylor Farm, em Vermont (leite de vaca, casca encerada, doce e amendoado).

Pleasant Ridge Reserve da Upland Cheese Company, em Wisconsin (leite de vaca, casca lavada, doce e gramado).

Shaker Blue da Old Chatham Sheepherding Company, em Nova York (leite de ovelha, queijo azul, cremoso e picante).

Embora a estrela do prato de queijo seja o próprio queijo, claro, os acompanhamentos muitas vezes contribuem para o seu deleite, provendo um pareamento interativo e complementar. Nozes assadas, frutas frescas e secas, mel, pão e bolachas são acompanhamentos tradicionais. Os queijos de casca mofada combinam muito bem com nozes torradas e frutas frescas, como uva, maçã e pera. Os queijos tomme e alpino também combinam bem com nozes torradas e frutas secas, como figo e ameixa. Já os queijos azuis se harmonizam com comidas doces concentradas, como compotas de frutas vermelhas, mel e frutas secas.

# VISÃO GERAL DAS CATEGORIAS DE QUEIJOS

| TIPO DE QUEIJO | PAÍS DE ORIGEM, DE PRODUÇÃO OU DE MAIOR DISPONIBILIDADE | NOTAS ESPECIAIS | TIPO DE LEITE |
|---|---|---|---|
| **QUEIJOS FRESCOS** (ver foto p. 418) | | | |
| Queijo de fazenda | Países europeus (em vários nomes e estilos), Estados Unidos e Canadá. | Os queijos de fazenda e os seus equivalentes internacionais variam consideravelmente em textura, a qual reflete o teor de umidade e de gordura. Note que as receitas que pedem queijo de fazenda podem ou não especificar a umidade e a gordura do queijo. Nas receitas europeias em que o queijo de fazenda é utilizado como um substituto ao quark alemão, ao tvorog russo ou ao fromage blanc francês, o resultado pode variar ligeiramente dependendo do queijo utilizado. Às vezes, esse queijo é rotulado como queijo de assar; ele também pode ser nomeado em referência a um estilo europeu. | Vaca. |
| Chèvre frais | França e outros países europeus, Estados Unidos e Canadá. | Queijos de leite de cabra produzidos domesticamente são bastante comuns; procure comprá-los de produtores locais. O seu teor de umidade pode variar de acordo com o produtor, assim como a intensidade do seu sabor "caprino". Teste diferentes queijos frescos de leite de cabra para descobrir aquele que funciona melhor ao uso pretendido. | Cabra. |
| Mascarpone | Itália, Estados Unidos e Canadá. | Como não é um derivado fermentado do leite, mas um produto tratado com ácido cítrico ou tartárico, o mascarpone é menos ácido do que os demais queijos frescos láticos. Ele é especialmente rico, dado que é produzido a partir de creme. | Vaca. |

| MÉTODO DE COALHO | TIPO DE CASCA | DESCRITORES | FALHAS POTENCIAIS | USOS |
|---|---|---|---|---|
| Tradicionalmente látieo, mas pode ser feito com coalheira, o que proporciona um endurecimento mais rápido e uma textura mais firme; cru. | Fresco e sem casca. | Lático, leitoso, ácido, frutado, cremoso. | Aroma ou sabor bolorento ou fermentado, ressecado, mofo visível na superfície. | O queijo de fazenda é uma ótima base para pastas, recheios e molhos. Use-o como um componente adesivo na confecção de canapés. Misture os queijos desta categoria com ervas e especiarias ou adoçantes como mel, xarope de bordo ou xarope de agave para fazer pastas saborosas e menos calóricas que o cream cheese. Misturado com ovos, açúcar e farinha, o quark pode ser utilizado para fazer um quarktorte austríaco. O fromage blanc francês é tradicionalmente usado para fazer cervelle de canut (ver receita p. 59). Na Rússia, o tvorog é utilizado na receita de notruschki, um pão. |
| Lático (ou semi-lático, se usar uma pequena quantidade de coalheira); cru. | Fresco e sem casca. | Levemente caprino, terroso, lático, frutado e cremoso. | Aroma ou sabor de bode, aroma ou sabor fermentado, ressecado, mofo visível na superfície. | O queijo de cabra fresco é muito bem aceito como componente de saladas e sanduíches e como recheio. O seu sabor e a sua textura únicos incentivam a criatividade (considere utilizá-lo como componente de molhos ou de sobremesas). Faz um excelente cheesecake. |
| Ácido, cru. | Fresco e sem casca. | Leitoso, suave, aveludado, ricamente cremoso e adocicado. | Aroma ou sabor bolorento ou fermentado, ressecado, mofo visível na superfície. | O mascarpone é originário da região da Lombardia, na Itália. É um ingrediente frequente em pratos de massa e sobremesas, como o tiramisu. Também considere utilizá-lo em sanduíches ou como guarnição de sopas. A grande maioria da matéria seca do mascarpone é nata, o que faz dele um substituto intrigante para o creme de leite batido em sobremesas, ou para a manteiga em sanduíches. Como alternativa, misture o mascarpone com creme de leite batido em quantidades iguais para fazer um acompanhamento de sobremesas, ou com creme de leite azedo para produzir uma pasta ácida e muito rica. |

| TIPO DE QUEIJO | PAÍS DE ORIGEM, DE PRODUÇÃO OU DE MAIOR DISPONIBILIDADE | NOTAS ESPECIAIS | TIPO DE LEITE |
|---|---|---|---|
| **QUEIJOS MACIOS AMADURECIDOS** (ver foto p. 418) ||||
| Estilo camembert | França, Estados Unidos e Canadá. | Apesar do camembert ser originário da Normandia, na França, onde é protegido como uma appelation d'origine controlée, o estilo é largamente replicado. Os defensores dos queijos de leite cru elogiam a qualidade do camembert de leite cru feito à mão. No camembert importado da Normandia, procure a frase "Fabrication traditionelle au lait cru avec moulage à la louche", a qual indica que as fôrmas de queijo foram enchidas à mão com conchas pequenas durante a produção. Isso distingue os queijos desta categoria das versões industriais. Como é difícil amadurecer os queijos artesanais em estilo camembert para além dos sessenta dias exigidos a queijos de leite cru nos Estados Unidos, é raro encontrá-los no país. Há alguns, no entanto, normalmente envelhecidos em baixas temperaturas, a fim de retardar o desenvolvimento. Durante a produção, o coalho cru do camembert, por ser muito macio e delicado, requer manejo cuidadoso, incluindo salga seca seguida de drenagem. | Vaca. |
| Estilo brie | França, Estados Unidos e Canadá. | Enquanto muitos reconhecem o brie de Meaux de leite cru da região de Île-de-France como a expressão fundamental do estilo, é muito difícil encontrá-lo nos Estados Unidos (onde é frequentemente proibido). O estilo brie é produzido no mundo inteiro, mas poucos conseguem chegar perto de replicar a pasta macia e compacta e a cremosidade concentrada dos originais franceses. Os queijos brie produzidos industrialmente diferem das versões artesanais especialmente quanto ao fato de utilizarem culturas de ação lenta para que a vida de prateleira seja prolongada. O brie produzido em massa geralmente não amadurece tão agressivamente a ponto de alcançar a complexidade de sabor e a textura macia esperadas de um bom brie artesanal. Hoje, alguns produtores estadunidenses fazem brie com culturas que permitem o seu amadurecimento progressivo característico, isto é, da casca para o centro. | Vaca. |
| Robiola due latte | Itália. | Os queijos de leite misto permitem ao produtor fazer um item que reflita os leites disponíveis na estação. No prato, eles oferecem complexidade, variedade e interesse ao consumidor. Esta seleção italiana da região fronteiriça entre Lombardia e Piemonte é uma boa alternativa ao brie e ao camembert mais comuns. | Vaca, ovelha ou cabra, misturados ou puros. |

| MÉTODO DE COALHO | TIPO DE CASCA | DESCRITORES | FALHAS POTENCIAIS | USOS |
|---|---|---|---|---|
| De coalheira, cru. | Casca mofada. | Sabor de cogumelos, lático, amanteigado, cremoso, levemente salgado, adocicado, flexível, herbáceo, não muito ácido, terroso. Escolha as rodas que exibam degeneração proteólica perto da casca, o que indica uma textura cremosa e macia, e um centro mais duro e menos desenvolvido. | Casca ou pasta amarga, casca escorregadia, mofos invasivos (mofo azul ou bolor preto com filamentos), "verde" (não maduro, firme e quebradiço), maduro demais (liquefeito ou corrediço), ou amoniado. | Combinados com frutas ácidas, como uvas e nozes torradas, os queijos em estilo camembert devidamente amadurecidos são componentes clássicos em qualquer tábua de queijos. Eles conferem profundidade terrosa a sanduíches. Aproveite as vantagens da sua pasta macia em aplicações criativas. |
| De coalheira, cru. | Casca mofada. | O brie compartilha algumas características do camembert, como a pasta macia e compacta e o sabor de cogumelos, de palha, lático, amanteigado, terroso, herbáceo e não muito ácido. | Casca ou pasta amarga, casca escorregadia, mofos invasivos (mofo azul ou bolor preto com filamentos), "verde" (não maduro, firme e quebradiço), maduro demais (liquefeito ou corrediço), ou amoniado. | Entre as preparações clássicas, está o brie assado, normalmente feito com brie industrializado, que derrete de modo uniforme. O brie artesanal corretamente amadurecido pertence à tábua de queijos. Os queijos em estilo brie e camembert possuem processos similares; a principal diferença entre eles diz respeito ao tamanho da roda. O brie de Meaux mede 35,5 cm a 38 cm de diâmetro e 2,5 cm de grossura. Os produtores americanos muitas vezes ajustam o tamanho do queijo. |
| De coalheira, cru. | Casca mofada, mas frequentemente com uma mistura complexa de organismos de amadurecimento de superfície. | Terroso, azedo, carnudo, sabor de cogumelos, amanteigado, flexível. | "Verde" (não maduro, muito firme), amadurecido demais (muito macio ou corrediço), amoniado ou excessivamente pungente, com aromas ou sabores animais, casca muito seca ou rachada. | Quando servido corretamente na temperatura ambiente, este queijo carnudo e macio oferece uma finalização pungente a uma seleção de queijos macios amadurecidos. O robiola compartilha algumas características do taleggio, queijo ácido de casca lavada da mesma região do norte da Itália. A inclusão de queijo de cabra ou de ovelha dá uma deliciosa complexidade reminiscente de celeiro. Experimente adicionar o robiola due latte à mistura de queijos de uma pizza (ele derrete bem). |

## QUEIJOS FRESCOS

*1) fromage blanc; 2) queijo fresco de leite de cabra; 3) mascarpone.*

## QUEIJOS MACIOS AMADURECIDOS

*Queijos de casca mofada: 1) camembert da Normandia AOC;*
*2) queijo brie norte-americano; 3) queijo triple-crème saint-andré.*

**QUEIJOS SEMIDUROS**

1) monterey jack americano; 2) havarti holandês; 3) fontina italiano; 4) queijo colby americano.

**QUEIJOS DO TIPO CHEDDAR**

1) cheddar cabot, de Vermont; 2) cheddar quicke, do Reino Unido, embrulhado em pano; 3) cheddar artesanal americano, da Bobolink Farm, em Nova Jersey; 4) cheddar processado, de Nova York.

OITO | QUEIJOS  419

| TIPO DE QUEIJO | PAÍS DE ORIGEM, DE PRODUÇÃO OU DE MAIOR DISPONIBILIDADE | NOTAS ESPECIAIS | TIPO DE LEITE |
|---|---|---|---|
| Estilo triple crème | França, Estados Unidos, Canadá. | São exemplos do estilo triple crème os queijos do norte da França brillat-savarin e pierre robert. Este estilo também é produzido em outros lugares. Alguns queijos desta categoria possuem uma casca mais grossa e desenvolvida, enquanto outros exibem algo mais parecido a uma casca natural. Como classe, esses queijos generosos são untuosamente amanteigados e têm uma pasta lisa e cremosa. | Vaca. |

## QUEIJOS SEMIDUROS (ver foto p. 419)

| | | | |
|---|---|---|---|
| Monterey Jack | Estados Unidos. | O Monterey Jack é um queijo original dos Estados Unidos, desenvolvido durante o século XIX. Ele possui versões tanto artesanais quanto industriais, bem como aromatizadas. Normalmente, o Monterey Jack é vendido como queijo semiduro com umidade de 40% a 50%, mas também existem versões envelhecidas e consideravelmente mais secas, as quais maturam por até 6 anos (em sua maioria, feitas por produtores artesanais). | Vaca. |
| Havarti | Dinamarca, Estados Unidos, Canadá. | Este queijo de coalho lavado apresenta uma estrutura aberta, o que significa que a sua pasta tem muitos buracos pequenos e irregulares. Nos Estados Unidos, ele é normalmente embrulhado em sacos plásticos e a sua casca não é desenvolvida; porém, os Havarti de casca natural e de casca lavada também são comuns. Com frequência, o Havarti é aromatizado pelos produtores, sendo a semente de alcaravia um dos componentes aromatizantes mais comuns. | Vaca. |
| Fontina | Itália, Dinamarca. | Originário do Vale Aosta, no norte da Itália, o Fontina tem uma casca natural fina e avermelhada, resultado da lavagem constante em salmoura durante o seu amadurecimento. A pasta macia e as qualidades herbáceas e amanteigadas são indicativos tradicionais desse queijo. Apesar de o Fontina ser um queijo protegido do norte da Itália, nos Estados Unidos se encontram versões provenientes da Dinamarca. A grande maioria dos queijos Fontina é semidura, mas eles também podem ser duros, se envelhecidos. | Vaca. |

| MÉTODO DE COALHO | TIPO DE CASCA | DESCRITORES | FALHAS POTENCIAIS | USOS |
|---|---|---|---|---|
| De coalheira, cru. | Casca mofada. | Lático (diacetil), amanteigado, floral, cremoso, baixa acidez. | "Verde" (não maduro, muito firme), amadurecido demais (muito macio ou corrediço), amoniado, casca muito seca ou rachada. | A sua alta porcentagem de gordura torna o queijo macio triple crème um substituto adequado para a manteiga em canapés, minissanduíches e mesmo no molho de legumes. Ele não derrete da mesma forma que a manteiga, mas pode ser incorporado em muitas instâncias de modo a proporcionar um sabor especialmente rico de manteiga fermentada. Combine-o com frutas bastante ácidas ou amargas e comidas adstringentes. |
| De coalheira; cozido em temperatura moderada. | Casca natural macia (não desenvolvida; o queijo é vendido encerado ou embrulhado em plástico), ou casca natural dura (escovada e limpa durante o amadurecimento). | O queijo semiduro é flexível, suave, cremoso, e levemente salgado. O queijo duro é picante, quebradiço e tem sabor de nozes. Aditivos comuns incluem pimentões e pimentas, pimenta-do-reino, raiz-forte e ervas. | Roda bulbosa ou buracos de ar aparentes; gosto amargo, com chiado ou emborrachado ao mastigar, muito salgado, excesso de umidade sob a cera ou sob o embrulho de plástico, outros sabores estranhos. | O queijo Jack semiduro derrete muito bem, o que faz dele um queijo muito comum em delis. Por isso também, ele é muito usado para cozinhar. Normalmente, o monterey jack é utilizado em preparações como quesadillas ou bolinhos fritos. Por causa da sua textura familiar e uniforme e do seu sabor suave, ele agrada consumidores de todos os tipos. Rale o Jack seco e envelhecido e use-o para finalizar saladas e sopas. |
| De coalheira; coalho lavado cozido em temperatura moderada. | Não desenvolvida, embrulhada em plástico, naturalmente seca, ou lavada. | Cremoso, leitoso, amanteigado, levemente adocicado, suave, flexível. | Roda bulbosa ou buracos de ar aparentes; gosto amargo, com chiado ou emborrachado, muito salgado, excesso de umidade sob a cera ou sob o embrulho de plástico, outros sabores estranhos. | Dado o seu caráter suave, o queijo havarti agrada diversos consumidores. Ele derrete bem e combina com o panini grelhado. |
| De coalheira; cozido em altas temperaturas. | Casca lavada natural (seca com cor avermelhada e aroma terroso); casca natural não desenvolvida ou casca encerada em versões produzidas fora da Itália. | Cremoso, flexível, pasta cor de palha, amanteigado, herbáceo, frutado. | Roda bulbosa ou buracos de ar aparentes; gosto amargo, com chiado ou emborrachado, muito salgado, excesso de umidade sob a cera ou sob o embrulho de plástico, outros sabores estranhos. | A fontina fonduta, uma preparação tradicional do Vale Aosta, requer que o queijo Fontina derretido com creme seja misturado a gemas de ovo temperadas. Use o creme resultante para finalizar vegetais, carne ou polenta. |

| TIPO DE QUEIJO | PAÍS DE ORIGEM, DE PRODUÇÃO OU DE MAIOR DISPONIBILIDADE | NOTAS ESPECIAIS | TIPO DE LEITE |
|---|---|---|---|
| **QUEIJOS CHEDDAR** (ver foto p. 419) | | | |
| Cheddar inglês embrulhado em pano | Reino Unido, Estados Unidos. | Tradicionalmente, as faixas de pano enroladas nas rodas de cheddar são untadas com banha. O pano e a gordura protegem o queijo contra o mofo e a perda rápida de umidade, permitindo que ele respire. As rodas pesam entre 13,61 kg e 22,68 kg, dependendo do produtor. As rodas menores são chamadas de "truckles". É possível reconhecer um pedaço cortado do queijo embrulhado em pano pelas impressões que ele deixa na casca, pela quebra desigual da pasta e pelo seu sabor caracteristicamente ácido. | Vaca. |
| Cheddar industrializado em bloco | Estados Unidos, Canadá, África do Sul, Austrália e Nova Zelândia. | Como uma commodity internacional, o cheddar industrializado tem pouco em comum com o estilo tradicional, embrulhado em pano. Esse queijo geralmente é produzido mecanicamente em blocos de 18,14 kg e envelhecido em plástico a baixas temperaturas. Ele chega ao varejo sem casca desenvolvida e é classificado de acordo com a sua acidez, podendo ser suave, forte ou extraforte. Há versões aromatizadas do cheddar industrializado, que incorporam elementos como pimentas ou raiz-forte. As versões coloridas exibem uma coloração amarelo-alaranjada uniforme, resultado da adição de annatto (urucum), um corante natural. | Vaca. |
| "Cheddar" processado | Internacional. | O queijo processado tem se tornado a norma para muitos consumidores norte-americanos. A sua textura uniforme e flexível e o seu sabor e aroma constantes resultam de processos enzimáticos e de calor que recombinam o queijo pronto ao produto final, o qual é geralmente acidificado e tingido. | Vaca. |

| MÉTODO DE COALHO | TIPO DE CASCA | DESCRITORES | FALHAS POTENCIAIS | USOS |
|---|---|---|---|---|
| De coalheira; cozido em temperatura moderada; processamento do tipo cheddarização. | Casca natural (embrulhada em pano). | Amendoado, picante, ácido, salgado, carnudo, aroma de grama, terroso e amanteigado. | Rachaduras na roda, veias de mofo (desde que não desejadas), sabor amargo ou excessivamente salgado. | O cheddar tradicional merece um lugar no prato de queijo. A textura coalhada e seca, os cristais crocantes de lactato de cálcio presentes em alguns itens e o sabor complexo, amanteigado e levemente picante fazem desse estilo um contraste vívido a queijos mais suaves. Como o cheddar derrete apenas moderadamente bem, adicione um pouco dele a um gratin de vegetais para introduzir a nota salgada característica dessa tradição britânica. |
| De coalheira; cozido em temperatura moderada; processamento do tipo cheddarização mecânico. | Natural (não desenvolvida). | Perfil suavemente ácido, amanteigado, adocicado, flexível, textura coalhada nas bordas e lático | Fissuras na superfície do queijo, qualquer desenvolvimento de mofo, sabor amargo, textura. excessivamente dura ou excessivamente mole, derretimento fraco. | O cheddar industrializado é o queijo de commodity mais comum do mundo. Nos Estados Unidos, procure o cheddar produzido por cooperativas regionais; existem exemplos tanto na costa oeste quanto na costa leste. As cooperativas indicam a origem do seu leite e conferem um senso de identidade ao produto, algo que queijos genéricos ou marcas nacionais não fazem. O cheddar fabricado industrialmente é uma boa alternativa, pois é barato, versátil e bem-aceito pelos consumidores. |
| Processado de pedaços existentes de queijo. | Casca natural (não desenvolvida). | Flexível, textura e cor uniformes, suave a insosso, adocicado, salgado | Irregularidades no queijo, separação de água e de gordura, buracos, qualquer tipo de mofo | Embora o queijo processado não encontre público em restaurantes finos, o seu baixo custo, a sua aceitação generalizada, a sua uniformidade e a sua suavidade podem fazer dele uma boa escolha em alguns setores da produção de alimentos. O queijo processado promete uniformidade absoluta no derretimento e características sensoriais. |

| TIPO DE QUEIJO | PAÍS DE ORIGEM, DE PRODUÇÃO OU DE MAIOR DISPONIBILIDADE | NOTAS ESPECIAIS | TIPO DE LEITE |
|---|---|---|---|
| **QUEIJOS AZUIS** (ver foto na p. 428) | | | |
| Stilton | Reino Unido. | O stilton é o único queijo protegido da Inglaterra, e a sua produção é definida por lei. Este queijo azul semiduro nem sempre exibe um azul muito forte, podendo apresentar uma pasta cor de creme com veias azuis regulares concentradas no centro da roda cilíndrica. Assim como outros queijos azuis, o Stilton é perfurado com agulhas, o que encoraja o crescimento de *Penicillium roqueforti*. | Vaca. |
| Roquefort | França. | O nome *Penicillium roqueforti* vem da cidade Roquefort, no sul da província francesa de Auvergne, onde queijos azuis de leite de ovelha são envelhecidos há séculos em uma grande rede de cavernas de calcário situadas embaixo da montanha Combalou. O queijo normalmente exibe bastante azul nos espaços mecânicos da pasta, bem como ao longo dos canais de agulha. Este foi o primeiro queijo francês a receber o *status* de *appellation d'origine controlée*, em 1921. Dos doze produtores de roquefort, a Société des Caves et des Producteurs Réunis de Roquefort é o maior. | Ovelha. |
| Gorgonzola | Itália. | O gorgonzola varia quanto às suas características mais do que o stilton e o roquefort. Ele é feito na região da Lombardia, no norte da Itália, e envelhecido perto de Milão. Hoje, a sua produção é mais industrial, e o gorgonzola é envelhecido em galpões por aproximadamente 5 meses antes de serem exportados para os Estados Unidos. O gorgonzola doce é uma versão mais macia e menos azul. | Vaca. |
| Queijo azul dinamarquês | Dinamarca, Estados Unidos. | Como estilo, o queijo azul dinamarquês é bastante copiado. Este queijo firme e quebradiço, normalmente envelhecido por 3 a 4 meses, apresenta um mofo azul uniforme na sua pasta clara. Exemplos importados da Dinamarca normalmente custam uma fração do preço de outros queijos azuis internacionais. Nos Estados Unidos, existem exemplares industriais e artesanais. | Vaca. |

| MÉTODO DE COALHO | TIPO DE CASCA | DESCRITORES | FALHAS POTENCIAIS | USOS |
|---|---|---|---|---|
| De coalheira; cozido em temperatura moderada. | Casca natural, com buracos de agulha, um pouco de mofo azul e cor marrom-avermelhado. | Ácido, suave a intensamente salgado, pasta amarela cremosa, textura úmida e quebradiça, sabor mineral, frutado. | Seco ou excessivamente quebradiço (envelhecimento insuficiente), excessivamente salgado, ressecado. | Por conta da sua textura cremosa, do seu sabor mineral e das suas qualidades caramelizadas e salgadas, o stilton combina com frutas secas, como como figo, ameixa e tâmara. Ele se harmoniza brilhantemente com vinhos tintos fortificados, como o Porto ou o Banyuls. O stilton confere profundidade e vida a saladas de folhas ou preparações, incluindo vegetais como beterrabas. A sua consistência macia permite que seja utilizado como recheio; experimente usá-lo como recheio em tâmaras ou peras Seckel assadas. |
| De coalheira; cozido em temperatura moderada | Casca natural, com um pouco de azul no exterior. | Pasta macia muito branca, sabor de leite de ovelha, levemente salgado, sabor mineral, cremoso. | Amargo, excessivamente salgado, sabores ácidos, ressecado | Considerado, ao lado do stilton, o "rei dos queijos", o roquefort merece o seu lugar na tábua. Além de ser apreciado na sua forma pura, ele complementa satisfatoriamente saladas de folhas. Experimente assar o Roquefort em uma torta ou quiche para uma adição pungente de sabor mineral. |
| De coalheira; cozido em temperatura moderada. | Casca natural, frequentemente com uma superfície marrom-avermelhada úmida e buracos de agulha. | Mofo azul-esverdeado na pasta clara, pasta flexível, consistência amanteigada, adocicado, pungente. | Excessivamente úmido, casca escorregadia ou deteriorada, sabor amargo, ressecado. | A pasta cremosa do gorgonzola o torna ideal para ser incorporado a recheios ou espalhado no pão. Misture-o com ricota para formar a base de queijo de um cheesecake salgado. O gorgonzola é bem menos intenso do que o stilton ou o roquefort e deve precedê-los em uma degustação de queijos azuis. |
| De coalheira; cozido em temperatura moderada. | Casca natural, relativamente seca, cor branco a marfim, com buracos de agulha evidentes. | Mineral, levemente azedo, adocicado, seco, quebradiço. | Ressecado, excessivamente seco, pasta estranhamente macia. | É o tipo mais utilizado para fazer molhos de queijo azul. Esta categoria apresenta níveis de qualidade significativamente diferentes; alguns itens são excelentes queijos de mesa, enquanto outros são melhores para cozinhar. Ao experimentar queijos azuis de estilo dinamarquês, atente para a complexidade de sabor, a acidez mineral e o equilíbrio entre cremosidade doce e salgada. |

| TIPO DE QUEIJO | PAÍS DE ORIGEM, DE PRODUÇÃO OU DE MAIOR DISPONIBILIDADE | NOTAS ESPECIAIS | TIPO DE LEITE |
|---|---|---|---|
| **QUEIJOS HISPÂNICOS** (ver foto p. 428) | | | |
| Cotija | México, Estados Unidos. | Este queijo singular é originário do estado de Michoacán, no meio-oeste mexicano. O seu processo de produção requer a moagem do coalho seguida da prensa, o que resulta em uma textura seca e granulosa. Por ser desenvolvido em um clima quente, o cotija leva mais sal do que outros queijos para ajudar na sua preservação (ele contém mais que o dobro de sal do que um cheddar tradicional). Este queijo branco é tradicionalmente envelhecido por 3 a 4 meses, mas há versões industriais que envelhecem por menos do que 2 meses. | Vaca. |
| Panela | México, Estados Unidos. | Em espanhol, a palavra "panela" significa "cesta". A impressão da cesta plástica de drenagem é claramente visível na casca deste queijo fresco e suave. | Vaca. |
| Queso para freir | México, América Central, Caribe, Estados Unidos. | Este queijo, que é muito salgado, mantém a sua forma sob altas temperaturas, o que faz dele um bom queijo para fritar (daí o seu nome). | Vaca. |
| Queso blanco | México, América Central, Estados Unidos. | Este queijo macio e cremoso funciona como cobertura, recheio e base para misturas na culinária mexicana tradicional. | Vaca. |

| MÉTODO DE COALHO | TIPO DE CASCA | DESCRITORES | FALHAS POTENCIAIS | USOS |
|---|---|---|---|---|
| De coalheira; cozido e moído. | Casca natural (não desenvolvida). | Pasta e casca brancas (cor de osso), textura seca e granulada, salgado, bastante ácido, aroma lático azedo. | Aroma fermentado, qualquer tipo de mofo, excessivamente seco (dependendo do estilo), sabor amargo. | Como o cotija é especialmente seco, granuloso e salgado, é adicionado em pedaços sobre pratos mexicanos clássicos, como feijão-preto e enchiladas. Ele não derrete, o que contribui para a textura granulosa única desses pratos. Ao temperá-los, lembre-se de que o cotija é bastante salgado. Use-o como tempero final. Ele é muito salgado para ser consumido como queijo de mesa. |
| De coalheira. | Fresco. | Pasta e casca brancas (cor de osso), textura seca e granulada, salgado, bastante ácido, aroma lático azedo. | Aroma fermentado, qualquer tipo de mofo, excessivamente seco (dependendo do estilo), sabor amargo. | Use o queijo panela da mesma forma que o cotija em pratos mexicanos tradicionais. |
| De coalheira. | Fresco. | Pasta e casca brancas (cor de osso), textura seca e granulada, salgado, bastante ácido, aroma lático azedo. | Aroma fermentado, qualquer tipo de mofo, excessivamente seco (dependendo do estilo), sabor amargo. | Quando frito, o queso para freir desenvolve uma crosta dourada e o seu interior amolece. |
| Ácido. | Fresco. | Pasta e casca brancas (cor de osso), macio, lático | Aroma fermentado, qualquer tipo de mofo, excessivamente seco (dependendo do estilo), sabor amargo. | Use o queso blanco da mesma forma que o cotija em pratos mexicanos tradicionais. |

## QUEIJOS AZUIS

1) stilton do Reino Unido; 2) roquefort AOC do sul da França (leite de ovelha); 3) gorgonzola do norte da Itália; 4) queijo azul dinamarquês.

## QUEIJOS HISPÂNICOS

1) queso oaxaqueño embrulhado em palha de milho; 2) queso blanco; 3) cotija; 4) queso fresco del campo; 5) queso para freir.

**QUEIJOS FIRMES AO ESTILO ALPINO**
*1) comté AOC da França; 2) emmenthal; 3) gruyère da Suíça.*

| TIPO DE QUEIJO | PAÍS DE ORIGEM, DE PRODUÇÃO OU DE MAIOR DISPONIBILIDADE | NOTAS ESPECIAIS | TIPO DE LEITE |
|---|---|---|---|
| **QUEIJOS DUROS AO ESTILO ALPINO** (ver foto p. 437) | | | |
| Beaufort | França. | O beaufort pertence ao estilo gruyère, que inclui alguns dos queijos duros das regiões alpinas do centro-leste da França e da Suíça. A sua tradição centenária tem origem nas pastagens de verão da região de Savoia, na França. Como o seu amadurecimento dura de seis meses a um ano significa, este queijo estival chega ao mercado no final do outono e no começo do inverno. O beaufort pode ser identificado por sua tradicional casca convexa e por seu aroma e sabor excepcionalmente herbáceos. O termo "beaufort d'eté" indica o queijo feito com leite de verão, enquanto "beaufort d'alpage" indica o queijo alpino. | Vaca. |
| Comté | França. | Os franceses consomem 40% das 38 mil toneladas de comté produzidas anualmente no Jura do centro-leste da França. Isso faz dele o queijo mais produzido e consumido do país. Embora também seja do tipo gruyère, o comté se diferencia de outros queijos alpinos por sua pasta maleável. Ele apresenta alguns buracos e um sabor adocicado de nozes. Em geral, é fabricado por leiterias cooperadas, as frutières. | Vaca. |
| Emmenthal | Suíça, França, Noruega, Estados Unidos. | Internacionalmente, o termo "queijo suíço" indica um queijo firme com a pasta elástica e esburacada. O emmenthal suíço é a sua versão original (e, geralmente, a melhor). A adição de *propionibacterium* e a temperatura de maturação garantem a formação de olhos grandes e regulares na pasta do queijo, alguns com mais de 2,5 cm de diâmetro. As rodas imensas frequentemente pesam mais de 68 kg. | Vaca. |
| Gruyère | Suíça. | O gruyère suíço, que influenciou o Beaufort e o comté, dois queijos franceses em estilo gruyère, permanece sendo a inspiração original dos queijos alpinos de coalho cozido. Em geral, ele não é tão envelhecido quanto outros queijos da família; em sua maior parte, é vendido com menos de 8 meses de idade, apesar de levar até 10 a 12 meses para atingir o amadurecimento completo. Em termos de produção, o gruyère perde apenas para o emmenthal na Suíça. | Vaca. |

| MÉTODO DE COALHO | TIPO DE CASCA | DESCRITORES | FALHAS POTENCIAIS | USOS |
|---|---|---|---|---|
| De coalheira; cozido em alta temperatura. | Casca natural, lavada com salmoura durante o processo de envelhecimento para manter as rodas limpas e desenvolver uma casca duradoura. | Casca fina e lisa, pasta amarelo-palha com pequenos olhos irregulares, concentrado, sabor de grama, mel, frutado, herbáceo, caramelo amanteigado, amendoado. | Rachaduras nas rodas, manchas escuras na pasta, veias de mofo, sabor amargo ou excessivamente salgado. | O derretimento uniforme do beaufort o torna ideal para pratos de queijo assado e preparações gratinadas, além de um ótimo componente de fondue. Trata-se de um dos melhores queijos gruyère. |
| De coalheira; cozido em alta temperatura. | Casca natural, lavada com salmoura durante o processo de envelhecimento para manter as rodas limpas e desenvolver uma casca duradoura. | Pasta amarelo-clara com poucos buracos, sabor adocicado de nozes. | Rachaduras nas rodas, manchas escuras na pasta, veias de mofo, sabor amargo ou excessivamente salgado. | A versatilidade é o segredo do sucesso do comté. Ele é ótimo como componente de saladas, queijo de mesa ou item culinário. E é amplamente apreciado (não possui um sabor tão forte quanto o do beaufort). Para fazer um excelente cheeseburger ou slider com queijo, coloque um pedaço de comté sobre a carne no final do cozimento na grelha. Como ocorre com a maioria dos queijos gruyère, a sua capacidade de derretimento faz dele um ótimo queijo para fondue ou um ótimo ingrediente para itens assados, como torta de legumes ou preparações gratinadas. O comté faz um excelente croque-monsieur. |
| De coalheira; cozido em temperatura alta. | Casca natural. | Casca dura e dourado-escura, pasta elástica, levemente ácido, adocicado com sabor de nozes. | Irregularidades nos buracos, como agrupamentos intensos, buracos muito grandes, ou buracos agrupados em um só lado do queijo, o que indica problemas no amadurecimento. | O emmenthal é um clássico queijo de sanduíche. Também é um confiável componente de seleções de degustação, um delicioso contraponto a folhas amargas e uma ótima escolha como ingrediente de pão de queijo na salamandra. Embora o emmenthal suíço seja o original, algumas versões mais baratas provenientes da Noruega e dos Estados Unidos funcionam bem. |
| De coalheira; cozido em alta temperatura. | Casca natural, lavada à mão com salmoura. | Pasta dura e levemente quebradiça, cor de marfim, alguns buracos pequenos, sabor lático e de leite azedo, amendoado, levemente salgado. | Rachaduras nas rodas, manchas escuras na pasta, veias de mofo, sabor amargo ou excessivamente salgado. | O gruyère é requerido por muitas receitas clássicas, incluindo molho mornay (molho bechamel com gruyèere) e gougères (pâte à choux com gruyère). O sabor amendoado e amargo do queijo transparece nessas aplicações culinárias. Ele combina deliciosamente com pratos de ovo, como omeletes e quiches. |

| TIPO DE QUEIJO | PAÍS DE ORIGEM, DE PRODUÇÃO OU DE MAIOR DISPONIBILIDADE | NOTAS ESPECIAIS | TIPO DE LEITE |
|---|---|---|---|
| **QUEIJOS DE CASCA LAVADA** (ver foto p. 436) | | | |
| Taleggio | Itália. | A casca do taleggio artesanal revela uma diversidade de mofos, fermentos e bactérias. Este queijo macio produzido nas regiões da Lombardia, Piemonte e Veneza se beneficia do processo de quarenta dias de amadurecimento durante o qual é regularmente lavado com salmoura. Ao mesmo tempo que ajuda a controlar o crescimento de mofo, a lavagem contribui para o desenvolvimento de culturas bacterianas, as quais auxiliam na degradação do coalho relativamente úmido. O taleggio industrial é muito comum, ao contrário do artesanal. | Vaca. |
| Pont l'Évêque | França. | Este queijo pungente e untuoso é uma das tradições de casca lavada mais antigas da Normandia, datando do século XII. Normalmente, ele chega aos Estados Unidos com uma casca vermelho-alaranjada, mas nem todos os exemplares exibem a mesma atividade agressiva do *Brevibacterium linens*. Quando devidamente amadurecido, o pont l'évêque cede sob pressão e possui um aroma forte e um sabor carnudo. | Vaca. |
| Raclette | Suíça, França. | O termo "raclette" se refere tanto ao queijo quanto à preparação tradicional do queijo derretido. Na Suíça, o derretimento do raclette é comum em festivais de vilarejos, jantares particulares e mesmo em serviços formais. Este queijo semiduro de casca lavada é feito para derreter: ele se transforma em uma massa aveludada que continua a carregar o aroma pungente da casca avermelhada. | Vaca. |
| Muenster da Alsácia | França. | Não confunda o muenster da Alsácia com o muester em bloco, este industrializado. O original da província do nordeste francês é um tradicional queijo de casca lavada, originalmente produzido por monges beneditinos. Quando maduro, o muenster da Alsácia, que apresenta um formato de disco achatado, possui casca laranja-clara e pasta macia e untuosa. | Vaca. |

| MÉTODO DE COALHO | TIPO DE CASCA | DESCRITORES | FALHAS POTENCIAIS | USOS |
|---|---|---|---|---|
| De coalheira; cru. | Casca marrom amadurecida por bactérias com várias culturas de superfície. | Pasta macia quando madura, com sabores salinos e frutados, cremoso, qualidades carnosas, sabores e aromas azedos. | Não amadurecido (firme e quebradiço), ou muito maduro (líquido), amoniado, muito quebrado, pasta pegajosa, molhada ou descolorida. | O bom taleggio artesanal merece fazer parte de um prato de queijos, e tudo o que ele precisa como acompanhamento é um pedaço de pão crocante. Os elementos cremosos, carnudos e azedos desse queijo conferem complexidade a pratos cozidos. Experimente assar o taleggio sobre a pizza, ou usá-lo como recheio de figos ou pequenas peras seckel cozidas e passadas na salamandra. |
| De coalheira; cru. | Amadurecida por bactérias, vermelho-alaranjada, ligeiro crescimento remanescente de mofo na casca seca. | Pequenos buracos na pasta cor de marfim, sabor adocicado e carnudo, levemente salgado, bastante aromático. | Não amadurecido (firme e quebradiço), ou muito maduro (líquido), amoniado, superfície pegajosa ou molhada, rançoso. | Exiba uma peça inteira no carrinho de queijos. Quando corretamente amadurecido, a sua pasta abaulada e o seu cheiro forte tornam-no irresistível. Para uma receita substanciosa, asse fatias de batata cozida com pont l'evêque e crème fraîche em um prato raso: o resultado é uma magnífica extensão das qualidades salgadas do queijo. |
| De coalheira; cozido em temperatura moderada. | Casca lavada, levemente pegajosa, vermelho-alaranjada. | Pasta amarelo-palha com alguns buracos, cremoso, flexível, adocicado, sabor de nozes. | Rachaduras nas rodas, manchas escuras na pasta, veias de mofo, sabor amargo ou excessivamente salgado. | Nos Estados Unidos também é possível alugar máquinas de raclette. Elas mantêm metade da roda do raclette perto do dispositivo de calor, para que a superfície seja raspada regularmente. Entre os acompanhamentos tradicionais do raclette, cornichons e picles de cebola, salsicha e presunto fatiados, vegetais escaldados e muitos pães – qualquer coisa que vá bem com a textura aveludada do raclette derretido. Os equipamentos de raclette de mesa oferecem a conveniência de bandejas antiaderentes nas quais esses ingredientes podem ser cozidos com o queijo. |
| De coalheira; cozido em temperatura moderada. | Amadurecida com bactérias. | Pasta abaulada, carnuda e untuosa, levemente salgado, casca ligeiramente crocante. | Não amadurecido (firme e quebradiço), ou muito maduro (líquido), amoniado, superfície pegajosa ou molhada, rançoso. | O muenster da Alsácia, além de ótimo por si só, é fácil de utilizar na cozinha, pois derrete bem. Na prato, ele combina bem com frutas secas doces. Como alternativa, use-o para fazer quiche. |

*nove*
---
## APERITIVOS E HORS-D'OEUVRE

*A distinção* ENTRE APERITIVO E HORS-D'OEUVRE TEM MAIS A VER COM A MANEIRA E O MOMENTO EM QUE CADA UM É SERVIDO DO QUE COM A COMIDA EM SI. CARACTERISTICAMENTE SERVIDOS COMO PRELÚDIO A UMA REFEIÇÃO, OS HORS-D'OEUVRE CONSTITUEM UM DOS ITENS MAIS INTRIGANTES E EXIGENTES PRODUZIDOS PELO GARDE MANGER. JÁ O APERITIVO É SERVIDO COMO PRIMEIRO PRATO. PARA CADA REGRA QUE DETERMINA QUAIS TIPOS DE COMIDA DEVEM OU NÃO COMPOR UM APERITIVO, VOCÊ DESCOBRIRÁ NO MÍNIMO UMA GRANDE EXCEÇÃO.

---

Em comum, a maioria dos aperitivos requer atenção especial ao tamanho da porção e correção na execução técnica e na apresentação. Em geral, os aperitivos são pequenas porções de itens muito saborosos cujo objetivo é estimular o apetite apenas o suficiente para permitir a apreciação plena do prato principal. A construção progressiva do menu de um prato a outro exige algum tipo de conexão lógica entre o aperitivo e todos os pratos seguintes.

O termo "hors-d'oeuvre", que em francês quer dizer "fora do serviço", é reconhecido universalmente; tanto em inglês como em português, não há um termo equivalente capaz de expressar tanta informação quanto a curta expressão francesa. Os hors-d'oeuvre também têm lugar no menu, sendo apresentados como antepasto ou variedades de hors-d'oeuvre. Talvez você conheça a expressão "degustação do chef", amuse-bouche ou amuse-gueule, uma pequena porção de algo exótico, incomum ou especial servida aos comensais sentados.

Embora os hors-d'oeuvre sejam porções individuais, atualmente é muito comum que clientes solicitem o serviço de um menu composto inteiramente de hors-d'oeuvre em recepções ou coquetéis. Essas "refeições feitas em pé" podem ser bastante extensas, indo desde pequenas porções de sopa fria, carne, peixe, queijo, pratos vegetarianos e massas até sobremesas e confeitos. Quebrando a tradicional noção de que os hors-d'oeuvre devem ser pequenos o suficiente para serem consumidos de uma só vez, sem garfo e faca, alguns itens especiais demandam o uso de prato. Para que tudo corra bem, é importante que uma equipe qualificada recolha continuamente pratos, copos, palitos e guardanapos usados.

Os itens escolhidos como hors-d'oeuvre podem ser muito simples, exigindo pouca ou nenhuma preparação por parte do garde manger além de fatiar e apresentar. Nozes, azeitonas simples ou marinadas e ovos cozidos são todos itens tradicionais. Molhos e pastas são muitas vezes servidos com crudité (vegetais levemente escaldados, crus ou resfriados), crackers ou chips. Salsichas, patês, terrines e queijos também são servidos em recepções e bufês, assim como peixes e carnes defumados e cortados finamente. Sozinho, o caviar, uma comida simples mas elegante, também constitui um seleto hors-d'oeuvre.

Algumas diretrizes devem ser seguidas no preparo e na apresentação geral dos hors-d'oeuvre:

» Ao selecionar os hors-d'oeuvre, tenha em mente a natureza do evento, além do menu.

» Esculturas de gelo, *display* com gelo ou refrigerado às vezes são usados para conservar os frutos do mar e o caviar em temperatura muito baixa; além disso, elas possuem apelo visual. Certifique-se de que a drenagem do gelo seja adequada e a comida esteja de acordo com as exigências sanitárias.

» Os hors-d'oeuvre servidos em travessas ou passados em bandejas devem ser bem montados, de modo a evitar que a última pessoa a se servir tenha de procurá-lo entre um amontoado de guarnições.

» Atualmente, os chefs possuem várias maneiras criativas de apresentar os hors-d'oeuvre. Alguns chefs renomados contratam empresas para produzir pratos e travessas desenhados por eles próprios especificamente para hors-d'oeuvre e aperitivos. Escolha um recipiente vistoso, que ressalte o formato do alimento.

# HORS-D'OEUVRE COMPOSTOS

Os hors-d'oeuvre compostos são feitos com dois ou mais componentes. Ao planejar hors-d'oeuvre elaborados, você deve visualizar um aperitivo que se limite a uma ou duas garfadas. Muitos desses componentes podem ser preparados com antecedência, mas, em geral, a montagem e a guarnição finais são realizadas na última hora. Se você planeja incluir hors-d'oeuvre compostos em um evento, é importante considerar o momento em que eles serão servidos e o tamanho do evento. Esses itens especiais – que abrangem tortinhas, barquettes, canapés, profiteroles e comidas servidas em colheres – conferem variedade e fornecem uma interessante combinação de sabores. Comidas curadas e defumadas, patês, foie gras, saladas e vegetais são elementos igualmente apropriados em qualquer hors-d'oeuvre composto. A mousse, um item versátil, pode ser apresentada como pasta para espalhar, recheio de fôrma ou recipiente comestível, enrolada em um roulade e fatiada, ou moldada em quenelle.

## barquettes e tortinhas

A massa básica para fôrmas (p. 649) pode ser usada para forrar um pâté en croûte, assim como para fazer pequenos recipientes comestíveis, conhecidos como barquettes ou tortinhas. Esses são recheados com mousse fria ou outro recheio salgado. Abra a massa à mão ou com uma máquina de macarrão até que ela fique bem fina. Corte-a de modo a fazê-la caber na fôrma. Coloque-a na fôrma e, com uma segunda fôrma, faça pressão por cima a fim de moldá-la. Posicione o arranjo de ponta-cabeça em uma assadeira. Asse a massa até que ela doure; desenforme-a e guarde-a em um recipiente hermético até o momento de usar.

A fôrmas podem ser recheadas, decoradas e, assim, servidas como canapé, embora geralmente não seja necessário adicionar nenhuma outra pasta. Escolha cuidadosamente o recheio; aqueles muito úmidos amolecem rapidamente as barquetes ou tarteletes; esses hors-d'oeuvre ficam melhores quando são montados na última hora. Outras fôrmas feitas de massa ou pão podem ser usadas no preparo de hors-d'oeuvre. Alguns clássicos da culinária mundial incluem bouchées, empanadas, tiropetes, dim sum e rolinho primavera.

**1.** Recorte as barquettes com uma faca pequena; use o molde como referência, deixando um espaço nas beiradas. Se você fizer muita pressão, a massa ficará mais fina em alguns pontos e assará de modo desigual.

**2.** Coloque a massa entre duas fôrmas, tomando cuidado para não pressioná-la além do necessário.

**3.** Use a faca para aparar o excesso de massa na lateral de cada fôrma.

**4.** Asse os barquettes de cabeça para baixo entre as duas fôrmas.

## canapés

Canapés são pequenos sanduíches abertos. A sua base é composta por um pequeno pedaço de pão cortado e torrado. Uma pasta – geralmente manteiga com ou sem sabor, queijo cremoso ou maionese – é aplicada sobre o pão, agindo como uma barreira úmida.

Então, coloca-se o recheio ou a cobertura. O canapé deve ser cuidadosamente cortado de modo que não fique nenhum excesso na beirada do pão. Para lhe conferir uma aparência fresca e atraente, adicione uma guarnição; escolha algo que seja ao mesmo tempo vistoso e apropriado ao perfil de sabor do canapé.

## profitelores

Profiteroles são pequenas bolas ocas feitas de massa choux. Eles podem ser de vários tamanhos, dependendo da utilização, e o seu recheio pode ser doce ou salgado. Em geral, são assados, cortados ao meio, recheados e guarnecidos a gosto. Alternativamente, você pode fazer um pequeno furo no fundo da bola ainda quente e recheá-la com um alimento macio, como mousse. A massa choux é extremamente versátil e relativamente fácil de fazer. Ela pode ser aromatizada com diversos itens e recheada a gosto. Formas feitas com massa choux podem ser assadas e congeladas, o que faz dele um valioso produto culinário.

## aperitivos de colher

As colheres de hors-d'oeuvres sofreram transformações nos últimos anos, mas o seu princípio básico permanece o mesmo. Elas são usadas como base para hors-d'oeuvres (de modo similar à base de canapé); assim, é possível empilhar uma variedade de itens de diferentes sabores, cores e texturas. Uma das grandes vantagens de usar colheres como base é a possibilidade de adicionar um elemento líquido (na forma de molho ou caldo) ao hors-d'oeuvres, o que não é fácil de fazer com canapés ou tortinhas, pois esses amolecem. As colheres também oferecem a funcionalidade de um utensílio embutido na apresentação; os convidados não precisam usar os dedos, e não há necessidade de talheres extras.

# APERITIVOS NO MENU À LA CARTE

Ao criar aperitivos para o menu, é importante oferecer várias opções que combinem com os pratos principais. No caso do menu à la carte, o garde manger tem pouco controle sobre as escolhas do comensal. Ademais, não há garantia de que este peça um só aperitivo como primeiro prato. Isso já gerou abordagens desafiantes e interessantes à apresentação dos aperitivos no menu. Os menus de degustação são produzidos a partir da seleção de uma série de itens do tamanho de aperitivos, servidos em sequência lógica.

Hoje em dia, os convidados muitas vezes requerem aperitivos que possam ser divididos ou servidos em porções grandes, a fim de desfrutarem-na como prato principal. Em alguns restaurantes, a equipe de garçons sugere um aperitivo para a mesa dividir e apreciar enquanto as entradas são preparadas; além de apresentar os convidados a algo novo ou incomum, essa prática rentabiliza o menu.

# MENUS DE DEGUSTAÇÃO DE APERITIVOS

Nos últimos anos, o cenário norte-americano de restaurantes tem observado o advento de estabelecimentos que oferecem menus inteiramente compostos de pequenos aperitivos ou tapas, os quais permitem ao comensal experimentar uma grande variedade de pratos, já que as porções são pequenas. Em um menu degustação típico, o chef elabora itens com sabores complementares, desde os aperitivos até os pratos principais e as sobremesas; a sua desvantagem reside justamente na limitada escolha do cliente. Já os restaurantes de tapas oferecem aos fregueses diversas opções de pequenos pratos, e tal liberdade, associada a um ambiente alegre e convidativo, transforma-os em um destino popular para aqueles que querem relaxar depois de um dia estressante.

Tradicionalmente, as tapas eram pequenos pedaços de pão usados para cobrir as taças de xerez (tapa significa "tampa"). Na Espanha, elas evoluíram à medida que os donos de bares e restaurantes começaram a oferecer produtos regionais com o xerez e outros vinhos. As tapas eram oferecidas de graça, e cada estabelecimento tinha as suas especialidades. Ir de bar em bar para experimentar as diferentes tapas se tornou uma das principais atividades sociais pós-jantar, pois permitia que os amigos se reunissem e discutissem desde política a esportes. A sazonalidade é muito importante para as tapas espanholas, e os bares tendem a oferecer itens simples que usam ingredientes regionais e da estação. Assim, os pratos típicos regionais variam desde itens como anchovas, azeitonas espanholas (manzanilla, arbequina), chorizo, presunto serrano, queijo manchego e pimentas até pratos como lula frita, gambas al ajillo (camarão com alho, p. 569) e tortilla de papas. Além disso, os chefs têm a chance de mostrar os seus ingredientes e sabores favoritos em uma variedade de preparos.

Contudo, a Espanha não é o único mercado desses pequenos pratos. A maioria das culinárias possui uma forma bem estabelecida de preparar e apresentar aperitivos e hors-d'oeuvres. O zakuski, servido antes de banquetes na Rússia, inclui peixe defumado e em conserva, blinis com caviar e diversas saladas especiais. Pequenos pratos, os meze, são populares em todas as regiões do Mediterrâneo e incluem azeitonas, nozes, molhos, pastas e itens bem temperados, como kebab grelhado de carne ou de peixe. Nos países escandinavos, o smorgasbord expõe pratos especiais da região, frios e quentes, como arenque, queijos e alimentos em conserva.

## APERITIVOS PARA UM BANQUETE

O menu de banquete frequentemente exige um ou mais aperitivos. Nesse caso, o chef tem a possibilidade de montar um cardápio que progrida de uma experiência de sabor e textura a outra; assim, a chave para o sucesso está na cuidadosa consideração sobre o modo como cada elemento se relaciona com os itens que lhe precedem e sucedem. Seguindo como exemplo o princípio usado pelos *sommeliers* na montagem das sequências de vinhos – do mais leve ao mais robusto –, os chefs normalmente organizam a refeição de modo que ela evolua dos sabores sutis aos mais assertivos.

Ao escolher os aperitivos para um menu de banquete, é importante considerar a experiência como um todo. Elas devem ser servidas em porções bem pensadas, talvez menores do que aquelas oferecidas no menu à la carte, para que os convidados possam provar diferentes aperitivos e ainda apreciar o prato principal e a sobremesa.

## SELECIONANDO E PREPARANDO APERITIVOS

Você pode servir um hors-d'oeuvre tradicional como aperitivos; para isso, basta aumentar ligeiramente a porção e caprichar na apresentação. O novo aperitivo talvez necessite de um molho ou de uma guarnição diferente daquela do hors-d'oeuvre. Os clássicos de qualquer categoria de aperitivo incluem mariscos e ostras absolutamente frescos, descascados na última hora e servidos com molhos que ressaltem o seu sabor naturalmente salgado e camarão servido com um molho de coquetel ou outro molho picante.

Peixes, carnes ou aves defumados; salsichas, patês, terrines e galantines; presunto cru e carne fatiada finamente: todos esses itens podem ser usados na criação de aperitivos, seja ao lado de poucos acompanhamentos ou como prato bem variado. Veja os capítulos 5, 6 e 7 para receitas específicas e ideias de apresentação.

As saladas também são servidas como entrada. Várias receitas apresentadas no capítulo 3 fazem muito bem esse papel. Você pode alterar o tamanho da porção ou usar um molho ou uma guarnição diferente a fim de conferir um aspecto especial aos itens do menu, variar a seleção de uma estação para outra ou apresentar sabores e texturas de diversas culinárias.

Entradas frias e quentes incluem pequenas porções de massas, como ravióli e tortellini, servidas sozinhas ou no molho ou caldo. A massa folhada pode ser cortada na forma de vols-au-vent ou de pastel e recheada com ragu salgado ou foie gras. Peixe assado ou grelhado, moluscos e aves também são opções. Crepes, blinis e pratos similares constituem apresentações populares em diferentes culinárias. Especiarias e infusões da Ásia e do Pacífico representam influências globais, assim como pratos mediterrâneos. As empanadas dividem espaço no repertório garde manger com o kafta, kebab temperado feito com carne de cordeiro moída. Atualmente, os vegetais são mais importantes do que nunca como entrada. Eles podem ser apresentados de modo simples, por exemplo: alcachofras no vapor servidas com molho dip, como maionese ou vinagrete temperado; aspargos resfriados regados com azeite temperado; ou vegetais grelhados acompanhados de vinagrete.

Cozinhar de mais de uma maneira um ingrediente do mesmo prato também é muito popular. Por exemplo: o confit de coxa de pato pode ser servido com batata frita na gordura do alho e com fatias de peito de pato defumado. Esse princípio é considerado por alguns chefs como uma boa maneira de utilizar o pato inteiro e ao mesmo tempo ser criativo com a apresentação. Obviamente, isso se aplica a vários itens, como salmão, moluscos e aves.

## PRINCÍPIOS PARA A APRESENTAÇÃO DE ENTRADAS

As receitas deste capítulo incluem algumas entradas tradicionais, como carpaccio, melão e prosciutto e foie gras no brioche. Tenha em mente os seguintes princípios básicos ao selecioná-las, prepará-las e montá-las:

» Sirva todas as entradas na temperatura correta. Lembre-se de resfriar ou aquecer os pratos conforme a apresentação. Para criar uma entrada mais interessante, você também pode servir os seus componentes em temperaturas diferentes.

» Tempere todos os ingredientes da entrada com meticulosidade. O objetivo dela é estimular o apetite; portanto, o tempero é extremamente importante – você não deve sobrecarregar o paladar quando há outros pratos a seguir. Ao criar uma entrada, considere elementos como o umami dos glutamatos que ocorrem naturalmente nos ingredientes e se certifique de que o prato possua várias fontes de sabor e, assim, seja interessante.

» Fatie, modele e reparta a entrada de modo apropriado. A quantidade de cada item deve ser suficiente para torná-la interessante e atraente do começo ao fim, sem saturar o convidado.

» O capricho sempre conta, ainda mais no caso da entrada. Os convidados julgarão

- a refeição toda com base na impressão causada pela entrada.
- » Ao servir entradas compartilhadas, considere como ficará a sua aparência na mesa. O chef pode criar uma apresentação visual mais atrativa se dividir o prato na cozinha em vez de deixar que os convidados o façam.
- » A cor, a forma e o "espaço em branco" têm papel importante na composição do prato. Não tenha pressa para escolher o tamanho e o formato das porções e providencie aos convidados todos os itens necessários à degustação da entrada, incluindo copos para molho, utensílios especiais e lavandas.
- » Considere com cuidado a guarnição da entrada e certifique-se de que ela acrescenta algo ao prato, seja sabor ou textura complementar ou contrastante.

# MOUSSES FRIAS SALGADAS

A palavra francesa "mousse" significa literalmente "espuma". Para o garde manger, sugere um item frio preparado a partir da combinação de três elementos básicos: uma base, uma liga e um aerador. As mousses frequentemente aparecem como hors-d'oeuvres, decorativamente colocadas sobre uma base de canapé ou dentro de uma fôrma de barquette ou tortinha. Elas podem ser usadas para rechear um copo de pepino ou uma folha de endívia, moldadas em porção única (às vezes cobertas com camadas de aspic transparente) em uma fôrma especial ou servidas como pão ou roulade pronto para ser fatiado.

A mousse fria, tal como entendida hoje em dia, não é cozida depois de montada. Ela nunca é servida quente, já que derrete e murcha se a sua gelatina ou liga for submetida ao calor. A "mousse quente" é uma pequena porção de farce mousseline moldada da mesma maneira que a mousse fria antes de ser cozida e servida aquecida.

## a base

A mousse preparada pelo garde manger é produzida com itens salgados, como carne e peixe cozido ou defumado, queijo e vegetais cozidos. Essa base é então batida até se tornar um purê bem macio.

Em alguns casos, é preciso adicionar um líquido ou umectante, como velouté, bechamel, creme de leite ou maionese, para ajustar a consistência. A intenção é obter uma base com consistência similar à do creme de confeiteiro antes de adicionar a liga (se necessário) e o aerador. Para alcançar a melhor textura possível, peneire a base batida; isso remove qualquer pedaço de tendão ou fibra e resulta em um produto delicado.

## a liga

A gelatina, seja em pó ou em folha, é adicionada em proporção similar àquela necessária para fazer aspic. Hidrate-a em líquido frio e então a aqueça entre 32 °C e 43 °C para dissolver os grânulos ou derreter as folhas. Misture a gelatina dissolvida com a base; é importante misturá-las completamente.

Em alguns casos, o produto-base apresenta corpo e liga suficientes para manter a mousse unida sem qualquer liga adicional. O queijo é um bom exemplo desse tipo de produto-base.

O segredo é atingir o equilíbrio ideal entre a liga e a base para que a mousse mantenha a forma correta quando resfriada sem derreter ou perder o formato, mas também sem ficar borrachuda por excesso de liga. A quantidade deve ser ajustada de acordo com o uso final

**1.** *Para preparar a base da mousse, bata-a em purê e passe-a por uma peneira, repetindo a operação conforme necessário, para que ela adquira uma consistência perfeitamente lisa.*

**2.** *Trabalhando sobre o gelo a fim de manter os ingredientes resfriados, incorpore à base batida a solução ligante derretida.*

**3.** *Ainda trabalhando sobre o gelo, junte o aerador à mistura da base devagar, tomando cuidado para que ele não murche durante a operação.*

**4.** *A mousse finalizada deve ser imediatamente colocada no saco de confeitar ou dividida conforme desejado, para que a liga não se assente.*

do produto. Por exemplo, a mousse que será fatiada e exposta em uma travessa por um período razoável de tempo necessitará de mais liga do que uma pequena porção de mousse que será retirada da geladeira imediatamente antes de ser servida.

## o aerador

Claras em neve e/ou creme de leite batido dão à mousse a sua textura espumosa. Para obter um resultado melhor, bata as claras ou o creme em picos moles. Se for batido demais, o aerador pode começar a murchar ou dar à mousse uma aparência e uma textura granulosas.

Misture cuidadosamente o aerador com a base. É uma boa ideia adicionar cerca de um terço da quantidade total do aerador primeiro, para facilitar a adição dos dois terços remanescentes. Essa técnica permite que a mousse finalizada mantenha o seu volume máximo.

## fórmula básica da mousse

Embora cada ingrediente possa demandar um ajuste quanto à quantidade de liga e de aerador, esta fórmula básica é uma boa referência. Ela pode e deve ser alterada de acordo com o tipo de mousse e o uso pretendido.

| | |
|---|---|
| Base | 907 g |
| Liga (se necessário) | 28 g de gelatina |
| Líquido (para hidratar a gelatina) | 240 mℓ |
| Aerador | 480 mℓ |

Pronta, a mousse pode ser moldada conforme desejado. Transfira-a imediatamente a um saco de confeitar e aplique-a à travessa ou à cobertura ou ao recheio de sanduíches e canapés.

Também é possível enrolar a mousse como um rocambole (ver p. 316-318), amarrando-a cuidadosamente e resfriando-a antes de fatiar. Fôrmas de terrine podem ser usadas para moldá-la como pão (ver p. 309); unte e forre a fôrma com filme de PVC a fim de facilitar a remoção da mousse quando estiver devidamente resfriada.

# LÍQUIDOS, GELATINAS E SORBETS SALGADOS

Um dos pilares da cozinha garde manger é constituído pelos líquidos condimentados que podem ser usados como caldo para carnes, aves, peixes e pratos de vegetais, congelados como sorbets e granités ou engrossados com uma variedade de agentes para fazer gelatina. Ao preparar sorbets, granités ou gelatinas a partir de caldos condimentados, é importante checar o tempero desses, que geralmente precisa ser aumentado em receitas frias.

Gelatinas são produtos fantásticos que adicionam um delicioso contraste de textura à maioria das composições. Elas preservam a sua forma no prato e derretem na boca, dependendo da quantidade de gelatina. A proporção habitual de gelatina usada nesses pratos varia de 1% a 3% do peso total, podendo ser aumentada de acordo com a consistência desejada. Não acrescente gelatina demais, ou a consistência ficará borrachuda. A gelatina salgada mais conhecida continua sendo o aspic, mas os seus sabores se expandiram para além das carnes. As gelatinas são feitas a partir da adição de gelatina a praticamente qualquer base (vinho, licor e sucos de frutas e de vegetais). Escolha a base com cuidado, pois ácidos e sais enfraquecem a gelatina; além disso, algumas frutas cruas, como abacaxi e mamão papaia, contêm enzimas que a decompõem.

Os sorbets e granités salgados têm sido usados para provocar o paladar como *intermezzo* e também para acrescentar um contrastante elemento congelado a pratos ou entradas. Os sorbets salgados com grande quantidade de açúcares naturais, como o de tomate, são mais lisos, enquanto sucos e purês de vegetais com menos açúcares desenvolvem grandes cristais de gelo, assemelhando-se aos granités. Frequentemente se adicionam ervas ou ácidos aos sorbets salgados com o intuito de realçar o seu sabor.

## agentes gelificantes

A gelatina é provavelmente o espessante mais disponível e utilizado nas cozinhas profissionais. Contudo, outros espessantes se tornaram comuns à medida que a variedade de pratos elaborados pelo garde manger se expandiu.

### ágar-ágar

O ágar-ágar é um agente gelificante à base de carboidrato manufaturado a partir de algas marinhas. A concentração de ágar-ágar necessária para gelificar totalmente um produto é menor do que de gelatina; além disso, quando o produto se encontra gelificado, o ágar-ágar apresenta uma textura farelenta. Para utilizá-lo, deixe-o de molho em água fria e levante fervura; então, misture-o com a base e coe a mistura antes que ela esfrie. A diferença fundamental entre o ágar-ágar e a gelatina reside no fato de que o primeiro derrete a uma temperatura mais alta; assim, o ágar-ágar não derrete na boca, mas pode ser servido quente.

### gomas

Os espessantes naturais derivados de plantas incluem a goma xantana, a goma guar e a goma-arábica. Ao contrário dos espessantes à base de amido, as gomas não necessitam de calor para gelificar; quando adicionadas a um líquido, as suas partículas o absorvem e incham, aumentado a viscosidade dele. As gomas são geralmente usadas em forma de pó e tendem a aglutinar; por isso, para assegurar que a dispersão e o engrossamento do alimento sejam uniformes, você deve salpicar levemente o pó de goma sobre ele enquanto o mexe.

### pectina

Assim como as gomas, a pectina é um espessante natural extraído de plantas, principalmente de frutas cítricas. Ela é encontrada em líquido ou em pó, mas os dois tipos são muito diferentes e não podem ser substituídos um pelo outro. A pectina em pó deve ser adicionada no início do cozimento, antes de se ferver a comida; já a pectina líquida deve ser adicionada no final do cozimento.

### carragenina

Este espessante obtido a partir de algas vermelhas é usado em diversos países – da China à Irlanda – há muitos anos. Um estabilizante popular, a carragenina é usada por grandes fabricantes de sorvete e de outros produtos. A sua textura varia desde delicada até razoavelmente flexível ou elástica.

### alginato

Este também é um agente gelificante à base de carboidrato, feito com algas marinhas pardas. O alginato só se gelatiniza na presença de cálcio, o que faz dele um candidato ideal para engrossar leite e creme de leite e para preparações esféricas que são gelificadas em soluções de cálcio (ver p. 454).

# ESPUMAS SALGADAS E ENCAPSULAÇÕES

Entre os desenvolvimentos recentes mais emocionantes da cozinha profissional, estão as espumas salgadas, frias e quentes, e as encapsulações. Elas são uma continuidade das ideias que geraram os líquidos, as gelatinas e os sorbets salgados.

As espumas frias e quentes utilizam métodos como a agitação e equipamentos como o sifão de óxido nitroso para criar espuma a partir do purê de vegetais e frutas, peixe, foie gras e até queijo. Elas podem ser salgadas ou doces e conferem a itens como aspargo e couve-flor uma textura diferente, a qual contrasta muito bem com quase todos os seus acompanhamentos tradicionais. As bases desses preparos devem ser construídas com cuidado, levando em conta o nível de acidez e o tempero. Elas podem demandar uma quantidade maior de tempero, pois as bolhas estendem o sabor por uma superfície mais ampla do alimento.

Os purês de vegetais e frutas são especialmente apropriados para fazer espuma, já que o carboidrato presente na parede das suas células evita que as bolhas se desintegrem rapidamente. Você pode agitar o purê até que as bolhas de ar se incorporem e despejar a espuma sobre o alimento. Ou pode adentrar as bolhas no purê por meio da incorporação, com um sifão, de óxido nitroso; então, basta esguichar a espuma conforme a aplicação desejada. Para estender a vida útil da espuma, adicione à base um emulsificante como lecitina de soja. As bases para espumas também são frequentemente engrossadas com substâncias como gelatina ou alginato, o que as estabiliza. Existem alguns pós que podem ser adicionados às bases muito ácidas os quais permitem que elas sejam engrossadas com gelatina antes de serem transformadas em espuma.

Em geral, essas espumas são usadas em restaurantes sofisticados para testar os limites da experiência gastronômica e expandir o paladar do consumidor. Os chefs desenvolveram ainda mais as espumas frias ao fazerem bases quentes (aproximadamente 27 °C) antes de colocá-las no sifão; as espumas produzidas a partir de tais bases podem ser queimadas com um maçarico (da mesma forma que o crème brûlée), o que dá um toque surpreendente a qualquer prato. No quadro das espumas, vieram os ares, que são bem mais leves e requerem a adição de lecitina de soja para reterem ar. Eles se assemelham à espuma do cappuccino; já as espumas frias e quentes são muito mais densas.

As encapsulações levam o conceito de espuma a um novo patamar. As bases são engrossadas com alginato, geralmente injetado com óxido nitroso, e depois espremidas ou gotejadas em soluções de cálcio. Uma vez que se forme uma película ao redor da mistura macia do centro, as esferas são removidas e lavadas. Quanto mais concentrada for a solução de cálcio, mais espessa será a película. Essa técnica gera itens esféricos, como pequenas orbes de purê de fruta que se parecem com caviar ou esferas de chá que rodeiam o centro de um limão. As esferas podem ser servidas mornas ou frias dependendo da forma de preparo.

## SERVINDO CAVIAR

O melhor caviar dispensa acompanhamentos. Ele é geralmente servido em um recipiente gelado especial, com colher de madrepérola, osso, chifre ou vidro, já que utensílios de metal podem alterar o seu gosto. Esse item precioso também é usado como guarnição de outros hors-d'oeuvre e de entradas. O caviar de qualidade inferior é apropriado para guarnecer alguns alimentos. Lembre-se: o caviar nunca deve ser adicionado à comida durante o cozimento.

# Queijo de cabra com ervas na massa filo

RENDIMENTO: 10 PORÇÕES

128 g de queijo de cabra
1½ colher (sopa)/4,5 g de manjericão picado
1½ colher (sopa)/4,5 g de cerefólio picado
1½ colher (sopa)/4,5 g de estragão picado
1½ colher (sopa)/4,5 g de cebolinha francesa picada

180 mℓ de creme de leite fresco
½ colher (chá)/1,5 g de sal
½ colher (chá)/1 g de pimenta-do-reino moída
9 folhas de massa filo
170 g de manteiga clarificada derretida

1. Junte o queijo de cabra, o manjericão, o cerefólio, o estragão, a cebolinha francesa e o creme de leite fresco. Ajuste o tempero com sal e pimenta-do-reino. Cubra e refrigere a mistura.

2. Pincele uma folha de massa filo com manteiga derretida. Coloque outra folha de massa por cima e pincele-a com manteiga. Repita esse processo mais uma vez, obtendo três camadas de massa filo. Corte a massa longitudinalmente em tiras de 5 cm de largura.

3. Coloque 28 g de recheio na base de cada tira e dobre-a em triângulos (ver receita de spanakopita, p. 536). Pincele os triângulos com manteiga derretida e coloque-os em uma assadeira.

4. Repita o processo com o restante da massa filo e do recheio.

5. Asse os triângulos no forno a 204 °C até que dourem (de 10 min a 12 min). Sirva-os imediatamente.

# Carpaccio de carne bovina

RENDIMENTO: 10 PORÇÕES

680 g de contrafilé ou de filé-mignon bovino sem gordura
2 colheres (sopa)/30 mℓ de azeite de oliva
1 colher (sopa)/3 g de alecrim picado
1 colher (sopa)/3 g de sálvia picada
1 colher (sopa)/ 3 g de tomilho picado
1 colher (sopa)/15 mℓ de vinagre balsâmico
2 colheres (chá)/6,5 g de sal
1 colher (sopa)/7 g de pimenta-do-reino moída grosseiramente

## guarnição

284 g de folhas verdes lavadas e secas
150 mℓ de vinagrete de limão (p. 34)
60 mℓ de azeite de oliva extravirgem
85 g de parmesão em lascas
2 colheres (sopa)/6 g de salsinha de folha lisa
57 g de alcaparra enxaguada, seca e frita em óleo quente (opcional)

---

1. Se desejar, amarre a carne para dar a ela um formato uniforme. Aqueça o azeite em fogo alto e toste todos os lados da carne. Remova-a do fogo e deixe-a esfriar.

2. Junte as ervas, o vinagre, o sal e a pimenta-do-reino e esfregue a carne uniformemente nessa mistura. Embrulhe-a firmemente em filme de PVC e congele-a até que fique sólida o bastante para ser fatiada em pedaços muito finos.

3. Para cada porção, corte com faca ou com um fatiador elétrico 6 ou 7 fatias bem finas de carne. Arranje-as em um prato resfriado. Misture 29 g de folhas verdes com 1 colher (sopa)/15 mℓ de vinagrete e arrume o prato. Regue a carne com algumas gotas de azeite de oliva extravirgem e acrescente lascas de parmesão, salsinha e alcaparras.

# Salada crua di tonno

RENDIMENTO: 10 PORÇÕES

709 g de filé de atum bem frio

### vinagrete cru

240 mℓ de azeite de oliva extravirgem

142 g de azeitona picholine sem caroço e picada finamente

113 g de coração de salsão (talo e folhas reservados em separado) fatiado finamente

57 g de cebola roxa cortada em brunoise

57 g de pimenta jalapeño cortada em brunoise

28 g de alcaparra salgada demolhada duas vezes por 20 min cada vez

28 g de salsinha de folha lisa cortada em chiffonade

1 colher (chá)/3 g de alho em pasta

28 g de zeste de limão escaldado e cortado em brunoise

Sal marinho a gosto

Pimenta-do-reino moída a gosto

### salada

113 g de chicória frisé (apenas as folhas brancas)

113 g de rúcula

113 g de rabanete cortado em julienne

113 g de folha de erva-doce

14 g de folha de salsão

105 mℓ de vinagrete de limão e salsinha (p. 29)

284 g de crouton simples (p. 666) cortado em brunoise

---

1. Fatie o atum em pedaços muito finos e, com um martelo de carne, achate-o entre camadas de filme de PVC até que fique do tamanho do prato. Cubra e refrigere até o instante de montar a entrada.

2. Junte o azeite de oliva, as azeitonas, o salsão, a cebola, a pimenta jalapeño, as alcaparras, a salsinha, o alho e as zestes de limão. Cubra e refrigere a mistura por 24 h, no mínimo.

3. Junte a chicória, a rúcula, o rabanete, as folhas de erva-doce e as folhas de salsão. Reserve a mistura até o momento de montar a entrada.

4. Para cada porção, coloque 70 g de atum fatiado em um prato resfriado e arranje 28 g de vinagrete no centro do atum. Arrume 28 g de folhas verdes e rabanete com 2 colheres (chá)/10 mℓ de vinagrete. Espalhe os croutons por cima e sirva.

# Escabeche de atum

RENDIMENTO: 10 PORÇÕES

| | |
|---|---|
| 851 g de filé de atum | 14 g de cebola roxa em cubos pequeno |
| Sal a gosto | ½ pimenta serrano moída |
| Pimenta-do-reino moída a gosto | 1 cebolinha fatiada finamente na transversal |
| 60 mℓ de azeite de oliva | ½ colher (chá)/1,5 g de alho amassado |
| 3 colheres (sopa)/45 mℓ de suco de limão-siciliano | 1 colher (chá)/1 g de coentro picado |
| 85 g de tomate sem pele e sem sementes, cortado em cubos pequenos (p. 555) | |

1. Corte o atum em cubos de 3 cm ou em filés de 85 g. Tempere os cubos ou filés com sal e pimenta, esfregue-os com 2 colheres (sopa)/30 mℓ de azeite e toste-os em uma panela antiaderente bem quente. (O atum deve ficar colorido por fora mas extremamente cru por dentro.)

2. Remova o atum e resfrie-o completamente.

3. Para fazer a marinada, misture o restante do azeite de oliva com o suco de limão-siciliano, o tomate, a cebola, a pimenta, a cebolinha, o alho e o coentro.

4. Derrame a marinada sobre o atum e vire-o para revesti-lo por igual. Cubra-o e refrigere-o por no mínimo 12 h ou de um dia para o outro antes de servir.

» **IDEIA PARA APRESENTAÇÃO** Este prato pode ser servido como entrada (acompanhado de uma pequena salada), hors-d'ouevre (como recheio de pequenos copos de pepino) ou parte de um antepasto.

# Strudel de erva-doce e chouriço

RENDIMENTO: 10 PORÇÕES

| | |
|---|---|
| 142 g de manteiga derretida | 1 ovo |
| 2 chalotas bem picadas | 198 g de farinha de rosca seca |
| 113 g de chouriço sem pele fatiado finamente | 1 colher (chá)/3 g de sal |
| 284 g a 340 g de bulbo de erva-doce em cubos | ¼ colher (chá)/0,5 g de pimenta-do-reino moída |
| 1½ colher (sopa)/4,5 g de estragão moído | 6 folhas de massa filo |
| 1½ colher (chá)/1,50 g de cebolinha francesa moída | |

1. Aqueça 28 g de manteiga em uma frigideira sobre fogo médio. Acrescente as chalotas e salteie-as até que fiquem translúcidas. Acrescente o chouriço e permita que um pouco da gordura derreta. Acrescente a erva-doce e cozinhe a mistura lentamente até que fique macia. Talvez seja necessário reduzir o fogo para não queimá-la. Deixe a mistura esfriar à temperatura ambiente.

2. Bata a mistura no processador de alimentos até que ela vire uma pasta grossa.

3. Acrescente o estragão, a cebolinha, o ovo e a farinha de rosca (cerca de 50 g) para dar a ela uma liga leve. Acrescente sal e pimenta a gosto.

4. Pincele cada folha de massa filo com manteiga derretida e polvilhe-a por igual com 1 a 1½ colher (chá)/2 g a 3 g de farinha de rosca. Cubra-a com outra folha de massa filo e repita o processo.

5. Quando houver três camadas de massa folhada, coloque metade da mistura de chouriço e erva-doce na parte esquerda da massa e enrole as folhas sobre a mistura.

6. Pincele a parte de cima da folha com manteiga.

7. Repita o processo com o restante da massa e do recheio.

8. Resfrie o strudel por 30 min e faça marcas diagonais no seu topo para dividi-lo em dez partes.

9. Asse o strudel no forno a 204 °C até que doure (de 10 min a 15 min).

10. Fatie-o e sirva-o imediatamente.

**1.** Depois de untar a massa filo com camadas de manteiga, enrole o recheio.

**2.** Depois de enrolar o strudel, faça marcas diagonais na massa.

# Strudel de frutos do mar com azeite com infusão de lagosta

RENDIMENTO: 10 PORÇÕES

### strudel de frutos do mar

454 g de camarão (16/20 unidades) descascado e limpo

1 ovo

300 ml de creme de leite fresco

142 g de manteiga

2 maços cebolinha fatiados na diagonal

170 g de salsicha chinesa moída

170 g de carne de lagosta cozida e cortada em cubos médios

170 g de vieira seca cortada em quatro pedaços

170 g de carne da cauda de lagostim cozida

2 colheres (sopa)/28 g de mostarda Pommery

2 colheres (sopa)/28 g de mostarda de Dijon

8 folhas de massa filo

113 g de farinha de rosca panko

### componentes dos pratos

2½ xícaras/600 ml de minifolhas

240 ml de azeite com infusão de lagosta (p. 648)

10 xícaras/2,40 l de salada de tomate marinado (p. 127)

---

1. Coloque o camarão limpo no processador de alimentos e bata-o até obter uma pasta lisa e pegajosa (cerca de 2 min).

2. Acrescente o ovo e pulse para incorporá-lo.

3. Acrescente aos poucos um fio contínuo de creme de leite, parando para raspar os lados.

4. Em uma frigideira pequena, aqueça 28 g de manteiga em fogo médio baixo e refogue as cebolinhas até que fiquem macias (2 min a 3 min). Junte as cebolinhas com a salsicha e a carne de lagosta. Refrigere a mistura até que ela esfrie completamente.

5. Junte as vieiras, as caudas de lagostim, a mistura de lagosta e as mostardas com a mistura de camarão. Ajuste o tempero do recheio, cubra-o e refrigere-o até o momento de usar.

6. Coloque 1 folha de massa filo em uma tábua de cortar com o lado mais curto virado para si. Pincele-a levemente com manteiga derretida. Salpique um pouco de farinha de rosca sobre cada camada de massa filo depois de pincelá-la com manteiga. Coloque outra folha de massa filo diretamente em cima da folha amanteigada e pincele-a levemente com manteiga. Repita mais duas vezes, formando uma pilha de quatro camadas. Faça o mesmo processo com o restante das camadas de massa filo em uma pilha separada.

7. Divida a mistura de frutos do mar entre as pilhas de massa filo, despejando-a ao longo da borda mais próxima a você. Enrole a massa sobre a mistura para cobri-la e dobre os lados em direção ao meio, se desejar. Continue a enrolar a massa até atingir o seu final. Repita o processo com o restante da massa.

8. Pincele os dois rolos com manteiga e faça marcas diagonais na massa em intervalos de 6 mm a 1 cm.

9. Asse-a em papel-manteiga no forno a 204 °C até que doure (de 15 min a 20 min).

10. Deixe o strudel resfriar por 5 min e então corte-o nas marcas.

11. Coloque 57 g de minifolhas no meio do prato e 1 xícara de salada de tomate ao lado delas. Encoste duas fatias de strudel na salada e derrame 1 colher (sopa)/15 mℓ de azeite em volta do prato.

# Empanada de porco e pimentão

RENDIMENTO: 10 PORÇÕES

## recheio

454 g de lombo de porco
60 mℓ de azeite de oliva
2 cebolas espanholas cortadas em pequenos cubos
2 pimentões verdes cortados em pequenos cubos
2 dentes de alho amassados
2 colheres (chá)/12 g de massa de tomate
113 g de presunto serrano
1 colher (chá)/2 g de páprica espanhola
Sal a gosto

## massa

907 g de farinha de trigo comum
2 colheres (sopa)/30 mℓ de vinho branco
2 colheres (sopa)/30 mℓ azeite de oliva
28 g de manteiga clarificada
1 pitada de sal
28 g de açúcar
360 mℓ de água morna

Gema de ovo

1. Para preparar o recheio, corte o lombo de porco em tiras e salteie-o com azeite de oliva até que doure; remova-o.

2. Sue a cebola e o pimentão no mesmo azeite e cozinhe-os até que comecem a caramelizar. Acrescente o alho e cozinhe a mistura por 2 min.

3. Misture o extrato de tomate, acrescente o presunto e tempere-os com páprica e sal.

4. Para preparar a massa, peneire a farinha e faça um buraco no centro. Acrescente o vinho branco, o azeite de oliva, a manteiga clarificada, o sal, o açúcar e a água.

5. Misture todos os ingredientes e trabalhe a massa até que ela fique flexível.

6. Embrulhe e refrigere por 30 min, aproximadamente.

7. Divida a massa em dois pedaços.

8. Abra-os em 30 cm de diâmetro e 3 mm de espessura e coloque um pedaço em uma fôrma de torta de 25 cm de diâmetro. Acrescente o recheio e cubra-o com o outro pedaço de massa, selando as beiradas com os dedos.

9. Pincele a parte de cima da empanada com gema de ovo e asse-a no forno a 177 °C até que doure (aproximadamente 30 min).

» **NOTA DO CHEF** A massa e o recheio podem ser preparados como tapas: basta fazer porções individuais. Use a mesma técnica de moldagem descrita na receita da empanada de picadillo de porco (p. 524). Pode ser necessário usar um garfo para selar as beiradas da empanada. Pincele as empanadas com ovo batido e asse-as no forno a 177 °C até que dourem.

# Entrada de vegetais grelhados com vinagrete balsâmico

RENDIMENTO: 10 PORÇÕES

120 mℓ de azeite de oliva

½ maço de tomilho (apenas as folhas)

Sal a gosto

Pimenta-do-reino moída a gosto

454 g de berinjela fatiada em rodelas de 1 cm de espessura

454 g de abobrinha italiana fatiada em rodelas de 1 cm de espessura

454 g de abóbora-amarela fatiada na diagonal em pedaços de 1 cm de espessura

680 g de pimentão vermelho (mais ou menos 3) cortado em oito pedaços

340 g de pimentão amarelo (mais ou menos 2) cortado em oito pedaços

454 g de cogumelo Portobello sem talo

5 tomates italianos sem sementes e cortados ao meio

10 cebolinhas aparadas

450 mℓ de vinagrete balsâmico (p. 27)

1. Misture o azeite com o tomilho, o sal e a pimenta-do-reino. Pincele os vegetais com essa mistura. Grelhe a berinjela até que que ela amoleça e cozinhe. Grelhe ou asse o restante dos vegetais até que fiquem marcados dos dois lados; eles devem ficar macios e muito quentes. Fatie os cogumelos conforme necessário para fazer 10 porções.

2. Para cada porção, arrume duas ou três fatias de berinjela, abobrinha italiana, abóbora-amarela e cogumelo sobre cada prato. Acrescente duas tiras de pimentão vermelho e uma de pimentão amarelo, uma metade de tomate grelhado e uma cebolinha verde. Regue os vegetais com o vinagrete e sirva a entrada morna ou à temperatura ambiente.

» **NOTA DO CHEF** Se possível, use vários tipos de tomate. Isso confere mais cor ao prato. Se preferir, os tomates podem ser ligeiramente assados (somente até que fiquem aquecidos). Eles devem preservar a sua forma.

# Tomates marinados com mozarela

RENDIMENTO: 10 PORÇÕES

1,13 kg de salada de tomate marinado (p. 127)
907 g de mozarela (p. 394)
1 tomate vermelho
1 tomate amarelo
3 colheres (sopa)/9 g de manjericão em chiffonade

1. Prepare a salada de tomate e reserve-a até a montagem da entrada.

2. Corte a mozarela em fatias de 6 mm de espessura.

3. Corte os tomates em fatias de 6 mm de espessura e depois corte as fatias ao meio ou em quartos.

4. Para cada porção, coloque 113 g de salada de tomate em um prato resfriado. Arrume 85 g de mozarela fatiada e várias fatias de tomate vermelho e amarelo ao redor da salada de tomate. Espalhe um pouco de manjericão em chiffonade sobre a entrada. Sirva-a resfriada ou à temperatura ambiente.

» **NOTA DO CHEF** Para apresentar essa entrada em um bufê, coloque a salada de tomate em um prato resfriado e arrume as fatias de tomate e de mozarela ao seu redor. Você pode adicionar uma pequena porção de salada verde mista levemente temperada com vinagrete de vinho tinto básico ou vinagrete balsâmico (p. 27) nas porções individuais.

# Quesadillas de camarão e abacate

RENDIMENTO: 10 PORÇÕES

907 g de camarão defumado (p. 219) (21 a 25 unidades)
227 g de tomatillo tostado e sem casca
2 abacates sem caroço, sem pele e cortados em cubos
1 cebola em cubos e salteada até dourar
35 g de coentro picado
1 colher (sopa)/6 g de semente de cominho tostada
Sal a gosto
Pimenta-do-reino moída a gosto
20 tortillas de farinha de trigo com 10 cm de diâmetro
227 g de queijo monterey jack em tiras
2 colheres (sopa)/30 mℓ de azeite de oliva
2 maços de agrião lavados e secos
300 mℓ de vinagrete de laranja (p. 34)

1. Descasque e limpe o camarão; reserve-o.

2. Pique os tomatillos. Misture-os com o abacate e a cebola em cubos; trabalhe a mistura com uma colher ou um garfo de pau até formar uma pasta grossa. Junte o coentro e o cominho e tempere a mistura com sal e pimenta. Espalhe 71 g dela sobre uma tortilla, cubra-a com 21 g de queijo e feche-a com uma segunda tortilla. Repita esse processo até rechear 10 quesadillas. Isso pode ser feito com 1 h de antecedência.

3. Na hora de servir, unte levemente os dois lados da quesadilla e cozinhe-as sobre fogo baixo em uma panela antiaderente até que dourem em ambos os lados. Coloque cada quesadilla em um prato; cubra-a com 4 camarões. Tempere 21 g de agrião com 2 colheres (chá)/10 mℓ de vinagrete e arranje-o no prato. Regue o perímetro do prato com mais 2 colheres (chá)/10 mℓ de vinagrete.

# Bolinho de camarão com molho rémoulade

RENDIMENTO: 10 PORÇÕES

| | |
|---|---|
| 14 g de manteiga sem sal | 14 g de cebolinha francesa cortada finamente |
| 28 g de talo de salsão descascado e cortado em cubos pequenos | 454 g de camarão limpo, sem veias e cortado em cubos de 6 mm |
| 28 g de cebolinha fatiada finamente | ¼ colher (chá)/0,75 g de sal |
| 28 g de farinha de rosca panko | 1 pitada de pimenta-do-reino moída |
| 2 pitadas de molho tabasco | 170 g de farinha de rosca fresca |
| 28 g de ovo bem batido | Manteiga clarificada a gosto |
| 2 colheres (sopa)/30 mℓ de maionese básica (p. 36) | 300 mℓ de molho rémoulade (p. 37) |

1. Derreta a manteiga em uma frigideira sobre fogo médio. Sue o salsão na manteiga até que fique ligeiramente translúcido. Acrescente a cebolinha e continue a cozinhar sobre fogo médio até que os vegetais fiquem macios. Isso ocorre rapidamente.

2. Transfira a mistura para uma tigela e deixe-a esfriar à temperatura ambiente.

3. Acrescente a farinha de rosca, o tabasco, os ovos, a maionese, a cebolinha francesa e o camarão; tempere a mistura com sal e pimenta.

4. Acrescente aproximadamente 43 g de farinha de rosca à mistura de camarão. Se ela ainda estiver muito úmida, acrescente mais farinha de rosca. Ela deve ficar apenas ligeiramente úmida.

5. Divida a mistura em porções de 57 g e forme pequenos bolinhos de 5 cm de diâmetro. Mergulhe os dois lados do croquete de camarão no restante de farinha de rosca.

6. Aqueça a manteiga clarificada em uma frigideira sobre fogo médio e frite os bolinhos até que o camarão fique completamente cozido e os bolinhos, dourados (4 min a 5 min de cada lado).

7. Arrume os bolinhos nos pratos ou em uma travessa e sirva-os com o molho rémoulade à parte.

# Rolinhos de caranguejo com azeite com infusão de pimentão, gengibre frito e cogumelos glaceados no tamari

RENDIMENTO: 10 PORÇÕES

| | |
|---|---|
| 680 g de carne de caranguejo lump | Pimenta-branca moída a gosto |
| 113 g de cenoura em julienne fina | 10 folhas de papel de arroz com 20 cm de diâmetro |
| 28 g de pimentão vermelho em brunoise | 284 g de cogumelo glaceado no tamari (ver nota do chef) |
| 28 g de pimentão amarelo em brunoise | 60 ml de azeite de pimentão vermelho (p. 607) |
| 28 g de pimentão verde em brunoise | 60 ml de azeite de pimentão verde (p. 607) |
| 14 g de cebolinha francesa bem picada | 60 ml de azeite de pimentão amarelo (p. 607) |
| 1 colher (sopa)/6 g de semente de gergelim preto | 2 pedaços de gengibre (5 cm de comprimento) descascados, fatiados finamente e fritos para guarnição |
| 3 colheres (sopa)/45 ml de vinagre de vinho de arroz | |
| Sal a gosto | |

1. Limpe a carne de caranguejo, removendo qualquer pedaço de casca ou cartilagem. Misture-a com a cenoura, os pimentões, a cebolinha francesa, as sementes de gergelim e o vinagre de vinho de arroz. Tempere a mistura com sal e pimenta.

2. Umedeça as folhas de papel de arroz e recheie cada uma com 85 g de mistura de carne de caranguejo. Enrole a folha de modo a cobrir completamente o recheio; o rolinho deve ter cerca de 3 cm de diâmetro. Cubra os rolinhos com um pano ligeiramente úmido e refrigere-os até o momento de servir.

3. Para cada porção, corte 1 rolinho de caranguejo na diagonal e arrume-o em um prato refrigerado. Acrescente 28 g de cogumelo glaceado no tamari, 1 colher (chá)/5 ml de cada azeite temperado e alguns pedaços de gengibre frito.

» **NOTA DO CHEF** Para fazer os cogumelos glaceados no tamari, salteie 454 g de cogumelos shiitake fatiados em 2 colheres (sopa)/30 ml de azeite de oliva até que fiquem bem quentes. Acrescente 2 colheres (sopa)/30 ml de tamari para deglacear a panela e ajuste o tempero a gosto com açúcar, óleo de gergelim escuro, sal e pimenta.

# Vieiras tostadas com alcachofra e peperonata

RENDIMENTO: 10 ENTRADAS

907 g de vieira seca
907 g de peperonata (p. 50)
Salada de coração de alcachofra (p. 121) a gosto conforme o método ou a quantidade desejada
Sal a gosto
Pimenta-do-reino moída a gosto
150 mℓ de azeite de oliva
150 mℓ de azeite de pimentão vermelho ou amarelo (p. 607)

1. Remova e descarte o músculo das vieiras.

2. Para cada porção, aqueça 85 g de peperonata e 2 pedaços de minialcachofra ou 4 pedaços de coração de alcachofra. Tempere-os com sal e pimenta. Mantenha-os aquecidos.

3. Aqueça 30 mℓ de azeite de oliva em uma frigideira sobre fogo médio alto. Acrescente 85 g de vieiras e toste-as dos dois lados até que fiquem douradas mas ainda translúcidas no centro (1 min a 2 min de cada lado).

4. Coloque o peperonato em um prato aquecido e arrume a alcachofra e as vieiras. Regue o prato com azeite de pimentão vermelho ou amarelo e sirva-o imediatamente.

# Salada de lagosta e trufas

RENDIMENTO: 10 PORÇÕES

5 lagostas inteiras (454 g cada)
227 g de vagem
5 maços de alface-de-cordeiro

## vinagrete

270 mℓ de suco de laranja
60 mℓ de vinagre de champanhe
43 g de fines herbes (p. 640) moídas
Sal a gosto
Pimenta-branca moída a gosto
120 mℓ de azeite de oliva extravirgem

## guarnição

1 tomate sem pele, sem sementes e cortado em formato de diamante
14 g de folha de cerefólio
28 g de trufas

1. Cozinhe as lagostas em água salgada fervente sobre fogo baixo até que fiquem completamente cozidas (de 9 min a 10 min). Remova-as e resfrie-as. Quando elas estiverem frias, remova a carne da cauda e da garra. Fatie cada cauda no meio para obter 10 porções iguais; cubra e refrigere as porções até o momento de montar a entrada.

2. Escalde a vagem em água salgada fervente até que fique verde brilhante; refresque-a, coe-a e refrigere-a até a hora de montar a entrada.

3. Enxágue a alface-de-cordeiro com cuidado e divida cada maço ao meio. Seque bem e refrigere a alface até o momento de montar a entrada.

4. Para preparar o vinagrete, junte o suco de laranja, o vinagre, as fines herbes, o sal e a pimenta. Acrescente o azeite aos poucos, batendo a mistura constantemente. Ajuste o tempero e reserve-a.

5. Para cada porção, fatie 1 metade de cauda de lagosta na forma de medalhões. Tempere 21 g de vagem e ½ ramo de alface-de-cordeiro com o vinagrete e arrume-os em pratos resfriados. Acrescente os medalhões de cauda de lagosta e um pedaço de garra. Guarneça-os com tomate, folhas de cerefólio e trufas.

# Roulade de foie gras com salada de beterraba assada e peito de pato defumado

RENDIMENTO: 10 PORÇÕES

454 g de roulade de foie gras ou terrine de foie gras (p. 354)

425 g de peito de pato defumado (p. 231)

567 g de salada de beterraba assada (p. 118) feita com beterraba amarela e vermelha

20 crisps de pastinaca (p. 606)

35 g de minifolha de beterraba

150 mℓ de vinagrete de beterraba (p. 33)

1. Fatie a roulade de foie gras em 10 porções (43 g cada). Se fizer isso com antecedência, cubra e refrigere as fatias até o momento de montar a entrada.

2. Corte os peitos de pato em fatias muito finas; serão servidas 4 fatias por entrada.

3. Para cada porção, coloque 1 fatia de foie gras no prato; sirva com 57 g de salada de beterraba, 4 fatias de peito de pato, 2 chips de pastinaca e 1 colher (sopa)/3 g de minifolhas de beterraba; regue o prato com 15 mℓ de vinagrete.

# Mil-folhas de gelée de melancia, caranguejo e abacate com vinagrete de tomate

RENDIMENTO: 10 PORÇÕES

### gelée de melancia
6 folhas de gelatina hidratadas em água fria
720 ml de suco de melancia
5 ml de suco de limão

### wafer de massa filo
3 folhas de massa filo cortadas em pedaços de 5 cm × 3 cm
Azeite de oliva a gosto

### caranguejo
284 g de carne de caranguejo limpa
2¾ colheres (chá)/2,75 g de cebolinha francesa picada finamente
3 colheres (sopa)/45 ml de suco de limão
2 colheres (sopa)/30 ml de azeite de oliva
Sal a gosto
Pimenta-do-reino moída a gosto

3 abacates sem pele, sem sementes e fatiados finamente
150 ml de vinagrete de tomate-cereja (p. 32)
20 cunhas finas de melão
2 pepinos sem casca, sem sementes e cortados em julienne

1. Para fazer o gelée de melancia, retire o excesso de água das folhas de gelatina hidratadas. Coloque as folhas de gelatina em uma tigela, acrescente os sucos de melancia e de limão e aqueça a mistura a 43 °C em banho-maria. Mexa bem e coloque a tigela sobre um banho de gelo. Continue a mexer até que a mistura fique quase completamente endurecida.

2. Coloque 10 fôrmas redondas de 5 cm de diâmetro × 3 cm de altura em uma assadeira plana forrada com base de silicone. Despeje a mistura de gelatina e suco nas fôrmas e coloque-as na geladeira para que endureçam.

3. Coloque os pedaços de massa filo em uma assadeira forrada com base de silicone e pincele-os com azeite de oliva. Coloque outra folha de massa filo por cima, pincelando-a com azeite. Coloque uma terceira folha de massa filo sobre as anteriores. Coloque outra assadeira no topo da massa filo e asse-a no forno a 191 °C até que fique dourada e crocante. Deixe a massa esfriar completamente e reserve-a.

4. Misture a carne de caranguejo com a cebolinha francesa, o suco de limão, o azeite de oliva, o sal e a pimenta.

5. Para a montagem, use 10 fôrmas retangulares. Desenforme os gelées no centro de cada um dos 10 pratos e coloque uma fôrma retangular em cima do gelée, pressionando-o; o gelée será a base da montagem. Disponha um pedaço de massa filo sobre ele. Divida a salada de caranguejo igualmente entre os moldes, pressionando-a delicadamente para obter uma camada regular. Em cima de cada molde, coloque fatias finas de abacate, arrumadas de modo atraente. Guarneça o prato com vinagrete de tomate, melão e pepino.

# Creme de chalota assada

RENDIMENTO: 10 PORÇÕES

6 chalotas sem casca e aparadas
60 ml de azeite de oliva
Sal a gosto
Pimenta-do-reino moída a gosto
240 ml de creme de leite fresco
2 ramos de tomilho

Sal a gosto
Pimenta-do-reino moída a gosto
4 gemas de ovo
Óleo vegetal a gosto
2 colheres (sopa)/6 g de cebolinha francesa bem picada

1. Coloque as chalotas em uma assadeira pequena o bastante para mantê-las aninhadas em uma só camada. Regue-as com azeite de oliva e tempere-as com sal e pimenta. Asse as chalotas no forno entre 149 °C e 163 °C até que fiquem bem douradas e macias (entre 45 min e 1 h). Remova-as do forno e deixa-as esfriarem por completo. Pique as chalotas e reserve-as.

2. Junte o creme de leite e o tomilho em uma pequena panela e levante fervura sobre fogo médio. Deixe o creme ferver suavemente por 5 min. Coe-o em um chinois e tempere-o com sal e pimenta. Descarte o tomilho.

3. Em uma tigela separada, bata as gemas até incorporá-las completamente. Junte o creme quente aos poucos, batendo as gemas sem parar.

4. Unte 10 ramequins refratários de 30 ml com óleo vegetal. Distribua as chalotas assadas igualmente entre os ramequins. Coloque a mistura de creme sobre os ramequins e salpique cebolinha francesa.

5. Coloque cuidadosamente os ramequins em uma assadeira; despeje água quente o suficiente para cobrir metade da lateral dos ramequins. Asse as chalotas no forno a 135 °C até que elas se assentem (cerca de 45 min). Deixe-as esfriar antes de desenformá-las.

# Sorbet de tomate e manjericão

RENDIMENTO: 960 ml

### calda simples
57 g de açúcar
60 ml de água

6 tomates maduros
120 ml de suco de limão

¾ colher (chá)/2,5 g de sal
21 g de massa de tomate
57 g de manjericão picado

1. Ferva o açúcar e a água em uma pequena panela. Remova a calda do fogo e esfrie-o à temperatura ambiente.

2. Escalde os tomates em água fervente até que a casca comece a se soltar (15 s a 20 s) e então coloque-os em um banho de gelo para causar um choque térmico. Retire a casca e as sementes dos tomates.

3. Bata os tomates em purê no processador de alimentos. Misture o purê com a calda simples, o suco de limão, o sal, a massa de tomate e o manjericão.

4. Processe essa mistura em uma máquina de sorvete de acordo com as instruções do equipamente e congele-a até o momento de usar.

# Granité de limão-siciliano

RENDIMENTO: 960 ml

960 ml de água
454 g de açúcar

28 g de zeste de limão-siciliano finamente picado
120 ml de suco de limão-siciliano

Misture todos os ingredientes em uma cuba GN. Cubra a mistura com filme de PVC e congele-a até que endureça (cerca de 3 h), misturando-a a cada 25 minutos. Para servir, raspe a superfície com uma colher de modo a formar quenelles ou bolas. Sirva imediatamente.

# Gougères

RENDIMENTO: 60 UNIDADES

360 mℓ de água
170 g de manteiga
Sal a gosto
191 g de farinha de trigo comum peneirada

43 g de clara de ovo
6 ovos
142 g de queijo gruyère ralado
1½ colher (sopa)/8 g de parmesão ralado (opcional)

1. Misture a água, a manteiga e o sal e deixe levantar fervura.

2. Acrescente de uma só vez a farinha peneirada e misture bem os ingredientes; misturando sem parar, cozinhe-os em fogo médio somente até que a massa se desprenda da lateral da panela.

3. Transfira a mistura para uma batedeira e bata-a em velocidade média por aproximadamente 1 min. Acrescente as claras e os ovos um de cada vez, misturando bem após cada adição, para obter uma textura firme porém flexível.

4. Acrescente o gruyère e o parmesão ralados (se desejar) e continue a misturar por 1 min.

5. Transfira a massa para um saco de confeitar nº 5 e molde os formatos desejados em uma assadeira forrada com papel-manteiga.

6. Asse os gougères no forno a 204 °C até que dourem; então, reduza o forno para 163 °C e termine de assá-los, sem deixar que passem do ponto (12 min a 15 min). Sirva-os mornos ou guarde-os em um recipiente hermético, como os usados para crackers.

» **NOTA DO CHEF** Estes bolinhos são um excelente item para um lanche ou uma recepção informal com coquetéis. O ideal é servi-los ainda quentes, mas eles podem ser guardados em recipientes herméticos e servidos à temperatura ambiente, se necessário.

No sentido horário, a partir do canto superior esquerdo: palitos de queijo (p. 492), palmiers de parmesão e prosciutto (p. 492) e gougères.

# Palmiers de parmesão e prosciutto

RENDIMENTO: 40 A 45 UNIDADES

227 g de massa folhada blitz (página 652)
57 g de massa de tomate

12 fatias de prosciutto
21 g de parmesão ralado fino

1. Abra a massa e pincele-a com uma pequena quantidade de massa de tomate.

2. Coloque fatias finas de prosciutto sobre a massa e polvilhe-as com queijo. Enrole os lados compridos da massa em direção ao centro. Corte-a em fatias de 6 mm de espessura e disponha as fatias em uma assadeira forrada com papel-manteiga. Cubra-as com outra folha de papel-manteiga e asse-as no forno a 204 °C até que dourem (cerca de 10 min).

» **NOTA DO CHEF** O papel-manteiga em cima e embaixo ajuda os pedaços a permanecerem planos. O papel pode ser removido nos últimos minutos para permitir que dourem.

Os palmiers podem ser feitos em vários lotes, congelados e depois assados conforme necessário. Sirva-os quentes.

# Palitos de queijo

RENDIMENTO: 30 UNIDADES

1 gema de ovo
1 colher (sopa)/15 mℓ de leite
1 receita de massa folhada blitz (p. 652)

43 g de parmesão ralado
Páprica espanhola doce a gosto

1. Bata a gema de ovo com o leite para fazer um egg wash. Pincele as folhas de massa com o egg wash.

2. Polvilhe o queijo e a páprica por igual sobre as folhas de massa.

3. Corte a massa em tiras com 6 mm de largura e com o comprimento da folha.

4. Asse as tiras em assadeiras forradas com papel-manteiga no forno a 204 °C até que dourem (cerca de 10 min).

» **NOTA DO CHEF** Como alternativas de guarnição, use a mistura de temperos cajun (p. 639), pimenta-de-caiena, sementes de papoula ou sementes de gergelim.

» **IDEIA PARA APRESENTAÇÃO** Os palitos de queijo são uma maneira simples e rápida de dar um toque e um sabor especiais a uma recepção, uma mesa de jantar ou um bar. Eles podem ser torcidos, enrolados ou moldados de várias maneiras antes de assados. Formatos elaborados, apresentados em copos ou jarras altos, constituem vistosas decorações comestíveis.

# Profiteroles

RENDIMENTO: 60 UNIDADES

360 mℓ de água
170 g de manteiga
Sal a gosto

191 g de farinha de trigo peneirada
6 ovos

1. Junte a água, a manteiga e o sal e ferva-os.

2. Junte toda a farinha peneirada de uma vez só e misture bem os ingredientes; cozinhe-os em fogo médio até que a massa comece a se desprender da panela.

3. Transfira a massa para uma batedeira e misture-a em velocidade média por 1 min. Acrescente os ovos um de cada vez, misturando bem após cada adição, para obter uma textura firme porém maleável.

4. Transfira a massa para um saco de confeitar nº 5 e despeje a massa no formato desejado sobre uma travessa forrada com papel-manteiga. Para formar profiteroles, faça bolas de 3 cm de diâmetro; também é possível fazer outras formas, como bombas.

5. Asse os profiteroles no forno a 204 °C até que dourem; então, reduza a temperatura do forno para 163 °C e termine de cozinhá-los (12 min a 15 min).

6. Quando eles estiverem prontos para serem recheados, corte as tampas com uma faca afiada. Acrescente o recheio a gosto e recoloque as tampas.

**1.** *A massa choux pronta apresenta uma textura firme porém maleável e de cor amarelo-clara.*

**2.** *Quando assados, os profiteroles ficam ainda mais dourados, e o seu centro, oco.*

NOVE | APERITIVOS E HORS-D'OEUVRE  493

# Rolinhos filo de aspargos, prosciutto e parmesão

RENDIMENTO: 90 UNIDADES

25 talos de aspargo aparados e descascados
Sal a gosto
Pimenta-do-reino moída a gosto
Suco de 1 limão
191 g de parmesão ralado

25 folhas de massa filo
227 g de manteiga clarificada
Noz-moscada ralada a gosto
25 fatias finas de prosciutto

1. Em uma panela de água salgada fervente, cozinhe o aspargo até que fique macio. Esfrie-o em um banho de gelo e escorra-o bem. Tempere-o com sal e pimenta.

2. Misture o suco de limão e o queijo. Coloque uma folha de massa filo sobre uma superfície limpa. Pincele a folha com manteiga clarificada e polvilhe-a com parmesão, noz-moscada, sal e pimenta. Disponha uma única camada de prosciutto ao longo da borda inferior da folha. Arranje os talos de aspargo de modo que eles excedam a folha de massa filo. Enrole-a firmemente ao redor do prosciutto e do aspargo. Aperte firmemente as beiradas da folha e dobre as pontas. Pincele o rolo inteiro com manteiga clarificada. Repita o processo até esgotar a massa filo e o aspargo.

3. Asse os rolos no forno a 204 °C até que fiquem dourados e crocantes (cerca de 20 min).

4. Para servir, corte os rolos na diagonal em fatias de 1 cm.

# Pudim Yorkshire com ragu de pato

RENDIMENTO: 30 UNIDADES

### ragu de pato

4 coxas de pato
50 g de chalota bem picada
28 g de alho amassado
30 mℓ de azeite de oliva
28 g de massa de tomate
14 g de farinha de trigo
720 mℓ de caldo de galinha (p. 643)

### sachet d'épices

28 g de cogumelo porcini seco
1 ramo de alecrim
2 ramos de tomilho
1 ramo de sálvia
1 folha de louro
3 colheres (sopa)/9 g de salsinha de folha lisa picada finamente
1 colher (sopa)/9 g de alho amassado
6 bagas de zimbro amassadas
2 grãos de pimenta-preta amassados
30 mℓ de azeite de oliva

113 g de cogumelo shiitake cortado em pequenos cubos
30 mℓ de gordura de pato derretida
50 g de chalota bem picada
160 mℓ de vinho tinto
120 mℓ de tomate sem casca, sem sementes e cortado em pequenos cubos
1 colher (sopa)/3 g de salsinha de folha lisa picada grosseiramente
½ colher (chá)/0,5 g de estragão picado grosseiramente
28 g de manteiga
Sal a gosto
Pimenta-do-reino moída a gosto

### pudim yorkshire

35 g de farinha de trigo comum
1 colher (chá)/3 g de sal
300 mℓ de leite integral
22,5 mℓ de água
3 ovos batidos
60 mℓ de gordura de pato
57 g de parmesão ralado

---

1. Para o ragu de pato, apare o excesso de gordura das coxas de pato.

2. Em uma frigideira pequena, salteie levemente as chalotas e o alho no azeite de oliva sobre fogo baixo até que fiquem macios (3 min a 4 min). Acrescente a massa de tomate e cozinhe até obter uma cor marrom-claro (cerca de 1 min). Acrescente a farinha e cozinhe até obter uma cor clara e um aroma levemente tostado (2 min a 3 min). Acrescente o caldo de galinha e o sachet d'épices e levante fervura sobre fogo médio baixo para fazer o molho madeira (40 min a 45 min).

3. Em uma frigideira, toste as coxas de pato no azeite de oliva sobre fogo médio. Acrescente o molho madeira e ferva a mistura. Escume a gordura de cima do molho e asse as coxas no forno a 163 °C até que a carne possa ser desossada (cerca de 1h30).

4. Coe o molho em um chinois e reserve-o em separado. Desfie a carne de pato grosseiramente enquanto ela ainda estiver morna.

5. Salteie os cubos de cogumelo em 1 colher (sopa)/15 mℓ de gordura de pato reservada em fogo médio até que fiquem macios; reserve-os.

6. Na hora de servir, sue as chalotas no restante de gordura de pato em uma panela sobre fogo médio até amaciá-las (3 min a 4 min). Acrescente o vinho tinto e cozinhe até quase secá-lo (4 min a 5 min). Acrescente o molho madeira reservado e finalize com os tomates e as ervas. Incorpore cuidadosamente o pato e os cogumelos e monte au beurre (ver nota do chef). Tempere o ragu com sal e pimenta.

7. Mantenha-o aquecido em banho-maria até o momento de servir.

8. Para pudim yorkshire, peneire a farinha e o sal; faça um buraco no centro, acrescente o leite e a água e misture os ingredientes até obter uma textura lisa. Acrescente os ovos e misture até que a textura fique lisa.

9. Pincele 30 minifôrmas de muffin com gordura de pato e preaqueça o forno a 232 °C. Encha um pouco mais da metade de cada fôrma com a massa (cerca de 1 colher (sopa)/15 mℓ de massa) e asse-a até que doure e estufe (12 min a 18 min).

10. Guarneça o pudim yorkshire com 14 g de ragu e uma pitada de queijo.

» **NOTA DO CHEF** Monte au beurre é uma técnica usada para finalizar o molho, engrossá-lo levemente e lhe dar um aspecto brilhante. Para fazê-la, bata ou gire a manteiga inteira no molho até que ela derreta.

# Confit de pato e bolinho de feijão-branco com geleia de cebola cipollini

RENDIMENTO: 30 UNIDADES

### confit de pato

680 g de coxa de pato

71 g de sal

28 g de alho picado grosseiramente

4 grãos de pimenta-preta esmagados

14 g de tomilho picado grosseiramente

1,44 ℓ de gordura de pato derretida e levemente resfriada

### confit de pato e bolinho de feijão-branco

57 g de bacon picado finamente

2 colheres (sopa)/30 mℓ de gordura de pato derretida

57 g de cebola bem picada

14 g de alho amassado

240 mℓ de arroz para risoto

80 mℓ de vinho branco

960 mℓ de caldo de galinha (p. 643)

2 colheres (sopa)/6 g de salsinha de folha lisa picada

1 colher (chá)/1 g de tomilho picado

2 colheres (sopa)/6 g de cebolinha francesa bem picada

2 colheres (sopa)/2 g de alecrim picado

1 xícara/240 mℓ de feijão-branco cozido e picado grosseiramente

113 g de confit de pato

2 ovos levemente batidos

1 xícara/240 mℓ de farinha de rosca fresca

Sal a gosto

Pimenta-do-reino moída a gosto

170 g de farinha de trigo

4 ovos batidos juntos

113 g de farinha de rosca panko

360 mℓ de óleo vegetal para fritar

Geleia de cebola cipollini (p. 499)

---

1. Apare as coxas de pato e disponha-as em camada única em uma cuba GN. Misture os temperos e polvilhe as coxas de pato. Coloque um prato de 907 g sobre as coxas para prensá-las. Cubra-as e refrigere-as de um dia para o outro, para que curem.

2. Enxágue o tempero das coxas; seque-as com um pano. Cubra-as com gordura de pato. Em uma panela pequena, ferva as coxas sobre fogo baixo até que a carne fique bem macia (cerca de 2 h).

3. Remova a carne. Desfie a maior parte do confit para fazer os bolinhos e reserve 30 pedaços grandes para a guarnição.

4. Em uma panela pequena, misture o bacon com a gordura de pato sobre fogo baixo até que ele comece a dourar. Acrescente a cebola e o alho e continue a suar o bacon sobre fogo baixo até que amacie (6 min a 8 min). Acrescente o arroz e salteie-o por 1 min; deglace com o vinho, reduzindo-o pela metade. Acrescente o caldo em quatro partes e ferva-o lentamente até que o arroz fique macio e muito seco (20 min a 25 min).

5. Esfrie o arroz à temperatura ambiente e acrescente as ervas, o feijão, o confit, os ovos batidos, a farinha de rosca e os temperos e misture-os bem.

6. Forme bolinhas de 35 g; amasse-as de modo a formar discos de 2,5 cm a 3 cm de diâmetro. Cubra os discos e refrigere-os até que esfriem completamente.

7. Empane os bolinhos usando a farinha, os 4 ovos batidos e a farinha de rosca panko de acordo com o procedimento-padrão para empanados (ver p. 665). Aqueça o óleo a 177 °C em uma panela e frite os bolinhos até que dourem (2 min a 3 min de cada lado).

8. Reaqueça os pedaços reservados de confit de pato e coloque-os sobre os bolinhos com 7 g de geleia de cebola.

# Geleia de cebola cipollini

RENDIMENTO: 480 ml

680 g de cebola cipollini sem casca
85 g de manteiga
21 g de mel
30 ml de vinagre de xerez

4 colheres (chá)/4 g de tomilho picado
Sal a gosto
Pimenta-do-reino moída a gosto

Em uma frigideira, misture a cebola e a manteiga e cozinhe-as sobre fogo baixo até que dourem; acrescente o mel e o vinagre. Cubra a cebola com uma tampa e coloque-a no forno a 163 °C até que fique macia (15 min a 20 min). Tempere-a com tomilho, sal e pimenta e corte-a grosseiramente em cubos médios.

# Rillettes de pato em profiteroles

RENDIMENTO: 30 UNIDADES

113 g de rillettes de pato (p. 249)
2 colheres (sopa)/30 mℓ de gordura de pato derretida
2 colheres (sopa)/28 g de mostarda de Dijon
Sal a gosto
Pimenta-do-reino moída a gosto
30 profiteroles (p. 493) cortados ao meio
28 g de grãos de pimenta-verde amassados

1. Coloque os rillettes na tigela da batedeira e bata-os em velocidade baixa até que fiquem macios.

2. Com cuidado, incorpore completamente a gordura de pato e a mostarda aos rillettes. Ajuste o tempero com sal e pimenta a gosto.

3. Recheie a metade inferior dos profiteroles com a mistura de rillette. Guarneça cada um com um grão de pimenta-verde. Recoloque a tampa.

# Barquettes de mousse de salmão defumado

RENDIMENTO: 30 UNIDADES

450 g de filé de salmão (p. 220) sem pele e defumado a frio
240 mℓ de aspic (p. 67) feito com caldo de peixe aquecido
120 mℓ de maionese
1 colher (chá)/5 mℓ de molho inglês
1 colher (sopa)/15 mℓ de vinho branco seco
1 colher (chá)/5 mℓ de suco de limão
¼ colher (chá)/1,25 mℓ de molho tabasco
14 g de raiz-forte pronta
180 mℓ de creme de leite fresco batido em picos moles
30 barquettes feitas com massa básica (pp. 445 e 649), pré-assadas
57 g de ovas de salmão
30 ramos de dill

1. Para fazer a mousse, bata no processador de alimentos o salmão, o aspic, a maionese, o molho inglês, o vinho, o suco de limão, o molho tabasco e a raiz-forte até obter um purê bem fino. Com cuidado, incorpore completamente o creme de leite batido à mistura de salmão.

2. Para montar as barquettes, coloque aproximadamente 14 g de mousse de salmão em cada uma e guarneça-a com uma pequena ova de salmão e um ramo de dill. Refrigere-as até que se firmem. As barquettes estão prontas para serem servidas ou podem ser cobertas e refrigeradas por até 1 h.

# Tortinhas de creme de cogumelo selvagem

RENDIMENTO: 30 UNIDADES

454 g de cogumelos selvagens sortidos (shiitake, porcini, pleurotu, etc.), cortados em cubos pequenos

2 chalotas bem picadas

57 g de manteiga

1 colher (sopa)/15 mℓ de brandy

1 colher (sopa)/15 mℓ de xerez

60 mℓ de creme de leite fresco

30 tortinhas feitas com massa básica (p. 649), assadas sem recheio

### guarnição

57 g de queijo monterey jack seco ralado finamente

28 g de salsinha de folha lisa moída

2 colheres (chá)/4 g de pimenta-do-reino moída

1. Faça o duxelles com os cogumelos. Salteie-os com as chalotas na manteiga; acrescente o brandy, o xerez e o creme de leite para finalizar.

2. Combine os ingredientes da guarnição e reserve a mistura.

3. Recheie cada tortinha com uma colher de sopa de duxelles e polvilhe-a com a mistura de guarnição. Sirva quente.

# Hors-d'oeuvre de bacon, alface e tomate

RENDIMENTO: 24 SANDUÍCHES

16 fatias de pão de fôrma branco de 6 mm de espessura, sem casca

24 fatias de bacon de 3 mm de espessura

447 g de queijo brie sem casca e à temperatura ambiente

14 g de tomate seco bem picado

1 colher (chá)/2 g de pimenta-do-reino moída

6 tomates italianos sem pele, sem sementes e cortados em julienne

170 g de rúcula

1. Torre as fatias de pão no forno a 177 °C até que fiquem levemente douradas (5 min a 10 min). Reserve-as.

2. Disponha o bacon em camada única em uma assadeira equipada com rack; asse-o no forno a 177 °C até que fique cozido e firme (20 min a 25 min). Esfrie e reserve o bacon.

3. Na batedeira equipada com pá, bata o queijo brie em velocidade média por 5 min. Acrescente o tomate seco e a pimenta. Bata os ingredientes em velocidade média alta por mais 5 min, raspando frequentemente a tigela, até que a mistura atinja a consistência de creme de manteiga leve.

4. Espalhe cerca de 1 colher (sopa)/15 mℓ da mistura de queijo brie sobre cada fatia de pão. Coloque 3 fatias de bacon sobre 8 fatias de pão de modo que as fatias de bacon não se encostem. Deite uma camada uniforme de fatias de tomate italiano em cima das fatias de bacon. Coloque a rúcula sobre os tomates, longitudinalmente em relação ao bacon. Por cima dessas 8 fatias, coloque as demais fatias de pão.

5. Com uma faca serrilhada, corte cada sanduíche em três retângulos de 3 cm × 8 cm (cada sanduíche deve ser da largura do bacon, que deve preencher todo o seu comprimento). Arrume os sanduíches em uma travessa e sirva-os.

# Canapé de steak tartare

RENDIMENTO: 30 UNIDADES

| | |
|---|---|
| 454 g de filé-mignon bovino | Molho inglês a gosto |
| 28 g de gema de ovo pasteurizada | 30 bases de canapés de pão de centeio torradas |
| 28 g de cebola bem picada | 142 g de manteiga de anchova (p. 647) amolecida |
| 21 g de alcaparra picada | 57 g de ovo cozido picado, ou a gosto |
| Sal a gosto | 57 g de cebola bem picada, ou a gosto |
| Pimenta-do-reino moída a gosto | 57 g de salsinha bem picada, ou a gosto |

1. Pique o filé-mignon. Na hora de servir, misture a carne, as gemas de ovo, a cebola e as alcaparras para preparar o tartare. Acrescente sal, pimenta e molho inglês a gosto.

2. Sobre a base de canapé, espalhe 1 colher (chá)/5 mℓ de manteiga de anchova e 14 g da mistura de tartare; como guarnição, coloque por cima ovo picado, cebola e salsinha.

# Espetinhos de camarão e bacon

RENDIMENTO: 30 UNIDADES

| | |
|---|---|
| 20 espetos de bambu pequenos | 240 mℓ de molho para churrasco à moda do sudoeste (p. 66) |
| 30 camarões (16 a 20 unidades) descascados e limpos | |
| 15 fatias de bacon básico (p. 234) parcialmente cozido e cortado ao meio | |

1. Coloque os espetos de bambu de molho na água por 30 min.

2. Embrulhe cada camarão com uma fatia de bacon. Passe cada camarão por um espeto de bambu.

3. Disponha os espetos em um rack de arame colocado em cima de uma assadeira forrada com papel-alumínio.

4. Grelhe o camarão por 1 min ou 2 min de um lado. Vire-o e grelhe o outro lado até que o bacon fique crocante e o camarão, cozido (1 min a 2 min). Remova-o do rack e regue-o com o molho para churrasco.

» **VARIAÇÃO** CAMARÃO ENROLADO EM PRESUNTO SERRANO: substitua o bacon por finas fatias de presunto serrano. Regue o camarão levemente com óleo antes de grelhar ou assar conforme descrito acima.

# Tortinhas de tomate seco e queijo de cabra

RENDIMENTO: 30 UNIDADES

454 g de massa para torta (p. 651)
1 colher (sopa)/9 g de alho amassado
3 colheres (sopa)/9 g de manjericão picado
1 colher (sopa)/2 g de pimenta-branca moída
180 mℓ de leite
60 mℓ de xerez seco

3 ovos
1 colher (sopa)/9 g de farinha de trigo comum
113 g de queijo fresco de cabra esfarelado
28 g de cebolinha bem picada
99 g de tomate seco bem picado

1. Abra a massa de torta em 3 mm de espessura.

2. Com um cortador redondo de 5 cm, corte 30 rodelas e pressione-as com cuidado em fôrmas de torta de 4,5 cm de diâmetro. Aperte a massa com um garfo.

3. Cubra a massa das fôrmas com um pedaço de papel-alumínio pequeno e coloque por cima um peso (por exemplo, feijão cru) para a massa não crescer. Asse-a no forno a 218 °C por 5 min. Deixe a massa esfriar completamente e remova o papel-alumínio e o feijão ou peso.

4. Misture o alho, o manjericão, a pimenta, o leite e o xerez no processador de alimentos. Acrescente os ovos e a farinha e processe apenas até que se incorporem.

5. Junte o queijo de cabra, a cebolinha e o tomate seco.

6. Coloque 2½ colheres (chá)/12,50 mℓ da mistura de queijo de cabra em cada tortinha.

7. Recheie dois terços de cada tortinha com a mistura de ovo.

8. Asse as tortinhas no forno a 177 °C até que se assentem (cerca de 15 min).

# Canapé de aspargo e prosciutto

RENDIMENTO: 36 SANDUÍCHES

439 g de aspargo

### vinagrete

135 mℓ de vinagre de champanhe
2 colheres (sopa)/28 g de mostarda escura apimentada
1½ colher (chá)/6 g de açúcar
2 chalotas bem picadas
285 mℓ de azeite de oliva leve
28 g de noz picada e torrada (opcional)
14 g de salsinha de folha lisa picada

3 colheres (sopa)/9 g de dill picado
1 colher (sopa)/3 g de cebolinha francesa bem picada
2¾ colheres (chá)/9 g de sal
2 colheres (chá)/4 g de pimenta-do-reino moída grosseiramente

10 fatias de pão de fôrma branco de 6 mm de espessura, sem casca
135 g de cream cheese amolecido e batido
¼ colher (chá)/0,5 g de pimenta-do-reino moída
143 g de prosciutto de parma fatiado (cerca de 6 fatias)

1. Apare as extremidades lenhosas do aspargo e corte-o em brunoise até a ponta. Reserve as pontas. Coloque o aspargo em brunoise na água salgada fervente e cozinhe-o até que fique macio (cerca de 4 min). Escorra o aspargo, coloque-o em um banho de gelo para provocar um choque, escorra-o completamente em papel-toalha absorvente e seque-o com um pano.

2. Para fazer o vinagrete, misture o vinagre, a mostarda, o açúcar e as chalotas. Bata o azeite com a mistura, acrescentando-o em um fio contínuo. Para finalizar, misture o restante dos ingredientes do vinagrete.

3. Torre as fatias de pão no forno a 177 °C até que dourem (5 min a 10 min). Espalhe cream cheese em um dos lados de cada fatia e tempere com pimenta.

4. Apare cuidadosamente as fatias de prosciutto, removendo o excesso de gordura. Corte a porção magra das fatias de prosciutto de modo que caibam nas fatias de pão; use o máximo possível de pedaços para cobrir cada fatia de pão.

5. Para servir, corte as fatias de pão em quatro pedaços com uma faca serrilhada, criando quatro pequenos canapés. Revista levemente de vinagrete o aspargo em brunoise. Coloque 1 colher (sopa)/15 mℓ de aspargo em cada canapé. Guarneça os canapés com as pontas de aspargo reservadas e sirva-os imediatamente.

# Canapé de prosciutto e melão

RENDIMENTO: 30 UNIDADES

8 fatias bem finas de prosciutto (cerca de 142 g)
30 bases para canapé de pão branco torradas
142 g de pasta de queijo mascarpone (ver nota do chef)
90 bolas de melão do tamanho de ervilhas
90 bolas de melão cantalupo do tamanho de ervilhas
30 folhas de hortelã em chiffonade fino

1. Corte o prosciutto em pedaços que caibam nas bases de canapé.

2. Espalhe a pasta de mascarpone nas bases de canapé e coloque uma fatia de prosciutto por cima dela. Finalize com as bolas de melão e hortelã.

» **NOTA DO CHEF** Para preparar a pasta de queijo mascarpone, misture molho tabasco, mostarda de Dijon, sal e pimenta a gosto com 142 g de mascarpone (p. 390). Misture-os bem.

# Canapé de figo e prosciutto

RENDIMENTO: 32 CANAPÉS

8 fatias finas de pão integral

240 mℓ de queijo mascarpone

8 figos verdes maduros sem talos

8 fatias finas de prosciutto (227 g) sem gordura e rasgadas em 4 pedaços

32 pequenas folhas de hortelã frescas

1. Corte cada fatia de pão em quatro discos de 3,8 cm de diâmetro; torre as fatias levemente. Espalhe queijo mascarpone por cima de cada disco.

2. Corte os figos longitudinalmente em quatro fatias e coloque uma fatia em cada disco. Posicione uma fatia enrolada de prosciutto em cada canapé e finalize com uma folha de hortelã.

# Tâmaras enroladas em pancetta e recheadas com queijo manchego e hortelã

RENDIMENTO: 20 TÂMARAS

20 tâmaras medjool

20 folhas de hortelã

85 g de queijo manchego cortado em tiras de 6 mm × 6 mm × 4 cm

10 fatias finas de pancetta cortadas ao meio

1. Corte um pequeno pedaço do fundo de cada tâmara e descarte-o. Com uma pinça ou um alicate, remova cuidadosamente o caroço das tâmaras por essa abertura. Descarte os caroços.

2. Coloque uma folha de hortelã atravessada por cima da abertura da tâmara. Com uma tira de queijo, empurre a folha de hortelã e um pouco de queijo para dentro da cavidade. Use os dedos para fechar a abertura. Repita esse processo com todas as tâmaras.

3. Embrulhe firmemente meia fatia de pancetta em volta de cada tâmara. Envolva a tâmara completamente.

4. Coloque as tâmaras embrulhadas sobre uma assadeira forrada com papel-manteiga, igualmente espaçadas. Asse-as a descoberto no forno a 191 °C até que a pancetta fique crocante e a parte de baixo das tâmaras fique caramelizada (cerca de 30 min).

5. Sirva as tâmaras aquecidas em uma travessa.

» **NOTA DO CHEF** Se forem adequadamente cobertas e refrigeradas, as tâmaras podem ser recheadas e embrulhadas na pancetta na véspera do serviço.

# Mousse de queijo azul

RENDIMENTO: 907 g

567 g de queijo azul
340 g de cream cheese
1 colher (sopa)/10 g de sal
½ colher (chá)/1 g de pimenta-do-reino moída
120 ml de creme de leite fresco batido em picos moles

1. Bata o queijo azul e o cream cheese até obter um purê liso. Tempere-o com sal e pimenta.

2. Incorpore o creme de leite batido à mousse e misture-a bem. Não deve haver nenhum caroço.

3. A mousse está pronta para ser usada no preparo de canapés, como recheio ou dip.

» **VARIAÇÃO** MOUSSE DE QUEIJO DE CABRA: substitua o queijo azul por queijo de cabra fresco.

» **IDEIA PARA APRESENTAÇÃO** Usando um saco de confeitar, coloque a mousse em tortinhas e guarneça-as com fatias bem finas (mais ou menos 1 cm de diâmetro) de minibeterraba amarela e beterraba chioggia.

# Mousse de truta defumada

RENDIMENTO: 907 g

454 g de filé de truta arco-íris defumada a quente (p. 228) sem espinhos
240 ml de aspic (p. 67) feito com fundo de peixe e aquecido
120 ml de maionese básica (p. 36)
1 colher (sopa)/15 ml de vinho branco seco
1 colher (chá)/5 ml de molho inglês
¼ colher (chá)/1,25 ml de molho tabasco
14 g de raiz-forte pronta
1 colher (chá)/5 ml de suco de limão
180 ml de creme de leite fresco batido em picos moles

1. Coloque a truta, o aspic, a maionese, o vinho, os molhos inglês e tabasco, a raiz-forte e o suco de limão no processador de alimentos e bata-os até obter uma mistura bem fina.

2. Junte o creme de leite batido.

3. A mousse está pronta para ser usada no preparo de canapés, profiteroles e outras aplicações.

# Almôndegas com molho dip de pimenta

RENDIMENTO: 50 ALMÔNDEGAS

### almôndega

142 g de purê de batata
227 g de carne bovina moída
113 g de vitela moída
113 g de carne de cordeiro moída
113 g de farinha de rosca
3 colheres (sopa)/45 ml de creme de leite light
1 ovo batido
1 filé de anchova amassado
½ colher (chá)/1 g de noz-moscada ralada
½ colher (chá)/1 g de pimenta-da-jamaica moída
1 colher (chá)/3 g de sal
½ colher (chá)/1 g de pimenta-do-reino moída
43 g de manteiga
1 cebola pequena picada finamente
2 colheres (sopa)/30 ml de óleo de canola

### molho de pimenta

240 ml de vinagre de arroz
6 pimentas fresno cortadas em brunoise fino
2 colheres (sopa)/30 ml de molho de peixe
2 cebolinhas fatiadas finamente
¾ colher (chá)/3 g de açúcar demerara

1. Junte o purê de batata, as carnes moídas, a farinha de rosca, o creme de leite, o ovo, as anchovas, a noz-moscada, a pimenta-da-jamaica, o sal e a pimenta-do-reino e misture-os bem.

2. Aqueça a manteiga em uma frigideira sobre fogo baixo. Acrescente a cebola e salteie-a até que fique macia e translúcida (cerca de 5 min). Deixe-a esfriar e acrescente-a à mistura de carnes.

3. Molhe as mãos. Enrole uma colher (sopa) da mistura em forma de bola e amasse-a levemente. Faça isso até que toda a mistura seja moldada. Arranje as bolas em uma travessa, cubra-a com filme de PVC e refrigere-a por 1 h.

4. Aqueça o óleo de canola em uma frigideira grande sobre fogo médio e salteie as almôndegas de ambos os lados até que dourem e fritem bem (cerca de 10 min), agitando a frigideira ocasionalmente. Remova-as da panela e escorra-as em papel-toalha absorvente. Coloque as almôndegas em espetos de madeira (3 por espeto).

5. Para fazer o molho, misture todos os ingredientes em uma tigela e mexa-os para dissolver o açúcar. Deixe o molho descansar por no mínimo 20 min antes de servi-lo, para que o sabor se desenvolva.

6. Sirva os espetos de almôndegas em uma travessa, acompanhados de uma tigela do molho dip.

# Negimaki de carne

RENDIMENTO: 30 UNIDADES

794 g de contrafilé bovino
160 ml de água
150 ml de molho de soja
85 g de mel
28 g de gengibre descascado e ralado
1 colher (sopa)/15 ml de óleo de gergelim preto

7 g de alho amassado até virar pasta
170 g de cebolinha (apenas o topo verde inteiro)
1¼ colher (chá)/3,75 g de amido de milho
21 g de semente de gergelim
7 g de cebolinha francesa picada

1. Remova o tendão e a gordura da carne, deixando apenas o músculo. Embrulhe-a bem e congele-a até que fique bem firme porém não totalmente congelada (cerca de 3 h).

2. Em uma panela, misture a água, o molho de soja, o mel, o gengibre, o óleo de gergelim e o alho. Ferva a mistura sobre fogo baixo até que adquira sabor (cerca de 5 min). Coe a marinada, esfrie e refrigere.

3. Com uma faca elétrica, corte a carne semicongelada em fatias finas (cerca de 28 g cada). Coloque as fatias sobrepostas em grupos de 8 em uma assadeira forrada com papel-manteiga.

4. Divida as cebolinhas igualmente entre as fatias de carne e arrume-as de comprido. Enrole a carne firmemente em volta das cebolinhas. Transfira os rolos para um réchaud e despeje três quartos da marinada sobre a carne. Cubra-a e refrigere-a por no mínimo 4 h e no máximo de 12 h, para que marine.

5. Para preparar o glaçado, faça um slurry: misture 1 colher (sopa)/15 ml de água fria com o amido de milho. Em uma panela, ferva sobre fogo baixo o restante da marinada. Acrescente a mistura de amido de milho, misturando ou batendo sem parar. Quando a mistura apresentar consistência para revestir, remova-a do fogo.

6. Esprema os rolos de carne para remover o excesso de marinada e arrume-os com a ponta para baixo em uma assadeira untada.

7. Grelhe os rolinhos em fogo alto até que a carne doure e cozinhe (cerca de 5 min). Remova-os da grelha, pincele-os levemente com o glaçado e polvilhe-os com sementes de gergelim e cebolinha.

8. Use espetos ou palitos para segurar os rolinhos. Corte-os em pequenos pedaços e sirva-os imediatamente.

# Brochette de cordeiro com pesto de hortelã

RENDIMENTO: 30 UNIDADES

1,13 kg de pernil de cordeiro desossado e sem membranas e tendões
2 colheres (sopa)/30 mℓ de suco de limão
3 dentes de alho amassados
1 colher (chá)/3 g de sal
½ colher (chá)/1 g de pimenta-do-reino moída
60 mℓ de azeite de oliva extravirgem
2 colheres (sopa)/6 g de hortelã picada
30 espetos de bambu
227 g de pancetta ou bacon fatiado finamente (cerca de 15 fatias)
480 mℓ de molho de pesto de hortelã (p. 52)

1. Corte o cordeiro em cubos de 2 cm. Junte o suco de limão, o alho, o sal e a pimenta, misture-os bem e acrescente o azeite e o hortelã.

2. Misture o cordeiro no molho de modo a revesti-lo completamente; cubra-o e refrigere-o por no mínimo 4 h, virando-o de vez em quando.

3. Deixe os espetos de molho na água por 30 min.

4. Passe 2 pedaços de cordeiro e ½ fatia de pancetta por espeto e arrume-os em uma assadeira.

5. Asse-os no forno a 232 °C até que o cordeiro fique dourado do lado de fora porém ainda rosa e suculento por dentro (8 min a 12 min).

6. Sirva os espetos com molho de pesto de hortelã como dip.

» **NOTA DO CHEF** Se usar bacon, escalde-o em uma panela grande de água fervente sobre fogo baixo por 5 min. O bacon ficará opaco e firme. Escorra-o e seque-o com um pano antes de usá-lo.

# Satay de carne bovina

RENDIMENTO: 30 UNIDADES

851 g de ponta de contrafilé ou filé-mignon
4 colheres (chá)/12 g de alho amassado
2 colheres (chá)/6 g de gengibre bem picado
1 pimenta-malagueta pequena amassada
2 colheres (sopa)/6 g de coentro picado
2 colheres (chá)/4 g de curry em pó

60 ml de molho de soja
2 colheres (sopa)/30 ml de óleo de gergelim
1 colher (sopa)/3 g de capim-limão bem picado (opcional)
30 espetos de bambu de 15 cm comprimento
240 ml de molho de amendoim (p. 55) morno

1. Fatie a carne longitudinalmente em porções de aproximadamente 28 g.

2. Misture o alho, o gengibre, a pimenta, o coentro, o curry, o molho de soja, o óleo de gergelim e o capim-limão (se usar). Acrescente a carne à mistura e vire-a para revestir. Cubra e refrigere a carne entre 1 h e 2 h.

3. Remova a carne da marinada, raspando qualquer excesso. Coloque cada fatia de carne em um espeto.

4. Toste os espetos em uma frigideira ou grelhe-os na salamandra até que fiquem ao ponto (cerca de 1 min de cada lado).

5. Sirva-os com molho de amendoim morno.

» **NOTA DO CHEF** A carne bovina pode ser substituída por carne de cordeiro.

# Pinchon moruno (shish kebab estilo mouro)

RENDIMENTO: 30 UNIDADES

180 mℓ de azeite de oliva extravirgem
3 colheres (sopa)/9 g de tomilho picado grosseiramente
4 colheres (chá)/8 g de páprica
1½ colher (chá)/3 g de cominho moído
12 dentes de alho fatiados finamente
¼ colher (chá)/0,5 g de pimenta de caiena
Pimenta-do-reino moída a gosto

14 g de zeste de limão
2 folhas de louro picadas
1,13 kg de lombo de porco cortado em cubos de 2 cm
30 espetos de madeira de 15 cm de comprimento deixados de molho por 2 horas
Sal a gosto
60 mℓ de suco de limão

1. Misture o azeite de oliva, o tomilho, a páprica, o cominho, o alho, a pimenta de caiena, a pimenta-do-reino, as zestes de limão e as folhas de louro e despeje a mistura sobre os cubos de lombo de porco. Cubra-os e refrigere-os por 24 h para que marinem.

2. Coloque a carne de porco no espeto, tempere-a com sal e grelhe-a. Depois de grelhar, polvilhe-a com suco de limão e tempere-a com sal.

# Minipizzas

RENDIMENTO: 50 MINIPIZZAS

### tomate seco no forno
100 tomates-cereja cortados ao meio
2 colheres (chá)/6,5 g de sal
1½ colher (chá)/3 g de pimenta-do-reino moída

### massa de pizza
482 g de farinha de trigo integral e mais um pouco para polvilhar

1½ colher (chá)/5 g de sal
7 g de fermento biológico
283 g de água morna, ou mais conforme necessário
1 colher (sopa)/15 mℓ de azeite de oliva e mais um pouco para untar

737 g de geleia de cebola cipollini (p. 499)
Pimenta-do-reino moída a gosto

---

1. Para fazer o tomate seco no forno, coloque as metades com a parte cortada para cima em uma assadeira com rack. Tempere os tomates com sal e pimenta. Asse-os no forno a 93 °C até que fiquem quase secos (50 min a 60 min). Deixe-os esfriar e guarde-os em um recipiente hermético até o momento de utilizá-los.

2. Para fazer a massa de pizza, misture a farinha, o sal e o fermento biológico em uma tigela grande e faça um buraco no meio. Acrescente 283 g de água morna e o azeite. Trabalhe a mistura com as mãos até formar uma massa macia porém pegajosa. Se a massa estiver muito seca, acrescente mais água conforme necessário (1 colher de sopa/15 mℓ de cada vez). Se estiver muito pegajosa, acrescente mais farinha (1 colher de sopa/9 g de cada vez).

3. Transfira a massa para uma superfície de trabalho polvilhada com farinha e trabalhe-a até que fique elástica e macia (cerca de 10 min). Alternativamente, trabalhe a massa por 5 min em velocidade baixa na batedeira elétrica equipada com batedor tipo gancho. Transfira-a para uma tigela limpa polvilhada com farinha, cubra-a com um pano úmido e deixe-a crescer à temperatura ambiente até que dobre de tamanho (cerca de 1 h).

4. Amasse a massa crescida, transfira-a para uma superfície de trabalho limpa e trabalhe-a rapidamente. Abra-a em até 3 mm de espessura e corte 50 bolachas com um cortador de 5 cm. Arrume as bolachas igualmente espaçadas em assadeiras bem untadas. (Descarte a massa restante ou reserve-a na geladeira para outro uso). Com os dedos untados, esprema cada bolacha de pizza até que fique com 5 cm de diâmetro.

5. Acrescente cerca de 1 colher (chá)/5 mℓ de geleia de cebola sobre cada bolacha de pizza e coloque por cima 4 metades de tomate seco. Asse as pizzas no forno a 218 °C até que a massa fique dourada e assada (10 min a 15 min). Polvilhe as pizzas com pimenta-do-reino moída. Sirva-as imediatamente.

» **VARIAÇÃO** PIZZA DE QUEIJO DE CABRA: para uma apresentação alternativa, faça uma pizza grande e coloque sobre a massa queijo de cabra em pedaços, peras bosc em fatias finas e cebolinha francesa cortada (ver foto ao lado). Depois de assar a pizza, pincele generosamente as beiradas com azeite de oliva extravirgem de boa qualidade e corte-a em porções individuais.

*Pizza de queijo de cabra*

# Pissaladière

RENDIMENTO: 2 TORTAS DE 20 CM

### massa
½ colher (chá)/2 g de fermento biológico seco
220 g de farinha de trigo comum
1 ovo
60 mℓ de azeite de oliva extravirgem

### cobertura
2 colheres (sopa)/30 mℓ de azeite de oliva
1,13 kg de cebola fatiada
3 dentes de alho amassados
245 g de tomate enlatado picado
Sal a gosto
Pimenta-do-reino moída a gosto

### guarnição
20 a 24 filés de anchova escorridos
12 azeitonas kalamata cortadas ao meio

---

1. Para fazer a massa, misture o fermento e a farinha na batedeira elétrica equipada com batedor tipo gancho. Acrescente o ovo, o azeite e a água e misture os ingredientes em velocidade média até formar uma massa sólida.

2. Transfira a massa para uma superfície limpa e trabalhe-a por mais alguns minutos até que fique macia e elástica. Coloque-a em uma tigela levemente untada, cubra-a com filme de PVC e deixe-a descansar até que dobre de tamanho (1 h a 1h30).

3. Para a cobertura, aqueça o azeite em uma frigideira média sobre fogo médio baixo. Acrescente a cebola e cozinhe até que fique macia (cerca de 10 min). Acrescente o alho e cozinhe por mais 1 min. Acrescente os tomates e cozinhe até que todo o líquido se evapore. Tempere a cobertura com sal e pimenta. Deixe-a esfriar e reserve-a.

4. Para a montagem, corte a massa em dois pedaços iguais e pressione cada um até formar um círculo achatado de 20 cm. Acrescente a cobertura. Arrume 10 a 12 enchovas em padrão de treliça sobre cada círculo de massa e coloque meia azeitona em cada quadrado da treliça.

5. Asse a massa no forno a 204 °C até que fique dourada (25 min a 30 min). Deixe-a esfriar um pouco e corte-a em triângulos. Sirva a pissaladière morna ou à temperatura ambiente.

# Quesadilla pequena de lagosta tostada e vegetais

RENDIMENTO: 10 PORÇÕES (2 QUESADILLAS POR PORÇÃO)

1,59 kg de lagosta (2 lagostas)
½ colher (chá)/1 g de cominho torrado e moído
¼ colher (chá)/0,50 g de pimenta-malagueta em pó
Uma pitada de pimenta-de-caiena
Azeite de oliva a gosto
113 g de cebola cortada em cubos de 6 mm
1½ colher (chá)/4,5 g de alho picado

198 g de pimenta poblano torrada e cortada em cubos de 6 mm
85 g de pimentão vermelho torrado e cortado em cubos de 6 mm
Uma pitada de sal
85 g de queso blanco ralado
8 tortillas de farinha de trigo (20 cm de diâmetro)

1. Cozinhe as lagostas em água salgada fervente sobre fogo baixo por 6 min. Remova a casca e unte a carne com o cominho, a pimenta-malagueta em pó e a pimenta-de-caiena.

2. Aqueça o azeite em uma frigideira sobre fogo alto e toste a lagosta. Corte-a em cubos de 6 mm.

3. Aqueça o azeite sobre fogo médio e salteie a cebola e o alho.

4. Misture a cebola e o alho com as pimentas, o pimentão e o sal.

5. Combine a lagosta com a mistura de vegetais e o queso blanco.

6. Com um cortador de 6 cm de diâmetro, corte 20 bolachas de tortilla.

7. Aqueça o azeite em uma frigideira e salteie levemente os dois lados da tortilla sobre fogo médio alto.

8. Coloque 14 g de recheio em cada uma das 10 tortillas e coloque o restante das tortillas por cima.

9. Arrume as quesadillas prontas em uma assadeira forrada com papel-manteiga. Coloque meia folha de papel-manteiga sobre elas. Coloque uma assadeira leve por cima para achatar as quesadillas.

10. Asse-as no forno a 104 °C até que o queijo derreta (8 min a 10 min), ou doure as quesadillas em uma frigideira de ferro fundido. Sirva-as imediatamente.

» **NOTA DO CHEF** Frango defumado funciona bem como substituto para a lagosta. Ele rende 30 hors-d'oeuvre com tortillas de 3 cm de diâmetro e 1 colher (chá)/4 g de recheio.

# Empanada de picadillo de porco

RENDIMENTO: 30 UNIDADES

## recheio de porco

2 colheres (chá)/10 mℓ de azeite de oliva ou óleo vegetal
340 g de sobrepaleta de porco moída grosseiramente
14 g de pimenta jalapeño bem picada
2 colheres (chá)/4 g de pimenta-malagueta em pó
1 colher (chá)/2 g de cominho moído
1 colher (chá)/2 g de canela em pó
¼ colher (chá)/0,5 g de pimenta-da-jamaica em pó
57 g de uva-passa branca imersa em água morna
57 g de amêndoa escaldada, torrada e picada
3 colheres (sopa)/45 mℓ de suco de limão-siciliano
Sal a gosto
Pimenta-do-reino moída a gosto
2 colheres (sopa)/30 mℓ de creme de leite azedo

## massa da empanada

191 g de farinha de trigo comum
113 g de farinha de milho pré-cozida para polenta ou fubá
3½ colheres (chá)/10,5 g de fermento em pó
1 colher (chá)/3 g de sal
113 g de banha de porco derretida e esfriada
180 mℓ de água, ou conforme necessário
2 ovos

óleo vegetal na quantidade necessária para fritar
240 mℓ de salsa verde (p. 42), salsa fresca (p. 45) ou pico de gallo chipotle (p. 45)

---

1. Aqueça o óleo em uma frigideira sobre fogo médio. Acrescente o porco e salteie-o até que a carne perca a cor rosada (cerca de 10 min). Junte as pimentas jalapeño, malagueta e da jamaica, o cominho e a canela. Salteie os ingredientes até quase todo o líquido evaporar (mais 5 min a 6 min). Transfira a carne para uma tigela e junte a uva-passa e as amêndoas. Tempere-a com o suco de limão-siciliano, sal e pimenta-do-reino. Junte o creme de leite azedo suficiente para dar uma leve liga. Esfrie o recheio, cubra-o e refrigere-o até a hora de montar as empanadas, ou no máximo por 2 dias.

2. Para a massa, misture em uma tigela as farinhas, o fermento e o sal. Acrescente a banha e misture a massa até que fique umedecida por igual. Junte 120 mℓ de água com 1 ovo e acrescente essa mistura gradualmente à massa, misturando-a com um batedor tipo gancho. Trabalhe a massa até que fique flexível (cerca de 3 min). Bata o outro ovo com 60 mℓ de água para pincelar por cima da massa.

3. Para montar as empanadas, abra a massa com 1,5 mm de espessura e corte-a em círculos de 8 cm de diâmetro; faça no mínimo 30 círculos. Coloque 14 g de recheio em cada um. Pincele as beiradas com egg wash, dobre a massa no meio e sele as beiradas. Coloque em uma assadeira forrada com papel-manteiga, cubra-as e refrigere-as até a hora de fritar (podem ser refrigeradas por até 24 h, ou congeladas por até 3 semanas.)

4. Aqueça o óleo em uma fritadeira funda a 177 °C. Acrescente as empanadas ao óleo quente, virando-as se necessário para dourar os dois lados igualmente; frite-as até que fiquem douradas e crocantes (de 4 min a 5 min). Escorra-as em papel-toalha absorvente e aperte-as ligeiramente. Sirva as empanadas ainda quentes com a salsa ou o pico de gallo.

# Wonton frito

RENDIMENTO: 30 UNIDADES

227 g de carne de porco (paleta) moída
113 g de couve rasgada em tiras bem finas
71 g de pimentão vermelho picado muito finamente
71 g de cogumelo shiitake picado muito finamente
29 g de cebolinha (cerca de ½ maço) fatiada
1½ colher (chá)/4,5 g de gengibre picado muito finamente ou ralado
1½ colher (chá)/4,5 g de alho amassado até virar pasta
1½ colher (chá)/7,5 mℓ de molho de ostra
1½ colher (chá)/7,5 mℓ de molho de soja
1½ colher (chá)/1,5 g de coentro picado grosseiramente
1½ colher (chá)/7,5 mℓ de óleo de gergelim preto
½ colher (chá)/1,5 g de sal, ou a gosto
½ colher (chá)/1 g de pimenta-do-reino moída, ou a gosto
1 ovo
2 colheres (sopa)/30 mℓ de água
30 massas de wonton
Óleo vegetal conforme necessário para fritar

1. Salteie o porco em uma wok ou uma frigideira sobre fogo alto até que o porco fique bem cozido (cerca de 6 min). Coe o porco em um escorredor para remover o excesso de gordura.

2. Retorne a panela ao fogo alto e acrescente a couve, o pimentão e os cogumelos shiitake. Salteie os vegetais, mexendo-os conforme necessário até que fiquem quase macios (cerca de 10 min). Acrescente a cebolinha, o gengibre e o alho e cozinhe-os até que se aromatizem (2 min a 3 min). Acrescente a carne de porco à mistura de vegetais.

3. Remova a carne de porco e a mistura de couve do fogo e junte o molho de ostra, o molho de soja, o coentro, o óleo de gergelim, o sal e a pimenta-do-reino. Deixe a mistura descansar por 20 min para que os sabores se fundam.

4. Bata o ovo e a água (egg wash) para pincelar e celar a massa.

5. Para rechear os wontons, coloque aproximadamente 1 colher (sopa)/15 mℓ de recheio em um invólucro e pincele as beiradas com o egg wash. Puxe a massa sobre o recheio e sele os lados. Junte as pontas e pressione-as.

6. Aqueça o óleo a 177 °C e frite os wontons, virando-os conforme necessário, até que fiquem dourados e crocantes (de 3 min a 4 min).

» **NOTA DO CHEF** Se preparar esse recheio com antecedência, esfrie-o rapidamente, cubra-o e refrigere-o. Faça um wonton de teste e verifique o tempero. Faça os ajustes necessários antes de rechear os invólucros.

» **IDEIA PARA APRESENTAÇÃO** Sirva três dos wontons com 2 colheres (sopa)/30 mℓ de molho asiático para dip (p. 54).

**1.** Coloque uma pequena quantidade de recheio no centro de um invólucro de wonton.

**2.** Depois de pincelar as duas faces da massa com egg wash, junte os cantos diagonais de modo a formar um triângulo com os lados alinhados, selando-o.

**3.** Puxe as pontas do lado mais comprido do triângulo para trás e junte-as de maneira a formar um anel; se necessário, use um pouco de água para selar.

**4.** Frite os wontons até que fiquem dourados por igual e crocantes.

NOVE | APERITIVOS E HORS-D'OEUVRE

# Espetinhos chineses

RENDIMENTO: 30 PORÇÕES (14 g CADA)

960 ml de vinho tinto seco
397 g de cebolinha bem picada
240 ml de molho de soja light
180 ml de molho de ameixa
120 ml de óleo de gergelim preto

57 g de semente de gergelim torrada
14 g de alho bem picado
1 colher (chá)/1 g de tomilho desidratado
454 g de lombo de porco cortado em pedaços pequenos
30 espetos de bambu de 5 cm de comprimento deixados de molho na água

1. Misture o vinho tinto, a cebolinha, o molho de soja, o molho de ameixa, o óleo de gergelim, as sementes de gergelim, o alho e o tomilho em uma panela pequena e ferva a mistura por 5 min. Deixe-a esfriar à temperatura ambiente.

2. Despeje a marinada de vinho tinto sobre a carne de porco e refrigere-a, coberta, por no mínimo 1 h.

3. Coloque a carne de porco marinada nos espetos.

4. Ferva lentamente a marinada sobre fogo baixo até que engrosse (10 min).

5. Enquanto a marinada ferve, asse ou grelhe a carne até que fique cozida (5 min a 7 min).

6. Coe a marinada quente e use-a como molho dip.

» **VARIAÇÃO** Substitua a carne de porco por carne bovina ou frango.

# Wonton no vapor com camarão

RENDIMENTO: 30 UNIDADES

411 g de camarão descascado e limpo
4 colheres (chá)/20 mℓ de óleo de gergelim
2¾ colheres (chá)/11 g de açúcar
1¼ colher (chá)/3,75 g de gengibre moído bem picado
1¼ colher (chá)/3,75 g de alho bem amassado
1¼ colher (chá)/1,25 g de salsinha moída
Sal a gosto
Pimenta-do-reino moída a gosto
135 g de arroz integral totalmente cozido
30 massas de wonton
21 g de cebolinha fatiada finamente na diagonal
14 g de semente de gergelim torrada

1. Faça o recheio no processador de alimentos: ligando e desligando a máquina em intervalos curtos, pulse com o camarão, o óleo de gergelim, o açúcar, o gengibre, o alho, a salsinha, o sal e a pimenta até obter um purê grosso. Transfira a mistura de camarão para uma tigela. Pulse rapidamente o arroz no processador, o suficiente apenas para quebrar os grãos. Misture bem o arroz e a mistura de camarão, raspando a tigela. (Se fizer a receita com antecedência, cubra e refrigere o recheio por até 24 h. Faça um wonton de teste e verifique o tempero. Faça os ajustes necessários antes de rechear as massas.)

2. Para montar os wontons, pincele as beiradas dos invólucros com água. Transfira o recheio de camarão e arroz para um saco de confeitar sem bico. Recheie os invólucros com 1 colher (chá)/4 g de recheio. Dobre o wonton no meio de modo a formar um triângulo. Pressione bem os lados para selá-los. Junte as duas pontas da base do triângulo, sobreponha-as e pressione para selá-las. Transfira os wontons para uma assadeira forrada com papel-manteiga e refrigere-os até a hora de servir. Os wontons podem ser cobertos e refrigerados por até 24 h ou congelados por até 3 semanas.

3. Para cada porção, arrume 3 a 4 wontons em uma panela de bambu para cozimento a vapor e cozinhe-os sobre água fervente até que fiquem macios e translúcidos e o recheio, completamente cozido (de 10 min a 12 min). Transfira a cesta de bambu para um prato e guarneça-a com fatias de cebolinha e sementes de gergelim.

» **IDEIA PARA APRESENTAÇÃO** Sirva com uma tigela de molho asiático para dip (p. 54) (3 colheres de sopa/45 mℓ por porção) no centro da cesta e hashi.

# Tempura de camarão

RENDIMENTO: 30 UNIDADES

907 g de camarão (16 a 20 unidades) descascado e limpo
480 mℓ de óleo vegetal
240 mℓ de óleo de amendoim
240 mℓ de óleo de gergelim

## massa para tempura

3 ovos batidos
480 mℓ de água
227 g de gelo picado
369 g de farinha de trigo comum e mais um pouco para revestir
Amido de milho, se necessário

450 mℓ de molho asiático para dip (p. 54)

---

1. Se desejar, faça duas incisões na parte inferior de cada camarão para que ele fique reto. Refrigere os camarões até o momento de servir.

2. Misture os óleos vegetal, de amendoim e de gergelim em uma panela funda ou fritadeira. Aqueça-os a 177 °C.

3. Para fazer a massa, misture os ovos, a água e o gelo. Acrescente a farinha e misture os ingredientes com cuidado. Não misture demais.

4. Para preparar o camarão para a fritura, pressione-o firmemente contra uma tábua com amido de milho para quebrar os seus músculos e evitar que ele enrole durante o cozimento. Tente manter o camarão reto e certifique-se de que ele ou os vegetais (ver abaixo possibilidade de variação) estejam levemente polvilhados com amido de milho antes de passá-los na massa.

5. Passe os camarões ligeiramente na farinha. Pegue-os pela cauda e mergulhe-os na massa para revesti-los de leve. Frite imediatamente os camarões por imersão até que fiquem crocantes e brancos ou levemente dourados.

6. Escorra os camarões fritos em papel-toalha absorvente ou em um rack e sirva-os prontamente com o molho para dip.

» **NOTA DO CHEF** O gelo é usado para evitar que o glúten da farinha se desenvolva. A farinha de trigo com pouco glúten é ideal; também se pode usar farinha de trigo para bolo.

Para limpar os camarões, descasque-os por inteiro com exceção da cauda e remova a veia dorsal com um espeto ou com a ponta de uma faca; dessa maneira, eles não perderão o formato redondo.

» **VARIAÇÃO** TEMPURA DE VEGETAIS: substitua o camarão por 1,25 kg de vegetais variados (por exemplo: brócolis, abobrinha, cogumelos). Os vegetais devem estar secos antes de serem temperados e fritos.

# Croquete de risoto

RENDIMENTO: 30 UNIDADES

28 g de cebola em cubos bem pequenos
57 g de manteiga
454 g de arroz arbóreo
240 ml de vinho branco
1,44 l de caldo de galinha (p. 643) quente
113 g de parmesão ralado
Sal a gosto
425 g de queijo fontina cortado em 30 cubos (quadrados de 6 mm)

128 g de farinha de trigo
2 ovos batidos com 2 colheres (sopa)/30 ml de água ou leite
99 g de farinha de rosca
227 g de tomate italiano cortado em 30 fatias e assado
Azeite de oliva a gosto
Ervas (tomilho, manjericão, manjerona) a gosto

1. Salteie a cebola na manteiga. Acrescente o arroz e unte-o com manteiga; cozinhe-o até que seque.

2. Acrescente o vinho branco; ferva-o sobre fogo baixo até que seja absorvido e então acrescente o caldo em 3 partes, evitando que ele seque totalmente.

3. Cozinhe sobre fogo baixo, mexendo ocasionalmente, até que o arroz fique cozido (cerca de 18 min). Acrescente o parmesão.

4. Transfira o risoto para uma assadeira e espalhe-o em uma camada uniforme. Deixe o arroz esfriar completamente. Tempere-o com sal a gosto.

5. Enrole o risoto frio em bolinhos e embrulhe cada bolinho com um cubo de queijo fontina.

6. Passe os bolinhos na farinha de trigo, no ovo e na farinha de rosca seguindo o procedimento-padrão para empanados (ver p. 665).

7. Frite os croquetes por imersão a 177 °C até que dourem (de 4 min a 5 min).

8. Guarneça cada croquete com uma fatia de tomate seco no forno, azeite de oliva e ervas.

» **NOTA DO CHEF** Esta receita funciona melhor quando o risoto é preparado na véspera. Outros recheios podem ser usados no lugar do queijo fontina, como salsichas cozidas, frutos do mar, vegetais ou amêndoas torradas (p. 571).

# Bolinhos de risoto e pancetta com pesto de tomate seco

RENDIMENTO: 30 UNIDADES

| | |
|---|---|
| 227 g de pancetta fatiada finamente | Pimenta-do-reino moída a gosto |
| 28 g de manteiga | 397 g de farinha de rosca panko |
| 28 g de cebola amassada | 3 ovos |
| 198 g de arroz arbóreo | 120 ml de leite |
| 840 ml de caldo de galinha (p. 643) quente | 227 g de farinha de trigo comum, ou conforme necessário |
| 2 colheres (sopa)/6 g de salsinha bem picada | 240 ml de óleo vegetal para fritar, ou conforme necessário |
| 2 colheres (sopa)/30 ml de vinho branco seco | 340 g de pesto de tomate seco (p. 53) |
| 113 g de parmesão ralado | |
| Sal a gosto | |

1. Arrume as fatias de pancetta em camada única na assadeira e asse-as no forno a 177 °C até que fiquem crocantes (10 min a 12 min). Deixe-as esfriar, pique-as grosseiramente e reserve-as.

2. Aqueça a manteiga em uma panela sobre fogo médio alto. Acrescente a cebola e sue-a até que fique macia e translúcida (6 min a 8 min). Aumente o fogo para alto e acrescente o arroz. Cozinhe-o por 1 min, mexendo sem parar.

3. Acrescente três quartos do caldo ao arroz e cozinhe-o, mexendo-o em intervalos que variam entre 3 min e 5 min, até que ele absorva todo o líquido. Repita com metade do caldo restante. Acrescente o resto do caldo e mexa o risoto até que o arroz fique macio e a maior parte do líquido seja absorvida.

4. Remova do fogo e junte a salsinha, o vinho, a pancetta e 57 g de parmesão. Ajuste o tempero com sal e pimenta.

5. Espalhe o risoto por igual em uma assadeira de 33 cm × 22 cm forrada com papel-manteiga levemente untado. Cubra-o e refrigere-o até que se firme e esfrie.

6. Corte o risoto frio em 30 pedaços quadrados de 4 cm.

7. Para empanar, misture a farinha de rosca com 57 g do parmesão restante. Bata os ovos com o leite. Mergulhe o bolinho de risoto na farinha de trigo e retire o excesso. Mergulhe-o na mistura de ovo e depois na farinha de rosca, virando-o todas as vezes para revesti-lo por completo. Repita com o restante dos bolinhos.

8. Aqueça o óleo em uma frigideira grande sobre fogo médio alto a 177 °C. Frite os bolinhos até que fiquem dourados e crocantes (1 min a 2 min de cada lado).

9. Sirva-os quentes, guarnecidos com uma colherada de pesto de tomate seco.

» **NOTA DO CHEF** Para porções do tamanho de entradas, corte o risoto resfriado em 10 pedaços iguais de 4 cm × 9 cm.

# Minipopover de queijo stilton

RENDIMENTO: 36 MINIPOPOVERS

4 ovos
480 ml de leite integral
57 g de manteiga
234 g de farinha de trigo comum

1 colher (chá)/3 g de sal
¼ colher (chá)/0,5 g de pimenta-do-reino
170 g de queijo stilton em pedaços
113 g de noz torrada e picada

1. Misture todos os ingredientes, cubra-os e refrigere-os por 30 min.

2. Unte 36 minifôrmas de muffin (5 cm de diâmetro por 3 cm de profundidade). Encha metade ou três quartos das fôrmas (cerca de 1½ a 2 colheres de sopa/22,5 a 30 ml por fôrma) com a mistura.

3. Asse os popovers no forno a 218 °C até que fiquem dourados (12 min). Para saber se está no ponto, insira um palito de dente no seu centro, que deve sair limpo.

# Chips de camembert

RENDIMENTO: 12 PORÇÕES (57 g CADA)

6 quadrados ou rodelas de queijo camembert (113 g cada)
12 folhas de massa filo
170 g de manteiga derretida, ou conforme necessário

120 ml de egg wash (2 ovos inteiros batidos com 1 colher (sopa)/15 ml de leite)
Óleo vegetal conforme necessário

1. Corte o queijo camembert em pedaços iguais que caibam em uma tira de massa filo.

2. Empilhe 3 folhas de massa filo, pincelando cada camada com manteiga derretida. Repita com o restante das folhas, formando quatro pilhas no total.

3. Corte cada pilha de massa filo longitudinalmente em três tiras iguais. Enrole 1 tira em volta de um triângulo de queijo. Para prender o lado, pincele um pouco de egg wash. Repita o procedimento até que todo o queijo seja enrolado em massa filo. Vá para o passo 4 ou cubra bem os chips para que a massa filo não seque e refrigere-os por até 24 h antes do preparo final.

4. Frite os chips no óleo sobre fogo alto até que fiquem bem dourados nos dois lados e crocantes. Escorra-os em papel absorvente e sirva-os quentes ou à temperatura ambiente.

» **NOTA DO CHEF** Este prato pode ser servido quente com chutney de frutas, pão integral, carne de veado seca e salada mista.

# Triângulos de massa filo de camembert, maçã seca e figo

RENDIMENTO: 30 DE CADA

113 g de chalota bem picada
28 g de manteiga
227 g de maçã seca cortada em cubos de 1 cm
120 ml de figo preto seco, cortado em cubos de 1 cm
720 ml de sidra de maçã

60 ml de vinagre de xerez
⅔ de maço de folhas de tomilho picado grosseiramente
454 g de queijo camembert
454 g de massa filo (30 folhas)
227 g de manteiga clarificada derretida

1. Em uma caçarola, sue a chalota na manteiga sobre fogo médio-baixo até que fique macia (3 min a 4 min). Tire o excesso de gordura. Insira as maçãs, os figos, a sidra e o vinagre. Cozinhe os ingredientes até que o líquido seja completamente absorvido e as maçãs e os figos fiquem macios (5 min a 10 min). Retire a geleia da panela e esfrie-a.

2. Misture o tomilho com a geleia.

3. Corte o camembert em 30 pedaços, corte na vertical cada pedaço em 3 partes e então faça fatias de 6 mm a 1 cm. Cada pedaço deve render de 18 a 20 fatias.

4. Coloque uma folha de massa filo sobre uma tábua de cortar com a parte mais curta voltada para você. Pincele a massa com manteiga derretida. Coloque outra folha de massa filo sobre a folha amanteigada e pincele a nova folha com manteiga. Faça o mesmo com uma terceira folha.

5. Corte a massa filo na vertical em 3 partes. Coloque um pedaço de queijo no canto inferior direito de cada tira e ponha 1 colher (sopa) de geleia por cima.

6. Dobre o canto inferior direito da tira no sentido diagonal, em direção ao lado esquerdo, criando um triângulo que envolva o recheio. Dobre a ponta inferior esquerda ao longo do lado esquerdo para selar o recheio.

7. Dobre o canto inferior esquerdo da massa na diagonal, em direção ao lado direito, formando um triângulo. Dobre a ponta inferior direita ao longo da beirada direita. Repita esse processo até atingir o final da tira e obter um triângulo recheado de massa folhada. Faça o mesmo com todas as tiras de massa.

8. Repita o procedimento de fazer camadas, recheio e dobras com o restante das folhas de massa filo, do queijo e da geleia.

9. Coloque os triângulos em uma assadeira forrada com papel-manteiga e pincele todos com manteiga clarificada.

10. Asse-os no forno a 204 °C até que dourem (15 min a 20 min). Sirva-os imediatamente.

**1.** Dobre o canto inferior direito da tira na diagonal para cima de modo a criar um triângulo de massa que envolva o queijo e o recheio.

**2.** Continue a dobrar o triângulo na diagonal sobre o próprio triângulo em direção ao lado oposto da tira de massa, envolvendo completamente o recheio.

# Spanakopita

RENDIMENTO: 30 UNIDADES

| | |
|---|---|
| 35 g de manteiga | 213 g de queijo feta em pedaços |
| 71 g de chalota bem picada | 71 g de queijo mozarela ralado |
| 2½ colheres (sopa)/23 g de alho amassado | 1¼ colher (chá)/4 g de sal |
| 425 g de espinafre limpo e sem talo | Uma pitada de pimenta-do-reino moída |
| 1¼ colher (chá)/2,5 g de noz-moscada | 15 folhas de massa filo |
| 2 colheres (sopa)/6 g de dill picado | 284 g de manteiga derretida |

1. Derreta a manteiga em uma frigideira sobre fogo médio até que ela comece a borbulhar. Acrescente as chalotas e o alho à manteiga e refogue-os até que fiquem translúcidos.

2. Acrescente o espinafre, a noz-moscada e o dill e salteie-os cuidadosamente até que o espinafre murche (1 min a 2 min). Transfira a mistura de espinafre para uma tigela de aço inox e deixe-a esfriar à temperatura ambiente. Acrescente os queijos e tempere o recheio com sal e pimenta. Mantenha-o refrigerado até o momento de utilizar.

3. Coloque uma folha de massa filo na tábua de cortar. Pincele-a levemente com manteiga derretida. Coloque outra folha de massa filo diretamente sobre a folha amanteigada e pincele-a levemente com manteiga. Repita esse procedimento com uma terceira folha de massa filo.

4. Corte a massa filo longitudinalmente em 6 tiras iguais. Coloque 28 g do recheio de espinafre no canto inferior direito de cada tira. Dobre o canto inferior direito da tira na diagonal em direção ao lado esquerdo, formando um triângulo de massa que envolva o recheio. Dobre a ponta inferior esquerda da massa ao longo do lado esquerdo de modo a criar um triângulo e sele bem o recheio.

5. Dobre a ponta inferior esquerda da massa na diagonal em direção ao lado direito, formando um triângulo. Dobre a ponta inferior direita ao longo da beirada direita da massa. Repita esse procedimento até atingir o final da tira para obter um triângulo de massa filo folhada com o recheio embrulhado. Faça o mesmo com todas as tiras.

6. Coloque os triângulos de massa filo em uma assadeira forrada com papel-manteiga e pincele todos com manteiga derretida.

7. Asse-os no forno a 204 °C até que dourem (15 min a 20 min). Sirva-os imediatamente.

# Folha de uva recheada

RENDIMENTO: 30 UNIDADES

| | |
|---|---|
| 1 cebola, cortada em cubos pequenos | 28 g de gengibre ralado |
| 1 colher (chá)/3 g de alho amassado | 57 g de groselha fresca |
| 60 ml de azeite de oliva | ⅛ colher (chá)/0,25 g de canela |
| 113 g de cebolinha cortada na diagonal em fatias de 3 mm | 2,16 ℓ de fundo de vegetais |
| 113 g de salsinha picada grosseiramente | 227 g de arroz longo |
| 57 g de dill picado grosseiramente | Sal a gosto |
| 2 colheres (chá)/2 g de hortelã picado grosseiramente | Pimenta-do-reino a gosto |
| 3 colheres (sopa)/45 ml de suco de limão | 2 ovos |
| 1½ colher (chá)/3 g de cúrcuma | 36 folhas de uva em conserva enxaguadas |
| ½ colher (chá)/0,5 g de orégano | 60 ml de azeite de oliva |
| 1 colher (sopa) 6 g de cominho | 2 colheres (chá)/2 g de hortelã picado grosseiramente |
| 1 colher (chá)/2 g de coentro em pó | 1 colher (chá)/1 g de orégano picado grosseiramente |
| 1 colher (chá)/2 g de semente de erva-doce | 2 colheres (sopa)/30 ml de suco de limão |
| 57 g de pinhão | 1 colher (sopa)/9 g de zesto de limão |

1. Em uma frigideira sobre fogo médio, salteie a cebola e o alho em azeite de oliva até que dourem (cerca de 2 min).

2. Acrescente a cebolinha, a salsinha, o dill e a hortelã e salteie-os brevemente até que a cebolinha murche (1 min a 2 min). Esfrie a mistura à temperatura ambiente.

3. Junte o suco de limão, a cúrcuma, o coentro, as sementes de erva-doce, o pinhão, o gengibre, a groselha e a canela com a mistura de cebola e alho.

4. Ferva 600 ml de fundo e junte o arroz. Ferva a mistura sobre fogo baixo, cubra a panela e coloque-a no forno a 177 °C. Cozinhe a mistura até que os grãos de arroz fiquem fofos e bem cozidos (18 min a 20 min). Espalhe o arroz sobre uma assadeira para que esfrie à temperatura ambiente. Junte o arroz com a mistura de cebola e especiarias e tempere-o com sal e pimenta. Acrescente os ovos e mexa os ingredientes até que fiquem completamente misturados.

5. Coloque as folhas de uva de molho na água e ponha 1½ colher (chá)/7 g de recheio na ponta inferior de cada folha. Enrole a ponta da folha de uva sobre o recheio e dobre os lados em direção ao meio. Continue a enrolar a folha de uva até o final. Repita o procedimento com o restante das folhas e do recheio. Os rolos devem ter 5 cm de comprimento e 1 cm de espessura.

6. Arrume os rolinhos bem juntos em um réchaud perfurado de 5 cm de profundidade e cubra-os com papel-alumínio. Coloque o restante do fundo de vegetais em um réchaud de 10 cm de profundidade. Coloque o réchaud perfurado dentro do outro réchaud. Cozinhe as folhas no vapor por 1 h a 2 h ou até que fiquem bem cozidas.

7. Junte o azeite de oliva, a hortelã, o orégano, o suco e as raspas de limão. Após as folhas esfriarem, pincele-as com a mistura de azeite. Sirva imediatamente.

# Camarão enrolado com molho oriental

RENDIMENTO: 30 UNIDADES

| | |
|---|---|
| 454 g de abacaxi descascado | 43 g de salsão em cubos |
| 454 g de camarão médio descascado e limpo | 1 dente de alho picado |
| Sal a gosto | 2 colheres (sopa)/30 mℓ de vinagre de arroz |
| Pimenta-do-reino a gosto | 113 g de ketchup |
| 15 tiras de bacon parcialmente assadas e cortadas ao meio | 113 g de molho de pimenta-malagueta |
| | 68 mℓ de molho de ameixa |
| 30 espetos de bambu (15 cm de comprimento) deixados de molho | 2 colheres (sopa)/30 mℓ de molho de soja |
| | 2 colheres (chá)/10 mℓ de molho inglês |
| 1 colher (sopa)/15 mℓ de azeite de oliva ou óleo vegetal | 66 g de cebolinha em fatias finas |
| 64 g de cebola em cubos | 85 g de coco torrado |

1. Corte 30 pedaços de 1 cm de abacaxi; pique finamente o restante.

2. Tempere o camarão com sal e pimenta. Coloque um pedaço de abacaxi sobre cada camarão e embrulhe-o com uma fatia de bacon.

3. Coloque o enrolado de bacon, abacaxi e camarão em um espeto e reserve-o. (Não o reserve por muito tempo, pois o abacaxi irá desnaturar o camarão.)

4. Em uma frigideira grande, aqueça o azeite ou óleo sobre fogo médio e sue a cebola, o salsão e o alho até que fiquem macios, porém não dourados (3 min a 4 min).

5. Acrescente à mistura de cebola o abacaxi reservado, o vinagre, o ketchup, o molho de pimenta, o molho de ameixa, o molho de soja e o molho inglês. Ferva a mistura lentamente sobre fogo baixo e cozinhe-a até que fique brilhante e grossa (cerca de 15 min). Ajuste a consistência do molho com água, se necessário, e tempere-o com sal e pimenta. Mantenha-o aquecido.

6. Para cozinhar o camarão, pincele cada espeto com uma pequena quantidade de molho (cerca de 1 colher de chá/5 mℓ); asse os espetos no forno a 204 °C até que o camarão fique branco (cerca de 10 min).

7. Remova os espetos do forno e arrume-os nas travessas. Guarneça-os com a cebolinha e o coco. Sirva-os imediatamente com o restante do molho à parte, como dip.

# Crepe de batata com crème fraîche e caviar

RENDIMENTO: 30 UNIDADES

340 g de purê de batata cozida
28 g de farinha de trigo
2 ovos
3 claras de ovo
60 mℓ de creme de leite fresco, ou conforme necessário
Sal a gosto
Pimenta-branca moída a gosto

Uma pitada de noz-moscada moída
Óleo vegetal, conforme necessário
120 mℓ de crème fraîche (p. 389)
28 g de caviar
Ramos de dill a gosto
170 g de fatia de salmão defumado (opcional)

1. Na batedeira, misture a batata e a farinha. Acrescente os ovos, um de cada vez, e depois as claras. Ajuste a consistência da mistura com o creme de modo que ela se assemelhe à de massa de panqueca; tempere-a com o sal, a pimenta e a noz-moscada.

2. Unte levemente uma frigideira ou panela para sauté antiaderente com óleo. Despeje a massa de modo a formar pequenas panquecas de 5 cm a 7 cm de diâmetro. Cozinhe cada crepe até que doure, vire-o e finalize o outro lado (cerca de 2 minutos no total).

3. Sirva os crepes quentes com pequenas colheradas de crème fraîche e caviar, um pequeno ramo de dill e uma fatia de salmão defumado, se desejar.

» **NOTA DO CHEF** Para fazer crepes de dill, pique um pouco de dill. Aqueça o creme de leite fresco e acrescente a erva picada. Esfrie o creme antes de preparar a massa do crepe.

# Atum com alcaparras e azeite de oliva

RENDIMENTO: 30 DE CADA

680 g de lombo de atum (para entre o meio e a cabeça)
160 ml de azeite de oliva extravirgem
37,5 ml de suco de limão
85 g de alcaparra
21 g de chalota bem picada

Pimenta-do-reino moída a gosto
2 colheres (sopa)/12 g de ciboulette picada grosseiramente
4 colheres (chá)/4 g de dill picado grosseiramente
Sal marinho a gosto
30 crostini de baguete francesa (6 mm de espessura)

1. Remova o tendão conjuntivo do lombo de atum e corte-o em brunoise pequeno porém grosseiro.

2. Misture o azeite, o suco de limão, as alcaparras, as chalotas, a pimenta e as ervas no liquidificador e bata-os até formar um purê liso (aproximadamente 1 min).

3. Na hora de servir, misture o atum com o vinagrete, tempere a mistura com sal a gosto e coloque-a nas baguetes.

# Camarão em conserva

RENDIMENTO: 30 UNIDADES

240 ml de água
120 ml de vinagre branco
14 g de açúcar demerara
1½ colher (chá)/5 g de sal
1 dente de alho amassado
1½ colher (chá)/3 g de semente de mostarda
1½ colher (chá)/3 g de semente de salsão

½ colher (chá)/1 g de cominho moído
1 cravo
6 bagas de pimenta-da-jamaica
1½ pimenta jalapeño bem picada
2 folhas de louro
30 camarões (21 a 25 unidades) descascados, limpos e cozidos

1. Junte a água, o vinagre, o açúcar mascavo, o sal, o alho, as sementes de mostarda, as sementes de salsão, o cominho, o cravo, a pimenta-da-jamaica, a pimenta jalapeño e as folhas de louro. Ferva a mistura. Esfrie-a bem.

2. Despeje a mistura fria sobre o camarão e deixe-o marinar de uma dia para o outro.

# Uvas enroladas em bleu de bresse

RENDIMENTO: 30 UNIDADES

71 g de bleu de bresse (ou outro queijo azul)
71 g de cream cheese

30 uvas verdes sem sementes
71 g de pistache sem casca

1. Junte o queijo azul e o cream cheese na batedeira equipada com pá e misture-os bem; a massa deve apresentar poucos caroços. Cubra-a e refrigere-a por 1 h.

2. Para enrolar uma pequena quantidade de queijo em volta de cada uva, use a palma das mãos. Guarde as uvas em uma assadeira forrada com papel-manteiga. Cubra-as e refrigere-as por no mínimo 1 h ou de um dia para o outro.

3. Bata os pistaches no processador; passe-os através de uma peneira.

4. Enrole as uvas no pó de pistache e molde-as com a palma das mãos. Isso pode ser feito até 1 hora antes de servir. Não refrigere as uvas depois de as enrolar no pó de pistache.

» **IDEIA PARA APRESENTAÇÃO** As uvas podem ser arrumadas em uma travessa no formato de um cacho natural.

# Ceviche de vieira no copo de pepino

RENDIMENTO: 30 UNIDADES

170 g de vieira cortada em brunoise

1 tomate sem casca e sem sementes cortado em brunoise

1 colher (sopa)/3 g de coentro picado

1 colher (chá)/1 g de ciboulette bem picada

¼ pimentão verde cortado em brunoise

½ pimenta jalapeño bem picada

1 colher (sopa)/15 mℓ de azeite de oliva

5 gotas de molho tabasco

15 mℓ a 30 mℓ de suco de limão-siciliano

1 colher (chá)/3 g de sal

Pimenta-do-reino moída a gosto

3 pepinos cortados em fatias de 1 cm (30 fatias no total)

Creme de leite azedo a gosto (opcional)

2 colheres (chá)/2 g de folha de coentro (opcional)

1. Para fazer o ceviche, junte as vieiras, o tomate, as ervas, o pimentão, a pimenta jalapeño, o azeite de oliva e o molho tabasco. Acrescente suco de limão-siciliano em quantidade suficiente para cobrir as vieiras. Tempere a mistura com sal e pimenta.

2. Cubra-a e refrigere-a por no mínimo 8 h, mexendo-a de vez em quando.

3. Apare as fatias de pepino com um cortador redondo para remover a casca. Use um boleador para retirar o centro das fatias. Não atravesse a fatia inteira.

4. Recheie os copos de pepino com o ceviche. Guarneça cada cheviche com um pequeno pingo de creme de leite azedo e uma folha de coentro, se desejar. Sirva imediatamente.

NOVE | APERITIVOS E HORS-D'OEUVRE

# Sushi maki – sushi de maguro (atum)

RENDIMENTO: 30 UNIDADES

5 folhas de nori

Solução de vinagre (p. 548), conforme necessário

567 g de arroz para sushi (p. 548) esfriado (cerca de 5 xícaras/1,20 ℓ)

Pasta de wasabi a gosto

142 g de atum albacora-laje para sushi cortado em tiras finas

Vinagre de arroz a gosto

1. Cubra uma esteira de bambu com filme de PVC. Coloque a esteira sobre uma tábua de cortar e deite sobre ela uma folha de nori. Umedeça levemente as mãos na solução de vinagre.

2. Espalhe 113 g de arroz (ou o suficiente para fazer uma camada de 2 grãos de espessura) por igual sobre os três quartos da folha mais próximos a você, deixando exposta uma faixa de 1 cm ao longo do lado mais comprido da folha. Espalhe por igual uma pequena quantidade de wasabi no centro do arroz, de um lado a outro.

3. Coloque 28 g de atum no centro do arroz espalhando de uma ponta a outra. Enrole a folha de nori com cuidado, pincelando a tira exposta com a solução de vinagre e pressionando-a para selá-la. Repita com os ingredientes remanescentes.

4. Corte cada rolo em 6 pedaços iguais e sirva-os imediatamente.

» **NOTA DO CHEF** Os ingredientes do centro do rolo podem ser substituídos. É possível utilizar, entre outros: abacate, daikon em conserva, cenoura, pepino, surimi, camarão e praticamente qualquer variedade de vegetal em julienne, cozido ou cru, e qualquer variedade de peixe ou molusco, cozido ou cru.

O prato pode ser guarnecido com pasta de wasabi, gengibre em conserva, daikon em julienne e cenoura em julienne.

A técnica de enrolar a esteira no filme de PVC é comum e facilita a limpeza. Além disso, o plástico ajuda no preparo de enrolados do avesso.

# Inari

RENDIMENTO: 30 UNIDADES

30 bolsas de tofu inari enlatado

1,36 kg de arroz para sushi (p. 548) frio

Pasta de wasabi a gosto

Sementes de gergelim pretas e brancas a gosto

1. Recheie as bolsas com arroz para sushi.

2. Coloque uma pequena quantidade de wasabi no arroz e guarneça as bolsas com sementes de gergelim.

» **NOTA DO CHEF** As bolsas também podem ser guarnecidas com uma pequena quantidade de cogumelos ou brotos enoki, como shimeji.

**1.** Espalhe o arroz por igual sobre três quartos do lado da folha de nori mais próximo a você.

**2.** Espalhe os ingredientes da guarnição através da parte mais comprida da folha de nori.

**3.** Enrole cuidadosamente a folha de nori, envolvendo as guarnições e usando a esteira de bambu para manter o formato redondo.

**4.** Uma vez enrolado e selado, corte em seis rodelas e sirva-as imediatamente.

NOVE | APERITIVOS E HORS-D'OEUVRE 545

# Nigiri

RENDIMENTO: 30 UNIDADES

30 camarões (31 a 35 unidades)
Solução de vinagre (p. 548), conforme necessário
680 g de arroz para sushi (p. 548) frio (cerca de 3 xícaras/720 mℓ)

Pasta de wasabi a gosto
30 tiras de nori de 9 cm por 6 mm (opcional)

1. Coloque os camarões em espetos longitudinalmente em relação à casca e escalfe-os por 3 min ou até que fiquem bem cozidos.

2. Dê choque térmico no camarão em água gelada e descasque-o. Apare a cauda de modo a criar um V e corte a parte de baixo do camarão em borboleta. Reserve-o.

3. Molhe os dedos na solução de vinagre e esfregue a palma das mãos. Molde cerca de 21 g de arroz para sushi em retângulos grosseiros ou cilíndricos de aproximadamente 4 cm × 2 cm.

4. Coloque uma pequena quantidade de wasabi no arroz e um camarão por cima. Se desejar, enrole o nigiri com uma tira de nori. Sirva-o imediatamente.

» **NOTA DO CHEF** Existem vários itens diferentes que podem ser usados sobre o arroz, como atum, salmão, omelete e vegetais.

# Copo shot com gelée de tomate e lagostim

RENDIMENTO: 32 PORÇÕES

### água de tomate
1,81 kg de tomate maduro

12 a 16 lagostins
2,88 ℓ de court bouillon (p. 645)

14 g de gelatina (a proporção de gelatina é a seguinte: 28 g de gelatina para 480 mℓ de líquido)
3 colheres (sopa)/9 g de estragão picado
120 mℓ de xerez
Sal a gosto
Pimenta-branca a gosto

---

1. Corte os tomates ao meio, coloque-os em uma tigela e esprema-os à mão, retirando o seu suco até que apresentem uma consistência amassada.

2. Coloque a mistura de tomate em um chinois forrado com musselina e ponha um peso de 1,36 kg a 1,81 kg por cima a fim de espremer o suco do tomate; deixe que ele drene de um dia para o outro. Descarte a polpa.

3. Escalde o lagostim no court bouillon até que fique opaco e vermelho vivo (3 min a 4 min). Esfrie-o completamente na geladeira.

4. Quando o lagostim esfriar, descasque as caudas e reserve as cabeças para decoração, se quiser.

5. Acrescente a gelatina a 240 mℓ de água de tomate para hidratá-la.

6. Aqueça a água de tomate em banho-maria para dissolver a gelatina. Deixe a mistura esfriar a 18 °C.

7. Acrescente o estragão picado, o xerez, o sal e a pimenta à mistura de água de tomate.

8. Despeje 60 mℓ da mistura em cada copo shot e coloque uma cauda de lagostim; coloque o copo na geladeira para a gelatina de tomate endurecer (30 min a 1 h).

9. Decore os copos com as cabeças de lagostim reservadas, se quiser, e sirva-os.

» **IDEIA PARA APRESENTAÇÃO** Dependendo do tamanho do copo shot, a cabeça de lagostim pode ou não ser usada. Uma pequena colherada de crème fraîche e um ramo de dill podem substituí-la como guarnição.

# Tartare de atum com mousse de abacate e sopa de tomate fria

RENDIMENTO: 10 PORÇÕES

### tartare de atum

680 g de atum fresco e picado
21 g de cebola roxa cortada em cubos pequenos
43 g de ciboulette picada
43 g de alcaparra
2 colheres (sopa)/30 mℓ de azeite de oliva extravirgem
Sal a gosto
Pimenta-do-reino moída a gosto

### mousse de abacate

3 folhas de gelatina hidratadas em água fria
2 colheres (sopa)/30 mℓ de suco de limão
3 colheres (sopa)/45 mℓ de gema de ovo pasteurizada
360 mℓ de azeite de oliva
1½ abacate sem casca, sem caroço e picado
120 mℓ de creme de leite fresco batido em picos moles
Sal a gosto
Pimenta-do-reino moída a gosto
Pimenta-de-caiena a gosto

### sopa de tomate

5 tomates grandes sem sementes e picados
60 mℓ de azeite de oliva extravirgem
60 mℓ de vinagre de xerez
¼ colher (chá)/1,25 mℓ de goma xantana
Sal a gosto
Pimenta-do-reino moída a gosto

### guarnição

Azeite de oliva extravirgem a gosto
Caviar a gosto
Ciboulette a gosto

1. Para preparar o tartare de atum, misture o atum, a cebola, a ciboulette, as alcaparras e o azeite em uma tigela de aço inox e tempere a mistura com sal e pimenta.

2. Para preparar a mousse de abacate, retire todo o excesso de água das folhas de gelatina, coloque-as em uma tigela e acrescente o suco de limão. Aqueça a gelatina a 43 °C em banho-maria e deixe-a esfriar até 27 °C.

3. Bata no processador de alimentos a gelatina com as gemas pasteurizadas, pulsando. Enquanto isso, acrescente lentamente o azeite em um fio a fim de emulsionar a mistura. Acrescente o abacate e continue a bater até que a mistura fique lisa. Transfira-a para uma tigela e adicione o creme batido. Tempere a mistura de abacate com sal, pimenta-do-reino e pimenta-de-caiena. Resfrie-a sobre um banho-maria invertido.

4. Para a sopa de tomate, coloque os tomates e o azeite no processador e bata-os até formar um purê liso. Acrescente o vinagre e processe. Acrescente a goma xantana e processe até que a mistura comece a engrossar (cerca de 5 min). Coe-a em um chinois e tempere-a com sal e pimenta. Deixe-a na geladeira até a hora de servir.

5. Para a montagem, coloque uma fôrma redonda de 7,5 cm no prato. Recheie três quartos dela com tartare de atum. Com um saco de confeitar, coloque a mousse de abacate sobre o atum até encher a fôrma; use uma espátula para alisar a superfície da mousse. Coloque 60 mℓ de sopa de tomate ao redor da fôrma. Regue a sopa com gotas de azeite. Remova a fôrma e guarneça a mousse com caviar e ciboulette. Repita esse procedimento até acabar o atum e a mousse.

# Coquetel de frutos do mar mexicano

RENDIMENTO: 32 PORÇÕES

1,8 ℓ de suco de tomate
900 mℓ de suco de molusco engarrafado
480 mℓ de ketchup
340 mℓ de suco limão-siciliano fresco
45 mℓ de molho tabasco
Sal a gosto
397 g de cebola branca bem picada
64 g de coentro picado
1½ colher (chá)/7,5 mℓ de goma xantana

2 abacates sem casca, sem caroço e cortados em cubos pequenos
227 g de carne de caranguejo lump fresca
113 g de minicamarão cozidos e cortado em cubos

### guarnição

Crème fraîche a gosto
32 folhas de coentro fresco
Minicrackers salgados (opcional)

1. Em uma tigela grande, combine o suco de tomate, o suco de molusco, o ketchup, o suco de limão-siciliano, o molho tabasco, o sal, a cebola, o coentro e a goma xantana. Misture cuidadosamente o abacate, a carne de caranguejo e o camarão. Deixe a mistura descansar por cerca de 30 min e coe-a.

2. Para montar, encha metade do copo shot com a mistura coada de suco de tomate. Coloque uma colherada da mistura de frutos do mar por cima e refrigere o copo até a hora de servir.

3. Guarneça cada copo com uma pequena colherada de crème fraîche e uma folha de coentro por cima. Sirva com os crackers, se desejar.

# Colher de ovo de codorna e medalhão de lagosta em emulsão de champanhe

RENDIMENTO: 30 PORÇÕES

### court bouillon

1 cebola amarela cortada em cubos de 1 cm

1¼ talo de salsão cortado em cubos de 1 cm

1¼ alho-poró (apenas a parte branca) cortado em cubos de 1 cm

1¼ cenoura cortada em cubos de 1 cm

20 a 25 talos de salsinha

2½ laranjas cortadas ao meio e espremidas

5 folhas de louro

2½ colheres (chá)/5 g de grão de pimenta-do-reino

9,60 ℓ de água

2½ lagostas (680 g cada)

### líquido para escalfar os ovos de codorna

2½ colheres (sopa)/37,5 mℓ de vinagre de champanhe

¾ colher (chá)/2,5 g de sal

4,8 ℓ de água

15 ovos de codorna

### emulsão de champanhe

180 mℓ de vinagre de champanhe

2½ chalotas bem picadas

2½ colheres (sopa)/53 g de mel

2½ colheres (chá)/12,5 g de mostarda

420 mℓ de óleo de semente de uva

300 mℓ de azeite de oliva

2½ pimentões vermelhos cortados em brunoise pequeno

2½ pimentões amarelos cortados em brunoise pequeno

2½ pimentões verdes cortados em brunoise pequeno

30 folhas de cerefólio

1. Para preparar o court bouillon, ferva todos os ingredientes por 15 min.

2. Reduza o fogo e escalfe as lagostas no court bouillon até que a sua carne fique opaca (8 min a 10 min). Remova a cauda depois de 8 min. Refrigere-a até que esfrie.

3. Enquanto isso, prepare o líquido para escalfar os ovos de codorna: ferva os ingredientes até a temperatura de escalfar (entre 71 °C e 85 °C). Escalfe os ovos por 2 min a 3 min e depois choque-os em um banho de gelo.

4. Seque os ovos com um pano e refrigere-os. Quando eles estiverem frios, descasque-os e corte-os ao meio.

5. Misture o vinagre de champanhe, as chalotas, o mel e a mostarda; bata-os bem. Junte os óleos e mexa a mistura. Junte os pimentões e mexa os ingredientes para misturá-los por igual.

6. Remova a casca da lagosta e corte a cauda em medalhões de 6 mm de espessura.

7. Coloque um medalhão em uma colher de servir de 30 mℓ e cubra-o com ½ colher (chá)/2,5 mℓ de emulsão de champanhe. Por cima, coloque meio ovo de codorna e guarneça com ½ colher (chá)/2,5 mℓ de pimentão sortido da emulsão de champanhe e uma folha de cerefólio.

# Colher de ostra de kumamoto e gelée de maçã e hortelã

RENDIMENTO: 30 PORÇÕES

680 g de maçã granny smith

½ colher (chá)/2,5 mℓ de ácido ascórbico, ou conforme necessário

85 g de gelatina

30 ostras de kumamoto frescas (ou qualquer outra ostra pequena e fresca)

90 mℓ de suco de limão

9 a 12 folhas de hortelã picadas finamente

Sal a gosto

Pimenta-branca a gosto

6 a 9 rabanetes vermelhos

21 g de wasabi tobiko

1. Corte as maçãs granny smith em quartos e coloque-as em um juicer; acrescente o ácido ascórbico ao suco para evitar que ele oxide. Isso deve render aproximadamente 480 mℓ de suco de maçã.

2. Polvilhe o suco com a gelatina e permita que ela hidrate; enquanto isso, retire as ostras das conchas.

3. Aqueça a mistura de gelatina em banho-maria para dissolvê-la; refrigere-a até que a sua temperatura fique abaixo de 18 °C.

4. Acrescente o suco de limão, a hortelã e os temperos.

5. Refrigere a mistura de gelatina até que ela se firme; enquanto isso, corte o rabanete em julienne fino.

6. Quando a mistura estiver firme, coloque as ostras em colheres individuais; ponha a gelée de maçã e o rabanete por cima e guarneça-os com wasabi tobiko.

# Barquettes de mousse de foie gras e compota de ruibarbo

RENDIMENTO: 24 PORÇÕES

### compota de ruibarbo

1 a 2 talos de ruibarbo

57 g de manteiga

240 mℓ de vinho do Porto

120 mℓ de grenadina

113 g de mel

1 sachê com 5 a 6 grãos de pimenta-do-reino, 1 folha de louro, 2 cravos e 1 pau de canela

### mousse de foie gras

454 g de foie gras tipo B limpo

1,92 ℓ de gordura de pato derretida

1 sachê com 1 colher (chá)/2 g de grão de pimenta-do-reino, 3 a 4 folhas de tomilho, 2 folhas de louro, 2 dentes de alho e 1 anis-estrelado

120 mℓ de creme de leite fresco

2 colheres (sopa)/18 g de gelatina

60 mℓ de velouté de frango ou vegetais

14 g de conhaque

Sal a gosto

Pimenta-branca a gosto

24 barquettes de 4 cm de comprimento

---

1. Lave e descasque os ruibarbos e corte-os em pedaços de 5 cm de comprimento.

2. Sue o ruibarbo na manteiga em uma panela de 1,92 ℓ sobre fogo médio baixo até que fique translúcido (cerca de 4 min).

3. Acrescente o vinho do Porto, a grenadina, o mel e o sachê.

4. Cozinhe até que o ruibarbo fique macio e o líquido apresente consistência de xarope (10 min a 12 min).

5. Coloque o foie gras na gordura de pato derretida e acrescente o sachê. Eleve a temperatura do pato a 71 °C e escalfe-o até que a carne atinja 49 °C (cerca de 35 min). Remova o foie gras do fogo e deixe-o esfriar na gordura à temperatura ambiente.

6. Passe o foie gras por uma peneira para obter uma pasta lisa; refrigere-o.

7. Bata o creme de leite fresco até formar picos moles; refrigere-o.

8. Hidrate a gelatina no velouté frio; quando ela estiver hidratada, reaqueça o velouté em banho-maria para dissolver a gelatina, mexendo sem parar (2 min a 3 min). Deixe a mistura esfriar à temperatura ambiente.

9. Quando estiver fria, junte a mistura de gelatina e velouté com a pasta de foie gras e acrescente o creme de leite batido, o conhaque, o sal e a pimenta.

10. Coloque a mistura em um saco de confeitar nº 1 com bico em forma de estrela (ou outro da sua preferência) e recheie as barquettes com aproximadamente 14 g de mousse de foie gras. Para guarnecer, coloque pingos de compota de ruibarbo por cima.

11. Resfrie as barquettes até que a mistura se firme; refrigere-as por até 1 h.

# Chips de parmesão com queijo de cabra trufado

RENDIMENTO: 30 PORÇÕES

720 mℓ de parmesão (retirado de um pedaço úmido do queijo)
85 g de trufa preta
14 g de salsinha de folha lisa picada finamente

680 g de queijo de cabra amolecido
360 mℓ a 540 mℓ de creme de leite fresco
Sal a gosto
Pimenta-branca a gosto

1. Rale o parmesão e reserve-o.

2. Coloque fôrmas redondas de 5 cm de diâmetro em uma assadeira forrada com base de silicone.

3. Acrescente cerca de 21 g de queijo ralado em cada fôrma, ou o suficiente para cobrir o fundo. Repita com o restante do queijo e das fôrmas.

4. Asse o queijo no forno a 163 °C até que doure (8 min a 10 min).

5. Tire os chips do forno e molde-os imediatamente em forma de pequenos copos de 60 mℓ. Talvez seja necessário fazer isso na porta aberta do forno, para que o calor mantenha os chips maleáveis. Permita que eles esfriem à temperatura ambiente e se firmem.

6. Corte as trufas em brunoise fino. Reserve 21 g de trufas para guarnição. Esprema a salsinha em uma musselina para drená-la e secá-la.

7. Misture o queijo de cabra amolecido com o creme de leite fresco; bata a mistura até que fique cremosa.

8. Acrescente as trufas e a salsinha e mexa a mistura levemente. Tempere-a com sal e pimenta.

9. Coloque a mistura em um saco de confeitar com o bico desejado e recheie os chips de parmesão com aproximadamente 14 g de recheio. Guarneça-os com as trufas picadas.

# Cones de frango quentes e crocantes

RENDIMENTO: 30 CONES

85 g de flocos de milho

43 g de amêndoa em fatias

57 g de semente de gergelim

56 g de açúcar

3½ colheres (chá)/7 g de floco de pimentão vermelho amassado

Sal a gosto

4 ovos batidos

120 mℓ de leite

Farinha de trigo comum, conforme necessário

6 peitos de frango desossados, sem pele, cortados em pedaços de 6 mm × 6 mm × 3 mm

Óleo vegetal, conforme necessário

### coleslaw de manga

85 g de manga em cubos

2 pimentas jalapeño sem sementes e picadas

2 colheres (sopa)/30 mℓ de vinagre de vinho branco

28 g de açúcar

1 chalota bem picada

240 mℓ de maionese

21 g de coentro picado

2 dentes de alho picados finamente

1 colher (sopa)/15 mℓ de suco de limão-siciliano

Sal a gosto

Pimenta-do-reino moída a gosto

539 g de repolho verde rasgado em tiras

6 tortillas de farinha de trigo

---

1. Misture os flocos de milho, as amêndoas, as sementes de gergelim, o açúcar, o pimentão vermelho e o sal no processador de alimentos e pulse até que a mistura fique grosseiramente picada. Transfira-a para uma tigela grande e rasa.

2. Em outra tigela rasa, bata os ovos com o leite. Encha uma terceira tigela rasa com a farinha.

3. Passe os pedaços de frango na farinha, retire o excesso, passe-os na mistura de ovo e depois na mistura de flocos de milho para revesti-los.

4. Coloque-os um rack sobre uma assadeira com borda. Em uma frigideira grande, aqueça 6 mm de óleo. Em lotes, frite o frango sobre fogo médio alto, virando-o uma vez, até que doure (cerca de 2 min). Transfira o frango frito para o rack.

5. Para o coleslaw, junte a manga, a pimenta jalapeño, o vinagre, o açúcar, as chalotas e 1 colher (sopa)/15 mℓ de água em uma frigideira sobre fogo médio. Cubra e ferva a mistura lentamente até que a manga fique macia (cerca de 10 min).

6. Transfira a mistura de manga para o processador de alimentos e pulse-a até formar um purê liso. Transfira o purê para uma tigela e junte a maionese, o coentro, o alho, o suco de limão-siciliano, o sal e a pimenta. Acrescente o repolho rasgado e misture os ingredientes para revesti-lo. Cubra e refrigere o coleslaw.

7. Para a montagem, coloque um pouco de frango frito em cada tortilla; ponha o coleslaw de manga por cima. Enrole a tortilla em volta do recheio na forma de cone e sirva-a.

# Noz-pecã confeitada

RENDIMENTO: 454 g

454 g de noz-pecã cortada ao meio
2 claras de ovo batidas com 2 colheres (sopa)/30 mℓ água
128 g de açúcar refinado
2 colheres (chá)/6,5 g de sal
1 colher (sopa)/6 g de canela em pó
2 colheres (chá)/4 g de gengibre moído
2 colheres (chá)/4 g de cardamomo moído
1½ colher (chá)/3 g de pimenta-da-jamaica moída
1 colher (chá)/2 g de coentro em pó
⅛ colher (chá)/0,25 g de pimenta-de-caiena

1. Preaqueça o forno a 121 °C.

2. Misture as nozes com a clara de batida até revesti-las completamente. Escorra-as bem em um escorredor.

3. Junte o açúcar, o sal e os temperos e misture as nozes nessa mistura até revesti-las por igual.

4. Espalhe as nozes em camada única em uma assadeira. Asse-as por cerca de 10 min, abaixe a temperatura do forno para 107 °C e asse-as por mais 10 min, mexendo ocasionalmente, ou até que fiquem douradas.

5. Permita que elas esfriem completamente antes de servir.

6. Guarde as nozes em um recipiente hermético por até 2 semanas.

» **NOTA DO CHEF** Estas nozes podem ser usadas para guarnecer a torta de pato defumado (p. 469).

# Amêndoas torradas

RENDIMENTO: 454 g

454 g de amêndoa inteira
2 colheres (sopa)/30 mℓ de azeite de oliva puro
Sal a gosto
2 colheres (chá)/4 g de páprica

1. Asse as amêndoas no forno a 149 °C até que fiquem crocantes e secas (de 8 min a 10 min). Acrescente o restante dos ingredientes e misture-os bem para revestir as amêndoas por igual. Permita que elas esfriem antes de servir.

2. Cubra-as e guarde-as por até 2 semanas.

*dez*

## TEMPEROS, BISCOITOS E CONSERVAS

# Temperos, biscoitos e conservas

SÃO AQUELES PEQUENOS COMPLEMENTOS CAPAZES DE TRANSFORMAR UM PRATO COMUM EM SUBLIME. EMBORA A MAIORIA DESSES ALIMENTOS SEJA VENDIDA PRONTA, ELES NÃO SÃO DIFÍCEIS DE FAZER E SÃO SEMPRE MAIS INTERESSANTES QUANDO PREPARADOS PELO PRÓPRIO CHEF, QUE ASSIM PODE PERSONALIZAR O SABOR E CRIAR MANEIRAS INVENTIVAS DE UTILIZAR INGREDIENTES SAZONAIS NA SUA PRODUÇÃO.

## TEMPEROS

Variedades de temperos: 1) geleia de cebola roxa; 2) mostarda de cerveja com sementes de alcaravia; 3) compota de ruibarbo; 4) picles; 5) ketchup de tomate; e 6) chutney de papaia.

Temperos são criações de sabor pronunciado com consistência de molho, geralmente servidas à parte e utilizadas a gosto pelo comensal. Eles também podem ser encontrados na forma de pasta ou dip e acrescentam um toque extra de sabor a sanduíches, molhos e saladas.

### mostarda

As mostardas, tanto as simples quanto as condimentadas, possuem um aroma maravilhoso e um sabor complexo que combinam muito bem com carnes, queijos e aves; elas podem até mesmo serem servidas como dip. Além disso, são bastante usadas para emulsificar vinagretes e outros molhos e para glaçar carnes enquanto assam. Há mostardas especiais de várias partes do mundo que têm qualidades únicas; algumas são acentuadamente picantes, enquanto outras são suaves; algumas são lisas, e outras são granulosas. A mostarda tipo americana é feita com sementes de mostarda branca, e a sua cor tipicamente amarela provém da cúrcuma. As mostardas europeias são feitas com sementes de mostarda marrom e podem ser granulosas ou lisas.

## ketchup

Lancelot Sturgeon, um escritor inglês, escreveu que o ketchup foi inventado pelos franceses no século XVII. No entanto, alguns livros antigos de culinária francesa alegam que foram os britânicos que desenvolveram o tempero. Outros pesquisadores ainda traçam a sua origem ao leste asiático. Antigas receitas inglesas de ketchup incluíam ingredientes como feijão, cogumelos, anchovas, fígado e nozes. Atualmente, com base predominante de tomate, o ketchup (também chamado de "catsup" ou até "catchup") é caracterizado pelo seu sabor ligeiramente doce e avinagrado e pela sua consistência grossa. Ele pode ser usado como dip ou para conferir sabor extra a sanduíches e ovos.

## chutney

Os chutneys, muito apreciados na culinária indiana, são temperos agridoces e geralmente picantes, frequentemente feitos à base de frutas (embora também haja versões à base de vegetais). Eles podem ser cozidos, assemelhando-se a picles ou relish, ou podem ser crus, à maneira de outros molhos frios, como o vinagrete.

O chutney de manga é, provavelmente, o mais conhecido, mas também se utilizam tomate, berinjela, melão, maçã e abacaxi no preparo desse tempero. O seu uso tem se expandido para além de uma colherada ou duas sobre o prato principal; o chutney é muito popular como acompanhamento para tábuas de queijo, como pasta para sanduíches e como dip. Ele é uma forma fácil de acrescentar tempero e sabor a qualquer prato, tornando-o mais intrigante.

## relish

Um relish pode ser tão simples quanto uma pilha de fatias de pepino ou rabanete e tão complexo quanto uma conserva ou salmoura de cebola ao curry bem temperada e guarnecida com frutas secas. Ele é servido frio, agindo como contraponto a alimentos picantes ou muito temperados ou dando vida a pratos que necessitam de um sabor extra.

## compota

As compotas são geralmente feitas a partir do cozimento de frutas em uma calda. O garde manger pode usar compotas salgadas como acompanhamento de galantines ou patês, do mesmo modo que o chutney.

# ÓLEOS E VINAGRES AROMATIZADOS

Óleos e vinagres de boa qualidade podem ser infundidos com temperos, aromatizantes, ervas e frutas ou vegetais, dando origem a produtos polivalentes. Eles funcionam bem como condimento e, quando regados ou gotejados sobre um prato, conferem-lhe uma pitada de sabor e de cor intensos. Também são excelentes para temperar vegetais, massas, grãos e frutas. Além disso, dão um efeito especial a vinagretes e outros molhos. Para fazer infusão em óleos e vinagres, use um dos métodos explicados a seguir.

## método 1: infusão morna

Aqueça cuidadosamente o óleo ou vinagre sobre fogo baixo junto com ingredientes aromatizantes, como zestes cítricas ou temperos, até que o cheiro se torne evidente. Deixe o óleo ou o vinagre esfriar com os ingredientes aromatizantes e então despeje-o em garrafas ou outros recipientes de armazenamento. Você pode coar o vinagre ou óleo e, assim, produzir um produto final mais claro, ou então deixar os ingredientes aromatizantes nos recipientes para que obtenham um sabor mais intenso. Use musselina úmida para coar vinagres aromatizados.

Óleos e vinagres podem ser aromatizados por infusão ou imersão com diversos alimentos, como chalota e estragão (esquerda) ou limão e tomilho (direita).

Os agentes aromatizantes, como o manjericão aqui usado, também podem ser batidos em purê com óleo ou vinagre e depois coados, dando origem a um óleo ou vinagre infundido.

### método 2: imersão

Coloque as ervas ou outros aromatizantes em uma garrafa de vidro ou de policarbonato. Aqueça rapidamente o óleo ou vinagre até que fique morno. Despeje o óleo ou vinagre morno sobre os aromatizantes e deixe descansar até obter o sabor desejado. É possível adicionar aromatizantes frescos depois de vários dias de imersão, o que dá um sabor ainda mais intenso ao produto final.

### método 3: purê

Faça um purê de vegetais, ervas ou frutas crus, escaldados ou cozidos e ferva-o sobre fogo baixo, reduzindo-o se necessário para concentrar os sabores. Acrescente o óleo ou vinagre e transfira o purê a um recipiente de armazenamento. Você pode deixar o óleo ou vinagre assim mesmo e usá-lo como purê, ou pode coá-lo a fim de remover a fibra e a polpa.

### método 4: infusão fria

Misture o óleo ou vinagre à temperatura ambiente com temperos moídos e transfira-o a um recipiente de armazenamento. Deixe a mistura assentar até que o vinagre ou óleo se torne claro e os temperos se depositem no fundo do recipiente. Assim que ele atingir o sabor desejado, decante-o cuidadosamente.

Observação: ao misturar ingredientes frescos ou crus com um óleo ou vinagre, existe o risco de intoxicação alimentar caso o produto final não seja cautelosamente armazenado. Ao contrário das versões comerciais de óleos e vinagres aromatizados, que não necessitam de refrigeração, aqueles produzidos pelo próprio chef devem ser mantidos refrigerados, especialmente se levarem alho ou chalota crus. Consuma-os dentro de poucos dias, quando eles apresentam o melhor sabor e a melhor cor.

## CONSERVAS

As conservas incluem qualquer alimento que tenha sido salmourado. Eles podem ser feitos a partir de diversos ingredientes, como vegetais, frutas e ovos. A salmoura normalmente contém vinagre, embora a salmoura de sal também possa ser usada na produção de conservas especiais. Elas podem ser extremamente acres, como os picles, ou doces, como os chips de picles doces (p. 593).

Eles constituem um condimento tradicional na Índia e no sudeste asiático; no entanto, as conservas desses lugares se diferenciam das típicas conservas europeias, pois usam óleos como agente conservador, e não vinagre. Frutas, verduras ou aromatizantes picados são acrescentados ao óleo e às especiarias e depois marinados por até três semanas, adquirindo uma textura similar à do relish. Cada região possui uma mistura distinta de condimentos e utiliza frutas, verduras e aromatizantes locais e sazonais nos seus picles, os quais são muito fáceis de fazer e acrescentam um toque internacional a diversos pratos.

# CHIPS E CRISPS

Os biscoitos e outros pães podem ser consumidos sozinhos ou como um item de acompanhamento que acrescenta sabor e contraponto de textura. Eles são servidos com dips e pastas ou com uma salada ou aperitivo e conferem crocância ao prato.

## chips fritos e assados

Os chips de batata, feitos com fatias extremamente finas fritas em óleo até ficarem crocantes, são muito conhecidos. Outros vegetais também podem ser transformados em chips: batata-doce, beterraba e alcachofra são excelentes opções.

Os chips assados constituem um ótimo item de lanche e um notável complemento para saladas e aperitivos compostos. Peras, maçãs, bananas e outras frutas podem ser cortadas em fatias muito finas e assadas até ficarem secas e crocantes. Se forem cortados em fatias ligeiramente mais grossas e assados em temperatura mais baixa, os chips adquirem uma textura mais borrachuda.

## biscoitos

Os biscoitos podem ser feitos de várias maneiras. Amanteigados são feitos da mesma forma que biscoitos. Prepara-se uma massa salgada, que é então enrolada, resfriada, fatiada e assada; queijo e nozes são itens frequentemente usados para temperar e dar sabor a esses biscoitos. A massa de biscoito pode ser aberta à mão ou com uma máquina de macarrão; o segundo método gera um fino e uniforme. É possível incorporar ingredientes de guarnição à massa, ou pincelá-la com um pouco de egg wash e polvilhá-la com sementes de gergelim, sementes de papoula, sal, misturas de condimentos, etc. Tome cuidado para não queimar a cobertura enquanto assa os biscoitos.

Também há aqueles feitos com massa assada. Delicados, eles são moldados antes da assadura e dispostos em uma assadeira untada ou em uma base de silicone. Molde-os ainda quentes com um rolo de macarrão ou com copos e outras formas.

**1.** Fatie as frutas ou verduras bem finamente na mandolina ou no fatiador.

**2.** Frite as fatias em óleo para fazer chips.

**3.** Asse as fatias no forno para fazer crisps.

**4.** Guarde os chips e crisps prontos em camadas iguais; use papel-manteiga para separar as camadas.

DEZ | TEMPEROS, BISCOITOS E CONSERVAS

# Mostarda com pimenta-verde ao estilo do sudoeste

RENDIMENTO: 960 ml

85 g de mostarda em pó
180 ml de cerveja escura mexicana
180 ml de vinagre de xerez
12 gemas de ovo
1 colher (sopa)/15 ml de molho de soja
170 g de pimenta-verde em cubos

1 pimenta jalapeño bem picada
21 g de semente de cominho torrada
2 colheres (sopa)/6 g de orégano mexicano desidratado
85 g de mel
1½ colher (chá)/15 g de sal

1. Misture a mostarda, a cerveja, o vinagre, as gemas de ovo e o molho de soja em uma tigela de aço inox.

2. Cubra e refrigere a mistura por 1 h.

3. Bata-a em uma panela de banho-maria sobre água quente até que fique grossa e cremosa.

4. Acrescente a pimenta verde, a pimenta jalapeño, o cominho, o orégano, o mel e o sal. Misture bem os ingredientes.

5. Transfira a mostarda a um recipiente limpo. Cubra-a e refrigere-a por até 2 semanas.

# Mostarda de Heywood

RENDIMENTO: 960 ml

128 g de mostarda em pó
28 g de açúcar
2 colheres (chá)/6,5 g sal
340 g de ovo

480 ml de vinagre de malte
¼ colher (chá)/1,25 ml de molho tabasco
85 g de mel

1. Misture a mostarda, o açúcar e o sal.

2. Acrescente os ovos e misture os ingredientes até obter uma pasta lisa.

3. Acrescente o vinagre, o molho tabasco e o mel, batendo a mistura. Cubra-a e refrigere-a por 1 h a 2 h.

4. Bata-a em banho-maria sobre água quente até que fique grossa e cremosa. Cubra-a e refrigere-a.

5. Transfira a mostarda a um recipiente limpo. Cubra-a e refrigere-a por até 2 semanas.

Mostarda de Heywood

# Mostarda de cranberry seca

RENDIMENTO: 960 ml

85 g de mostarda em pó
6 ovos
240 ml de suco de cranberry
90 ml de vinagre branco

1 colher (sopa)/15 ml molho inglês
57 g de açúcar mascavo
½ colher (chá)/1,5 g de sal
71 g de cranberry seca picada

1. Misture a mostarda, os ovos, o suco de cranberry, o vinagre, o molho inglês, o açúcar mascavo e o sal em uma tigela de aço inox.

2. Cozinhe a mistura sobre água fervente, sempre mexendo até que fique grossa e lisa.

3. Acrescente o suco de cranberry e misture-o bem. Cubra e refrigere a mistura por no mínimo 48 h antes de usar.

4. Cubra e refrigere a mostarda por até 2 semanas.

# Mostarda com cerveja e sementes de alcaravia

RENDIMENTO: 960 ml

360 ml de cerveja preta
6 ovos
128 g de mostarda em pó
57 g de açúcar mascavo

2 colheres (chá)/6,5 g de sal
60 ml de vinagre branco
1 colher (chá)/5 ml de molho inglês
14 g de semente de alcaravia torrada

1. Junte a cerveja, os ovos, a mostarda, o açúcar mascavo, o sal, o vinagre e o molho inglês e misture-os bem.

2. Deixe a mistura descansar à temperatura ambiente por 1 h.

3. Cozinhe-a em banho-maria sobre água fervente até que fique grossa e lisa.

4. Acrescente as sementes de alcaravia e misture-as bem.

5. Transfira a mostarda a um recipiente limpo. Cubra-a e refrigere-a por até 2 semanas.

# Molho de mostarda sueco

RENDIMENTO: 960 ml

160 g de mostarda pronta
480 ml de maionese básica (p. 36)
64 g de raiz-forte bem picada

1 colher (chá)/3 g de sal
2 colheres (chá)/10 ml de molho inglês
240 ml de creme de leite fresco batido

1. Faça um purê com a mostarda, a maionese, a raiz-forte, o sal e o molho inglês.

2. Junte o creme; cubra e refrigere a mistura até que esfrie.

3. Transfira a mostarda a um recipiente limpo. Cubra-a e refrigere-a por até 12 h.

# Ketchup de tomate

RENDIMENTO: 960 ml

99 g de açúcar
85 g de cebola bem picada
1 colher (sopa)/9 g de alho amassado
2,88 l de tomate esmagado

2 pimentões vermelhos assados e picados
240 ml de vinagre de vinho tinto
120 ml de vinagre balsâmico
Pimenta-de-caiena a gosto

1. Cozinhe o açúcar sobre fogo médio até que fique com cor âmbar.

2. Acrescente a cebola e o alho.

3. Acrescente os tomates e os pimentões assados; cozinhe os ingredientes por 5 min a 10 min sobre fogo médio.

4. Acrescente os vinagres e reduza a mistura até que engrosse (cerca de 20 min).

5. Tempere-a com pimenta-de-caiena a gosto (o sabor deve ser suave).

6. Passe-a por um coador de malha fina.

7. Transfira o ketchup a um recipiente limpo. Cubra-o e refrigere-o por até 2 semanas.

# Ketchup de pimentão amarelo

RENDIMENTO: 960 mℓ

907 g de pimentão amarelo (cerca de 8) sem sementes e picado grosseiramente
85 g de pimenta jalapeño (cerca de 4) sem sementes e picada
340 g de cebola picada grosseiramente
2 colheres (sopa)/18 g de alho picado

Óleo vegetal, conforme necessário
180 mℓ de vinagre de vinho tinto
149 g de açúcar
Sal a gosto
Pimenta-branca moída a gosto

1. Salteie o pimentão, as pimentas jalapeño, a cebola e o alho no óleo até que amoleçam mas não dourem (cerca de 12 min).

2. Acrescente o vinagre e o açúcar; ferva a mistura sobre fogo baixo por 30 min a 45 min.

3. Bata-a até formar um purê liso.

4. Ajuste o tempero com sal e pimenta.

5. Esfrie e transfira o ketchup a um recipiente limpo. Cubra-o e refrigere-o por até 2 semanas.

# Chutney picante de manga

RENDIMENTO: 960 mℓ

3 mangas sem pele e picadas
99 g de uva-passa
1 pimenta jalapeño moída
4 dentes de alho amassados
1 colher (sopa)/9 g de gengibre moído

220 g de açúcar mascavo
240 mℓ de vinagre de vinho branco
½ colher (chá)/1,5 g de sal
1 colher (chá)/2 g de cúrcuma

1. Misture as mangas, a uva-passa, a pimenta jalapeño, o alho, o gengibre e o açúcar. Cubra e refrigere a mistura por 24 h.

2. Acrescente o vinagre; ferva a mistura lentamente por 15 min.

3. Acrescente o sal; ferva a mistura lentamente por 10 min.

4. Acrescente a cúrcuma; ferva a mistura lentamente por 5 min.

5. Esfrie e transfira o chutney a um recipiente limpo. Cubra-o e refrigere-o por até 2 semanas.

# Chutney de pimenta vermelha

RENDIMENTO: 198 g

2 colheres (chá)/4 g de semente de cominho torrada
2 colheres (chá)/3 g de semente de coentro torrada
14 pimentas guajillo de molho em água fria para amolecer
12 dentes de alho
2 colheres (chá)/4 g de pimenta-de-caiena
2 g de sal
1 colher (sopa)/15 ml de suco de limão

1. Coloque o cominho, o coentro, as pimentas, o alho e a pimenta-de-caiena em um liquidificador. Acrescentando 60 ml de água de cada vez, processe os ingredientes até obter uma pasta lisa. Não acrescente água em demasia de uma só vez; com muita água no liquidificador, o purê não fica liso.

2. Acrescente o sal, o suco de limão e aproximadamente 60 ml de água e bata a mistura até produzir um molho com consistência de creme de leite fresco.

# Chutney de damasco e cereja

RENDIMENTO: 960 ml

113 g de cebola fatiada finamente
2 colheres (sopa)/18 g de gengibre bem picado
1 colher (sopa)/15 ml de óleo de amendoim
480 ml de água
240 ml de suco de laranja
120 ml de vinagre de sidra
85 g de mel
60 ml de suco de limão
¼ colher (chá)/0,5 g de cardamomo moído
¼ colher (chá)/0,5 g de floco de pimentão vermelho
½ colher (chá)/1 g de coentro em pó
½ colher (chá)/1 g de curry em pó
227 g de damasco seco cortado ao meio
227 g de cereja seca

1. Salteie a cebola e o gengibre no óleo de amendoim até que amoleçam mas não dourem.

2. Acrescente o restante dos ingredientes e ferva a mistura lentamente por 20 min. Caso o chutney fique muito grosso, acrescente mais água.

3. Esfrie e transfira o chutney a um recipiente limpo. Cubra-o e refrigere-o por até 2 semanas.

# Chutney de beterraba

RENDIMENTO: 960 ml

6 beterrabas
Água, conforme necessário
1 colher (sopa)/10 g de sal
1 colher (sopa)/9 g de gengibre picado finamente
60 ml de óleo vegetal
2 colheres (sopa)/30 ml de vinagre de vinho tinto
1 colher (sopa)/15 ml de suco de limão-siciliano
¼ colher (chá)/0,5 g de pimenta-de-caiena
2 colheres (chá)/6 g de pimenta jalapeño picada finamente
1 colher (sopa)/3 g de coentro picado finamente

1. Preaqueça o forno a 191 °C.

2. Lave bem as beterrabas. Deixe 3 cm de talo. Coloque as beterrabas em um réchaud de 5 cm em camada única e acrescente água até cobrir o fundo da panela. Tempere as beterrabas com 1 colher (chá)/3 g de sal. Cubra a panela com papel-alumínio e asse as beterrabas até que fiquem macias ao toque do garfo (cerca de 1 h, dependendo do tamanho). Agite o réchaud a cada 20 min para evitar que as beterrabas grudem ou queimem.

3. Retire a casca das beterrabas prontas enquanto elas ainda estiverem quentes. Corte-as em pequenos cubos e misture-as ao restante dos ingredientes. (Se preferir, acrescente as pimentas e o coentro no dia em que for servir.) Este chutney deve ser bem picante.

4. Esfrie e transfira o chutney a um recipiente limpo. Cubra-o e refrigere-o por até 2 semanas.

# Chutney de maçã

RENDIMENTO: 1,36 kg

170 g de açúcar mascavo
142 g de cebola cortada em cubos pequenos
113 g de uva-passa dourada
57 g de noz torrada e picada
60 mℓ de vinagre de sidra
2 colheres (sopa)/30 mℓ de suco de limão
14 g de gengibre ralado

14 g de pimenta-malagueta picada
2 colheres (chá)/6 g de zeste de limão moída ou ralada
1 colher (chá)/3 g de alho amassado até virar pasta
½ colher (chá)/1 g de macis moído
½ colher (chá)/1 g de cravo moído
1,02 kg de maçã granny smith descascada, sem o miolo e cortada em cubos médios

1. Misture o açúcar mascavo, a cebola, as nozes, o vinagre de sidra, o suco de limão, o gengibre, a pimenta-malagueta, as zestes de limão, o alho, o macis e o cravo em uma panela, cubra-a e ferva os ingredientes lentamente por 10 min.

2. Acrescente as maçãs e ferva a mistura sobre fogo baixo até que as maçãs fiquem bem macias e o suco reduza e engrosse ligeiramente (10 min a 15 min). Esfrie, cubra e refrigere o chutney até o momento de servir.

# Chutney de mamão papaia

RENDIMENTO: 960 ml

120 ml de óleo vegetal
142 g de cebola sem casca e cortada em cubos pequenos
227 g de pimentão vermelho cortado em cubos pequenos
170 g de pimentão verde cortado em cubos pequenos
4 dentes de alho amassados
2 colheres (chá)/4 g de pimenta-da-jamaica moída
2 colheres (chá)/4 g de curry em pó
2 colheres (chá)/4 g de cominho moído
454 g de mamão papaia sem casca, sem sementes e cortado em cubos pequenos
240 ml de suco de abacaxi
120 ml de vinagre branco
43 g de melado
60 ml de suco de limão
1 colher (chá)/3 g de sal
½ colher (chá)/1 g de pimenta-do-reino moída

1. Em uma panela grande, aqueça o óleo sobre fogo médio até que esquente, mas sem soltar fumaça. Acrescente a cebola e salteie-a por 5 min a 7 min, mexendo-a com frequência até que fique levemente caramelizada.

2. Acrescente os pimentões e cozinhe os ingredientes por mais 2 min, ou até que os pimentões comecem a amaciar, mexendo com frequência. Acrescente o alho e os temperos e cozinhe a mistura por mais 2 min, sempre mexendo. Agora, ela deve estar seca.

3. Acrescente o mamão papaia, o suco de abacaxi, o vinagre e o melado, misture-os bem e levante fervura. Reduza o fogo e cozinhe a mistura até que ela revista as costas de uma colher.

4. Acrescente o suco de limão, sal e pimenta a gosto. Esfrie, cubra e refrigere o chutney.

# Relish de cranberry

RENDIMENTO: 960 ml

340 g de cranberry
90 ml de suco de laranja
90 ml de Triple Sec (opcional)

85 g de açúcar
2 laranjas (zestes e gomos)

1. Junte o cranberry, o suco de laranja, o Triple Sec (líquor de laranja), o açúcar e as raspas de laranja em uma panela e misture-os bem.

2. Cubra e ferva lentamente a mistura por 15 min a 20 min, mexendo-a ocasionalmente.

3. Cozinhe até que todos os cranberries tenham estourado e o líquido tenha engrossado. Remova a mistura do fogo e acrescente os segmentos de laranja. Adoce o relish a gosto.

4. Transfira-o a um recipiente limpo. Cubra-o e refrigere-o por até 2 semanas.

# Relish de damasco seco

RENDIMENTO: 960 ml

454 g de damasco seco em cubos médios
½ colher (chá)/1,5 g de alho amassado
2 colheres (sopa)/45 ml de suco de limão
2 colheres (chá)/7 g de zeste de limão
170 g de mel

2 colheres (sopa)/30 ml de molho de soja
2 gotas de molho tabasco
480 ml de ginger ale
113 g de amêndoa fatiada e torrada

1. Em uma panela, junte o damasco, o alho, o suco e as zestes de limão, o mel, o molho de soja, o molho tabasco e o ginger ale; ferva-os lentamente por 20 min. Esfrie a mistura.

2. Junte as amêndoas e misture-as.

3. Esfrie e transfira o relish a um recipiente limpo. Cubra-o e refrigere-o por até 2 semanas.

# Relish de curry de cebola

RENDIMENTO: 960 ml

907 g de cebola cortada em cubos de 6 mm
2 dentes de alho amassados
480 ml de vinagre branco
397 g de açúcar

21 g de pickling spice, amarrado como em sachê
2 colheres (sopa)/12 g de curry em pó
1 colher (chá)/3 g sal

1. Junte todos os ingredientes; misture-os bem.

2. Ferva-os lentamente, tampados, em uma pequena panela não reativa, até que amaciem e sequem. Misture-os ocasionalmente, tomando cuidado para não queimá-los. Refrigere o relish.

3. Transfira-o a um recipiente limpo. Cubra-o e refrigere-o por até 2 semanas.

# Geleia de cebola roxa

RENDIMENTO: 960 ml

2 colheres (sopa)/30 ml de óleo vegetal
680 g de cebola roxa fatiada finamente
170 g de mel (ver nota do chef)
180 ml de vinho tinto
120 ml de vinagre de vinho tinto
Sal a gosto
Pimenta-branca moída a gosto

1. Aqueça o óleo em uma frigideira sobre fogo alto. Sue a cebola.

2. Junte o mel e misture-o; cozinhe a mistura até que a cebola fique levemente caramelizada.

3. Acrescente o vinho e o vinagre; cozinhe a mistura sobre fogo baixo até que o líquido evapore quase totalmente.

4. Ajuste o tempero com sal e pimenta.

5. Esfrie e transfira a geleia a um recipiente limpo. Cubra-a e refrigere-a por até 2 semanas.

» **NOTA DO CHEF** Para adoçar ainda mais a geleia, o mel pode ser substituído por grenadina (xarope de romã), que também realça a sua cor.

# Compota de ruibarbo

RENDIMENTO: 960 ml

907 g de ruibarbo aparado e em cubos
227 g de açúcar
240 ml de água
240 ml de vinagre de vinho tinto
57 g de groselha
21 g de gengibre picado finamente
14 g de alho picado finamente
14 g de zeste de limão ralado finamente

1. Junte o ruibarbo, o açúcar, a água, o vinagre, a groselha, o gengibre, o alho e as zestes de limão. Levante fervura e abaixe o fogo em seguida, fervendo lentamente até que a compota engrosse e adquira sabor (cerca de 20 min). Enquanto ela ferve, escume a sua superfície conforme necessário.

2. Transfira a compota a um recipiente limpo e esfrie-a completamente antes de guardar. Ela pode ser coberta e refrigerada por até 3 semanas.

# Compota de pimentão vermelho grelhado

RENDIMENTO: 960 ml

4 pimentões vermelhos
227 g de cebola roxa bem picada
90 ml de azeite de oliva
85 g de alcaparra picada finamente
60 ml de vinagre balsâmico envelhecido
14 g de dill picado grosseiramente
Sal a gosto
Pimenta-do-reino moída a gosto

1. Grelhe os pimentões.

2. Coloque os pimentões em uma tigela de aço inox e cubra-os com filme de PVC. Descasque-os, retire as sementes e corte-os em cubos de 3 mm.

3. Sue a cebola no azeite sobre fogo baixo até que amacie (6 min a 8 min). Esfrie-a e acrescente-a aos pimentões.

4. Misture os pimentões e a cebola com o restante dos ingredientes. Deixe a mistura descansar por 20 min.

# Compota de marmelo

RENDIMENTO: 720 ml

28 g de manteiga
85 g de chalota bem picada
510 g de marmelo sem casca e cortado em cubos de 6 mm
480 ml de sidra de maçã
240 ml de vinho branco
57 g de açúcar

1. Aqueça a manteiga até derretê-la. Acrescente as chalotas e salteie-as sobre fogo baixo até que amaciem; acrescente o marmelo e salteie-o por 2 min ou até que o seu exterior comece a amaciar.

2. Acrescente o restante dos ingredientes e cozinhe a mistura sobre fogo baixo até que ela adquira uma consistência grossa e as frutas amaciem (cerca de 20 min). Esfrie e transfira a compota a um recipiente limpo. Cubra-a e refrigere-a.

» **VARIAÇÃO** O marmelo pode ser substituído pela mesma quantidade de maçãs granny smith ou peras Bartlett.

# Harissa

RENDIMENTO: 480 ml

15 pimentas fresno assadas, descascadas e sem sementes

2 pimentões vermelhos assados, descascados e sem sementes

1 colher (sopa)/6 g de semente de cominho torrada e moída

1½ colher (chá)/3 g de pimenta-de-caiena

180 ml de azeite de oliva

3 colheres (sopa)/45 ml de suco de limão

Sal a gosto

1. Misture as pimentas fresno, os pimentões, o cominho e a pimenta-de-caiena em um liquidificador. Bata a mistura até que ela adquira uma consistência de pasta. Transfira a pasta para uma tigela. Misture o azeite lentamente para obter um molho liso. Acrescente o suco de limão e sal a gosto e ajuste a consistência.

2. Transfira a harissa a um recipiente limpo. Cubra-a e refrigere-a por até 2 semanas.

» **NOTA DO CHEF** Este molho intenso pode ser usado como condimento ou como tempero de dips e pastas para espalhar.

# Chips doces de picles

RENDIMENTO: 907 g

907 g de pepino em fatias de 6 mm de espessura

227 g de cebola em fatias de 6 mm de espessura

360 ml de vinagre de sidra

1½ colher (chá)/5 g de sal

½ colher (chá)/1 g de semente de mostarda

397 g de açúcar

960 ml de água

300 ml de vinagre branco

1 colher (sopa)/6 g de semente de salsão

1½ colher (chá)/3 g de pimenta-da-jamaica inteira e amassada

1 colher (chá)/2 g de cúrcuma

1. Em uma panela, junte o pepino e a cebola com o vinagre de sidra, o sal, as sementes de mostarda, 1 colher (sopa)/12 g de açúcar e a água.

2. Ferva lentamente a mistura por 10 min e coe-a. Descarte o líquido.

3. Ferva o vinagre branco, as sementes de salsão, a pimenta-da-jamaica, a cúrcuma e o restante do açúcar.

4. Despeje a mistura de vinagre sobre o pepino e a cebola e refrigere-os por 3 a 4 dias antes de servir. Cubra e refrigere os chips por até 1 semana.

# Picles meio azedos

RENDIMENTO: 1,36 kg

14 g de ramos de dill
3 dentes de alho amassados
2 folhas de louro
1,81 kg de pepino para picles cortado em formato de lança

Salmoura
1,92 ℓ de água
240 mℓ de vinagre branco
170 g de sal

1. Coloque o dill, o alho e as folhas de louro em um recipiente não corrosivo. Coloque as lanças de pepino por cima.

2. Ferva a água, o vinagre e o sal, despeje o líquido sobre as lanças e deixe-as esfriar.

3. Cubra e refrigere os picles por no mínimo 3 dias e no máximo 4 semanas.

» **NOTA DO CHEF** Quanto mais tempo os picles ficarem no refrigerador, mais a sua textura mudará de meio cru/meio curada para totalmente curada.

# Conserva de vegetais

RENDIMENTO: 907 g

300 mℓ de água
83 mℓ de vinagre de malte
64 g de açúcar
21 g de sal
28 g de pickling spice inteiro

907 g de vegetais variados: beterraba (mini, vermelha ou chioggia), cebola pérola, quiabo, minicenoura, brócolis aparados e cortados em pequenos pedaços
2 colheres (chá)/6 g de alho amassado
1 ramo de dill

1. Ferva a água, o vinagre, o açúcar, o sal e o pickling spice para fazer uma salmoura.

2. Coloque os vegetais, o alho e os ramos de dill em um recipiente não corrosivo. Despeje a salmoura sobre os vegetais. Deixe-os esfriar, cubra-os e refrigere-os.

3. Deixe os picles marinarem por no mínimo 24 h antes de servir. A sua capacidade de armazenagem depende dos vegetais escolhidos.

# Biscoitos de gergelim

RENDIMENTO: 907 g

| | |
|---|---|
| 135 g de farinha de trigo durum | 240 ml de água |
| 180 g de farinha de trigo comum | 3 claras de ovo grande |
| 1 colher (chá)/3 g de fermento em pó | 142 g de semente de gergelim |
| ¼ colher (chá)/1 g de sal | 3 colheres (sopa)/30 g de sal |
| 3 colheres (sopa)/45 ml de azeite de oliva extravirgem | |

1. Junte as farinhas, o fermento e o sal na tigela da batedeira elétrica e bata-os em velocidade média até que fiquem bem misturados.

2. Acrescente o azeite aos ingredientes secos e bata-os até que o incorporem (1 min a 2 min). Acrescente a água e bata a mistura até formar uma bola maleável (3 min a 5 min).

3. Deixe a massa descansar por 1 h, coberta, à temperatura ambiente.

4. Trabalhando com um quarto da massa por vez, passe-a pela máquina de macarrão até que fique com 1,5 mm de espessura. Polvilhe a máquina periodicamente com farinha para evitar que a massa grude.

5. Corte a massa em rodelas de 5 cm ou em outro formato desejado. Ela também pode ser assada inteira e marcada para ser quebrada em biscoitos.

6. Pincele a massa com clara de ovo e polvilhe as rodelas com as sementes de gergelim e sal.

7. Asse os biscoitos no forno a 177 °C até que dourem (cerca de 5 min).

8. Em um recipiente hermético, guarde os biscoitos entre camadas de papel-toalha absorvente por até 3 dias.

# Biscoitos amanteigados de cheddar e nozes

RENDIMENTO: EM TORNO DE 100 BISCOITOS PEQUENOS

116 g de manteiga
227 g de queijo cheddar envelhecido ralado
170 g de farinha de trigo comum
1 colher (chá)/3 g de sal
57 g de noz picada finamente

1. Bata a manteiga em creme; acrescente o queijo e misture-os bem.

2. Acrescente a farinha e o sal e misture-os bem. Junte as nozes.

3. Divida a mistura em 3 rolos de aproximadamente 4 cm de diâmetro. Resfrie os rolos por no mínimo 1 h.

4. Corte-os em fatias de 3 mm de espessura e coloque as fatias em uma assadeira forrada com papel-manteiga. Asse-as no forno a 177 °C até que fiquem crocantes (8 min a 10 min). Esfrie os biscoitos em um rack de arame. Guarde-os em um recipiente hermético. Sirva-os dentro de três dias.

» **VARIAÇÃO** BISCOITOS DE QUEIJO AZUL E NOZ-PECÃ: substitua o cheddar pela mesma quantidade de queijo azul e a noz pela mesma quantidade de noz-pecã.

# Crisps de batata

RENDIMENTO: 100 UNIDADES

| | |
|---|---|
| 907 g de batata Russet | Leite, conforme necessário |
| 113 g de clara de ovo | |

1. Asse as batatas por cerca de 1 h.

2. Retire a polpa das batatas e passe-a no passador de legumes. Esfrie-a.

3. Misture-a com as claras de ovo; acrescente o leite e misture os ingredientes até que a mistura adquira consistência de massa.

4. Abra a mistura em camadas finas sobre uma base de silicone ou assadeira antiaderente e asse-a no forno convencional a 149 °C por 3 min a 4 min. Corte-a do tamanho e formato desejados; termine de assar os crisps até que dourem (2 min a 3 min). Esfrie-os em um rack de arame e guarde-os em um recipiente hermético. Sirva-os dentro de três dias.

» **VARIAÇÕES** CRISPS DE PASTINACA: substitua a batata por pastinaca.

CRISPS DE AIPO-RÁBANO: substitua a batata por aipo-rábano descascado (raiz de aipo).

# Azeite de manjericão (azeite básico de ervas)

RENDIMENTO: 480 mℓ

85 g de folha de manjericão
28 g de folha de salsinha de folha lisa

480 mℓ de azeite de oliva

1. Escalde as folhas de manjericão e de salsinha em água salgada fervente por 20 s. Dê um choque térmico nas folhas em um banho de gelo e escorra-as em papel-toalha absorvente.

2. Junte em um liquidificador as ervas escaldadas com metade do azeite e bata-os até formar um purê bem fino. Acrescente esse purê ao restante do azeite. Coe o azeite em uma musselina, se quiser.

3. Transfira o azeite a um recipiente ou uma garrafa. Mantenha-o refrigerado. Use-o dentro de 3 ou 4 dias.

» **NOTA DO CHEF** Esta receita funciona bem com a maioria das ervas verdes, como ciboulette, estragão, cerefólio ou salsinha.

» **VARIAÇÕES** AZEITE DE CEBOLINHA FRANCESA: substitua as folhas de manjericão por cebolinha francesa. Não é necessário escaldar a cebolinha.

ÓLEO DE ESTRAGÃO: substitua as folhas de manjericão por 43 g de folha de espinafre. Substitua as folhas de salsinha por 43 g de estragão e o azeite de oliva por 300 mℓ de óleo vegetal. Escalde as folhas de espinafre por 30 s para que a sua cor se firme. Choque as folhas em um banho de gelo, escorra-as e esprema-as para retirar o excesso de água. Junte todos os ingredientes no liquidificador e processe-os em alta velocidade por 2 min. Coloque o purê de óleo em uma panela média sobre fogo médio. Ferva-o lentamente, remova-o do fogo e esfrie-o por 5 min. Coe o óleo em um filtro de café e esfrie-o à temperatura ambiente. Cubra-o e refrigere-o. Use o óleo dentro de 2 ou 3 dias.

AZEITE DE PIMENTÃO VERMELHO: substitua o azeite de oliva por 600 mℓ de azeite de oliva extravirgem. Substitua as folhas de manjericão e de salsinha por 8 pimentões vermelhos sem talo, sem sementes e cortados grosseiramente em cubos pequenos. Bata os pimentões no liquidificador até formar um purê bem fino. Coloque o purê de pimentão em uma panela de aço inox e reduza-o a um quarto do seu volume original. Coe-o em um chinois e esfrie-o. Quando o purê de pimentão estiver frio, acrescente 57 g de mostarda pronta. Acrescente o azeite de oliva. Tempere o azeite com sal a gosto. Transfira-o a um recipiente ou uma garrafa limpa e refrigere-o. Use o azeite dentro de 2 ou 3 dias. Nota: pimentões amarelos ou verdes também podem ser usados, com excelentes resultados. Para uma variação picante, use pimentas e omita a mostarda.

AZEITE DE LARANJA (AZEITE CÍTRICO BÁSICO): reduza a quantidade de azeite de oliva para 360 mℓ e acrescente 360 mℓ de azeite de oliva extravirgem. Substitua as folhas de manjericão e de salsinha pelas zestes de 3 laranjas cortadas em tiras de 3 cm × 8 cm. Junte os dois azeites e aqueça-os a 60 °C. Acrescente as zestes de laranja. Transfira a mistura para um recipiente e refrigere-a em infusão de um dia para o outro. No dia seguinte, experimente o azeite; coe-o se o sabor estiver bom. Se desejar um sabor mais acentuado, deixe o azeite em infusão por mais tempo. Cubra-o e refrigere-o; use-o dentro de 3 ou 4 dias.

# Óleo de canela (óleo temperado básico)

RENDIMENTO: 480 mℓ

570 mℓ de óleo de girassol
12 paus de canela amassados

1 noz-moscada em 4 pedaços

1. Aqueça o óleo em uma panela pequena junto com a canela e a noz-moscada até que atinja aproximadamente 66 °C. Remova-o do fogo e deixe-o esfriar.

2. Coe o óleo e coloque-o em uma garrafa ou outro recipiente limpo. Deixe-o esfriar e tampe-o.

3. Guarde o óleo em local fresco e escuro. Use-o dentro de 3 a 4 dias.

» **VARIAÇÃO** ÓLEO DE CURRY: substitua a canela e a noz-moscada por 57 g de curry em pó (p. 640).

# Azeite de tomate

RENDIMENTO: 360 mℓ

2 dentes de alho amassados
28 g de cebola bem picada
28 g de cenoura picada finamente
3 colheres (sopa)/45 mℓ de azeite de oliva

227 g de tomate italiano em lata, sem sementes e escorrido
3 colheres (sopa)/9 g de manjericão em chiffonade
240 mℓ de azeite de oliva extravirgem
Sal a gosto

1. Em uma frigideira pequena sobre fogo baixo, sue a cebola, o alho e a cenoura no azeite de oliva até que fiquem macios e descoloridos.

2. Acrescente os tomates e ferva a mistura sobre fogo baixo por 10 min ou até que o seu sabor se intensifique. Esfrie-a por 10 min. Acrescente o manjericão e bata a mistura no processador de alimentos até que ela vire um purê (30 s).

3. Coloque o purê de tomate de volta na panela e acrescente o azeite de oliva extravirgem. Ferva-o lentamente, cozinhando-o devagar até que o sabor se infunda no óleo (cerca de 30 min). Coe-o em um chinois.

4. Tempere o azeite com sal e transfira-o a uma garrafa. Refrigere-o até o momento de servir. Use-o dentro de 4 a 5 dias.

# Vinagre de framboesa e tomilho (vinagre temperado básico)

RENDIMENTO: 480 ml

480 ml de vinagre de vinho tinto

120 ml de framboesas (aproximadamente 25)

8 a 10 ramos de tomilho

1. Aqueça o vinagre até que fique ligeiramente morno (cerca de 49 °C).

2. Coloque as framboesas e os ramos de tomilho em uma jarra de vidro ou outro recipiente.

3. Despeje o vinagre sobre as ervas e as framboesas.

4. Deixe o vinagre esfriar e tampe-o.

5. Refrigere-o e use-o dentro de 5 a 6 dias.

» **NOTA DO CHEF** O vinagre de vinho tinto pode ser substituído por vinagre de champanhe.

# Vinagre de alecrim e alho

RENDIMENTO: 480 ml

480 ml de vinagre de vinho branco

4 dentes de alho

6 a 8 ramos de alecrim

1 ramo de manjericão opal (opcional)

1 colher (sopa)/6 g de grão de pimenta-preta

1. Aqueça o vinagre até que fique ligeiramente morno (cerca de 49 °C).

2. Passe o alho em um espeto. Coloque o espeto em uma garrafa plástica ou de vidro junto com o alecrim, o manjericão e os grãos de pimenta.

3. Despeje o vinagre sobre as ervas e o alho.

4. Deixe o vinagre esfriar e tampe-o.

5. Refrigere-o e use-o dentro de 5 a 6 dias.

onze

# APRESENTAÇÃO
# DE BUFÊ

*O bufê* É UM DOS DESAFIOS PROFISSIONAIS MAIS ESTIMULANTES PARA O GARDE MANGER, POIS EXIGE UMA MISTURA ÚNICA DE HABILIDADES CULINÁRIAS E ADMINISTRATIVAS. OS SEUS ASPECTOS PRÁTICOS O TORNAM VANTAJOSO EM RELAÇÃO A PRATICAMENTE QUALQUER OUTRO TIPO DE OPERAÇÃO. OS DESAFIOS E AS OPORTUNIDADES CRIATIVAS QUE O BUFÊ ABRE AO GARDE MANGER FAZEM DELE UM MEIO SIGNIFICATIVO DE AVANÇAR E DESENVOLVER A SUA CARREIRA.

---

O trabalho do garde manger como chef de banquete pode ser dividido em quatro fases distintas. Na primeira, o conceito ou tema é determinado para que o planejamento possa ter início. Na segunda, o menu, o preço e o tema são trabalhados em conjunto, culminando em um plano de produção apropriado do ponto de vista tanto culinário quanto administrativo. Na terceira fase, o chef prepara os planos do *layout* e da montagem das mesas, filas e travessas do bufê com o objetivo de torná-lo atraente e convidativo aos convidados e também eficiente e prático para que a equipe de serviço possa reabastecê-lo. A fase final, a produção e exposição da comida em si, deriva diretamente do planejamento e do preparo realizados nas fases anteriores.

Flexível o bastante para incorporar novas tendências – na comida e também no estilo do serviço –, o bufê constitui um aspecto importante em diversas operações gastronômicas, independentemente do seu tamanho ou do menu. Todas as áreas da indústria culinária encontram usos eficientes para o bufê, desde lojas de fast-food até restaurantes familiares, passando por supermercados e delicatéssen, estabelecimentos sofisticados, corporativos e institucionais.

## CONCEITOS E TEMAS

O bufê pode ter como foco uma refeição específica, uma ocasião especial, um feriado ou uma apresentação étnica. O tema do evento é geralmente o ponto de partida para o desenvolvimento do plano para o bufê em si. Outra decisão fundamental é o menu, desenvolvido a partir do tema.

A época do ano, o clima e o bem-estar e a expectativa dos convidados determinam o tema. Esses elementos influenciam diretamente a seleção dos pratos e também a sua apresentação. Quando o bufê faz parte de um evento ou de uma celebração especial, a comida deve criar um ambiente propício e ressaltar a ocasião sem ofuscá-la.

Quando o conceito ou tema é mantido durante todas as fases do bufê, os convidados conseguem reconhecê-lo com facilidade. Em cada estágio do trabalho, desde o desenvolvimento do menu até a reposição das travessas durante o evento, o tema ou conceito ajuda a fazer a melhor escolha nas diferentes situações que surgem.

O bufê é parte importante de muitos eventos. Pode ser uma ocasião pessoal ou familiar, como um casamento, aniversário,

aniversário de casamento, batizado ou bar mitzvah. Pode ser uma celebração sazonal ou data especial, como ano-novo, dia das mães ou dia de ação de graças. Cidades, estados, países e continentes podem servir de inspiração para o desenvolvimento de menus regionais e étnicos que queiram ressaltar uma variedade de sabores. O bufê pode fazer parte de um jantar beneficente ou de gala, ou da recepção da inauguração de uma empresa ou um produto ou da exibição de uma galeria. Ele faz parte de muitas reuniões, conferências, convenções e eventos corporativos. Os bufês de eventos especiais tais quais jantares beneficentes ou de gala e casamentos normalmente são planejados com o cliente e devem ser adaptados às necessidades e ao orçamento desse.

O bufê tem como objetivo atrair clientes ao restaurante. Exemplos incluem bufês de brunch aos domingos, bufês de massas ou frutos do mar, assim como menus de café da manhã ou almoço expressos. Nesse tipo de bufê, o chef escolhe comidas que têm amplo apelo e contribuem para melhorar a rentabilidade do empreendimento. Um exemplo conhecido é o onipresente bufê de café da manhã. Entre os empreendimentos que regularmente oferecem bufê de café da manhã, estão hotéis, resorts, padarias e restaurantes. Uma versão reduzida desse bufê incluí muffins, croissants, pão doce, frutas frescas, bagels, torradas, geleia, manteiga, café, chá, suco de laranja, leite e cereais. Os hotéis podem incluí-lo na diária a fim de dar ao cliente uma sensação de valor agregado.

Já um bufê de café da manhã mais extenso inclui várias estações de serviço, como uma de fatiar para servir presuntos, assados e salmão defumado, uma na qual se fazem omeletes a gosto, ou uma estação de crepe que oferece crepes recheados. Essas estações operam ao lado de um vasto bufê, que inclui vários itens de café da manhã, como ovos mexidos, bacon, waffles, batatas rosti, quiche e os já mencionados muffins, bagels, torradas e frutas.

## desenvolvimento de menu para bufês

A elaboração do menu é um processo que pretende criar um cardápio o qual satisfaça o convidado ou cliente e ao mesmo tempo renda lucro à empresa. É responsabilidade do chef banqueteiro considerar todos os aspectos do banquete, incluindo o tema geral, a faixa de preço e a expectativa dos convidados.

Em primeiro lugar, reveja o conceito ou tema e estabeleça as categorias de menu apropriadas para o bufê, a quantidade de opções dentro dessas categorias e os pratos a serem preparados em cada área nos quais você possa fazer ajustes. Ao começar a selecionar cardápios em potencial, destaque qualquer pedido específico de acordo com o bufê, item sazonal ou festivo e coisas do tipo; esses itens exigem consideração especial conforme você refina a lista. É importante considerar que, embora todos os pratos sejam apresentados ao mesmo tempo, a maioria dos convidados espera ver as opções de sopa, prato principal, acompanhamento, saladas e sobremesa especificadas no menu do bufê.

Alguns itens do cardápio de eventos anteriores podem ser aproveitados. Ao trabalhar com receitas e apresentações conhecidas, você tem a vantagem de saber o custo da sua produção e do serviço. O menu também pode ser constituído de itens que não fazem parte do seu repertório de receitas de bufê. A vantagem de oferecer itens novos reside na possibilidade de dialogar com tendências populares, customizar o menu para um evento especial ou introduzir um conceito ou tema inédito.

Depois de considerar as necessidades e os itens especiais que os convidados possam querer, liste outros itens que funcionariam bem dentro do tema escolhido. Disponha-os nas categorias do menu e trabalhe para estabelecer uma lista que cubra de modo apropriado todos os pratos.

## o menu

Já que pode manter o foco no convidado ou cliente, o chef banqueteiro tem a invejável oportunidade de criar uma experiência gastronômica única. A seleção do menu e a sua apresentação passam uma mensagem. O serviço de bufê oferece ao convidado variedade, liberdade de escolha entre várias categorias e porções ilimitadas.

Na maioria das operações, o bufê também representa uma saída criativa e lucrativa para lidar com um amplo leque de alimentos se for precificado de forma apropriada. Sempre que vende uma quantidade maior da comida comprada, você reduz o custo total dos alimentos do negócio. O banquete é uma boa maneira de atrair novos segmentos de mercado ou de manter a frequência regular da clientela atual. Além disso, possibilita apresentar novidades do menu.

Ao longo do processo de desenvolvimento e planejamento do cardápio, o chef banqueteiro precisa estar a par das tendências atuais e da concorrência para garantir que o cardápio atenda às necessidades do cliente e ao mesmo tempo respeite as habilidades e destrezas da equipe, assim como as características das instalações.

Para o convidado, normalmente a comida é o foco principal. Ela fornece a maior parte do drama, da emoção e da interação, e cabe ao garde manger produzir uma comida que seja saborosa e atraente. O chef banqueteiro bem-sucedido gera e executa menus que agradam os convidados, tanto aqueles que buscam um estilo global quanto aqueles que buscam uma elegância tradicional.

## faixa de preço

Estabeleça a faixa de preço para qualquer bufê no início do planejamento. Há uma série de fatores a considerar, incluindo o preço da concorrência por um bufê similar e as expectativas ou os pedidos especiais do seu cliente, assim como qualquer condição ou limitação especial do menu ou serviço.

Até certo ponto, a faixa de preço determina o número de opções a serem oferecidas, assim como os ingredientes ou pratos específicos. Pode ser difícil estimar o custo da comida se não for possível prever o número exato de convidados. E, ainda que se saiba a quantidade precisa, não há certeza de que os convidados consumirão a comida na quantidade estimada.

O custo dos alimentos é uma informação importante. Use os procedimentos de precificação padronizados para obter os custos por unidade ou porção. (Para mais informações sobre custo de alimentos, veja *Math for the Professional Kitchen*, de Laura Dreesen, Michael Nothnagel e Susan Wysocki.) Esse passo identifica ingredientes caros ou com vida de prateleira limitada. Não é necessário excluir esses itens do menu; você pode simplesmente rever o tamanho das porções, a apresentação e o método de preparo de modo a controlar as despesas.

Além do custo da comida, o chef banqueteiro precisa considerar outros elementos. O custo da produção de determinado item (custo da mão de obra) pode ser calculado e usado como parte da avaliação geral de qualquer item. A mão de obra cara de um item pode ser compensada pelo baixo custo de outro. Contudo, qualquer item que possua um custo de mão de obra notoriamente mais alto do que os demais deve ser reconsiderado com vistas a determinar como esse custo pode ser contrabalançado ou se o item é mesmo apropriado para um bufê.

Diversas estratégias de compra podem ser usadas para reduzir as despesas de mão de obra e/ou serviço. Itens pré-cortados ou pré-porcionados de acordo com padrão de qualidade estabelecido pelo chef reduzem a mão de obra. Organizar o trabalho de forma diferente, como, por exemplo, agrupar o mise en place de modo mais eficiente, também pode reduzir custos.

Quando apresentados no bufê, os alimentos devem estar no apogeu da sua qualidade.

Muitos deles podem ser preparados com antecedência e guardados, mas mesmo esses têm de ser impecáveis.

Analise cada item proposto quanto à sua conservação antes e durante a refeição. Leve em consideração o gosto e a aparência do alimento, a segurança dos convidados e qualquer restrição imposta pelo ritmo do serviço, do orçamento, do equipamento e da habilidade dos atendentes.

Alguns alimentos são ideais para o serviço de bufê, como carnes fatiadas, saladas, certas massas e canapés. Aqueles preparados e servidos imediatamente podem requerer cuidados especiais durante o preparo ou a apresentação; isso aumenta o custo de servi-los. Sempre que possível, retire os itens que demandam cuidados especiais, não só para tornar o serviço mais eficiente, mas também para reduzir o custo de equipamentos como réchauds, lâmpadas de calor e aparelhos portáteis para cozinhar.

Embora nem todos os pratos sejam igualmente adequados ao bufê, sempre existem técnicas e estratégias das quais você pode lançar mão para executar pratos importantes para o convidado ou para o tema. Algumas dessas estratégias afetam o custo tanto da mão de obra quanto dos alimentos. Uma delas é apresentar tais alimentos em uma estação de preparo, especialmente aqueles que são feitos ou finalizados a gosto, como massas e omeletes. Outra é a montagem antecipada de pratos (veja a p. 626 para mais informações sobre o preparo prévio de pratos e o seu papel no bufê).

Um menu bem planejado não dá chance ao acaso. Ele aproveita qualquer oportunidade de atender e superar as expectativas dos clientes em termos não só da comida como também do preparo e da apresentação. Tão importante quanto todas as considerações feitas aqui é o desenvolvimento de um menu que seja lucrativo para a empresa. O seu objetivo é atingir um equilíbrio entre controle de custo e liberdade de escolha por parte do cliente.

## atendendo e superando expectativas

Ao desenvolver os itens do menu de um evento específico, faça uma lista de desenvolvimento – uma lista dos itens que os convidados esperam encontrar. Se for uma ocasião especial, ela pode incluir pratos especialmente requisitados pelo cliente. Se o bufê possuir um tema regional, deverá apresentar pratos que representem apropriadamente a região. Em um brunch, os convidados da sua região talvez esperem certo número de pratos representativos.

Autenticidade é a chave para o sucesso de um bufê étnico ou regional. Costumes, métodos e alimentos devem ser cuidadosamente estudados. Pesquisar os itens do menu significa ler sobre uma culinária específica ou então revisar notas de banquetes anteriores. Tomar conhecimento de menus e preços de outros bufês da região é outra importante tática de pesquisa.

É mais seguro ter na sua lista de desenvolvimento mais itens do que pretende servir. Ao longo do processo de avaliação de cada item, você excluirá alguns e modificará outros. Lembre-se de que, do ponto de vista do convidado, as duas vantagens principais do bufê são a variedade de escolha e a quantidade de comida oferecida.

Um processo cuidadoso de revisão de cada item do menu identifica áreas que podem ser melhoradas, modificadas ou adaptadas para atender os seus objetivos: uma comida excelente, um serviço excelente, uma experiência excelente e, no final do dia, lucro. O chef banqueteiro bem-sucedido usa estratégias específicas para oferecer ao convidado a mais alta qualidade em todas as áreas, além de uma vasta gama de estratégias para controlar custos.

Antes de fazer a seleção final dos pratos que serão exibidos em estações interativas, considere as habilidades necessárias para cada estação, assim como as necessidades do atendente durante o serviço, especialmente em termos de disponibilidade de espaço e de equipamento.

## estações de preparo

Se os planos do bufê incluírem estações de preparo ou de demonstração, você deverá selecionar os alimentos para essas estações com muito cuidado. Eles devem ser mais do que meros itens do menu. Os convidados gostam de tais estações porque as veem como uma experiência personalizada: as comidas são feitas, fatiadas e apresentadas a seu gosto e diante dos seus olhos. Dê destaque aos talentos especiais dos membros da sua equipe conforme eles fazem e recheiam crepes ou fatiam uma peça escaldante de carne. As estações de preparo ainda constituem uma boa maneira de introduzir a interação entre convidados e atendentes. Uma demonstração de queijo realizada por um especialista, por exemplo, não apenas cumpre a expectativa do convidado quanto ao serviço como também aumenta as chances de ele retornar ao bufê.

Essas estações aumentam o custo total, já que exigem que haja um funcionário dedicado exclusivamente a cada estação, o qual deve ter a habilidade de executar o preparo. Além disso, a produção de determinados itens pode demandar equipamentos especiais, como um fogão de indução ou uma geladeira. Contudo, os itens de uma estação de preparo quase sempre permitem cobrar um preço mais alto do cliente e podem ser uma maneira de rentabilizar o custo de um alimento que de outra forma seria vendido por menos.

Atualmente, as estações de preparo podem ser adaptadas para abranger praticamente qualquer item. O desenvolvimento de novos equipamentos, como os fogões de indução, tem expandido a gama dos pratos servidos nelas. Com esses novos itens, o nível de habilidade necessário para trabalhar nas estações de preparo pode ser alto. Algumas demandam mais de um funcionário para lidar com um só item. Por exemplo, para elaborar um aperitivo de blinis de batata com salmão defumado e caviar, é preciso que uma pessoa salteie os blinis enquanto outra fatia o salmão e monta o prato de tira-gosto. Alguns resorts e cassinos têm até vinte pessoas nas estações de preparo de um único bufê. Esses itens sofisticados são geralmente reservados a eventos cujo custo pode ser repassado ao cliente.

As estações de preparo têm se expandido para além do bufê. Elas podem constituir uma valiosa adição a um evento no qual os hors-d'oeuvre são passados na bandeja; o chef os prepara na estação enquanto os atendentes servem os convidados. Isso elimina a necessidade de os convidados terem de esperar pela comida na fila e ainda fornece uma atraente apresentação. Os restaurantes com cozinha aberta exibem uma espécie de estação de preparo, já que os chefs preparam a comida à vista de todos e devem manter o mesmo nível de qualidade e de limpeza de uma estação de bufê. Alguns restaurantes que oferecem tapas à la carte aos clientes do bar possuem estações de preparo.

A seguir estão listados exemplos de estações de preparo.

## estação de frutos do mar

Uma estação de frutos do mar é uma maneira certeira de impressionar os convidados. Ela é muito popular e faz qualquer evento parecer mais extravagante.

Ostra, vôngole, mexilhão, camarão e caranguejo são frutos do mar tipicamente servidos nessa estação. Quando se servem frutos do mar crus, é importante ter consciência dos riscos. Todo crustáceo cru deve vir com uma etiqueta que contenha a origem, a data da pesca, o produtor e atacadista. Essa norma garante que os responsáveis possam ser rastreados no caso de surto de alguma doença.

O cozimento cuidadoso de alimentos de origem animal, inclusive crustáceos, reduz o risco de doenças alimentares. Indivíduos com problemas de saúde, como doenças do fígado, alcoolismo crônico, diabetes ou câncer, ou desordens do estômago, sangue ou sistema

A estação de frutos do mar acrescenta um toque luxuoso ao serviço em um bufê.

imunológico, correm um risco maior ao consumirem alimentos crus ou malcozidos. Sendo assim, é importante usar apenas os crustáceos frescos e da mais alta qualidade no serviço.

## ostras

Em geral, as ostras são consumidas cruas no mundo inteiro. As quatro espécies de ostra normalmente cultivadas para o consumo são: a ostra do Atlântico (Crassostrea virginica, também conhecida como ostra-da-virgínia ou ostra-americana); a ostra do Pacífico (Crassostrea gigas, também conhecida como ostra-japonesa), a ostra-europeia (Ostrea edulis); e a ostra Kumamoto (Crassostrea sikamea). Cada espécie apresenta um entre dois perfis de sabor distintos, o qual resulta da água em que é cultivada. As ostras de água morna são suaves e apresentam um sabor amanteigado e uma textura cremosa. Por outro lado, as variedades de água fria são caracteristicamente salgadas e possuem um sabor metálico e uma textura firme e crocante. As delicadas e sutis diferenças de sabor entre as variedades de ostra se tornam aparentes quando são servidas cruas.

**CHECANDO SE AS OSTRAS ESTÃO FRESCAS** A ostra não abre e fecha tão facilmente quanto os mexilhões e moluscos, o que torna mais difícil determinar o seu frescor a partir da aparência externa. Bons indicadores de frescor são: dificuldade de abrir a ostra, carne umedecida e roliça e aroma fresco.

ONZE | APRESENTAÇÃO DE BUFÊ  617

**1.** Com uma luva de malha de aço, segure a ostra com a face articulada virada para fora. Trabalhe a ponta da faca de ostra para dentro da articulação, segurando as conchas superior e inferior juntas; torça-as para quebrar a articulação.

**2.** Uma vez que a concha esteja aberta, deslize a faca ao longo da parte interna das duas conchas para soltar a ostra.

Ao preparar ostras em uma estação de frutos do mar, é importante descascá-las com cuidado. Isso evita que a carne se danifique e garante que a concha inferior permaneça intacta.

## vôngole

Embora seja popular em algumas regiões do mundo, o vôngole servido cru em meia concha é bem menos comum do que a ostra crua. Apenas as variedades de concha dura (*Mercenaria mercenaria*) são servidas cruas, sendo que os tipos littleneck e topneck são os mais populares, por serem menores e mais macios. A variedade cherrystone, de tamanho médio, é um pouco mais dura do que as variedades littleneck e topneck.

### CHECANDO SE O VÔNGOLE ESTÁ FRESCO

O vôngole fresco apresenta a concha bem fechada, a carne umedecida e roliça e um aroma doce. Assim como a ostra, ele deve ser descascado com cuidado, para evitar danos à sua carne.

## mexilhão no vapor

Os outros frutos do mar normalmente servidos – mexilhão, camarão e caranguejo – não são crus, mas cozidos no vapor. Atualmente, a maioria dos mexilhões é cultivada e, portanto, livre de impurezas. Em geral, o mexilhão cultivado oferece uma proporção entre carne e concha melhor do que o mexilhão selvagem. Além disso, o mexilhão cultivado é mais uniforme em tamanho, mais limpo e não apresenta tantas conchas quebradas.

### CHECANDO SE O MEXILHÃO ESTÁ FRESCO

Assim como o vôngole, o mexilhão fresco apresenta a concha bem fechada, a carne umedecida e roliça e um aroma doce. Ele precisa ser limpo antes de cozido no vapor: remova e descarte os mexilhões com conchas rachadas ou quebradas e retire a barba dos demais mexilhões o mais perto possível do momento de servir.

### MÉTODO BÁSICO PARA FAZER MEXILHÃO NO VAPOR
Tempere o líquido fervente com chalotas, vinho branco, pimenta-do-reino moída e alho. Ferva a mistura, acrescente o mexilhão, cubra-o e vaporize-o até que ele se abra. Cozinhe os mexilhões no vapor o mais próximo possível da hora de servir.

## camarão

As variedades de camarão são numerosas demais; porém, para fins culinários, ele é classificado como pequeno, grande ou gigante e é comercializado de várias formas: descascado e com veia, descascado e sem veia ou congelado individualmente. Também é possível encontrar camarão com cabeça, que tem grande apelo visual, mas, a menos que seja muito fresco, geralmente possui qualidade inferior.

**CHECANDO SE O CAMARÃO ESTÁ FRESCO** O camarão fresco não apresenta odor de amônia – e, sim, um cheiro doce – nem sensação pegajosa ou resíduos.

**MÉTODO BÁSICO PARA COZINHAR OU VAPORIZAR CAMARÃO** Prepare um court bouillon ou outro líquido temperado e ferva-o sobre fogo baixo por algum tempo para que desenvolva sabor. Coloque o camarão no líquido e cozinhe-o até que fique firme e opaco; tome cuidado para não cozinhá-lo demais. Escorra o camarão e deixe-o esfriar à temperatura ambiente antes de refrigerá-lo. Ele deve estar completamente descongelado antes de ser cozido, e a panela não pode estar cheia demais. Para que o seu sabor seja preservado, o camarão servido frio tem de ser descascado antes do cozimento.

## caranguejo

O caranguejo no vapor, disponível em muitas variedades, é uma adição agradável a qualquer estação de frutos do mar. Geralmente, a garra é a única parte do caranguejo que é servida; contudo, a pata de algumas variedades, como o caranguejo-rei, também é consumida. A pata de caranguejo é frequentemente vendida cozida, dentro ou fora da casca. Os caranguejos mais comumente servidos são o caranguejo-rei, o caranguejo-das-neves, o de Jonah, o de Dungeness e o caranguejo gigante da Flórida.

O caranguejo-rei vermelho possui a melhor qualidade entre essas variedades. Por isso, ele é uma escolha popular. Servem-se tanto as suas garras quantos as suas patas. Os caranguejos-das-neves e de Jonah, por serem de qualidade inferior ao caranguejo-rei, são considerados bons para fazer o salgado unha de caranguejo. O caranguejo gigante da Flórida, originário da região da costa do golfo e da Flórida, é uma variedade cara; embora ele seja vendido cozido, é preciso abri-lo antes de servi-lo.

## segurança

A fim de garantir a segurança alimentar do raw bar, sempre compre ostras, vôngoles e mexilhões depurados. A depuração é um processo que limpa o crustáceo de impurezas e de areia. Nela, o animal é colocado em tanques nos quais se bombeia água fresca.

Para reduzir ainda mais o risco associado aos raw bars, recomenda-se comprar ostras, vôngoles e mexilhões cultivados. Os crustáceos cultivados se desenvolvem em um ambiente controlado e, portanto, são mais limpos e seguros.

## instruções

Antes de serem servidos, todos os crustáceos precisam ser escovados e colocados no gelo entre 2 °C e 4 °C por não mais do que dois ou três dias. Eles devem ser servidos em uma travessa cheia de gelo com acompanhamentos e reabastecidos conforme são consumidos. Se os frutos do mar estiverem em uma estação de preparo, existem duas maneiras de apresentar os crustáceos: o chef pode retirá-los da concha e criar pratos ao gosto do cliente ou pode retirá-los da concha e colocar as diferentes variedades em uma travessa ou cama de gelo para que os clientes se sirvam. Essa última apresentação é mais eficiente e ainda oferece aos clientes a oportunidade de interagir com o chef e fazer perguntas sobre os crustáceos que estão sendo servidos.

Os acompanhamentos mais populares incluem (mas não se limitam a) limão, molho de coquetel, molhos picantes (como tabasco), vinagre (como vinagre de malte), salsas, salada de algas e molho mignonette.

Os itens e equipamentos essenciais para tornar uma estação de frutos do mar segura, funcional e atraente incluem gelo, facas para descascar os crustáceos, luvas de metal e *displays* para gelo com autodrenagem, disponíveis em vários formatos e materiais.

## estação de omelete

Entre as estações de preparo, a de omelete talvez seja a mais conhecida. Além de certo nível de habilidade, ela requer velocidade e competência do atendente. Durante um café da manhã ou brunch de fim de semana, não raro há uma fila constante de clientes à espera de uma deliciosa refeição personalizada.

Para operar a estação de omelete de modo eficiente, é crucial organizar a mise en place; além de ovos quebrados e batidos, são necessários: queijo, presunto em cubos, cebolinha picada, salsicha moída, cebola picada, pimentão picado e outros ingredientes escolhidos pelo chef. A mise en place de preparo do omelete também é importante. Ela pode incluir banho-maria de óleo ou manteiga clarificada para untar as panelas, omeleteiras (especialmente reservadas para a estação e mantidas em condições extremamente higiênicas), papel-toalha absorvente, espátulas de borracha, conchas, luvas, panos, pratos mornos e um queimador portátil ou por indução. Certifique-se de possuir espaço sobressalente, para que a estação possa ser reabastecida a qualquer momento.

Também é preciso observar as considerações de segurança a fim de assegurar que todos os itens da estação sempre permaneçam fora da zona de perigo alimentar. Isso pode significar a compra de uma estação especial móvel capaz de conter todos os tamanhos de panela da mise en place ou de um sistema de refrigeração.

*A estação de omelete acrescenta um elemento interativo ao bufê de café da manhã.*

## estação de massa

A estação de massa também é uma estação de preparo muito familiar e popular. Ela permite ao chef apresentar um sem-número de combinações de molhos e tipos de massa, além de ingredientes principais como aves, carne de boi e de porco, carnes curadas e crustáceos. Assim, ele tem a possibilidade de preparar na hora pratos como a massa à putanesca, já que pode saltear os temperos e acrescentar o restante dos ingredientes com o camarão ou o frango, a gosto.

Como na estação de frutos do mar, o chef pode preparar porções individuais de massa ou então fazer porções maiores e colocá-las em tigelas, para que os convidados se sirvam.

Aqui, a mise en place também é muito importante. A massa deve ser cozida al dente com antecedência e finalizada na hora com o molho e o item principal. Considere cada item e os utensílios necessários para cozinhá-los ao selecionar o equipamento da estação. Se o item principal for cru, é imperativo que a refrigeração seja adequada ao seu armazenamento. É importante deixar reservado um local para reabastecer a estação conforme necessário.

# MISE EN PLACE E PRODUÇÃO PARA BUFÊS

A seleção e o desenvolvimento do menu levam à próxima fase do planejamento. Neste ponto, a informação sobre o número de porções a ser preparado é concluída. O chef analisa o menu para determinar a melhor programação dos trabalhos de mise en place e produção. Mantendo o foco nos seus aspectos importantes – tema, antecipação do número de convidados, expectativa dos clientes e ritmo do serviço –, é possível melhorar a qualidade e a eficiência do bufê.

Os chefs usam diversas maneiras para determinar o número de porções ou de pedaços de cada item do menu. Você não pode cozinhar apenas o suficiente para que cada convidado consuma um número específico de cada item; ele pode simplesmente ignorar um prato e devorar outro. O problema se torna ainda maior quando não há contagem exata dos convidados, como no caso do bufê de almoço ou jantar. Os chefs contam com a informação de bufês anteriores para fazer uma estimativa; a cada bufê, eles têm a oportunidade de coletar novas informações. Monitorar não só a produção real como também o consumo real é uma atividade importante que deve ser realizada durante o bufê em si. Isso ajuda a melhorar a qualidade e a lucratividade de eventos futuros.

No bufê, as porções são tipicamente menores do que no serviço à la carte. Porções menores são uma vantagem para o convidado que se depara com um bufê completo, pois permitem a ele pegar pequenas quantidades de vários itens ou o quanto desejar de um item só. Além de aumentar a liberdade de escolha do convidado, essa estratégia reduz o desperdício de comida. Grandes porções que são apenas parcialmente consumidas não servem nem ao convidado nem ao chef. Elas tornam mais difícil a tarefa de coletar informações precisas sobre a preferência dos clientes para uso futuro.

O chef banqueteiro organiza a produção de comida de modo a maximizar a qualidade dos alimentos, diminuir o custo total de mão de obra e cortar o desperdício. Escrever um plano lógico e simples porém detalhado é vital para se organizar bem. Em algumas empresas, esse plano é conhecido como "ordem de produção do bufê". As instruções contidas nele determinam o fluxo de comida durante o preparo e o serviço. Designe a um ou dois funcionários a responsabilidade pela comida: eles devem verificar se as práticas seguras de manuseio dos alimentos são seguidas, se as comidas são corretamente preparadas e repartidas e se as quantidades são avaliadas e registradas.

Organize as tarefas de modo a evitar correrias de última hora. Alguns alimentos podem ser previamente preparados ao ponto de servir ou a um ponto intermediário, desde que haja espaço para armazená-los adequadamente.

## organizando os alimentos

Um aspecto interessante e desafiador de cozinhar para um bufê é a necessidade de preparar grandes quantidades de alimentos e depois reparti-las em pequenas porções. Habilidade em cortar e precisão no trabalho são fatores essenciais. As facas e os cortadores do chef banqueteiro devem estar sempre bem afiados. Cortes limpos, beiradas retas e ângulos precisos realçam os alimentos mais do que qualquer guarnição e dão a ver a sua cor, a sua textura e o seu formato.

Arrumar a comida para servir é responsabilidade do chef banqueteiro – e também uma oportunidade de melhorar a experiência do convidado. A comida é necessariamente manuseada ao ser transferida para travessas e outras peças. Do ponto de vista da segurança alimentar, é crucial evitar a contaminação dos alimentos durante o trabalho. Luvas, pinças, espátulas e outros utensílios impedem o contato direto das mãos com a comida e evitam a contaminação cruzada. Eles também diminuem o número de manchas ou impressões digitais nos alimentos e nas travessas. Limpeza e ordem são aspectos determinantes para uma apresentação bem-sucedida dos alimentos, independentemente do *design* geral. (Para mais informações sobre *design* de bufê e apresentação dos alimentos, ver item a seguir e a p. 626.) Esses dois aspectos dão ao convidado a certeza de que a comida foi manuseada de forma adequada e profissional.

Ao dispor os itens na travessa, verifique o espaçamento entre os pedaços e entre as filas. Ele deve ser o mais regular possível. Os pedaços de itens tais quais canapés e bolinhos de caranguejo devem ter o mesmo formato e tamanho.

## *DESIGN* DE BUFÊ

Uma vez que você tenha determinado o tema do evento e feito uma estimativa do número de pessoas, pode elaborar o *layout* das mesas, das filas do bufê e das estações. Também é hora de escolher as travessas de servir e os centros de mesa. Ao considerar as várias tarefas envolvidas no preparo do *design*, avalie se as suas decisões ajudam a reforçar o tema, melhorar o serviço e controlar os custos.

## fatiando e organizando

Ao fatiar e organizar alimentos com formato alinhado, como peito de peru, ou com guarnição interna, como terrine, você tem a possibilidade de criar linhas consistentes com comidas que não são perfeitamente regulares quanto ao formato e ao tamanho.

Monte o mise en place completo da estação para se certificar de que possui todos os utensílios para fatiar e segurar a comida – facas, afiador, bandeja e filme de PVC ou panos úmidos para evitar que os alimentos percam a cor ou endureçam durante o trabalho.

Você pode incluir na travessa ou no prato um elemento conhecido como "grosse pièce" (literalmente, "peça grande"), simplesmente um pedaço grande do item que está sendo fatiado. Se a travessa pedir um grosse pièce, determine a porção do item a ser mantida inteira e o tamanho da peça antes de começar a fatiar. Trabalhando a partir do lado oposto, corte fatias homogêneas. Conforme você corta cada fatia, transfira-a para uma bandeja de trabalho, mantendo a sequência. Ao arrumar as fatias na travessa, trabalhe em uma ordem lógica e consistente a fim de evitar erros no sequenciamento posterior. Mantenha o mesmo lado da fatia para cima, especialmente se o item fatiado tiver guarnição interna. Isso evita que você inverta as fatias ao arrumá-las. Transfira-as da bandeja de trabalho de volta para a travessa de modo que a última fatia fique mais próxima do grosse pièce.

## quantidade e posicionamento das filas e estações

Uma das diferenças entre o bufê e o serviço à la carte reside no fato de que a comida fica exposta conforme é servida ao convidado. No serviço à la carte, o chef tem controle sobre o modo como a comida é arrumada no prato. Durante o bufê, o desafio do chef é criar um *display* dos alimentos que seja temático, lógico e funcional. Essa fase do planejamento do bufê pode remeter a um estágio anterior, como o desenvolvimento do menu, a fim de superar um problema específico de serviço ou de apresentação. Mesmo um bufê bem estabelecido pode ser frequentemente melhorado por meio da análise cuidadosa do seu *design*.

O número estimado de convidados afeta diretamente a quantidade necessária de filas ou de estações e também a lotação do espaço uma vez que ele esteja cheio. É preciso sempre ter em mente considerações práticas. As filas do bufê devem ser posicionadas de modo que haja bastante espaço ao seu redor.

O acesso dos convidados à comida deve ser fácil, assim como o trânsito dos atendentes que servem os convidados ou reabastecem a fila. Se o bufê for colocado próximo da cozinha, os garçons poderão entregar a comida mais rapidamente, a qual apresentará um gosto melhor e uma aparência mais fresca.

As filas do bufê não podem obstruir as entradas, as saídas de emergência ou a porta usada pelos atendentes ou convidados. Se o uso de eletricidade se fizer necessário, posicione as filas e as estações perto de uma tomada elétrica.

Em alguns casos, a disposição das mesas e cadeiras reservadas aos convidados obriga o bufê a se adaptar. Por exemplo, em um bufê de casamento, a pista de dança provavelmente ocupará parte do espaço do salão. Em uma palestra, a plateia poderá se sentar como no teatro ou como em uma sala de aula.

A presença de mesas, ainda que ocupem espaço, pode se tornar uma vantagem, já que possibilita que utensílios, copos e guardanapos, assim como certos condimentos ou itens, sejam removidos da fila do bufê e colocados nelas.

Se os convidados precisarem se servir no bufê e depois se sentar para comer, posicione as filas e as estações de modo que eles possam alcançá-las com o menor número de passos. Leve em conta os elementos do salão como pilares e colunas para não posicionar uma fila ou estação muito perto desses objetos irremovíveis.

Todas essas possibilidades devem ser avaliadas para se determinar a melhor combinação entre o número de filas e de estações e também a sua posição no salão.

## filas

A fila do bufê permite ao convidado escolher entre uma variedade de pratos. Quanto mais filas houver, mais rapidamente ele será servido. Dependendo da configuração geral do salão, é possível estabelecer duas ou mais zonas para reduzir o tempo que o convidado passa na fila.

## estações

As estações menores, às vezes chamadas de "estações satélite" ou "estações de preparo", substituem a mesa de bufê tradicional por um estilo de serviço mais contemporâneo. Com elas, é possível exibir itens especiais ou demonstrações culinárias, encorajar a interação entre os convidados e os atendentes e fazer que o trânsito seja mais suave em todo o salão.

Uma das desvantagens do bufê tradicional são as longas filas que tendem a se acumular durante os estágios iniciais do serviço. Em alguns casos, é possível reconfigurar as filas simples ou duplas em várias estações menores, as quais podem ser *self-service*, servidas por atendentes ou interativas. Elas possibilitam aos convidados escolher os pratos que mais lhe atraem – sem uma longa espera.

Montar e atender várias estações exige um trabalho maior da cozinha e dos atendentes. Alguns bufês, especialmente aqueles conceituais que oferecem um serviço rápido, usam poucas estações ou até mesmo nenhuma.

## configuração e montagem de mesas

A configuração e a montagem das mesas têm um papel importante na avaliação que os convidados fazem do evento. Elas são capazes de melhorar o acesso à comida, tornar a reposição discreta e eficiente, controlar o tráfego de pessoas ao aumentar ou diminuir o seu ritmo e manter o *display* abundante e variado ao longo da refeição.

Você pode adaptar a configuração das mesas de modo a controlar o consumo, o que pode ser uma preocupação em um bufê com consumo ilimitado e longo período de serviço; para isso, é possível usar um *display* de um só lado e limitar o número de estações satélite. Você pode até mesmo eliminar uma fila tradicional em favor de mais demonstrações ou estações de preparo. Certas configurações são ideais para *displays* e centros de mesa grandes. Outras acomodam vários pratos e estações em um espaço relativamente pequeno.

O tamanho e o formato das mesas e a sua configuração influenciam o ambiente da refeição. O *layout* mais simples é constituído por uma mesa longa e reta, arrumada de maneira a servir a comida de um ou dos dois lados. Uma mesa em serpentina, formada a partir da combinação de uma série de mesas em ferradura, confere uma aparência fluida e contemporânea ao bufê e suporta mais comida do que uma mesa reta. Você também pode criar novas configurações ao combinar tampos de mesa redondos, quadrados, retangulares e serpentiformes. A habilidade de criar diferentes combinações no salão permite adaptar a mesa do bufê e o acesso dos convidados (por um lado, pelos dois lados ou em toda a volta), como no caso dos arranjos redondos e grandes, quadrados e em forma de T e L.

Retângulos, quadrados, zigue-zagues e formatos em H, T, V ou L são feitos com a combinação de mesas retangulares e/ou quadradas. Essas configurações permitem múltiplas filas e zonas de bufê, cujo atendimento pode ser feito por um lado apenas ou pelos dois lados. No caso de zonas múltiplas, cada uma deve ser completa, isto é, conter tanto comida quanto itens de serviço. O agrupamento de mesas redondas, semicirculares e serpentiformes, sozinhas ou em conjunto com quadrados e retângulos, cria formas em círculo ou ovais. Também existem mesas individuais em formatos menos comuns, como octogonal, triangular e oval.

As mesas podem ser juntadas de modo a ficarem abertas no centro e também em uma das pontas. Se a comida for exibida de só um lado, o centro aberto de uma configuração circular, quadrada ou em U pode ser usado para armazenar peças grandes ou altas. Se possível, arrume as mesas de forma que o acesso ao centro da configuração fique próximo à cozinha ou outra área de serviço, para tornar a reposição mais fácil e discreta.

## toalhas de mesa

Podemos agradecer ao Império Romano pela toalha de mesa. Nos banquetes romanos, ela ia do tampo ao chão e servia também de guardanapo, enquanto os guardanapos trazidos pelos convidados eram usados para embrulhar as "sobras". Atualmente, as toalhas e saias de mesa e os guardanapos são produzidos em diversas cores, materiais, texturas e pesos. Estampas, listras, cores fortes ou sutis e formas geométricas são ótimas para incrementar o visual e o ambiente do bufê. Use técnicas de drapear teatrais e inovadoras para obter efeitos especiais nas saias de mesa. Experimente diferentes dobras de guardanapo para dar cor, altura e textura à superfície da mesa. Ou então use uma tática muito popular em banquetes japoneses: deixe a mesa sem nada para mostrar a madeira reluzente.

## pratos, talheres, copos

O arranjo dos pratos e talheres também é importante para o visual e a ambientação do bufê. Os pratos são colocados na fila para que os convidados se sirvam ou para manter itens das estações de fatiados ou de demonstração.

Os talheres e copos podem ser arrumados nas mesas ou colocados na própria fila, geralmente no final dela.

Quando a mesa é previamente arrumada, é possível introduzir elementos especiais, como centros de mesa, candelabros e cartões com o nome dos convidados. A louça branca funciona bem com qualquer tipo de comida ou serviço; já para obter um visual personalizado, busque louças com formatos, cores e estampas diferentes, que combinem com a comida e o tema geral.

## peças de servir

Combine o tamanho das peças de servir com o número de itens ou porções. Deixe espaço suficiente entre as peças ou filas para que a comida seja facilmente arrumada na cozinha e servida no salão.

Carros térmicos, réchauds, travessas e tigelas são as peças de servir mais usadas no bufê. Utilize carros térmicos e réchauds para manter os alimentos quentes; geralmente, eles são mais adequados a itens macios, servidos com colher ou líquidos, como pratos de sopas e vegetais. Os réchauds-padrão possuem cubas de diversos tamanhos, o que permite ao chef escolher o tamanho mais apropriado ao ritmo do serviço, à qualidade da comida e ao número de funcionários. Travessas de formatos e tamanhos variados podem ser usadas para alimentos frios e quentes, porém não mantêm os alimentos resfriados ou aquecidos por muito tempo, a não ser que sejam adaptadas para esse fim. Existem travessas ovais, redondas, quadradas e retangulares; algumas possuem alças para facilitar o serviço e a reposição.

A cor, a textura e o formato das peças de servir podem reforçar o tema. Em vez de tigelas e travessas, você pode optar, por exemplo, por utensílios de cobre, pranchas de pedra ou de mármore, ou vidro. As peças fabricadas sob medida tornam a mesa do bufê mais interessante e funcional. Vegetais ocos e outros recipientes naturais passam a impressão de frescor e naturalidade.

Independentemente do bufê ser formal ou informal, você pode introduzir ao bufê extravagância ou diversão com o uso de itens que normalmente não seriam utilizados como peças para expor a comida. É possível utilizar brinquedos de praia, barcos de brinquedo, caixas e travessas de papel ou laqueadas, equipamentos esportivos ou acessórios de moda junto com os carros térmicos e as travessas e, assim, criar um *display* único. Contudo, é essencial que o alimento não entre em contato com qualquer superfície que possa contaminá-lo; é uma boa prática forrar tais itens antes de colocar comida sobre eles.

## utensílios de servir

Colheres, conchas, pinças, espátulas e outros utensílios de servir não só possibilitam que a comida passe da peça de servir para o prato do convidado como também causam impacto direto na aparência da comida e na forma como alguns alimentos são divididos em porções.

Em geral, os utensílios de cozinha não são a melhor escolha para o serviço de bufê. Além da sua aparência ser inapropriada ao salão, eles muitas vezes são grandes demais. Ao considerar o uso de qualquer utensílio de servir, leve em consideração o tamanho da porção que ele é capaz de erguer e conter; considere também a facilidade com que o utensílio solta a comida no prato. Conchas de cabo longo podem ser desajeitadas. O alimento pode grudar e se acumular nos utensílios de servir. Durante o desenvolvimento do menu, designe um utensílio específico para cada item e certifique-se da sua disponibilidade.

## lidando com sobras

Algumas comidas geram sobras – casca de camarão, espetos, talos de morango. Os convidados podem pegar um prato limpo para experimentar novos itens e deixar o prato sujo para trás. A capacidade de recolher essas sobras é o que separa a limpeza do caos.

Talvez seja necessário incluir recipientes para sobras como parte do *design* da fila. Você pode etiquetá-los ou "sujá-los" com um espeto ou uma concha para deixar claro o seu propósito. Um serviço atento também controla a quantidade de sobras. A remoção dos restos da fila durante o serviço deve ser a prioridade máxima para qualquer atendente que esteja nela trabalhando.

## arrumação prévia dos pratos

As comidas difíceis de apresentar e servir como porções individuais em travessas grandes ou réchauds podem ser previamente arrumadas nos pratos. Do ponto de vista do convidado, o preparo prévio acrescenta elegância e facilidade à mesa do bufê ou à estação *self-service*. Para o chef, significa maior controle sobre as porções e há menos sobras.

Outra vantagem para o chef é a possibilidade de usar essa estratégia para criar um enfoque ou *display* permanente. Por exemplo, se as fatias de um bolo forem previamente preparadas nos pratos e dispostas em torno do bolo decorado, esse se tornará parte do *display* e não precisará ser cortado.

Por outro lado, o preparo prévio dos pratos aumenta o custo da mão de obra e do serviço. A preparação de uma grande quantidade de pratos com apresentação uniforme exige mais habilidade e mais tempo. Além disso, os pratos ocupam mais espaço no bufê do que uma travessa. Por fim, os atendentes têm de trabalhar mais intensamente para reabastecer esse tipo de *display*.

## guarnições

Para ser bem-sucedido e criar o melhor e mais integrado tema, considere a guarnição a ser acrescentada. Isso pode significar guarnecer porções ou pratos individuais, assim como grandes travessas que contenham várias porções.

Quando são comprados e preparados tendo-se em mente a qualidade, os alimentos desenvolvem o melhor sabor, a melhor textura e a melhor cor possível. A guarnição não compensa uma comida ruim ou mediana.

Ela pode ser usada para melhorar o visual, a textura ou o sabor de um prato ou uma travessa. Em vez de tomar uma decisão de última hora baseada no que possuir à mão, faça da escolha da guarnição parte do desenvolvimento e da revisão geral do menu. Assim, você estará mais bem preparado na hora de fazer os pedidos e durante a programação e a produção da comida.

As guarnições são muitas vezes usadas em porções ou pratos individuais. Elas são selecionadas segundo o mesmo critério usado para escolher um item individual para o menu e devem fazer sentido em relação ao restante do prato. Normalmente se usam ervas frescas como guarnição; elas fazem sentido se refletem ou complementam os demais sabores e ervas já presentes na receita, visto que funcionam como aromatizantes ou tempero, assim como um elemento visual.

Não utilize a guarnição com o único propósito de acrescentar formato ou cor à comida. Ramos de salsinha ou agrião acrescentados ao prato simplesmente por causa da sua cor verde constituem uma guarnição não funcional. Do contrário, se o agrião servir de base para uma salada marinada ou outro item, sendo o seu sabor e a sua textura elementos significativos no prato, será uma guarnição funcional.

A escolha da guarnição para cada item pode ser baseada na tradição, mas é geralmente o desenvolvimento de uma guarnição original que cria a impressão de um item "inédito", algo moderno, novo e elegante.

# MELHORANDO A APRESENTAÇÃO DA COMIDA

O chef banqueteiro ou garde manger pode aproveitar muitas ocasiões para melhorar a apresentação dos alimentos e, ao mesmo tempo, a experiência do convidado. A apresentação da comida é a sua chance de enfatizar o tema e mostrar o talento da equipe garde manger.

*O planejamento do design antes da distribuição dos alimentos pode melhorar enormemente o apelo visual e a praticidade da apresentação do bufê.*

## considerações práticas sobre o *design*: função e significado

O bom *design* desempenha uma função. A função do bufê é servir os convidados. Assim, um *design* de bufê bem projetado posiciona as comidas de modo lógico. Os convidados têm de saber o que estão comendo. Eles devem poder chegar à comida com facilidade e encontrar todos os utensílios apropriados em lugares fáceis de ver e alcançar. Se houver a possibilidade da comida provocar reação alérgica, os convidados deverão ser avisados, seja por meio de placas ou de um menu impresso ou, ainda, pelos próprios atendentes. O *design* e o *layout* do bufê devem contribuir para manter os alimentos devidamente aquecidos ou resfriados e livres da contaminação cruzada. A consideração desses elementos dentro do *design* geral é prioritária.

Em geral, os convidados esperam que o bufê ofereça uma grande variedade de itens sem qualquer restrição de quantidade. O *design* do bufê tem de levar em consideração essa expectativa. Nessa fase do planejamento, o custo, a adequação ao tema e a aparência dos itens do menu já foram minuciosamen-

*Os alimentos devem ser distribuídos de modo que cada componente seja visualmente atraente e acessível ao convidado.*

te examinados. O chef banqueteiro então começa a aplicar os princípios e elementos do *design*. O resultado é uma composição que se reflete em cada componente do bufê, desde a pequena guarnição de um canapé até as esculturas de gelo e os *displays*.

## o papel do *design*

Quando apreciamos a maneira como diversos elementos se combinam em um único *display*, usamos várias palavras para descrever seu efeito: simples, elegante, balanceado, integrado, unificado, orgânico e até sinergético. O trabalho do chef banqueteiro é explorar todo o potencial sensorial de cada prato a fim de criar uma apresentação prática, funcional e atraente em todos os sentidos. Planejar um *design* que realce a apresentação dos alimentos é uma forma importante de evidenciar o trabalho do garde manger e de tirar proveito das habilidades especiais que o planejamento e a produção de um bufê unificado, temático e bem-sucedido requerem.

## opiniões sobre o que está na moda ou sobre o que é bonito são subjetivas

Julgamentos estéticos se transformam com o tempo, às vezes muito rapidamente. Contudo, os princípios básicos de um bom *design* e de uma boa apresentação permanecem os mesmos, ainda que as expressões particulares desses princípios evoluam para novos estilos e tendências.

*A cor natural dos alimentos deve ser levada em conta na arrumação de um prato. Veja como os tons de laranja, verde e marrom desse display são balanceados.*

A utilização de formatos e alturas variados gera uma apresentação visualmente dinâmica, como no caso deste antepasto.

*Arrumar os alimentos em travessas menores confere interesse visual ao display e facilita a tarefa de repor as peças de servir conforme elas se esvaziam.*

doze
---
## RECEITAS BÁSICAS

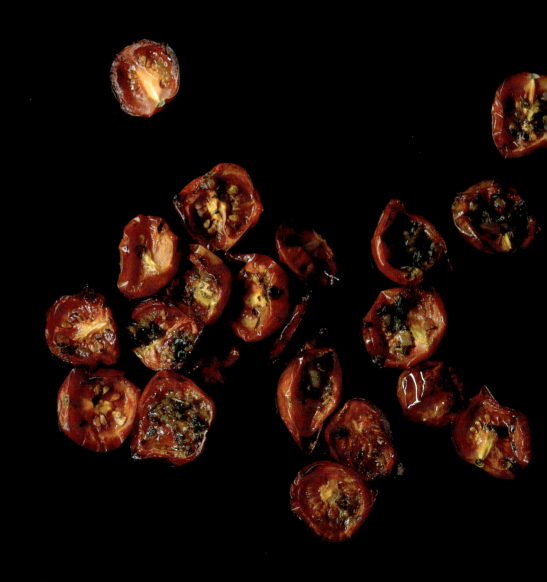

# Mistura chinesa de cinco especiarias

RENDIMENTO: 113 g

57 g de anis-estrelado
21 g de semente de erva-doce
21 g de canela (ou canela-da-china)

3 colheres (sopa)/16 g de cravo inteiro
3 colheres (sopa)/10 g de grão de pimenta de Szechwan

Moa as especiarias em um moedor ou pilão. Coloque o pó de especiarias em um recipiente hermético e guarde-o em local fresco e seco. É possível armazená-lo por várias semanas.

# Mistura de temperos para churrasco

RENDIMENTO: 113 g

28 g de páprica húngara picante
2 colheres (sopa)/20 g de sal
4 colheres (chá)/16 g de açúcar
2 colheres (sopa)/12 g de pimenta-malagueta em pó
4 colheres (chá)/8 g de cominho moído
2 colheres (chá)/4 g de mostarda em pó

2 colheres (chá)/4 g de pimenta-do-reino moída
2 colheres (chá)/4 g de curry em pó
1 colher (sopa)/6 g de tomilho desidratado
2 colheres (chá)/4 g de orégano desidratado
1 colher (chá)/2 g de pimenta-de-caiena

Misture bem todos os ingredientes. Coloque a mistura de temperos em um recipiente hermético e guarde-o em local fresco e seco.

# Quatre épices

RENDIMENTO: 113 g

57 g de grão de pimenta-do-reino
3 colheres (sopa)/20 g de noz-moscada moída
2 colheres (sopa)/14 g de canela moída
2 colheres (sopa)/11 g de cravo inteiro

---

Moa todas as especiarias juntas em um moedor ou pilão. Coloque a mistura em um recipiente hermético e guarde-o em local fresco e seco.

» **NOTA DO CHEF** Se desejar, acrescente 2 colheres (sopa)/14 g de gengibre moído.

# Mistura de temperos cajun

RENDIMENTO: 113 g

42 g de páprica húngara picante
2 colheres (sopa)/13 g de cebola em pó
2 colheres (sopa)/13 g de alho em pó
2 colheres (sopa)/11 g de pimenta-de-caiena
1 colher (sopa)/10 g de sal
1 colher (sopa)/6 g de pimenta-branca moída
1 colher (sopa)/3 g de tomilho desidratado
1 colher (sopa)/3 g de orégano desidratado

---

Misture bem todos os ingredientes. Coloque a mistura de temperos em um recipiente hermético e guarde-o em local fresco e seco.

# Curry em pó

RENDIMENTO: 113 g

4½ colheres (sopa)/27 g de semente de cominho
4½ colheres (sopa)/22 g de semente de coentro
1 colher (sopa)/12 g de semente inteira de mostarda
12 pimentas-malagueta secas, ou a gosto

3 colheres (sopa)/21 g de canela moída
3 colheres (sopa)/21 g de cúrcuma moída
3 colheres (sopa)/21 g de gengibre moído

1. Misture todas as sementes e pimentas. Torre a mistura no forno a 177 °C por 5 min. Remova-a e esfrie-a ligeiramente. Quebre as pimentas, removendo e descartando as sementes.

2. Moa as sementes inteiras, os temperos moídos e as pimentas-malagueta em um moedor ou pilão até obter uma mistura homogênea. Coloque a mistura em pó em um recipiente hermético e guarde-o em local fresco e seco.

» **NOTA DO CHEF** Acrescente páprica húngara picante, cravo ou folhas frescas de curry à mistura.

# Fines herbes

RENDIMENTO: 57 g

14 g de folha de cerefólio
14 g de cebolinha francesa

14 g de folha de salsinha
14 g de folha de estragão

Lave as ervas. Junte-as e pique ou moa até obter a espessura desejada. Use imediatamente.

# Tempero para patê

RENDIMENTO: 113 g

- 14 g de grão de pimenta-branca
- 28 g de semente de coentro
- 28 g de cravo
- 14 g de tomilho desidratado
- 14 g de manjericão desidratado
- 14 g de noz-moscada ralada
- 20 folhas de louro
- 7 g de macis
- 9 g de cogumelos secos (opcional)

Junte todos os ingredientes e moa a mistura com um pilão ou no liquidificador. Coloque a mistura em pó em um recipiente hermético e guarde-o em local fresco e seco.

# Mistura picante para salsicha italiana

RENDIMENTO: 113 g

- 4 colheres (sopa)/19 g de floco de pimentão vermelho
- 3 colheres (sopa)/20 g de semente de erva-doce
- 2 colheres (sopa)/14 g de páprica espanhola doce
- 2 colheres (sopa)/14 g de páprica húngara picante
- 2 colheres (sopa)/12 g de coentro em pó
- 1 colher (sopa)/12 g de açúcar
- 1 colher se sopa/6 g de pimenta-do-reino moída grosseiramente
- 1½ colher (chá)/3 g de pimenta-de-caiena

Misture todos os ingredientes. Coloque a mistura em pó em um recipiente hermético e guarde-o em local fresco e seco.

# Ervas de Provença

RENDIMENTO: 113 g

35 g de tomilho desidratado
35 g de manjerona desidratada
35 g de segurelha desidratada
2½ colheres (sopa)/7,5 g de alecrim desidratado

2½ colheres (chá)/2,5 g de sálvia desidratada
2½ colheres (chá)/2,5 g de hortelã desidratada
2½ colheres (chá)/2,5 g de semente de erva-doce
2½ colheres (chá)/2,5 g de flor de lavanda desidratada

Misture todos os ingredientes. Coloque a mistura em pó em um recipiente hermético e guarde-o em local fresco e seco. Se desejar, pode amassar completamente as ervas em um pilão antes de usá-las.

» **NOTA DO CHEF** Às vezes, incluem-se folhas amassadas de louro nessa mistura. Assim como com outras misturas de temperos apresentadas neste capítulo, a quantidade de ervas pode ser ajustada a gosto.

# Caldo de vegetais

RENDIMENTO: 3,84 ℓ

60 mℓ de óleo vegetal
113 g de cebola fatiada
113 g de alho-poró (partes verdes e brancas) picado
57 g de salsão picado
57 g de repolho verde picado
57 g de cenoura picada

57 g de nabo picado
57 g de tomate picado
3 dentes de alho amassados
4,32 ℓ de água fria
1 sachet d'épices padrão, com 1 colher (chá)/2 g de semente de erva-doce e 2 cravos inteiros (colocados no sachê)

1. Aqueça o óleo. Acrescente os vegetais e o alho e sue-os por cerca de 5 min.

2. Acrescente a água e o sachê e ferva-os lentamente por 30 min a 40 min. Coe o caldo. Esfrie-o e refrigere-o.

# Caldo de galinha

RENDIMENTO: 3,84 ℓ

3,63 kg de osso de galinha cortado em pedaços de 8 cm de comprimento

5,76 ℓ de água fria

454 g de mirepoix

1 sachet d'épices

1. Enxágue os ossos em água fria, para retirar o sangue. Junte os ossos e a água em uma caçarola.

2. Ferva o caldo sobre fogo baixo. Escume a superfície, se necessário. Ferva-o lentamente por 4 h a 5 h.

3. Acrescente o mirepoix e o sachet d'épices durante a última hora de fervura. Coe o fundo. Esfrie-o e refrigere-o.

» **VARIAÇÕES** CALDO BRANCO DE PATO: substitua os ossos de galinha pela mesma quantidade de ossos de pato.

CALDO DE PERU: substitua os ossos de galinha pela mesma quantidade de ossos de peru.

CALDO BRANCO DE CARNE: substitua os ossos de galinha pela mesma quantidade de ossos bovinos. No passo 2, aumente o tempo de fervura para 6 h a 7 h.

GLACE DE VOLAILLE: reduza os 3,84 ℓ de fundo de galinha a 240 mℓ.

# Caldo escuro de vitela

RENDIMENTO: 3,84 ℓ

3,63 kg de osso de vitela (incluindo articulações e aparas)

5,76 ℓ de água fria

454 g de mirepoix

170 g de massa de tomate

1 sachet d'épices

1. Enxágue os ossos e seque-os completamente. Preaqueça uma assadeira untada no forno a 230 °C. Coloque os ossos na assadeira e doure-os no forno.

2. Junte os ossos e a água em uma caçarola. Ferva o caldo sobre fogo baixo. Ferva-o lentamente por cerca de 6 h, escumando a superfície se necessário.

3. Doure o mirepoix e a massa de tomate; acrescente-os ao caldo durante a última hora de fervura lenta. Deglace o que ficou na assadeira com água e acrescente-a ao caldo. Acrescente o sachet d'épices.

4. Ferva lentamente o caldo por mais 1 h. Coe-o. Esfrie-o e guarde-o sob refrigeração.

» **VARIAÇÃO** GLACE DE VIANDE: reduza os 3,84 ℓ de caldo escuro de vitela a 240 mℓ.

CALDO DE VEADO: substitua os ossos de vitela pela mesma quantidade de ossos e aparas magras de veado. Se desejar, inclua sementes de erva-doce e/ou bagas de zimbro no sachet d'épices-padrão.

# Caldo de crustáceos

RENDIMENTO: 3,84 ℓ

4,54 kg de casca de crustáceo (lagosta, camarão ou caranguejo)
60 mℓ de óleo vegetal
454 g de mirepoix
85 g a 113 g de massa de tomate

4,80 ℓ de água fria
1 sachet d'épices
240 mℓ de vinho branco

1. Salteie as cascas de crustáceo no óleo até que elas adquiram um avermelhado escuro. Acrescente o mirepoix e continue a salteá-las por mais 10 min a 15 min. Acrescente a massa de tomate e salteie as cascas rapidamente.

2. Acrescente a água, os temperos e o vinho e ferva lentamente o fundo por 30 min. Coe-o. Esfrie-o e guarde-o sob refrigeração.

» **VARIAÇÃO** CALDO DE PEIXE: substitua as cascas de crustáceo pela mesma quantidade de ossos e aparas de peixe branco magro. No passo 1, salteie os ossos no óleo sobre fogo baixo até que fiquem brancos. Use mirepoix branco. Não insira a massa de tomate.

# Court bouillon

RENDIMENTO: 3,84 ℓ

2,40 ℓ de água fria
2,40 ℓ de vinho branco
2 colheres (chá)/6,5 g de sal (opcional)
454 g de cebola fatiada
340 g de cenoura fatiada

1 maço de talo de salsinha fresca
3 folhas de louro
1 pitada de folha de tomilho desidratada
2 colheres (sopa)/14 g de grão de pimenta-do-reino

1. Junte todos os ingredientes menos os grãos de pimenta.

2. Ferva a mistura lentamente por 50 min.

3. Acrescente os grãos de pimenta e ferva a mistura lentamente por mais 10 min. Coe o court bouillon antes de usá-lo.

» **VARIAÇÃO** COURT BOUILLON DE VINAGRE: dobre a quantidade de água. Substitua todo o vinho branco por 240 mℓ de vinagre.

# Molho de tomate

RENDIMENTO: 3,84 ℓ

60 mℓ de azeite de oliva

340 g de cebola em cubos pequenos

2 colheres (sopa)/18 g de alho amassado ou em fatias finas

4,80 ℓ de tomate italiano com líquido, sem o miolo e picado

85 g de manjericão cortado em chiffonade

Sal a gosto

Pimenta-do-reino moída a gosto

1. Aqueça o azeite sobre fogo médio baixo em uma caçarola média não reativa ou em uma panela larga e rasa. Acrescente a cebola e cozinhe-a, mexendo-a de vez em quando, até que ela adquira uma coloração dourado-clara (12 min a 15 min).

2. Acrescente o alho e salteie os ingredientes, mexendo-os com frequência, até que o alho fique macio e fragrante (cerca de 1 min).

3. Acrescente o tomate. Ferva o molho e cozinhe-o lentamente, mexendo-o de vez em quando, até que desenvolva uma boa consistência de molho (cerca de 45 min). (O tempo exato de cozimento depende da qualidade dos tomates e o seu conteúdo de umidade natural.)

4. Acrescente o manjericão e ferva o molho lentamente por mais 2 min a 3 min. Experimente-o e tempere-o com sal e pimenta, se necessário.

5. O molho pode ser batido em purê no disco grosso do passador de legumes, batido com um batedor de claras para virar um purê grosso ou mantido empelotado.

6. O molho está pronto para ser servido ou pode ser esfriado e refrigerado.

» **NOTA DO CHEF** Se desejar, substitua os tomates frescos por 4,08 kg de tomate italiano em lata. Com tomate em lata, pode ser necessário escorrer um pouco do líquido primeiro. Se desejar, antes de preparar o molho, bata o tomate em lata no processador para formar um purê.

# Manteiga de anchova

RENDIMENTO: 454 g

454 g de manteiga em temperatura ambiente
2 a 3 colheres (sopa)/30 ml a 45 ml de suco de limão
28 g a 57 g de pasta de anchova
1 colher (sopa)/9 g de alcaparra escorrida e picada
Sal a gosto
Pimenta-do-reino moída a gosto

1. Junte todos os ingredientes e misture-os bem.
2. Embrulhe apertadamente a mistura e refrigere-a até utilizar.
3. Amoleça a manteiga se for espalhá-la.

# Manteiga de raiz-forte

RENDIMENTO: 567 g

85 g de raiz-forte pronta
454 g de manteiga amolecida
1 colher (sopa)/15 g de mostarda pronta
1 colher (sopa)/12 g de açúcar
2 colheres (chá)/10 ml de molho inglês
1 colher (chá)/5 ml de suco de limão

1. Esprema a raiz-forte para retirar o excesso de líquido.
2. Junte todos os ingredientes e misture-os bem.
3. Embrulhe apertadamente a mistura e refrigere-a até utilizar.
4. Amoleça a manteiga se for espalhá-la.

# Azeite com infusão de lagosta

RENDIMENTO: 240 ml

454 g de casca de lagosta
128 g de massa de tomate
60 ml de vinho branco

7 g de páprica húngara picante
240 ml de azeite de oliva extravirgem

1. Asse as cascas no forno a 204 °C até que fiquem crocantes e quebradiças (cerca de 15 min).

2. Coloque as cascas e a massa de tomate em uma caçarola sobre fogo médio e cozinhe-as, mexendo frequentemente, até que a massa de tomate adquira cor de ferrugem (aproximadamente 4 min a 5 min).

3. Junte o vinho branco e a páprica e reduza o líquido até que ele desapareça (2 min a 3 min).

4. Acrescente o azeite e aqueça a mistura a 88 °C. Remova a panela do fogo e deixe a mistura embeber o azeite por 20 min. Coe o azeite no coador revestido com musselina, pressionando os sólidos para que soltem a maior quantidade de azeite possível.

5. Transfira o azeite para uma garrafa ou outro recipiente limpo e refrigere-o.

# Massa básica

RENDIMENTO: 1,25 kg

567 g de farinha para pão peneirada
43 g de leite em pó desnatado
14 g de sal
7 g de fermento em pó
71 g de gordura vegetal

71 g de manteiga sem sal
2 ovos
1 colher (sopa)/15 mℓ de vinagre branco
240 mℓ a 300 mℓ de leite, ou conforme necessário

1. Coloque a farinha, o leite em pó, o sal, o fermento, a gordura vegetal e a manteiga no processador de alimentos e pulse-os até formar uma massa fina.

2. Coloque a massa na batedeira equipada com pá.

3. Acrescente os ovos, o vinagre e 120 mℓ a 150 mℓ de leite. Bata a massa em velocidade baixa para formar uma bola. Determine agora a quantidade de leite e veja se há necessidade de acrescentar mais. A massa deve ficar úmida porém seca; se ela não der liga e não estiver úmida o suficiente, acrescente mais leite. Se a consistência da massa estiver boa, bata-a em velocidade média por 3 min a 4 min para desenvolver o glúten.

4. Remova a massa da batedeira e trabalhe-a à mão até que fique macia, escondendo todas as bordas embaixo dela, como ao formar uma bola de pão. Forme um bloco quadrado.

5. Embrulhe a massa em filme de PVC e deixe-a descansar por 30 min (para obter resultados melhores, descanse-a de um dia para o outro) na geladeira antes de abri-la e cortá-la para forrar as formas de terrine.

*1. Incorpore a gordura aos ingredientes secos até obter uma consistência granulosa ligeiramente mais grossa do que a de farinha de milho.*

*2. Após amaciar a massa à mão, molde um bloco, que será embrulhado e armazenado.*

DOZE | RECEITAS BÁSICAS

# Massa de tomate e coentro

RENDIMENTO: 680 g

680 g de massa básica (p. 649)
2 colheres (chá)/4 g de coentro em pó
2 colheres (chá)/4 g de cominho moído

43 g massa de tomate
2 colheres (sopa)/6 g de coentro fresco picado

Prepare a massa básica, acrescentando o coentro em pó e o cominho no passo 1 e a massa de tomate e o coentro fresco no passo 2.

# Massa de açafrão

RENDIMENTO: 680 g

Uma pitada grande de açafrão
150 ml de água morna
680 g de massa básica (p. 649)

2 colheres (sopa)/6 g de dill picado (opcional)
2 colheres (sopa)/6 g de cebolinha francesa picada (opcional)

Faça uma infusão do açafrão na água. Substitua 150 ml de leite pela água de açafrão na receita de massa básica. Acrescente as ervas picadas no passo 2.

# Massa de batata-doce

RENDIMENTO: 680 g

680 g de massa básica (p. 649)
½ colher (chá)/1 g de canela em pó
½ colher (chá)/1 g de cardamomo moído

½ colher (chá)/1 g de macis moído
142 g de batata-doce assada, fervida ou cozida no vapor e batida em purê

Prepare a massa básica, acrescentando as especiarias moídas no passo 1 e a batata-doce no passo 2. Talvez seja necessário reduzir a quantidade de leite da receita original de massa para patê.

» **NOTA DO CHEF** Para fazer peças de *display* decorativas com a massa, enrole-a em folhas finas com uma máquina de macarrão. A massa pode então ser cortada para dar o efeito de rede de pesca. Corte a massa com um cortador em forma de treliça. Com cuidado, separe a massa decorada, coloque-a sobre uma folha de alumínio amarrotada e pincele-a com egg wash. O papel-alumínio amarrotado dá mais altura e textura à rede de massa. Asse a massa no forno a 163 °C até que fique seca e cozida (8 min a 10 min).

# Massa para torta

RENDIMENTO: 397 g

113 g de manteiga em temperatura ambiente
1 gema de ovo
227 g de farinha de trigo comum

½ colher (chá)/1,5 g de sal
60 mℓ de água

1. Bata a manteiga em velocidade média na tigela da batedeira equipada com gancho até que fique leve e fofa (aproximadamente 2 min).

2. Acrescente o ovo e bata a mistura até que fique lisa (cerca de 1 min).

3. Acrescente a farinha e o sal e bata a mistura até que os ingredientes se integrem perfeitamente (cerca de 1 min).

4. Acrescente a água aos poucos até que a massa ganhe forma e a mistura fique homogênea e lisa (cerca de 2 min). Talvez seja necessário acrescentar um pouco mais de água.

5. Molde a massa em forma de disco, embrulhe-a em filme de PVC e refrigere-a por no mínimo 30 min antes de usar.

# Massa folhada blitz

RENDIMENTO: 1,13 kg

227 g de farinha de trigo comum
227 g de farinha de trigo especial
454 g de manteiga em cubos e resfriada

270 mℓ de água gelada
2¼ colheres (chá)/7,5 g de sal

1. Junte as farinhas na tigela da batedeira. Acrescente a manteiga e misture os ingredientes com as pontas dos dedos até que a manteiga fique revestida de farinha. Junte a água e o sal (acrescente tudo de uma vez). Bata a massa em velocidade baixa com um gancho de massa até que ela fique desgrenhada.

2. Cubra a mistura apertadamente com filme de PVC e refrigere-a até que a manteiga fique firme porém não quebradiça (cerca de 20 min).

3. Coloque a massa em uma superfície levemente untada com farinha e abra-a em um retângulo de 1 cm de espessura e aproximadamente 30 cm × 76 cm.

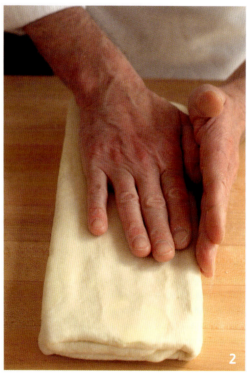

*1. Antes de ser dobrada, a massa folhada blitz deve conter pedaços grandes e visíveis de manteiga dispersos por toda ela.*

*2. Depois que todas as dobras tiverem sido feitas, a massa deve exibir uma aparência lisa e homogênea.*

4. Faça uma dobra do tamanho de um livro, abra a massa no mesmo tamanho e faça uma segunda dobra. Embrulhe a massa apertadamente em filme de PVC e refrigere-a por 30 min.

5. Repita esse processo mais duas vezes até obter um total de 4 dobras, sempre refrigerando e virando a massa em 90 graus antes de abri-la. Depois de fazer a dobra final, embrulhe a massa em filme de PVC e refrigere-a até que se firme (pelo menos 1 h). (A massa pode ser refrigerada ou congelada até o momento de usar.)

» **NOTA DO CHEF** Dobras adicionais rendem camadas mais finas e homogêneas e menos altas. Menos dobras rendem um produto mais leve, com camadas irregulares e mais pesadas.

# Massa para macarrão

RENDIMENTO: 680 g

454 g de farinha de trigo comum ou farinha de pão
4 a 6 ovos

2 colheres (chá)/6,5 g de sal
60 mℓ de água, ou conforme necessário

1. Junte todos os ingredientes em uma tigela grande e trabalhe a mistura até que fique macia e elástica. Se necessário, acrescente mais água.

2. Cubra a massa e deixe-a descansar sob refrigeração por 1 h antes de abri-la e moldá-la.

» **VARIAÇÕES** MACARRÃO DE ESPINAFRE: acrescente 170 g de purê de espinafre cru. Se necessário, acrescente mais farinha.

MACARRÃO MALFATTI: passe a massa básica para macarrão pela máquina de macarrão para formar folhas finas. Corte-a em retângulos de 4 cm × 6 cm.

# Focaccia

RENDIMENTO: 1,36 kg

Farinha de milho, conforme necessário
540 mℓ de água a 32 °C
14 g de fermento comprimido
60 mℓ de azeite de oliva extravirgem
794 g de farinha de trigo integral
14 g de sal

## opções de guarnição

Queijo de cabra em pedaços a gosto
Azeitonas sem caroço e em fatias a gosto
Pinoli a gosto
Tomate seco a gosto
Ervas picadas (como manjericão e orégano) a gosto

1. Forre assadeiras com papel-manteiga. Polvilhe-as com farinha de milho.

2. Misture a água morna, o fermento e o azeite até que o fermento se dissolva. Acrescente a farinha e o sal. Misture a massa até que ela fique macia e elástica. Cubra a tigela e deixe a massa fermentar por 1h15. Amasse-a e separe 284 g para cada focaccia. Molde a massa em bolas. Coloque as bolas de massa nas assadeiras preparadas e deixe-as descansar por 1 h à temperatura ambiente.

3. Aperte as bolas de massa para que fiquem planas e estique-as ligeiramente. Pincele-as com azeite de oliva e acrescente os itens opcionais da guarnição. Deixe a massa descansar por mais 30 min.

4. Asse as focaccias no forno a 218 °C por aproximadamente 30 min.

» **NOTA DO CHEF** A focaccia pode ser levemente pincelada com alho e azeite de oliva e servida desacompanhada; também pode ser usada como base de um hors-d'oeuvre ou sanduíche (ver pp. 180 e 188) ou temperada com várias adições.

» **VARIAÇÕES** GRISSINI: prepare a massa até o passo 2. Amasse-a e separe 43 g. Molde-a em bolas. Coloque-as em uma assadeira e deixe-as descansar à temperatura ambiente por 1 h. Enrole-as em forma de palitos longos e finos. Pincele-as com azeite de oliva ou egg wash e adicione os temperos desejados por cima: sal, sementes de gergelim ou ervas frescas. Deixe os grissini descansarem por mais 15 min. Asse-os no forno a 218 °C por 10 min a 12 min.

# Massa para brioche

RENDIMENTO: 1,36 kg MASSA

680 g de farinha de trigo
2½ colheres (chá)/10 g de fermento em pó instantâneo
227 g de ovo (cerca de 4 ovos grandes) a 4 °C
120 mℓ de leite

57 g de açúcar
1 colher (sopa)/10 g de sal
340 g de manteiga cortada em cubos, amolecida porém ainda maleável (16 °C a 18 °C)

1. Junte a farinha e o fermento na tigela da batedeira de 4,8 ℓ. Acrescente os ovos, o leite, o açúcar e o sal; bata os ingredientes com o gancho de massa em velocidade baixa até que a mistura fique homogênea, raspando as laterais se necessário (4 min).

2. Acrescente aos poucos a manteiga com a batedeira em velocidade baixa, raspando as laterais da tigela se necessário (2 min). Depois que ela estiver totalmente incorporada, aumente a velocidade para média e misture a massa até que ela comece a se desgrudar das laterais da tigela e fique bem elástica (15 min).

3. Remova a massa da tigela, molde-a em forma de tijolo, embrulhe-a bem e refrigere-a por no mínimo 12 h antes de usar. A massa para brioche pode ser congelada por até 2 meses.

# Pão sírio integral

RENDIMENTO: 12 UNIDADES

2¼ colheres (chá)/9 g de fermento seco ativo
600 mℓ de água morna (38 °C)
454 g de farinha de pão

454 g de farinha de trigo integral
1 colher (sopa)/10 g de sal
1½ colher (sopa)/22,5 mℓ de azeite de oliva

1. Junte o fermento com a água morna e misture-os bem.

2. Acrescente o restante dos ingredientes secos e misture a massa em velocidade baixa até que ela fique bem elástica (3 min a 4 min).

3. Coloque a massa em uma tigela grande. Pincele-a com azeite de oliva, cubra e deixe-a dobrar de tamanho à temperatura ambiente (aproximadamente 1 h a 2 h). Amasse-a.

4. Molde a massa em pães de 113 g cada; alinhe os pães em fileiras de 3 por 5 em uma assadeira untada. Cubra-os com filme de PVC. Deixe os pães dobrarem de tamanho antes de abri-los.

5. Polvilhe a superfície de trabalho com farinha. Abra a massa em um disco de 18 cm de diâmetro.

6. Deixe-a descansar, coberta, à temperatura ambiente (15 min).

7. Coloque os pães diretamente na grelha do forno a 260 °C, ou em uma pedra de assar ou assadeira preaquecida, e asse-os até que cresçam porém não dourem (3 min a 4 min). Empilhe os pães de 5 em 5 e embrulhe cada pilha com um pano. Esfrie os pães antes de servir.

# Calda simples

RENDIMENTO: 960 mℓ

960 mℓ de água
454 g de açúcar

270 mℓ de suco de laranja
135 mℓ de suco de limão

1. Ferva a água e o açúcar; misture-os até que o açúcar se dissolva; esfrie a mistura.

2. Tempere-a com os sucos de laranja e de limão. Cubra e refrigere a calda até a hora de usar.

# Assando alho e chalotas

**1.** Coloque a cabeça de alho descascada (ou o bulbo de chalota) em uma panela pequena. Alguns chefs gostam de colocá-la sobre uma cama de sal, que retém o calor, o que faz o alho assar mais rapidamente e gera um produto final com textura mais seca.

**2.** Asse o alho ou a chalota em temperatura média até que fique macio. Os sucos liberados pelo alho ou pelas chalotas devem ser dourados. O aroma deve ser doce e agradável, sem traços de sabor desagradável ou de enxofre.

» **NOTA DO CHEF** O sabor do alho e das chalotas fica rico, doce e defumado depois que são assados. O alho assado pode ser usado como componente de marinados, glaciados e vinagretes, assim como pasta para espalhar em pães torrados e na focaccia.

*O alho corretamente assado desenvolve uma textura macia, uma coloração dourado-clara e um aroma doce.*

# Tomate assado no forno

RENDIMENTO: 10 PORÇÕES

2,04 kg de tomate
90 ml de azeite de oliva extravirgem
14 g de alho amassado
14 g de chalota bem picada
2 colheres (chá)/2 g de manjericão picado

2 colheres (chá)/2 g de orégano picado
1 colher (chá)/1 g de tomilho picado
Sal a gosto
Pimenta-do-reino moída a gosto

1. Remova o miolo dos tomates e corte-os no formato desejado (ao meio, em quatro pedaços, em cunha ou em fatias). Arrume-os em camada única sobre uma assadeira rasa.

2. Misture o azeite, o alho, as chalotas, o manjericão, o orégano e o tomilho. Tempere-os com sal e pimenta. Regue os tomates com essa mistura; vire-os cuidadosamente para revesti-los completamente.

3. Arrume os tomates em racks sobre assadeiras. Asse-os no forno a 135 °C até que sequem e dourem ligeiramente (1 h a 1h30).

» **NOTA DO CHEF** Esta receita pode ser feita com diversas variedades de tomate, porém o tomate italiano gera os melhores resultados.

# Tostando pimentões

**Para quantidades pequenas, toste os pimentões sobre uma chama:**

1. Com uma pinça ou um garfo de cozinha, segure o pimentão sobre a chama do queimador do fogão a gás ou coloque-o em uma grelha. Vire e toste o pimentão até que a sua superfície fique igualmente tostada.

2. Coloque-o em um saco plástico ou de papel ou sob uma tigela invertida e deixe a sua casca fumegar até ficar solta.

3. Quando o pimentão esfriar o suficiente para ser manuseado, remova a casca tostada; use uma faca de legumes se necessário.

**Para grandes quantidades, asse os pimentões no forno:**

1. Corte os pimentões ao meio e remova os talos e as sementes. Coloque-os com o lado cortado para baixo em uma assadeira untada.

2. Coloque-os no forno a 246 °C ou sob uma salamandra. Asse ou grelhe os pimentões até que fiquem uniformemente tostados.

3. Remova-os do forno ou da grelha e cubra-os imediatamente com uma assadeira invertida, papel-alumínio ou filme de PVC. Isso faz que os pimentões fumeguem, tornando a casca mais fácil de ser retirada.

4. Descasque-os, se necessário com uma faca de legumes.

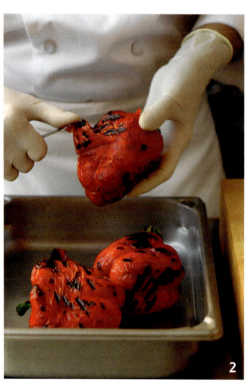

*1. Assim que os pimentões terminarem de assar, cubra-os e deixe-os fumegar, para tornar a casca mais fácil de ser retirada.*

*2. Descasque os pimentões e utilize-os a gosto.*

# Preparando alcachofras

*A alcachofra pode ser cortada de várias maneiras, dependendo da apresentação final desejada.*

## Para preparar alcachofras inteiras:

1. Primeiro, remova o talo. A quantidade de talo a ser removida é determinada pela maneira como a alcachofra será servida e também pela maciez ou dureza do talo. Fazendo um corte reto em seu fundo, produz-se uma superfície plana, permitindo que a alcachofra fique de pé no prato.

2. Descasque o talo com uma faca de legumes.

3. Remova a parte superior da alcachofra.

4. Com uma tesoura de cozinha, apare a barba das folhas.

5. Esfregue as superfícies aparadas com suco de limão para evitar que escureçam, ou coloque a alcachofra aparada em um blanc (ver nota do chef).

6. Agora, a alcachofra pode ser fervida em fogo baixo ou cozida no vapor, ou a base das folhas pode ser removida antes do cozimento. Para remover a base das folhas da alcachofra cozida ou crua, abra-as e retire a base com uma colher.

## Para preparar o fundo da alcachofra:

1. Retire as folhas ao redor do talo e apare-o como quiser. Faça um corte na parte mais larga da alcachofra, um pouco acima do fundo, para remover a ponta das folhas.

2. Com uma faca de legumes, apare as folhas duras externas da alcachofra.

3. Com uma colher, retire o centro do fundo da alcachofra, chamado de "base". Coloque os fundos aparados em água acidulada para evitar que escureçam.

## Para preparar a alcachofra cortada ao meio ou em quartos:

1. Retire as folhas ao redor do talo e apare apenas a ponta lenhosa dele. Se desejar, você pode remover o talo.

2. Com uma faca de legumes, descasque o talo.

3. Corte um terço da parte superior da alcachofra. Remova as suas folhas duras externas.

4. Corte a alcachofra em duas ou quatro partes. Coloque-a em água acidulada até o momento de usar, para evitar que escureça.

» **NOTA DO CHEF** Para preparar um blanc, junte 120 mℓ de suco de limão, 85 g de farinha de trigo e 2 colheres (chá)/6,5 g de sal com 1,92 ℓ de água e levante fervura. Os vegetais podem ser cozidos ou mantidos no blanc para que fiquem brancos.

# Preparando alho-poró

1. Para limpar o alho-poró, enxágue a sujeira da superfície, prestando especial atenção às raízes, onde a sujeira fica retida. Coloque o alho-poró em uma tábua de cortar e, com uma faca de chef, apare apenas as porções pesadas e verde-escuras das folhas. Fazendo um corte transversal, você evita a perda da parte verde-clara, a mais macia do alho-poró. Reserve a parte verde-escura para fazer um bouquet garni ou para outros usos.

2. Apare a ponta das raízes, tendo o cuidado de não cortar demais a parte branca. Corte o alho-poró longitudinalmente em 2, 3 ou 4 partes, dependendo do uso final. Abra com delicadeza as camadas do alho-poró e enxágue-o cuidadosamente em água corrente para remover qualquer resíduo de pedrinhas ou areia.

3. Corte o alho-poró no formato desejado. Para refogá-lo, corte-o em duas ou quatro partes e mantenha o talo intacto. Você também pode cortar o alho-poró em fatias, chiffonade, julienne, cubos ou paysanne.

» **NOTA DO CHEF** O alho-poró se desenvolve em camadas, retendo brita e areia entre elas, e uma das maiores preocupações quando se trabalha com essa erva é remover qualquer traço de sujeira. É essencial enxaguar e limpar meticulosamente o alho-poró.

# Hidratando frutas e verduras secas

1. Cheque o ingrediente seco e remova qualquer resíduo aparente, assim como as peças seriamente descoloridas ou mofadas.

2. Coloque o ingrediente em uma tigela ou outro recipiente e acrescente líquido fervente ou muito quente (pode ser água, vinho, suco de fruta ou caldo) em quantidade suficiente para cobri-lo.

3. Deixe o ingrediente seco de molho no líquido quente por vários minutos, até que fique macio e hidratado.

4. Escorra o líquido; reserve-o para usar em outro preparo, se desejar. Se necessário, o líquido pode ser coado em filtro de café ou musselina para que qualquer resíduo seja removido.

# Torrando nozes, sementes e especiarias

*A torra melhora o sabor das nozes, sementes ou especiarias, contanto que não se deixe chamuscá-las.*

**1. Para torrar pequenas quantidades, use uma frigideira seca** (ferro fundido é uma excelente opção, mas outros materiais também funcionam bem). Aqueça a frigideira diretamente sobre o fogo e acrescente as nozes, sementes ou especiarias.

**2.** Agite ou mexa as nozes, sementes ou especiarias frequentemente, parando apenas quando elas atingirem uma boa coloração e um bom aroma.

**3.** Coloque-as em uma assadeira fria e espalhe-as em uma fina camada para evitar que dourem ainda mais.

**1. Grandes quantidades podem ser torradas no forno médio.** Espalhe as nozes, sementes ou especiarias em uma assadeira seca e torre-as até que adquiram um aroma agradável. O seu óleo pode tostar ou até queimar rapidamente; portanto, cheque-o com frequência.

**2.** Mexa-as continuamente para estimular uma douração homogênea.

**3.** Transfira imediatamente as nozes, sementes ou especiarias torradas no forno a uma assadeira fria para que não queimem com o calor residual da assadeira.

» **VARIAÇÃO** PIMENTA-MALAGUETA SECA TORRADA: a pimenta-malagueta seca pode ser torrada da mesma maneira, em uma frigideira seca ou no forno. Ela também pode ser passada repetidamente por uma chama até que fique torrada e macia. A polpa e as sementes são então raspadas da casca; também é possível usar a pimenta inteira, dependendo de cada receita.

# Derretendo gordura

*Ocasionalmente, é preciso usar gordura de pato, ganso ou porco em pratos como confit ou rillettes.*

1. Corte a gordura em cubos ou moa-a no disco grosso, se necessário.

2. Coloque a gordura em uma panela de saltear. Acrescente aproximadamente 1 cm de água a gorduras cruas que não respingam.

3. Cozinhe sobre fogo baixo até que a água evapore e a gordura seja liberada. (Esse é o verdadeiro processo de clarificação.)

4. Com uma escumadeira, remova os pedacinhos crocantes que porventura se desprendam da carne (eles podem ser usados como guarnição).

5. Esfrie, cubra e refrigere a gordura derretida por até varias semanas.

# Crisps de parmesão

1. Rasgue o queijo parmesão em tiras. Forre uma assadeira com papel-manteiga. Se desejar, trace um círculo ou outro formato no papel. Deixe espaço no traçado para poder espalhar as tiras (cerca de 1 cm).

2. Espalhe o queijo em uma camada homogênea (grande o suficiente para cobrir o papel, mas não muito grossa, ou o queijo não ficará crocante).

3. Asse o queijo no forno a 175 °C até que ele derreta e borbulhe e adquira a aparência de renda (cerca de 10 min).

4. Remova a assadeira do forno e deixe o queijo esfriar por alguns minutos. Os crisps de queijo morno podem ser enrolados ou colocados dentro de tigelas ou sobre cavilhas ou copos, criando-se recipientes ou leques. Eles podem ser guardados por vários dias em um recipiente hermético forrado com papel-manteiga.

# Farinha de rosca

A farinha de rosca pode ser seca ou fresca. A farinha fresca (mie de pain) é feita a partir da ralação ou do processamento de pão com textura fina, como pãezinhos amanhecidos de 1 ou 2 dias. A farinha de rosca seca pode ser preparada com pão levemente amanhecido, seco ou torrado no forno quente.

# Procedimento-padrão para empanados

*Para que o resultado seja o melhor possível, o empanado precisa de um pouco de tempo para firmar antes de ser frito. Se o item for empanado e imediatamente frito em óleo quente, há grande chance de desfalecer. Além de ter um impacto negativo na textura final do prato, isso faz que o óleo do cozimento se decomponha rapidamente; assim, os lotes subsequentes a serem fritos no mesmo óleo ficam pretos e não cozinham adequadamente.*

1. Seque meticulosamente o item principal, segure-o com uma mão (mão esquerda se você for destro, mão direita se for canhoto) e passe-o na farinha. Agite o alimento para retirar o excesso de farinha e transfira-o para o recipiente de egg wash.

2. Trocando de mão, pegue o alimento e, se necessário, vire-o para revestir todos os seus lados. Transfira-o para o recipiente de farinha de rosca. Use a mão seca (a primeira mão) para espalhar a farinha de rosca de maneira uniforme sobre o alimento. Agite-o para retirar o excesso e transfira-o para uma travessa.

3. Refrigere o alimento por ao menos 1 h antes de fritá-lo.

4. Descarte a farinha, o egg wash e a farinha de rosca não utilizados.

# Croûtons simples

RENDIMENTO: 454 g

454 g de pão branco

113 g de manteiga derretida, ou azeite de oliva, conforme necessário

1 colher (chá)/3 g de sal, ou conforme necessário

½ colher (chá)/1 g de pimenta-do-reino moída a gosto (opcional)

1. Se desejar, remova a casca do pão. Fatie e corte o pão em cubos do tamanho desejado (desde cubos pequenos para guarnecer sopas servidas em xícaras até fatias grandes para guarnecer saladas). Se o pão estiver muito fresco, deixe os cubos secarem no forno por 5 min antes de continuar.

2. Misture o pão, a manteiga ou o azeite e os temperos em uma assadeira ou panela de rechaúd.

3. Asse o pão no forno a 232 °C até que fique ligeiramente dourado (8 min a 10 min).

» **NOTA DO CHEF** Os croûtons podem ser preparados com antecedência e guardados em recipiente hermético por vários dias. Quando em lotes menores, os croûtons podem ser cozidos em uma frigideira ou panela para sauté sobre o fogão. Não é recomendado fritar os croûtons em imersão. Embora seja um método culinário mais rápido, faz que eles absorvam muito óleo e se tornem gordurosos.

» **VARIAÇÕES** CROÛTONS COM ALHO: acrescente 2 colheres (chá)/6 g de alho bem amassado (pasta de alho) ao azeite ou à manteiga antes de misturá-la aos cubos de pão.
CROÛTONS DE QUEIJO: depois de misturar os cubos de pão com a manteiga, misture-os generosamente com parmesão, romano ou outro queijo duro ralado a gosto.
CROÛTONS COM ERVAS: acrescente ervas frescas picadas ou ervas desidratadas (como orégano e alecrim) a gosto aos cubos de pão junto com a manteiga.

# Descascando lagosta cozida

Para remover a carne da casca, retire a cauda. Com uma tesoura de cozinha, corte o lado de baixo da casca e retire a carne da cauda de uma só vez. Para remover a carne da garra, corte a garra no meio com a lâmina da faca. Puxe a carne com cuidado a fim de mantê-la intacta. Corte as articulações de um lado ao outro e remova os pedaços de carne.

# GLOSSÁRIO

## A

**ácido:** substância de sabor azedo ou adstringente. O grau de acidez de uma substância é medido na escala de pH; os ácidos têm um pH menor do que 7. A maioria dos alimentos é um tanto ácida. Os alimentos que de modo geral são chamados de "ácidos" incluem sucos cítricos, vinagre e vinho. Ver também "Alcalino".

**açougueiro:** chef ou fornecedor responsável por cortar carnes, aves e, ocasionalmente, peixes. No sistema de brigada, o açougueiro também pode ser responsável por empanar itens de carne e peixes e por outras operações de mise en place que envolvam carne.

**adobo:** molho picante para marinar composto de páprica, orégano, sal, alho e vinagre.

**aïoli (fr.):** maionese de alho, muitas vezes com base de azeite de oliva (em italiano, *alliolli*; em espanhol, *aliolio*).

**albume:** clara do ovo; também se refere à principal proteína da clara de ovo; é usado na sua forma desidratada no preparo de certos alimentos frios.

**alcalino:** substância que apresenta um valor maior do que 7 na escala de pH. Os álcalis são às vezes descritos como tendo um sabor levemente ensaboado. Azeitonas e bicarbonato de sódio são alguns dos poucos alimentos alcalinos. Ver também "Ácido".

**allumette (fr.):** vegetais, batatas ou outros itens cortados em pedaços com tamanho e formato de palito de fósforo; 3 mm × 3 mm × 3 cm a 5 cm é a medida padrão.

**amarrar:** amarrar carne ou ave com barbante antes de cozinhá-la a fim de lhe dar um formato compacto, proporcionando um cozimento uniforme e uma aparência melhor.

**amido de milho:** pó branco e fino moído de milho seco; é usado principalmente como espessante de molhos e ocasionalmente como ingrediente de massa. É viscoso quando quente e gelatinoso quando frio.

**andouille:** linguiça suína picante de origem francesa, atualmente mais associada à culinária cajun. Existem milhares de variedades dessa especialidade regional.

**antepasto:** em geral, prato de hors-d'oeuvre frio que inclui carnes, azeitonas, queijos e vegetais, degustado antes da refeição.

**aperitivo:** um ou mais pratos iniciais de uma refeição. Eles podem ser frios ou quentes, servidos no prato ou consumidos com as mãos. A sua função é estimular o apetite, harmonizando-se com o restante da refeição.

**aponeurose:** tecido conjuntivo duro que envolve certos músculos.

**appareil (fr.):** mistura preparada de ingredientes que pode ser usada sozinha ou como ingrediente em certos preparos, como batata duchesse ou duxelle.

**araruta:** amido em pó produzido a partir da raiz da planta tropical de mesmo nome. É usada principalmente como espessante. Mantém-se clara quando cozida.

**aromatizantes:** ingredientes de plantas, como ervas e temperos, usados para acentuar o sabor e a fragrância dos alimentos.

**aspic:** geleia clara feita com fundo clarificado (ou, ocasionalmente, suco de frutas ou vegetais) e engrossada com gelatina. É usada para revestir alimentos ou como guarnição (cortada em cubos).

**assar:** método de cozimento que usa calor seco, no qual os itens são cozidos no forno ou no espeto sobre o fogo.

# B

**bacalhau salgado:** bacalhau que foi salgado e seco para ser conservado. Também chamado de "baccalà" ou "bacalao".

**bactéria:** organismo microscópico. Algumas possuem propriedades benéficas; outras podem causar doenças alimentares em decorrência da ingestão de alimentos contaminados.

**bactéria aeróbica:** bactéria que precisa da presença de oxigênio para agir.

**bactéria anaeróbica:** bactéria que não precisa da presença de oxigênio para agir.

**bactéria facultativa:** bactéria que pode sobreviver com e sem oxigênio.

**banho-maria:** banho de água usado para cozinhar lentamente os alimentos, circundando a vasilha de cocção com água fervendo. Também se refere a um conjunto de panelas cilíndricas que se encaixam umas nas outras com um único e longo cabo usado como fervedor duplo ou vaporeira. Além disso, pode ser um recipiente para inserir em mesas de vapor.

**bardar:** cobrir um item com fatias, folhas ou tiras finas de gordura, como bacon ou gordura traseira, a fim de regá-lo durante o cozimento. A gordura é normalmente amarrada com barbante.

**barquette (fr.):** torta ou tortinha em forma de barco que pode receber recheio doce ou salgado.

**batata miúda:** batata pequena que é geralmente fervida ou cozida no vapor e muitas vezes consumida com casca. Refere-se a uma nova safra; nem sempre é pequena, mas possui a casca muita fina.

**batedor:** utensílio especial feito de arames curvados pregados a um cabo.

**bater:** bater um item, como creme de leite ou clara de ovo, para incorporar ar.

**bater em purê:** amassar, peneirar ou cortar muito finamente o alimento a fim de fazer uma pasta lisa.

**baton/batonnet (fr.):** literalmente, "bastão" ou "bastãozinho". Itens cortados em pedaços um pouco maiores do que em allumette e julienne; 6 mm × 6 mm × 5 cm a 6 cm é a medida padrão.

**béchamel:** molho branco feito com leite engrossado com roux branco ou claro e temperado com cebola. Esse é um dos grandes molhos.

**borboleta:** cortar um item ao meio (normalmente carne ou frutos do mar) e abrir as suas bordas como um livro ou como as asas de uma borboleta, para lhe proporcionar uma aparência atraente e um cozimento homogêneo. As carnes cortadas em borboleta podem ser recheadas, enroladas e também amarradas.

**botulismo:** intoxicação alimentar causada por toxinas produzidas pela bactéria anaeróbica *Clostridium botulinum*.

**bouchée (fr.):** pequena concha de massa folhada que pode ser recheada com carne, queijo, frutos do mar e até frutas. É servida como hors-d'oeuvre ou guarnição de entrada grande.

**boucher (fr.):** açougueiro.

**bouillon (fr.):** caldo.

**bouquet garni (fr.):** pequeno maço de ervas amarrado com barbante. É usado para temperar fundos, refogados e outros preparos. Normalmente, contém folha de louro, salsinha, tomilho e possivelmente outros aromáticos embrulhados em folhas de alho-poró.

**branquear:** cozinhar rapidamente um item em água fervente ou gordura quente antes de finalizá-lo ou armazená-lo. Isso preserva a sua cor e, se aplicável, pode tornar a casca mais fácil de remover.

**brasear:** método culinário segundo o qual o item principal, geralmente uma peça dura de carne, é tostado na gordura e depois fervido sobre fogo baixo em uma quantidade específica de fundo ou outro líquido na panela coberta; esse método o amacia lentamente ao quebrar o seu colágeno.

**brunoise (fr.):** cubos pequenos; 3 mm é a medida padrão para esse corte. Para serem cortados em brunoise, os itens são primeiramente cortados em julienne e depois cortados na transversal. O brunoise fino é um quadrado de 1,5 mm; corte primeiramente os itens em julienne fino.

**bucho:** revestimento comestível do estômago de um bovino ou outro ruminante. O bucho do segundo estômago, o mais popular, tem textura semelhante à do favo de mel.

**bufê:** método tradicional de refeição no qual as pessoas se servem em uma mesa ou em um aparador. Os alimentos geralmente incluem carnes frias e travessas de queijo, peixe em conserva, saladas, sanduíches e sobremesas, mas têm se expandido para incluir estações de serviço (ver p. 616).

## C

**caldo:** líquido saboroso preparado a partir da fervura suave de ossos e/ou vegetais em água com aromatizantes até a extração do seu sabor. É usado como base para sopas, molhos e outros preparos.

**caldo branco:** fundo de cor clara feito com osso e/ou vegetais que não foram dourados.

**canapé:** hors-d'oeuvre que consiste em um pequeno pedaço de pão ou de torrada guarnecido com patê ou cobertura salgada.

**caramelização:** processo de dourar o açúcar na presença de calor. O intervalo de temperatura no qual o açúcar começa a caramelizar vai de 160 °C a 182 °C, aproximadamente.

**carne de órgãos:** carne de um órgão de animal, e não do tecido muscular.

**carne de veado:** carne de grandes animais de caça; nos dias atuais, refere-se especificamente à carne de veado.

**cartilagem:** substância à base de proteína encontrada nos ossos e tecidos conjuntivos de animais. Quando dissolvida em líquido quente e depois esfriada, pode ser usada como espessante ou estabilizante.

**cassoulet (fr.):** ensopado de feijão cozido com porco ou outra carne, confit de pato ou ganso e temperos.

**ceco bovino:** apêndice bovino, tipicamente usado em salsichas maiores como a bologna e a mortadela. Em geral com 61 cm a 76 cm de comprimento e com um diâmetro de aproximadamente 10 cm a 15 cm, o ceco bovino pode acomodar de 4,54 kg a 9,07 kg de salsicha.

**celulose:** carboidrato complexo; é o principal componente estrutural das células das plantas.

**chamuscar:** dourar a superfície do alimento na gordura sobre fogo alto antes de finalizá-lo com outro método (por exemplo, braseamento) para lhe dar sabor e cor.

**charcutaria:** preparo de porco ou outros itens de carne, como presunto, terrines, salsichas, patês e outras farcis que são geralmente preservadas de alguma maneira (defumadas, salmouradas e curadas).

**chaud-froid (fr.):** literalmente, "quente-frio". Molho preparado quente, mas servido frio como parte de um *display* de bufê, geralmente como revestimento decorativo de carnes, aves ou frutos do mar; é tradicionalmente feito de bechamel, creme ou aspic.

**chiffonade:** vegetais folhosos ou ervas cortados em tiras finas e geralmente usados como guarnição.

**chipolata:** salsicha pequena e picante geralmente feita de porco ou vitela e embutida em invólucro de carneiro.

**chitterlings:** intestino delgado suíno.

**choucroute (fr.):** chucrute; repolho em conserva com sabor azedo. Choucroute garni é chucrute guarnecido com várias carnes, como carnes e salsichas curadas.

**churrasco:** variante do método de assar que envolve grelhar ou defumar os alimentos sobre fogo a lenha ou carvão. Geralmente, algum tipo de tempero líquido, marinado ou molho é pincelado sobre o item durante o cozimento.

**clarificação:** processo de remoção de impurezas sólidas de um líquido (como manteiga ou fundo). Também se refere à mistura de carne moída, clara de ovo, mirepoix, purê de tomate, ervas e especiarias usado para clarificar fundo para consommé.

**coador de malha fina:** coador cônico feito com uma tela fina de metal; é usado para coar alimentos e fazer purê.

**coagulação:** coalhar ou aglutinar proteínas, em geral por aplicação de calor ou ácido.

**colágeno:** proteína fibrosa presente no tecido conjuntivo dos animais usada para fazer invólucros de salsichas, bem como cola e gelatina. Quando o colágeno é cozido por um período extenso de tempo em um ambiente úmido, transforma-se em gelatina.

**compote (fr.):** prato de fruta (fresca ou seca) cozida em calda temperada com especiarias ou licor.

**concassé/concasser (fr.):** bater ou picar grosseiramente. Geralmente se refere ao tomate sem casca e sem sementes picado dessa forma.

**condimento:** mistura aromática, como picles, chutney e certos molhos e relishes, que acompanha a comida; é geralmente mantida na mesa durante o serviço.

**confit (fr.):** carne (geralmente de ganso, de pato ou de porco) cozida e conservada na própria gordura.

**confiture (fr.):** referente a geleia ou conservas.

**contaminação cruzada:** transferência de elementos nocivos de uma fonte para outra por meio do contato físico.

**corned beef:** peito bovino conservado com sal e especiarias. O termo "corned" refere-se à aparência de grão de milho que assumem os pedaços de sal espalhados sobre o peito bovino durante o processo de conservação.

**corte paysanne/fermier:** corte de faca no qual o ingrediente é cortado em pedaços quadrados e chatos de 1 cm × 1 cm × 3 cm.

**coulis:** purê grosso, geralmente de vegetais ou frutas. (No uso histórico, purê de carne, peixe ou crustáceos; jus de carne; ou algumas sopas grossas.)

**court bouillon (fr.):** literalmente, "caldo curto". Caldo de vegetais aromático que geralmente inclui um ingrediente ácido, como vinho ou vinagre; é mais frequentemente usado para escalfar peixes.

**cozimento latente:** o calor retido no alimento cozido o qual permite que este continue a cozinhar mesmo depois de removido do meio de cozimento; é especialmente importante para alimentos assados. A temperatura interna aumenta conforme o alimento descansa, uma função do resfriamento, já que a carne ou o item busca um equilíbrio de temperatura.

**crème fraîche (fr.):** creme de leite fresco envelhecido para adquirir uma consistência espessa e um sabor ligeiramente ácido; é usado em preparos quentes, pois é menos propenso a talhar quando aquecido do que o creme de leite azedo ou iogurte.

**crépine:** membrana gordurosa do porco ou carneiro a qual forra o seu estômago e parece uma renda fina; é usada para lardear assados e patê e embutir farci de salsicha.

**croustade (fr.):** pequeno recipiente comestível, assado ou frito, para carne, frango e outras misturas; é geralmente feito de massa, mas também pode ser feito de batata ou massa de macarrão.

**crouton (fr.):** guarnição de pão ou massa torrada ou salteada até ficar crocante.

**crudité (fr.):** em geral, vegetais crus e, às vezes, também frutas servidos como aperitivo ou hors-d'oeuvre. Alguns vegetais podem ser escaldados para que o seu gosto e a sua aparência melhorem.

**cubos:** cortar ingredientes em cubos pequenos (3 mm para cubos pequenos ou finos; 6 mm para médio; 2 cm para grandes são as medidas padrão).

**cuisson (fr.):** líquido para escalfar (caldo, fumet, court bouillon ou outro líquido) que pode ser reduzido e usado como base para o molho do item escalfado.

**cura:** ingredientes usados para curar um item.

**curar:** conservar o alimento com sal.

**cura seca:** combinação de sais e especiarias usada geralmente para processar carnes e farcis antes da defumação.

**curry:** mistura de temperos usada basicamente na culinária indiana; pode incluir cúrcuma, coentro, cominho, pimenta-de-caiena ou outras pimentas, cardamomo, canela, cravo, erva-doce, feno-grego, gengibre e alho. Também se refere a um prato temperado com curry.

# D

**defumação a frio:** procedimento usado para dar sabor defumado a produtos sem cozinhá-los.

**defumação no forno:** método de assar alimentos no qual os itens são colocados em um rack posicionado em uma assadeira com lascas de madeira que abafam e emitem fumaça quando a assadeira é colocada sobre o fogão ou dentro do forno.

**defumar:** qualquer um dos vários métodos para conservar e aromatizar alimentos por meio da exposição à fumaça. Os métodos incluem defumar a frio (em que os itens defumados não são inteiramente cozidos), defumar a quente (em que os itens são cozidos) e defumar no forno.

**defumar a quente:** técnica usada quando se quer um item defumado totalmente cozido. Itens curados e não curados podem ser defumados a quente. A temperatura e o tempo de defumação dependem do produto.

**deglaçar/déglacer (fr.):** usar um líquido, como vinho, água ou caldo, para dissolver as partículas de alimento ou respingos caramelizados que sobram na panela depois de assar ou saltear.

**demi-glace (fr.):** literalmente, "semi-glaçado". Mistura com proporções iguais de caldo escuro e molho escuro que então é reduzida pela metade. Um dos grandes molhos.

**derreter:** derreter a gordura e clarificar os respingos para saltear ou fritar.

**desengordurar/dégraisser (fr.):** escumar a gordura da superfície de um líquido, como fundo ou molho, ou retirar o excesso de gordura de uma panela de saltear antes de deglaçar.

**discos do moedor:** são usados para determinar a textura da carne moída; existem discos de vários tamanhos, desde pequeno (3 mm), para fazer carne moída finamente, até grande (9 mm), usado para criar guarnições para salsichas emulsionadas.

**drawn:** peixe inteiro, descamado e eviscerado, mas com a cabeça, barbatana e cauda.

**dumpling:** pequeno item feito de massa mole que é cozido no vapor, escalfado ou fervido sobre fogo baixo (às vezes sobre um ensopado); pode ser recheado ou simples.

**duxelles (fr.):** appareil de cogumelos e chalotas finamente picados e salteados na manteiga.

# E

**egg wash:** mistura de ovos batidos (ovos inteiros, gemas ou claras) e um líquido, geralmente leite ou água, usada para revestir alimentos assados antes ou durante o cozimento a fim de lhes dar brilho ou acentuar a douração.

**emincer (fr.):** cortar um item, geralmente carne, em fatias muito finas.

**emulsão:** mistura de dois ou mais líquidos, sendo que um é gordura ou óleo e o outro é à base de água, na qual os pequenos glóbulos de um ficam suspensos no outro. Pode envolver o uso de estabilizantes, como ovo ou mostarda. A emulsão pode ser temporária, permanente ou semipermanente.

**encapsulação:** preparo em que uma base, que geralmente inclui algina, é colocada em uma solução de cálcio, na qual se forma uma película ou filme. O centro da cápsula esférica permanece macio.

**en croûte (fr.):** encapsulado em pão ou crosta de massa.

**escala de pH:** escala de valores entre 0 e 14 que representa o grau de acidez. O valor 7 é neutro; 0 é o mais ácido; e 14 é o mais alcalino. Quimicamente, o pH mede a concentração/atividade do elemento hidrogênio.

**escaldar:** aquecer um líquido, geralmente leite ou creme, até bem próximo do ponto de ebulição. Também pode se referir ao processo de branquear frutas e verduras.

**escalfar:** método no qual os itens são lentamente cozidos no líquido entre 71 °C e 80 °C. Também chamado de "poché".

**escalfar raso:** método no qual os itens são lentamente cozidos sobre fogo baixo em uma panela rasa tampada com líquido fervente. O líquido pode então ser reduzido e usado como base para um molho.

**estabilizante:** ingrediente (em geral uma proteína ou um produto vegetal) adicionado a uma emulsão para impedir que ela se separe (por exemplo, gemas, creme de leite ou mostarda). Também se refere ao ingrediente, como gelatina, usado em várias sobremesas para evitar que se separem (por exemplo, creme bávaro).

**estação de serviço:** a parte do bufê onde o chefe prepara os alimentos a gosto do convidado. Alguns exemplos típicos de estações de serviço são a estação de omeletes, a estação de massas e a estação de frutos do mar.

**estilo camponês:** farce de textura grossa, geralmente feita de porco, gordura de porco, fígado e várias guarnições.

**eviscerado:** preparado para cozinhar ou servir; um peixe eviscerado não tem barrigada nem escamas, e a sua cabeça, cauda e barbatana são retiradas. A ave eviscerada é depenada, destituída dos miúdos, chamuscada, aparada e amarrada.

# F

**farce (fr.):** carne para recheio *farci* significa "recheado", em francês. Mistura de carne ou frutos do mar picados ou moídos e outros ingredientes usada em patês, salsichas e outros preparos.

**fermentação:** decomposição de carboidratos em gás dióxido de carbono e álcool, geralmente pela ação do fermento do açúcar.

**fermento:** fungos microscópicos cujos processos metabólicos são responsáveis pela fermentação; usado na levedura do pão e na fabricação de queijo, cerveja e vinho.

**fermento lácteo:** utilizado para salsichas fermentadas semissecas; é usado para baixar o pH e dar um sabor ácido.

**ferver:** método culinário no qual os itens são imersos em líquido ao ponto de ebulição da água (100 °C) ou acima.

**ferver suavemente:** manter a temperatura de um líquido logo abaixo do ponto de ebulição. Também se refere a um método culinário no qual os itens são cozidos em um líquido que ferve suavemente.

**filé/filet (fr.):** corte desossado de carne, peixe ou ave.

**filé-mignon:** corte caro de carne macia do lombo ou posterior, em geral bovina ou suína.

**fines herbes (fr.):** mistura de ervas frescas, geralmente composta de partes iguais em volume de salsinha, cerefólio, estragão e cebolinha francesa.

**foie gras (fr.):** fígado gordo de pato ou ganso que foi superalimentado.

**fumaça líquida:** fumaça destilada e engarrafada que pode ser usada no lugar da fumaça de verdade para dar um sabor enfumaçado.

**fumet (fr.):** tipo de fundo no qual o principal ingrediente do tempero é abafado com vinho e aromatizantes; o fumet de peixe é o mais comum.

## G

**galantine:** carne sem osso (geralmente de ave) recheada com a própria pele do animal, enrolada, escalfada e servida fria, geralmente em aspic.

**garde manger (fr.):** chef da parte ou estação fria da cozinha; é responsável pelo preparo de alimentos frios, incluindo saladas, entradas frias e patês.

**gelatinização:** fase do processo de espessamento de um líquido com amido no qual as moléculas de amido incham para formar uma rede que prende as moléculas de água.

**gherkin:** pequeno pepino em conserva.

**giblets:** miúdos de aves; órgãos e outras aparas de aves, incluindo fígado, coração, moela e pescoço.

**glaçar:** pincelar um item com molho, aspic, cobertura ou outro appareil a fim de deixar a sua superfície brilhante. Para carnes, revestir com molho e depois dourar no forno ou na salamandra.

**glace (fr.):** fundo reduzido; sorvete; cobertura.

**gordura:** um dos nutrientes básicos usados pelo corpo para produzir energia. A gordura também dá sabor à comida e uma sensação de satisfação.

**gratiné (fr.):** dourar no forno ou sob uma salamandra (*au gratin*; *gratin de*). *Gratin* também pode se referir a uma farce cuja carne dominante é em parte tostada e resfriada antes da moagem.

**gravlax:** salmão cru curado com sal, açúcar e dill fresco. Um prato regional de origem escandinava.

**grelha:** técnica na qual os alimentos são cozidos por uma fonte de calor radiante colocada abaixo deles. Também se refere a um equipamento para grelhar. As grelhas podem ser a gás, eletricidade, carvão ou lenha.

**grelhar na salamandra:** método culinário segundo o qual o alimento é cozido por uma fonte de calor radiante colocada acima dele.

**Griswold:** marca de panela feita de ferro fundido, similar a um rondeau; pode ter um único cabo curto em vez da habitual alça.

**grosse pièce (fr.):** literalmente, "peça grande". Parte principal de um patê ou terrine, a qual não é fatiada e serve de ponto focal em uma travessa ou outro *display*.

**guarnição:** decoração ou acompanhamento comestível de um prato.

**gumbo:** sopa/ensopado creole engrossado com sassafrás ou quiabo.

## H

**haricot (fr.):** feijão. Haricots verts são vagens.

GLOSSÁRIO 673

**hidratar:** amolecer a gelatina em líquido morno antes de usá-la. Ou deixar o invólucro da salsicha defumada escurecer à temperatura ambiente antes da defumação.

**higiene:** condições e práticas que visam a preservar a saúde, inclusive sanitização e limpeza pessoal.

**hors-d'oeuvre (fr.):** literalmente, "fora do trabalho". Tipicamente, um item pequeno que precede uma refeição.

# I

**infusão:** deixar um aromático ou outro item de molho em líquido para extrair o seu sabor. Também se refere ao líquido que resulta desse processo.

**intoxicação alimentar:** doença que acomete humanos causada pelo consumo de alimentos adulterados. A fim de ser considerado oficial, o surto de intoxicação alimentar deve envolver duas ou mais pessoas que tenham consumido o mesmo alimento e deve ser confirmado pelas autoridades sanitárias.

**invólucro:** membrana sintética ou natural (geralmente intestino de porco, de boi ou de carneiro) usada para embutir farce de salsicha.

**invólucro de colágeno:** invólucro feito do colágeno que é normalmente obtido da pele dos animais. Invólucros de colágeno são fáceis de usar e guardar e têm a vantagem de serem uniformes e consistentes.

**invólucro suíno:** é feito com os intestinos delgado e grosso do porco e usado em inúmeras salsichas. Os invólucros suínos variam em diâmetro de 32 mm a 35 mm (usados em bratwurst e salsicha italiana) até 38 mm a 43 mm (usados em salsichas polonesas e pepperoni). O tipo de invólucro suíno depende da aplicação pretendida.

**iogurte:** leite coalhado com bactérias com consistência ligeiramente grossa e sabor azedo.

# J

**jarrete:** a parte mais baixa da perna de um animal; pode ser considerado como o tornozelo. O exemplo mais conhecido é o jarrete de porco.

**julienne:** vegetais, batatas ou outros itens cortados em tiras finas; 3 mm × 3 mm × 3 cm a 5 cm é a medida padrão desse corte. O julienne fino tem 1,5 mm × 1,5 mm × 3 cm a 5 cm.

**jus (fr.):** suco. Jus de viande é suco de carne. A carne servida ao jus é servida no próprio suco.

**jus lié (fr.):** suco de carne levemente engrossado com araruta ou amido de milho.

# K

**kosher:** preparado de acordo com as regras alimentares judaicas.

# L

**lardo:** gordura de porco derretida usada em pastelaria e para fritar. Também se refere ao processo de inserir tiras de gordura ou temperos na carne antes de assá-la ou braseá-la com o objetivo de lhe acrescentar sabor e suculência.

**lardon (fr.):** tira de gordura de porco usada para lardear; pode ser temperada. Também pode significar uma pequena tira de bacon cozido, geralmente usada como guarnição.

**liaison (fr.):** mistura de gema de ovo e creme de leite usada para engrossar e enriquecer molhos. Também é uma designação genérica de qualquer appareil usado como espessante.

**liga:** ingrediente ou appareil usado para engrossar um molho ou dar liga a uma mistura de ingredientes.

# M

**maionese:** molho de emulsão frio de óleo, gemas, vinagre, mostarda e temperos.

**mandoline:** aparelho de fatiar de aço inoxidável com lâminas de aço-carbono. As lâminas podem ser ajustadas para cortar itens de várias formas e espessuras.

**manteiga aromatizada:** manteiga integral misturada com ervas ou outros temperos e usada geralmente como molho para itens grelhados, vegetais, massas ou como pasta para espalhar em sanduíches e canapés.

**manteiga clarificada:** manteiga da qual foram removidos sólidos do leite e água, resultando em gordura de manteiga pura. Ela tem um ponto de defumação mais alto do que a manteiga integral, mas menos sabor de manteiga. Também chamada de "ghee".

**marinada:** appareil usado antes do cozimento para aromatizar e umedecer alimentos; pode ser líquida ou seca. A marinada líquida é geralmente baseada em um ingrediente ácido, como vinho ou vinagre. A seca é, de hábito, baseada em sal ou especiarias.

**marmorização:** gordura intramuscular encontrada na carne, a qual a torna macia e suculenta.

**massa brisée (fr.):** massa rica usada em crosta de tortas.

**massa choux (fr.):** massa cremosa feita a partir da fervura de uma mistura de água, manteiga e farinha e depois batida com ovos inteiros.

**massa filo:** massa feita com água e farinha de trigo, enrolada em folhas finas, em camadas com manteiga e/ou farelo de pão para fazer massas.

**medalhão:** corte de carne arredondado e pequeno.

**melaço:** calda marrom-escura e doce; é um subproduto do refino da cana-de-açúcar.

**mesófilo:** termo usado para descrever bactérias que crescem sob temperaturas médias, entre 16 °C e 43 °C.

**mie de pain (fr.):** farinha de rosca feita com o miolo do pão branco fresco (e não com a casca).

**minivegetais:** mudas de ervas, folhas e vegetais diversos geralmente usadas como guarnição.

**mirepoix (fr.):** combinação de vegetais aromáticos picados – geralmente composta por duas partes de cebola, uma parte de cenoura e uma parte de salsão – usada para aromatizar caldos, sopas, braseados e ensopados.

**mirepoix branco:** mirepoix que não inclui cenouras e pode incluir pastinaca e cogumelos picados ou aparas de cogumelos; usado em fundos e molhos brancos.

**mise en place (fr.):** literalmente, "colocar no lugar". O preparo e a reunião dos ingredientes, das panelas, dos utensílios e dos pratos ou das travessas necessárias para determinada receita ou período de serviço.

**miúdos:** várias carnes, incluindo carne de cabeça, rabo e pés, assim como órgãos como miolo, coração, rins, pulmões, moleja, tripa e língua.

**moedor:** aparelho usado para moer carne; varia do pequeno modelo manual ao modelo motorizado de grande capacidade. A carne ou outro alimento é colocado através do tubo para dentro do moedor, onde é empurrado para a lâmina pelo eixo. A lâmina corta e força o item através de discos de diferentes tamanhos. Deve-se tomar o cuidado de manter a máquina tão limpa quanto possível para diminuir as chances de contaminação cruzada.

**molejas:** as glândulas timo de animais jovens, geralmente bezerros, mas também cordeiros. Em geral, são vendidas em pares.

**mousse:** prato feito com clara de ovo e/ou creme de leite batido misturado com um appareil base aromatizado; a mousse pode ser doce ou salgada e deve ser espumosa ou espumante. Ela pode ser feita com itens cozidos ligados com gelatina e servida fria.

**mousseline (fr.):** farce muito leve baseada em carne branca ou frutos do mar e ligada com creme de leite e ovos.

**musselina:** pano de gaze leve e de malha fina usado para coar líquidos, fazer sachês e em várias outras operações culinárias, incluindo a produção de queijo.

## N

**napper/nappé (fr.):** revestir com molho. Também significa engrossar.

**nitrato de sódio:** usado na cura de produtos de carne que não são aquecidos por cozimento, defumação ou enlatamento.

**nitrito de sódio:** usado na cura de produtos de carne que são aquecidos por cozimento, defumação ou enlatamento.

**nó em bolha:** também chamado de "nó triplo", é usado para amarrar invólucros de intestino grosso, delgado e ceco bovino. Um pedaço de invólucro fica preso entre os dois primeiros nós, e um terceiro nó é usado para segurar os outros nós no lugar. Normalmente, deixa-se um pedaço de barbante no final para pendurar.

## O

**oignon piqué (fr.):** literalmente, "cebola furada". Cebola inteira e descascada à qual se prende uma folha de louro, com um cravo-da-índia como percevejo; usada para aromatizar molho bechamel e certas sopas.

**ovas:** ovos de peixes ou crustáceos.

## P

**panada (it.):** appareil baseado em amido (como farinha ou farelo) e umedecido com um líquido; é usado como liga.

**panela de grelhar:** frigideira de ferro com fundo estriado usada no fogão para simular a grelha.

**papel-manteiga:** papel resistente ao calor usado para forrar assadeiras, cozinhar itens en papillote, construir cones de massa e cobrir itens durante a fervura com pouco líquido.

**parboilizar:** cozinhar parcialmente um item antes de guardá-lo ou finalizá-lo com outro método.

**passador de legumes:** tipo de coador com lâmina curva, operada com manivela; é usado para fazer purê com alimentos macios.

**pâté (fr.):** rica farce de carne, caça, aves, frutos do mar e/ou vegetais assada em uma massa ou em uma fôrma ou um prato.

**pâte de campanha (fr.):** patê à camponesa com textura grosseira.

**pâté en croûte:** patê assado em crosta de massa.

**PC/porção comestível ou peça:** o peso de um item depois de aparado e preparado (em oposição ao peso da quantidade comprada).

**peito bovino:** corte de carne do quarto anteroinferior adequado para preparos de cozimento longo, como o braseado. Corned beef é peito bovino curado.

**película:** pele "grudenta" que se forma no exterior de frutos, salmão, salsicha e outras carnes durante a secagem ao ar e que ajuda na aderência de partículas de fumaça ao alimento, resultando em um produto defumado melhor e mais homogêneo.

**peneira:** utensílio feito de material perfurado, como uma malha de arame, usado para coar, amassar ou transformar os alimentos em purê. Também chamado de "tamis".

**pesto (it.):** mistura grossa, em purê, de uma erva (geralmente manjericão) e azeite usada como molho de macarrão e de outros alimentos e como guarnição de sopas. O pesto também pode conter queijo ralado, nozes ou sementes e outros temperos.

**picar:** cortar em pedaços aproximadamente do mesmo tamanho.

**picar finamente:** cortar em pedaços bem pequenos.

**picar grosseiramente:** cortar em pedaços aproximadamente do mesmo tamanho; método usado com itens como mirepoix, cuja aparência não tem importância.

**pickling sauce:** mistura de ervas e especiarias usada para temperar conservas; muitas vezes inclui sementes de dill, sementes de coentro, canela em pau, grãos de pimenta e folhas de louro.

**pilaf:** técnica de cozinhar grãos na qual o grão é rapidamente salteado na manteiga e depois fervido sobre fogo baixo em caldo ou água com vários temperos. Também chamado de *pilau*, *pilaw*, *pullao* e *pilav*.

**pimenta:** fruto de certos tipos de pimenta *Capsicum* (sem relação com a pimenta-do-reino), usado como tempero na sua versão tanto fresca quanto desidratada. Existem vários tipos de pimenta (por exemplo, jalapeño, serrano, poblano) e vários graus de ardência, medida pela escala de Scoville.

**pimenta em pó:** pimenta desidratada, moída ou amassada que geralmente inclui outras especiarias e ervas moídas.

**pincé (fr.):** caramelizar um item por meio da técnica de saltear; geralmente se refere a tomates.

**ponto de fumaça:** temperatura em que uma gordura começa a emitir fumaça quando aquecida.

**processador de alimentos:** máquina com lâminas e discos intercambiáveis, tigela e tampa removíveis separadas do motor. O processador pode ser usado em várias tarefas, incluindo cortar, moer, bater em purê, emulsionar, trabalhar a massa, fatiar, retalhar e cortar em julienne.

**processador vertical de alimentos:** máquina semelhante a um liquidificador a qual possui lâminas rotativas; é usada para moer, bater, emulsionar ou misturar alimentos.

**processo-padrão de empanar:** procedimento em que os itens são polvilhados com farinha, mergulhados no ovo batido e depois revestidos com farinha de rosca antes de serem fritos em fritura rasa ou por imersão.

**prosciutto:** presunto curado a seco. O verdadeiro prosciutto vem de Parma, Itália, embora existam variações em todo o mundo.

## Q

**queijo de cabeça:** produto de carne gelificada tipicamente feito com carne de cabeça de porco fervida e cortada em cubos, ligada pela gelatina natural contida no fundo reduzido que sobra da fervura da cabeça. É guarnecido com picles, pimenta doce e salsinha e temperado com vinagre.

**quenelle (fr.):** leve dumpling escalfado, feito com farce (geralmente frango, vitela, frutos do mar ou caça), misturado com ovos e moldado na forma oval com a ajuda de duas colheres.

## R

**ramequin:** prato pequeno e refratário, geralmente de cerâmica.

**reação de Maillard:** complexa reação de dourar que resulta em um sabor e uma coloração característicos dos alimentos que não contêm muito açúcar, incluindo carnes assadas. A reação, que envolve carboidratos e aminoácidos, recebe o nome do cientista francês que a descobriu. Existem reações de Maillard de baixa e de alta temperatura; essa última começa aos 154 °C.

**redução:** produto que resulta do líquido reduzido.

**reduzir:** diminuir o volume de um líquido por meio de fervura suave ou de ebulição; esse método é usado para engrossar e dar consistência e/ou concentrar o sabor e a cor.

**refrescar:** mergulhar um item em água fria depois de escaldá-lo para evitar cozimento adicional. Também chamado de "chocar".

**regar:** umedecer o alimento durante o cozimento com respingos da panela, com molho ou outro líquido. A rega evita que o alimento seque, acentua a sua cor e lhe acrescenta sabor.

**renina:** enzima usada para fazer o leite virar queijo; é geralmente tirada do estômago do bezerro ou reproduzida quimicamente em laboratório.

**roulade (fr.):** fatia de carne ou peixe enrolada em torno do recheio. Também se refere ao bolo esponja recheado e enrolado como um rocambole.

## S

**sachet d'épices (fr.):** literalmente, "saquinho de especiarias". Ingredientes aromáticos embrulhados em musselina, usados para aromatizar fundos e outros líquidos. Um sachê-padrão contém talo de salsinha, grãos amassados de pimenta-do-reino, tomilho seco, folha de louro e, às vezes, alho.

**sal de cura:** mistura de 94% de sal de cozinha (cloreto de sódio) e 6% de nitrito de sódio usada para conservar carnes. Também chamado de "Insta-cure #1". O sal de cura é reconhecido por ser cor-de-rosa.

**sal de mesa:** sal refinado, granulado. Pode ser fortificado com iodo e tratado com carbonato de magnésio para impedir a formação de grumos.

**sal kosher:** sal puro e refinado preferido para conservas, pois não contém carbonato de magnésio e, por isso, não turva as soluções de salmoura. Também usado em itens kosher. Também chamado de "sal grosso" ou "sal de conserva".

**sal marinho:** sal produzido pela evaporação da água do mar. Disponível nas formas refinada e não refinada, cristalizada ou moída. Também é chamado de "sel gris", o termo francês para sal cinza.

**salé (fr.):** salgado ou em conserva.

**salgado:** não doce.

**salmoura:** solução de sal, água e temperos usada para dar sabor e preservar os alimentos.

**salsicha de sangue:** salsicha cujo principal ingrediente é sangue líquido.

**salsicha em laçada:** a salsicha kielbasa é um exemplo dessas salsichas mais longas, sem os segmentos.

**salsicha solta:** salsicha que ainda não foi embutida no invólucro. As salsichas soltas mais comuns são as salsichas para café da manhã e as salsichas italianas para pizza e outros pratos. Geralmente, apenas salsichas frescas são embaladas dessa forma.

**salteuse (fr.):** frigideira rasa com lados inclinados e um único cabo longo; é usada para saltear. Também chamada de "panela para sauté".

**sanitização:** prática de preparo e distribuição de alimentos em um ambiente limpo e por trabalhadores saudáveis.

**sanitizar:** eliminar organismos patogênicos com produtos químicos e/ou calor úmido.

**sauté:** método culinário no qual itens naturalmente macios são rapidamente cozidos em uma pequena quantidade de gordura, na frigideira sobre o fogão.

**savory:** não doce. Também se refere ao nome do prato (salgado) servido depois da sobremesa e antes do vinho do Porto em tradicionais refeições britânicas. Também é uma família de ervas (incluindo variedades de verão e inverno).

**score:** cortar a superfície de um item em intervalos regulares para que ele cozinhe ou cure uniformemente.

**secagem ao ar:** exposição de carnes e salsichas às condições ideais de temperatura e umidade para que tanto o sabor quanto a sua textura sejam alterados com vistas ao consumo ou processamento adicional. Os tempos e as temperaturas variam de acordo com o tipo de carne ou salsicha.

**segmentos:** pedaços de salsicha criados quando o invólucro embutido é torcido ou amarrado em intervalos.

**slurry:** fécula (farinha, amido de milho ou araruta) dispersa em líquido frio para evitar que este forme grumos quando adicionado a um líquido quente usado como espessante.

**smearing:** falha em salsichas; se a salsicha for processada em uma temperatura alta demais, a gordura irá se amaciar e se espalhar por toda a salsicha. A gordura espalhada tende a vazar da salsicha e deixá-la seca.

**smørrebrød:** maneira sueca clássica de comer, na qual os convidados se servem em uma farta mesa de comida; é uma das formas mais antigas de bufê.

**sódio:** elemento metálico alcalino necessário em pequenas quantidades para a nutrição humana; um dos componentes da maioria dos sais usados na culinária.

**straight:** farce feita da mistura de carne e gordura de porco com outra carne, as quais são moídas juntas.

# T

**tamale:** fígado de lagosta de cor verde-oliva que se torna avermelhado quando cozido ou aquecido.

**tamis:** peneira que consiste de uma tela esticada sobre um cilindro raso de madeira ou alumínio.

**tapas:** pequenos hors-d'oeuvre, supostamente originados na Espanha. As variedades de tapas são enormes, e a sua função é apenas ser a amostra de um prato.

**temperamento:** aquecer delicada e gradualmente. Pode se referir ao processo de incorporar líquido quente a uma liaison para aos poucos elevar a sua temperatura. Também pode se referir ao método apropriado de derreter chocolate.

**termofílico:** que gosta de calor; descreve bactérias que se desenvolvem em temperaturas entre 43 °C e 77 °C.

**termômetro de leitura instantânea:** termômetro usado para medir a temperatura interna dos alimentos. O cabo é inserido no alimento e produz uma leitura instantânea da temperatura.

**terrine (fr.):** forma de farce similar ao patê, porém cozida em uma fôrma coberta em banho-maria. Também se refere à forma usada para cozinhar tais itens, em geral uma fôrma oval de cerâmica.

**timbale (fr.):** pequena fôrma em formato de balde usada para moldar arroz, cremes, mousselines e outros itens. Também se refere ao preparo feito com essa fôrma.

**torta:** crosta de massa rasa, sem tampa; pode ser doce ou salgada.

**tortinha:** pequena torta individual.

**toucinho:** gordura suína, usada principalmente para lardear.

***Trichinella spiralis*:** verme em forma de espiral que invade os intestinos e o tecido muscular; é transmitido especialmente pela carne de porco que não foi cozida o suficiente.

**triquinose:** a doença transmitida pela *Trichinella spiralis*.

# U

**utilização total:** princípio que advoga o uso do máximo possível de um produto a fim de reduzir perdas e aumentar os lucros.

GLOSSÁRIO 679

## V

**velouté (fr.):** molho de um caldo branco (frango, vitela ou frutos do mar) engrossado com roux branco; um dos grandes molhos. Também se refere à sopa cremosa feita à base de molho velouté e aromatizantes (às vezes em purê), geralmente finalizada com uma liaison.

**verjus:** suco acre de frutas verdes, tipicamente uvas ou maçãs.

**vinagrete:** molho frio de óleo e vinagre, em geral com aromatizantes; é uma emulsão temporária. A proporção-padrão é três partes de óleo para uma de vinagre.

**víscera:** carne de qualquer parte de um animal que não o músculo (por exemplo, órgãos).

## Z

**zeste:** a parte fina e brilhantemente colorida da casca das frutas cítricas. Contém óleos voláteis, que o tornam ideal para ser usado como aromatizante.

# BIBLIOGRAFIA E LEITURA RECOMENDADA

AMENDOLA, Joseph. *Ice Carving Made Easy*. 2ª ed. Nova York: Wiley, 1994.

ANDRÉS, José; WOLFFE, Richard. *Tapas: A Taste of Spain in America*. Nova York: Clarkson Potter, 2005.

AYLWARD, Larry. "The Absolute Wurst". Em *Meat Marketing and Technology*, fevereiro de 1996.

BATTERBERRY, Ariane. "High Livers". Em *Food Arts*, jul.-ago. de 1993.

BEARD, James. *American Cookery*. Boston: Little, Brown, 2010.

_____. *Beard on Bread*. Nova York: Knopf, 1995.

BLACK, Maggie. *The Medieval Cookbook*. Nova York: Thames and Hudson, 1996.

BLOMQUIST, Torsten & WERNER, Voëli. *A Gastronomic Tour of the Scandinavian Arctic*. Estocolmo: Timbro, 1987.

BRAUDEL, Ferdinand. *The Structures of Everyday Life: The Limits of the Possible*. Berkeley: University of California Press, 1992.

BROWN, Dale. *The Cooking of Scandinavia*. Nova York: Time-Life Books, 1968.

CARROLL, Ricki. *Home Cheese Making*. North Adams: Storey Publishing, 2002.

CERVENY, John G. "Effects of Changes in the Production and Marketing of Cured Meats on the Risk of Botulism". Em *Food Technology*, maio de 1980.

CETRE, F. O. *Practical Larder Work*. Londres: Wilding Press, 2010.

CHURCH, Ruth Ellen. *Mary Meade's Sausage Cook Book*. Chicago: Rand McNally, 1967.

CLAYTON, Bernard. *The Breads of France: And How to Bake Them in Your Own Kitchen*. Berkeley: Ten Speed Press, 2004.

CORCY, Jean-Christophe & LEPAGE, Michel. *Fromages Fermiers: Techniques et Traditions*. Paris: La Maison Rustique, 1991.

COSTNER, Susan. *Great Sandwiches*. Nova York: Crown, 1990.

COXE, Antony Himmisley. *The Great Book of Sausages*. Woodstock: Overlook Press, 1996.

CULINARY INSTITUTE OF AMERICA. *The New Professional Chef*. 9ª ed. Hoboken: John Wiley & Sons, 2011.

_____. *Techniques of Healthy Cooking*. Hoboken: John Wiley & Sons, 2007.

DAHL, Joseph Oliver. *Kitchen Management: Construction, Planning, Administration*. Nova York: Harper and Brothers, 1928.

DE GOUY, Louis Pullig. *Sandwich Manual for Professionals*. Stamford: The Dahls, 1939.

DESAULNIERS, Marcel. *Burger Meisters*. Nova York: Simon and Schuster, 1993.

DORNENBURG, Andrew & PAGE, Karen. "Tall Food Tales". Em *National Culinary Review*, janeiro de 1997.

EHLERT, Friedrich W. et al. *Pâtes and Terrines*. Nova York: Hearst Books, 1984.

ESCOFFIER, Auguste. *The Complete Guide to the Art of Modern Cookery*. Londres: Heinemann, 1986.

_____. *The Escoffier Cookbook and Guide to the Fine Art of Cookery*. Nova York: Crown, 1989.

FLOWER, Barbara & ROSENBAUM, Elisabeth (org.). *The Roman Cookery Book by Apicius*. Londres: Harrap, 1961.

FOOD TECHNOLOGY. "Nitrate, Nitrite, and Nitroso Compounds in Foods". Em *Food Technology*, 127 (36), abril de 1997.

FREELAND-GRAVES, Jeanne Himich & PECKHAM, Gladys C. *Foundations of Food Preparation.* 6ª ed. Nova York: Prentice Hall, 1996.

GARLOUGH, Robert. *Ice Sculpting the Modern Way.* Nova York: Thomson/Delmar Learning, 2004.

GERARD, C. "Let Them Eat Foie Gras". Em *Art Culinaire*, outono de 1992.

GIACOSA, Ilaria Gozzini. *A Taste of Ancient Rome.* Chicago: University of Chicago Press, 1992.

GINGRASS, David. "Hand-Crafted Salamis: An Experienced Sausagemaker Shares His Method". Em *Fine Cooking,* fev.-mar. de 1995.

GUY, Christian. *An Illustrated History of French Cuisine.* Nova York: Bramhall House, 1962.

HALVORSEN, Francine. *Catering Like a Pro.* Hoboken: John Wiley & Sons, 2004.

HARLOW, Jay. *The Art of the Sandwich.* São Francisco: Chronicle Books, 1990.

HAZAN, Giuliano & HAZAN, Marcella. *The Classic Pasta Cookbook.* Londres: Dorling Kindersley, 1999.

HODGSON, W. C. *The Herring and Its Fishery.* Londres: Routledge and Kegan Paul, 1957.

HOLMES, Jerry. *Ice Sculpting Techniques.* Lincoln: J. D. Technical Design, 1999.

IGOE, Robert S. *Dictionary of Food Ingredients.* 4ª ed. Nova York: John Wiley & Sons, 2001.

JANERICCO, Terrence. *The Book of Great Hors d'oeuvre.* Nova York: John Wiley & Sons, 1990.

JENKINS, Steven. *The Cheese Primer.* Nova York: Workman, 1996.

JENSEN, Albert C. *The Cod.* Nova York: Thomas Y. Crowell, 1972.

JORDAN, Michele Anna. *The Good Cook's Book of Oil and Vinegar.* Reading: Perseus Press, 1992.

JOYCE, Jennifer. *Small Bites.* Nova York: DK Publishing, 2005.

KAUFMAN, William. *The Hot Dog Cookbook.* Garden City: Doubleday, 1966.

KILLEEN, Johanne & GERMON, George. *Cucina Simpatica: Robust Trattoria Cooking.* Nova York: Harper, 1991.

KINSTEST, Paul. *American Farmstead Cheese: The Complete Guide to Making and Selling Artisan Cheeses.* White River Junction: Chelsea Green, 2005.

KLEIN, Maggie Blyth. *The Feast of the Olive.* São Francisco: Chronicle Books, 1994.

KOWALSKI, John & THE CULINARY INSTITUTE OF AMERICA. *The Art of Charcuterie.* Hoboken: John Wiley & Sons, 2011.

LAWRIE, R. A. & LEDWARD, David. *Lawrie's Meat Science.* 7ª ed. Boca Raton: CRC Press, 2006.

LEADER, Daniel; BLAHNIK, Judith; WELLS, Patricia. *Bread Alone: Bold Fresh Loaves from Your Own Hands.* Nova York: William Morrow, 1993.

LETO, M. T. & BODE, W. K. H. *The Larder Chef.* Oxford: Butterworth-Heinemann, 2006.

MARTIN, Richard. "Foie Gras: Richly Diverse". Em *Nation's Restaurant News*, 27 (33), 8-2-1993.

MARTINI, Anna. *Pasta and Pizza.* Nova York: St. Martin's Press, 1977.

MCCALMAN, Max & GIBBONS, David. *Cheese: A Connoisseur's Guide to the World's Best.* Nova York: Clarkson Potter, 2005.

MCGEE, Harold. *The Curious Cook: More Kitchen Science and Lore.* Nova York: John Wiley & Sons, 1992.

_____. *On Food and Cooking.* Nova York: Scribner, 2004.

MCNEILL, F. Marion. *The Scots Kitchen: Its Lore and Recipes.* Edimburgo: Birlinn, 2010.

MENGELATTE, Pierre; BICKEL, Walter; ABELANET, Albin. *Buffets and Receptions.* Surrey: Couldson, Virtue, 1988.

METZ, Ferdinand E. *The 1984 Culinary Olympics Cookbook: U.S. Team Recipes from the Sixteenth International Culinary Competitions*. Des Plaines: Cahners, 1985.

_____. *Taste of Gold: The 1988 U.S. Culinary Team Cookbook: The Road to the World Championship*. Des Plaines: Cahners, 1989.

MEYER, Danny & ROMANO, Michael. *The Union Square Café Cookbook*. Nova York: Harper, 1994.

MIDGLEY, John. *The Goodness of Vinegars*. Nova York: Random House, 1994.

MORRIS, Margaret. *The Cheesemaker's Manual*. Alexandria: Glengarry Cheese Making and Dairy Supply, 2003.

MURRAY, Joan. Is Free-Range Better? *Washingtonian*, outubro de 1994.

ENCYCLOPAEDIA BRITANNICA. *The New Encyclopaedia Britannica*. Chicago: Encyclopaedia Britannica, 2010.

NICOLAS, Jean F. *Elegant and Easy: Decorative Ideas for Food Presentations*. Boston: CBI, 1983.

NISH, Wayne. "Understanding Foie Gras". *Fine Cooking*, dezembro de 1994 a janeiro de 1995.

O'NEILL, Molly. "Can Foie Gras Help at Heart?". Em *New York Times*, 17-11-1991.

PEARSON, A. M. & TAUBER, F. W. *Processed Meats*. 3ª ed. Nova York: Springer, 1996.

PELLAPRAT, Henri-Paul & FULLER, John (org.). *Modern French Culinary Art: The Pellaprat of the 20th Century*. Londres: Virtue, 1978.

PERDUE, Charles L. (org.). *Pig's Foot Jelly and Persimmon Beer: Foodways from the Virginia's Writer's Project*. Santa Fe: Ancient City Press, 1992.

PETERSON, Sarah T. *Acquired Taste: The French Origins of Modern Cooking*. Ithaca: Cornell University Press, 1994.

PHALON, Richard. "Diversifying into Pâté de Foie Gras". Em *Forbes*, 21-11-1994.

PRICE, James F. & SCHWEIGERT, Bernard S. (org.). *The Science of Meat and Meat Products*. Westport: Food & Nutrition Press, 1987.

REGENSTEIN, Joe M. & REGENSTEIN, Carrie E. *Introductions to Fish Tecnology*. Nova York: John Wiley & Sons, 1991.

REVEL, Jean François. *Culture and Cuisine*. Garden City: Doubleday, 1982.

REY, Alain. *Dictionnaire historique de la langue française*. Paris: Dictionnaires le Robert, 1995.

ROBINSON, R. K. R. Scott & WILBEY, R. A. *Cheesemaking Practice*. Gaithersburg: Aspen Publishers, 1998.

ROBUCHON, Joël & MONTAGNÉ, Prosper. *Larousse Gastronomique*. Nova York: Clarkson Potter, 2001.

ROMANS, John *et al*. *The Meat We Eat*. 14ª ed. Danville: Interstate, 2001.

ROOT, Waverly & DE ROCHEMONT, Richard. *Eating in America: A History*. Nova York: Ecco Press, 1981.

ROSENGARTEN, David. "Bringing Home the Game". Em *Wine Spectator*, 67 (70), 30-11-1993.

SCHMIDT, Arno. *Chef's Book of Formulas, Yields, and Sizes*. 3ª ed. Hoboken: John Wiley & Sons, 2003.

SCOTT, R., R. K. Robinson & WILBEY, R. A. *Cheese-making Practice*. Gaithersburg: Aspen Publication, 1998.

SHAW, Timothy. *The World of Escoffier*. Nova York: St. Martin's Press, 1995.

SILVERTON, Nancy & GELBER, Teri. *Nancy Silverton's Sandwich Book*. Nova York: Knopf, 2002.

SONNENSCHMIDT, Frederic H. & NICOLAS, John F. *The Professional Chef's Art of Garde Manger*. Nova York: Van Nostrand Reinhold, 1992.

SOYER, Alexis. *The Pantrophen: Or, History of Food and Its Preparation: From the Earliest Ages of the World*. Nova York: Paddington Press, 1977.

STRAYER, Joseph R. (org.). *Dictionary of the Middle Ages.* Nova York: Charles Scribner's Sons, 1983.

TAPPER, Richard. *Tapas.* Boston: Periplus, 2001.

*Terrines, Pâtés and Galantines.* The Good Cook: Techniques and Recipes. Alexandria: Time-Life Books, 1982.

TOBIAS, Doris. "Gascon Commissary: Game and Foie Gras from the Wilds of Jersey City". Em *Wine and Spirits*, 43 (45), outubro de 1993.

TOUSSAINT-SAMAT, Maguelonne. *A History of Food.* 2ª ed. Chichester: Wiley-Blackwell, 2008.

UVEZIAN, Sonia. *The Complete International Sandwich Book.* Nova York: Stein and Day, 1982.

VEALE, Wency. *Step by Step Garnishing.* Londres: Quintet, 1989.

VERROUST, Jacques; PATOUREAU, Michel; BUREN, Raymond. *Le Cochon: histoire symbolique et cuisine du porc.* Paris: Sang de la Terre, 1987.

VONGERICHTEN, Jean-Georges. *Simple Cooking.* Nova York: Prentice Hall, 1990.

WEIR, Joanne. *From Tapas to Meze: Small Plates from the Mediterranean.* Berkeley: Ten Speed Press, 2004.

WERLIN, Laura. *The All American Cheese and Wine Book.* Nova York: Stewart, Tabori & Chang, 2003.

_____. *The New American Cheese.* Nova York: Stewart, Tabori & Chang, 2000.

WHEATON, Barbara Ketcham. *Savoring the Past: The French Kitchen and Table from 1300 to 1789.* Nova York: Touchstone Books, 1996.

WHELAN, Jack. *Smoking Salmon and Trout: Plus Canning, Freezing, Pickling, and More.* Madeira Park: Harbour, 2003.

WINE SPECTATOR. "The Foie Gras Story". Em *Wine Spectator*, novembro de 1993, pp. 71-72.

WILSON, C. Anne. *Food and Drink in Britain: From Stone Age to Recent Times.* Londres: Constable, 1973.

WINKER, Mac & WINKLER, Claire. *Ice Sculpture: The Art of Ice Carving in Twelve Systematic Steps.* Memphis: Duende Publications, 1989.

WRIGHT, Clifford A. *A Mediterranean Feast.* Nova York: William Morrow, 1999.

YUDD, Ronald A. *Successful Buffet Management.* Nova York: Van Nostrand Reinhold, 1990.

# FONTES

### Artisanal Premium Cheese
500 West 37th Street
Nova York, NY 10018-1103
(877) 797-1200
http://www.artisanalcheese.com

### Cowgirl Creamery
Cowgirl Creamery Wholesale Dept.
Tomales Bay Foods—Warehouse
105 H Street
Petaluma, CA 94952
Ligação gratuita (866) 249-7833
Telefone (707) 789-9433
Fax (707) 789-9438
http://www.cowgirlcreamery.com

### Dairy Connection Inc.
501 Tasman St Suite B
Madison, WI 53714
(608) 242-9030
http://www.dairyconnection.com

### Fromagex
62 Rue Des Ateliers
Rimouski, QC G5M 1B2, Canadá
(418) 722-0193
http://www.fromagex.com

### Glengarry Cheesemaking and Dairy Supply Ltd.
Endereço postal (Canadá)
P.O. Box 190
#5926 Highway 34
Lancaster, Ontário. K0C 1N0
Canadá

Endereço postal (USA)
P.O. Box 92
Massena, NY 13662
USA
Telefone (888) 816-0903 ou (613) 347-1141
Fax (613) 347-1167
e-mail info@glengarrycheesemaking.on.ca ou glengarrycheesemaking@bellnet.ca
http://www.glengarrycheesemaking.on.ca

### JB Prince
36 East 31st Street
Nova York, NY 10016
(212) 683-3553
(800) 473-0577
http://www.JBPrince.com

### Kalustyans
123 Lexington Ave
Nova York, NY 10016
(212) 685-3451
http://kalustyans.com/

### Murray's Cheese
254 Bleecker St
Nova York, 10014
(888) 692-4339 ou (212) 243-3289
http://www.murrayscheese.com

### Saxelby Cheesemongers
120 Essex Street
Nova York, NY 10002-3211
(212) 228-8204
http://www.saxelbycheese.com

### TIC Gums
10552 Philadelphia Rd
White Marsh, MD 21162
(800) 899-3953
http://www.ticgums.com

### Zingerman's
Zingerman's Mail Order
422 Detroit Street
Ann Arbor, MI 48104
(888) 636-8162
http://www.zingermans.com

# ÍNDICE DE RECEITAS

## A

À moda do sudoeste
  cura seca ao estilo, 223
  Gravlax, 215
  molho para churrasco, 66
  Mostarda com pimenta-verde, 580
  Salmão defumado, 223
Abacate
  em Coquetel de frutos do mar mexicano, 559
  Guacamole, 56
  Mil-folhas de gelée de melancia, caranguejo e abacate com vinagrete de tomate, 481
  Pasta de, 164-165
  queijo brie, brotos e bacon campestre no croissant, 198
  Quesadillas de camarão e, 473
  Salada de caranguejo e, 144
  Salada de espinafre baby, abacate e grapefruit, 111
  Salada de abacate, tomate e milho, 148
  Sushi maki – sushi de maguro (atum), 544, 545
  Tartare de atum com mousse de abacate e sopa de tomate fria, 556
Abacate, queijo brie, brotos e bacon campestre no croissant, 198
Abacaxi
  Bisque de coco e abacaxi à moda do Caribe, 81
  Camarão enrolado com molho oriental, 539
  Molho picante de frutas, 178
  Vinagrete de tangerina e, 34
  Salada quente de folhas, grapefruit e vinagrete de tangerina e, 155
Abóbora. Ver Abóbora-amarela; Abobrinha italiana
Abóbora-amarela
  Entrada de vegetais grelhados com vinagrete balsâmico, 465
  em *Acar jawa* (conserva de vegetais javaneses), 598
  em Terrine de frango poché, 349
  Terrine de vegetais assados com queijo de cabra, 352
Abóbora-cheirosa, em Salada panzanella de outono, 136
Abobrinha italiana
  Entrada de vegetais grelhados com vinagrete balsâmico, 465

em Terrine de frango poché, 349
Terrine de vegetais assados com queijo de cabra, 352
Açafrão
  Aïoli de, 36
  Massa para patê, 651
*Acar jawa* (conserva de vegetais javaneses), 598
Agrião
  em Quesadillas de camarão e abacate, 473
  em Salada jardineira Parson, 107
  Minissanduíche de, 194
  Pepino, agrião e queijo brie com chutney de damasco em pão de nozes, 199
água de tomate, 555
Aïoli, 36
  de açafrão, 36
  em Sanduíche de frango grelhado com pancetta e rúcula na focaccia, 180
Alcachofra
  Caponata de, 48
  em Terrine de cogumelo portobello grelhado, 344-346
  preparando/cortando, 661
  Salada de coração de, 121
  Salada de alcachofra e erva-doce, 123
  Terrine de cordeiro tostado, e cogumelos, 342-343
  Vieiras tostadas com alcachofra e peperonata, 477
Alcaparras
  Atum com alcaparras e azeite de oliva, 541
  em tapenade, 60
  Salmão marinado com erva-doce, alcaparras e crème fraîche no pão pumpernickel, 196
Alcaravia (semente)
  Mostarda com cerveja e sementes de, 582
  Queijos de estilo alpino, sabor, 399
Alecrim
  Salada de feijão-vermelho Borlotti com, 133
  Vinagre de alecrim e alho, 609
  Ervas de Provença, 642
  sachet d'épices, 496
Alface-de-cordeiro
Alface. Ver Mistura mesclun de alface; alfaces específicas
Alface frisée

Confit de pato com alface frisée e vinagrete de chalotas assadas, 468
Salada de feijão-branco e polvo baby grelhado, 150-151
Salada de maçã e endívia enrolada em prosciutto, 109
Salada jardineira Parson, 107
Salada quente de folhas, grapefruit e vinagrete de tangerina e abacaxi, 155
Alho
  Aïoli, 36
  Assando alho e chalotas, 658
  Croutons simples, 666
  em Sofrito, 51
  *Gambas al ajillo* (camarão com alho), 569
  Manteiga de alho e salsinha, 63
  Salada de miniespinafre, 246-247
  Salsicha de alho, 296
  Salsicha francesa de, 286
  Vinagre de alecrim e, 609
Alho-poró
  em Caldo de vegetais, 642
  em Court bouillon, 560
  em Vichyssoise, 75
  preparando, 662
  Sopa fria de pepino com dill, alho-poró e camarão, 69
Almôndegas com molho dip de pimenta, 513
Amêndoas
  em Empanada de picadillo de porco, 524
  torradas, 571
  torradas, Queijo de cabra assado com alface, figo assado, pera e, 147
  Vinagrete de amêndoa e figo, 35
Amendoim torrado picante com cerejas secas, 570
Amendoim
  Molho de, 55
  torrado picante com cerejas secas, 570
Aperitivos/Hors-d'oeuvre. Ver também Canapés; Dips e pastas para espalhar; Hors-d'Oeuvre no espeto; Sushi
  Amêndoas torradas, 571
  Amendoim torrado picante com cerejas secas, 570
  Atum com alcaparras e azeite de oliva, 541
  Barquettes de mousse de foie gras e compota de ruibarbo, 564
  Barquettes de mousse de salmão defumado, 500

Bolinho de camarão com molho rémoulade, 474
Bolinhos de caranguejo, 549
Bolinhos de risoto e pancetta com pesto de tomate seco, 532
Camarão em conserva, 541
Carpaccio de carne bovina, 456
Castanha de caju com curry, 570
Chips de camembert, 533
Chips de parmesão com queijo de cabra trufado, 565
Colher de ostra de kumamoto e gelée de maçã e hortelã, 563
Colher de ovo de codorna e medalhão de lagosta em emulsão de champanhe, 560
Cones de frango quentes e crocantes, 566
Confit de pato e bolinho de feijão-branco com geleia de cebola cipollini, 498-499
Confit de pato com alface frisée e vinagrete de chalotas assadas, 468
Copo shot com gelée de tomate e lagostim, 555
Creme de chalota assada, 482
Creme de sálvia e favas com tiras de aspargos e limão meyer com ovo crocante, 485-486
Crepe de batata com crème fraîche e caviar, 540
Croquete de risoto, 531
Croquetes, 550
Dim sum com molho de pimenta, 551
Empanada de picadillo de porco, 524
Empanada de porco e pimentão, 464
Entrada de vegetais grelhados com vinagrete balsâmico, 465
Escabeche de atum, 459
Folha de uva recheada, 537
*Gambas al ajillo* (camarão com alho), 569
Gougères, 490
Granité de aipo, 487
Granité de limão-siciliano, 489
Granité de pepino, 487
Hors-d'oeuvre de bacon, alface e tomate, 502
*Mejillones al estilo de laredo* (mexilhão com azeitonas), 568
Mil-folhas de gelée de melancia, caranguejo e abacate com vinagrete de tomate, 481
Minipizzas, 520
Minipopover de queijo Stilton, 533
Nhoque de ricota, 471
Noz-pecã confeitada, 571
Nozes mistas temperadas, 569
Palitos de queijo, 492
Palmiers de parmesão e prosciutto, 492
Peito de pato defumado ao estilo niçoise, 467

Pissaladière, 522
Pizza de queijo de cabra, 520
Profiteroles, 493
Pudim Yorkshire com ragu de pato, 496-497
Queijo de cabra com ervas na massa filo, 455
Quesadilla pequena de lagosta tostada e vegetais, 523
Quesadillas de camarão e abacate, 473
Refogado de barriga de porco crocante com lentilha francesa e vinagre balsâmico envelhecido, 470-471
Rillettes de pato em profiteroles, 500
Rolinhos de caranguejo com azeite com infusão de pimentão, gengibre frito e cogumelos glaceados no tamari, 476
Rolinhos filo de aspargos, prosciutto e parmesão, 495
Roulade de foie gras com salada de beterraba assada e peito de pato defumado, 479
Salada crua di tonno, 458
Salada de camarão com curry e manga no copo de wonton, 552
Salada de lagosta e trufas, 478
Sorbet de tomate e manjericão, 489
Spanakopita, 536
Strudel de erva-doce e chouriço, 460
Strudel de frutos do mar com azeite com infusão de lagosta, 462-463
Tâmaras enroladas em pancetta e recheadas com queijo manchego e hortelã, 511
Tartare de atum com mousse de abacate e sopa de tomate fria, 556
Tempura de camarão, 530
Tempura de vegetais, 530
Tomates marinados com mozarela, 466
Tortinhas de creme de cogumelo selvagem, 501
Tortinhas de tomate seco e queijo de cabra, 504
Triângulos de massa filo de camembert, maçã seca e figo, 534-535
Vieiras tostadas com alcachofra e peperonata, 477
Wonton frito, 526-527
Wonton no vapor com camarão, 529
Arroz. Ver também risoto
  em Folha de uva recheada, 537
  em Salada de feijão-preto, 142
  em Wonton no vapor com camarão, 529
  para sushi, 548
Aspargos
  Canapé de aspargo e prosciutto, 505
  Creme de sálvia e favas com tiras de aspargos e limão meyer com ovo crocante, 485-486
  em Salada de cuscuz e vegetais ao curry, 140

Rolinhos filo de, prosciutto e parmesão, 495
Aspic. Ver também Gelée
  Aspic, 67
  Pâté grand-mère, 320
  Terrine de cordeiro tostado, alcachofra e cogumelo, 342-343
  Terrine de faisão assado, 348
Atum
  com alcaparras e azeite de oliva, 541
  Escabeche de, 459
  Pan bagnat, 185
  Salada crua di tonno, 458
  Sushi maki – sushi de maguro (atum), 544, 545
  Tartare de atum com mousse de abacate e sopa de tomate fria, 556
Avelã
  Molho romesco de, 63
  Vinagrete de avelã e orégano, 30
Aves, defumadas
  Patê de fígado de galinha, 322
  Peito de peru, com Bourbon, 230
  Peito de peru, 230
  Rillettes de frango, 249
Aves defumadas. Ver Pato, defumado; Aves, defumadas
Azeite de oliva. Ver também Óleo(s)
  em Atum com alcaparras e, 541
Azeitonas
  em Caponata de berinjela, 49
  em Muffuletta, 188
  em Pan bagnat, 185
  em Pissaladière, 522
  em Salada crua di tonno, 458
  em Salada grega com queijo feta e pão sírio integral, 113
  em Salada panzanella de outono, 136
  em Sanduíche de salada mediterrânea, 189
  *Mejillones al estilo de laredo* (mexilhão com azeitonas), 568
  Tapenade, 60
  Salada de, à moda da Geórgia, 110

# B

Baba ganoush, 57
Bacon curado no açúcar demerara, 235
Bacon curado em maple syrup, 235
Bacon, defumado
  cura seca, básica, 234-235
  Curado no açúcar demerara, 235
  curado no maple syrup, 235
  curado no mel, 235
  lombo canadense, 235
Bacon. Ver também Pancetta
  Abacate, queijo brie, brotos e bacon campestre no croissant, 198
  Brochette de cordeiro com pesto de hortelã, 516
  Confit de bacon e uva, 248

ÍNDICE DE RECEITAS 687

em Camarão enrolado com molho oriental, 539
em Club sandwich de peru, 181
em Salada de batata alemã, 130
em Salada jardineira Parson, 107
Espetinhos de camarão e, 503
Hors-d'oeuvre de bacon, alface e tomate, 502
Mini-hambúrguer de vieira com crosta de bacon, 164-165

Baguete. Ver também Bruschetta
Confit de pato com maçã e queijo brie na, 176
em Atum com alcaparras e azeite de oliva, 541
em Bahn Saigon (Saigon subs), 186-187
em Sanduíche aberto de salada de frango ao curry, 189

Bahn Saigon (Saigon subs), 186-187

Baixo teor de gordura
Molho de queijo maytag blue com, 40
Molho rancheiro com, 40
Salsicha Frankfurt, 283
Salsicha italiana doce, 271

Baixo teor de gordura. Ver Gordura reduzida
Banana-da-terra, em Chips sortidos, 601

Barquettes
Mousse de foie gras e compota de ruibarbo, 564
Mousse de salmão defumado, 500

Batata(s)
Chips sortidos, 601
Crepe de batata, com crème fraîche e caviar, 540
Crisps de, 606
frita, em Confit de pato com alface frisée e vinagrete de chalotas assadas, 468
Sopa fria de batata e ervas com lagosta, 75
Vichyssoise, 75

Batata-doce
Chips sortidos, 601
Massa para torta, 651

Berinjela
Baba ganoush, 57
Caponata, 49
Entrada de vegetais grelhados com vinagrete balsâmico, 465
Panini de berinjela e prosciutto, 171
Recheio de berinjela marinada, 172
Terrine de vegetais assados com queijo de cabra, 352

Beterraba
Borscht claro e frio, 82
Chips sortidos, 601
Chutney de, 586
Cura norueguesa de beterraba e raiz-forte, 216
picante, em Smørrebrød leverpostej, 323
Salada de beterraba assada, 118

Roulade de foie gras com salada de beterraba e peito de pato defumado, 479
Vinagrete de, 33

Biscoitos
amanteigados de cheddar e nozes, 604
de gergelim, 603
de queijo azul e noz-pecã, 604
de queijo pepper jack e orégano, 602

Biscoitos de gergelim, 603
Biscoitos de queijo pepper jack e orégano, 602
Bisque de coco e abacaxi à moda do Caribe, 81
Blitz, Massa folhada. Ver Massa folhada Blitz
Borscht claro e frio, 82
Bourbon, Peito de peru defumado com, 230
Bratwurst alemã, 272

Bratwurst
Bratwurst alemã, 272
Salsicha Bratwurst suíça fina, 287

Braunschweiger, 291

Brie
Abacate, queijo brie, brotos e bacon campestre no croissant, 198
Confit de pato com maçã e queijo brie na baguete, 176
Hors-d'oeuvre de bacon, alface e tomate, 502
Pepino, agrião e queijo, com chutney de damasco em pão de nozes, 199
Sanduíche de rosbife, queijo brie e cebola caramelizada, 197

Brioche
Massa para, 656
Sanduíche de lagosta à moda da Nova Inglaterra, 182

Brochettes. Ver também Hors-d'Oeuvres no espeto
Brochette de cordeiro com pesto de hortelã, 516

Brócolis, em Acar jawa (conserva de vegetais javaneses), 598
Brotos, Abacate, queijo brie, brotos e bacon campestre no croissant, 198

Bruschetta
com tomates assados no forno e queijo fontina, 190
de figos e nozes, 191

Bulgur
em Salada mista de feijões e grãos, 134
em Tabule, 131

## C

caesar salad, 114
Cajun (Estilo)
Linguiça andouille, 281
Mistura de temperos, 639
mistura de temperos cajun, 281
porco defumado (Tasso), 236

Calda simples, 489, 657
Caldo
Court bouillon, 560, 645
Court bouillon de vinagre, 645
de carne, branco, 643
de crustáceos, 645
de galinha, 643
de pato, branco, 643
de peixe, 645
de peru, 643
de veado, 644
de vegetais, 642
de vitela, escuro, 644
Glace de Viande, 644
Glace de Volaille, 643

Camarão
Bolinho de camarão com molho rémoulade, 474
Coquetel de frutos do mar mexicano, 559
defumado, 219
defumado, Canapé de salmão, 192
defumado, Terrine de, e lentilha, 325-327
Espetinhos de camarão e bacon, 503
em conserva, 541
em farce mousseline de, 334
em Terrine de lagosta e vegetais de verão, 333
enrolado com molho oriental, 539
enrolado em presunto serrano, 503
*Gambas al ajillo* (camarão com alho), 569
Nigiri, 546
Quesadillas de camarão e abacate, 473
Salada de camarão com curry e manga no copo de wonton, 552
Sopa fria de pepino com dill, alho-poró e, 69
Strudel de frutos do mar com azeite com infusão de lagosta, 462-463
Sushi maki – sushi de maguro (atum), 544, 545
Tempura de, 530
Terrine de camarão com salada de macarrão, 334
Terrine mediterrânea de frutos do mar, 336
Wonton no vapor com, 529

Camembert, 390-391
Chips de, 533
Canapé de steak tartare, 503

Canapés
de aspargo e prosciutto, 505
de camarão defumado, 192
de figo e prosciutto, 508
de prosciutto e melão, 507
de steak tartare, 503

Canela
Azeite de, 608
em Quatre épices, 639
patê de carne de porco com canela à moda vietnamita, 186

Caponata
    de alcachofra, 48
    de berinjela, 49
Caranguejo (carne)
    Bolinhos de, 154, 549
    Coquetel de frutos do mar mexicano, 559
    Mil-folhas de gelée de melancia, caranguejo e abacate com vinagrete de tomate, 481
    Rolinhos de caranguejo com azeite com infusão de pimentão, gengibre frito e cogumelos glaceados no tamari, 476
    Salada de caranguejo e abacate, 144
    Salada de caranguejo vermelho com gelée de yuzu, 154-155
    Sanduíche de caranguejo de casca mole, 168
Carne bovina
    Almôndegas com molho dip de pimenta, 513
    Aspic, 67
    Beef jerky, 224-225
    Caldo branco de pato, 643
    Canapé de steak tartare, 503
    Carpaccio de, 456
    Contrafilé bovino defumado no forno, 238
    Corned beef, em Sanduíche reuben, 173
    em Landjäger, 278-279
    em Salsicha francesa de alho, 286
    Espetinhos chineses, 528
    Filé-mignon na pasta de pimenta, 226
    Mini-hambúrguer, 164
    Mortadela Bologna, 284
    Negimaki de, 515
    Salmoura básica para carne bovina e suína, 214
    Salsicha de verão, 277
    Salsicha Frankfurt, 283
    Sanduíche de rosbife, queijo brie e cebola caramelizada, 197
    Seca ao estilo romano, 241
Carne bovina seca ao estilo romano, 241
Carne, defumada. Ver também Bacon, defumado; Presunto, defumado; Porco, defumado; Salsicha, defumada
    Contrafilé bovino defumado no forno, 238
    Filé-mignon na pasta de pimenta, 226
Carnes defumadas. Ver Bacon, defumado; Presunto, defumado; Carne, defumada; Porco, defumado; Salsicha, defumada;
Carnes secas ao ar
    Bacon básico, 234-235
    Beef jerky, 224-225
    Carne bovina seca ao estilo romano, 241
    Pancetta, 240
Carpaccio de carne bovina, 456

Castanha-de-caju com curry, 570
Caviar
    Crepe de batata com crème fraîche e, 540
    Faux, 70
cítrica, cura seca, 227
Cebola agridoce, 600
Cebola roxa
    Conserva de, 595
    geleia de, 591
Cebola(s)
    agridoce, 600
    Mini-hambúrguer de cogumelo com cebola caramelizada, 166-167
    em Caldo de vegetais, 642
    em Court bouillon, 560, 645
    em Sofrito, 51
    Geleia de cebola cipollini, 499
    geleia de cebola cipollini, em Minipizzas, 520
    Relish de curry de, 590
    roxa, Conserva de, 595
    roxa, geleia de, 591
    Sanduíche de rosbife, queijo brie e cebola caramelizada, 197
Cenoura
    *Acar jawa* (conserva de vegetais javaneses), 598
    Chips sortidos, 601
    em Caldo de vegetais, 642
    em Coleslaw, 126
    em Court bouillon, 560, 645
    em Salada de asa de frango "buffalo wings", 149
    em Salada de macarrão sobá, 139
    em Sushi maki – sushi de maguro (atum), 544, 545
    Sopa fria de, 73
Cereja
    Chutney de damasco e, 585
    Conserva de uva ou, 595
    secas, Amendoim torrado picante com, 570
    Sopa fria de, morello, 80
    Terrine de pato com pistache e cereja desidratada, 330
Cervelle de canut, 59
Ceviche de vieira no copo de pepino, 543
Chalota(s)
    Assando alho e, 658
    Confit de pato com crosta de noz-pecã com pudim de pão, salada de miniespinafre e vinagrete de chalota e alho, 246-247
    Confit de pato com alface frisée e vinagrete de chalotas assadas, 468
    Creme de chalota assada, 482
    Vinagrete de chalota assada, 32
Champanhe
    Colher de ovo de codorna e medalhão de lagosta em emulsão de, 560
    Sopa fria de melão-cantalupo e, 79

Cheddar
    Biscoitos amanteigados de, e nozes, 604
    em Salada de abacate, tomate e milho, 148
Chipolata, 287
Chipotle
    em Molho para churrasco à moda do sudoeste, 66
    Pico de gallo com, 45
    Vinagrete de chipotle e xerez, 31
    Vinagrete de chipotle e xerez, em Salada de abacate, tomate e milho, 148
Chips
    de maçã, 154
    sortidos, 601
Chouriço
    colombiano, 282
    seco, 297
    Strudel de erva-doce e, 460-461
Chouriço colombiano, 282
Chucrute
    no Sanduíche reuben, 173
    refogado, 173
Churrasco
    Espetinhos de camarão e bacon, 503
    Mistura de temperos para churrasco, 638
    Mistura seca para grelhados, 239
    Sobrepaleta suína grelhada à moda da Carolina, 239
Chutney
    de beterraba, 586
    de damasco e cereja, 585
    de maçã, 587
    de mamão papaia, 588
    de manga, 552
    de manga, picante, 584
    de pimenta vermelha, 585
    Pepino, agrião e queijo brie com chutney de damasco em pão de nozes,199
Ciboulette
    Azeite de, 607
    em Molho deusa verde, 38
    Fines herbes, 640
    Salada primavera de ervas, 108
Cítrico, azeite, básico, 607
Club sandwich de peru, 181
Coentro fresco
    em Massa de tomate e, 650
    em Molho fresco, 45
    em Molho verde, 42
    em Pico de gallo com chipotle, 45
    em Salada de feijão-preto, 142
    em salada de mamão papaia verde, 186
Cogumelo portobello
    Entrada de vegetais grelhados com vinagrete balsâmico, 465
    Panini de berinjela e prosciutto, 171
    Terrine de cogumelo portobello grelhado, 344-346

ÍNDICE DE RECEITAS     **689**

Terrine de vegetais assados com queijo de cabra, 352
Cogumelo(s). Ver também Cogumelo(s) Portobello; Cogumelos Shiitake
   em Salsicha de frango e vegetais, 290
   Mini-hambúrguer de cogumelo com cebola caramelizada, 166-167
   Pimentões e cogumelos marinados, 120
   Rolinhos de caranguejo com azeite com infusão de pimentão, gengibre frito e cogumelos glaceados no tamari, 476
   Terrine de, 347
   Terrine de cordeiro tostado, alcachofra e, 342-343
   Tortinhas de creme de cogumelo selvagem, 501
Cogumelos shiitake
   em Galantine de pato à moda asiática, 360
   em Wonton frito, 526-527
   em Terrine de camarão com salada de macarrão, 334-335
   ragu de pato, Pudim Yorkshire com, 496-497
   Rolinhos de caranguejo com azeite com infusão de pimentão, gengibre frito e cogumelos glaceados no tamari, 476
Coleslaw, 126
Compota
   Barquettes de mousse de foie gras e compota de ruibarbo, 564
   de maçãs granny smith, 592
   de marmelo, 592
   de peras Bartlett, 592
   de pimentão vermelho grelhado, 592
   de ruibarbo, 591
Compota de marmelo, 592
Compota de ruibarbo, 591
Confit de pato, 244-245
   com alface frisée e vinagrete de chalotas assadas, 468
   com crosta de noz-pecã com pudim de pão, salada de miniespinafre evinagrete de chalota e alho, 246-247
   com maçã e queijo brie na baguete, 176
   e bolinho de feijão-branco com geleia de cebola cipollini, 498-499
Confit de pato e bolinho de feijão-branco com geleia de cebola cipollini, 498-499
Confit. Ver também Confit de pato
   de bacon e uva, 248
Conserva
   Acar jawa (conserva de vegetais javaneses), 598
   camarão em, 541
   Chips doces de picles, 593
   de cereja, 595
   de dill, 596

   de gengibre, 597
   de uva, 595
   de vegetais, 594
   de cebola roxa, 595
   Meio azedo, 594
   Molho de, de gengibre, 46
   Picles, 597
Contrafilé bovino defumado no forno, 238
Coquetel de frutos do mar mexicano, 559
Cordeiro
   Almôndegas com molho dip de pimenta, 513
   Brochette de cordeiro com pesto de hortelã, 516
   Merguez, 273
   Salsicha de, picante, 276
   Terrine de cordeiro tostado, alcachofra e cogumelos, 342-343
Corned beef, em sanduíche reuben, 173
Coulis
   de pimentão vermelho, 64
   de pimentão vermelho assado, 64
Court bouillon, 560, 645
   Vinagre de, 645
Couve-flor
   em Acar jawa (conserva de vegetais javaneses), 598
   em Salada de cuscuz e vegetais ao curry, 140
Cranberry
   em Salada panzanella de outono, 136
   Mostarda de, seca, 582
   Relish de, 589
Creme Custard
Creme de sálvia e favas com tiras de aspargos e limão meyer com ovo crocante, 485-486
Crème fraîche, 389
   Crepe de batata com crème fraîche e caviar, 540
   em Canapé de salmão defumado, 192
   em Minissanduíche de agrião, 194
   em Minissanduíche de pepino, 194
   em Salada de caranguejo e abacate, 144
   Salada de frango e, 143
   Salmão marinado com erva-doce, alcaparras e crème fraîche no pão pumpernickel, 196
Cremoso. Ver também Crème Fraîche
   Molho chaud-froid, 67
   Molho cremoso de pimenta-do-reino, 39
   Tortinhas de creme de cogumelo
Crepe de batata com crème fraîche e caviar, 540
Crisps
   de aipo-rábano, 606
   de batata, 606
   de camembert, 533
   de parmesão, 664
   de parmesão com queijo de cabra trufado, 565
   de pastinaca, 606

Crisps de aipo-rábano, 606
Croque madame, 167
Croque monsieur, 167
Croquete de risoto, 531
Croquetes, 550
Croutons
   com alho, 666
   com ervas, 666
   de queijo, 666
   simples, 666
Crustáceos, defumados
   camarão, 219
   Canapé de camarão, 192
   Quesadillas de camarão e abacate, 473
   Terrine de camarão defumado e lentilha, 325-327
   Vieiras, 219
Crustáceos. Ver também Caranguejo (carne); Lagostim; Lagosta;
   Caldo de, 645
   Colher de ostra de kumamoto e gelée de maçã e hortelã, 563
   Coquetel de frutos do mar mexicano, 559
   Essência de frutos do mar, 338
   Salmoura básica para frutos do mar, 214
   Strudel de frutos do mar com azeite com infusão de lagosta, 462, 463
   Sushi maki – sushi de maguro (atum), 544, 545
   Terrine mediterrânea de frutos do mar, 336
Cuisson, 671
Cura norueguesa de beterraba e raiz-forte, 216
Cura seca
   Bacon básico, 234-235
   Beef jerky, 224-225
   Esturjão defumado a quente com aroma cítrico, 227
   Pancetta, 240
   Salmão curado com erva-doce, 222
   Salmão defumado ao estilo do sudoeste, 223
   Salmão defumado, 220-221
Curry
   Castanha-de-caju com, 570
   Creme de chalota assada, 482
   em pó, 640
   Relish de curry de cebola, 590
   Salada de camarão com curry e manga no copo de wonton, 552
   Sanduíche aberto de salada de frango ao, 189
   Vinagrete de, 30
   Vinagrete de goiaba e, 34
Cuscuz
   israelense com arroz e trigo integral, 132
   Salada de cuscuz e vegetais ao curry, 140
   selvagem, 501

Cuscuz israelense com arroz e trigo integral, 132

## D

Damasco
    Chutney de damasco e cereja, 585
    Molho de damasco e de pimenta ancho para churrasco, 65
    Pepino, agrião e queijo brie com chutney de damasco em pão de nozes, 199
    Relish de damasco seco, 589
Dim sum com molho de pimenta, 551
Dim sum com molho de pimenta, 551
Dips e pastas para espalhar. Ver também Manteiga; Rillettes
    Baba ganoush, 57
    Cervelle de canut, 59
    Guacamole, 56
    Homus, 60
    Mousse de queijo azul, 512
    Mousse de queijo de cabra, 512
    Mousse de truta defumada, 512
    Muhammarra, 62
    Pasta de abacate, 164-165
    Tapenade, 60

## E

Empanada
    Empanada de porco e pimentão, 464
    Empanada de picadillo de porco, 524
Empanada de picadillo de porco, 524
Emulsão
    Colher de ovo de codorna e medalhão de lagosta em emulsão de champanhe, 560
    de grapefruit, 35
    em Terrine ao estilo camponês, 356
    Salada de lagosta com emulsão de grapefruit e azeite de estragão, 152
Erva-doce
    grelhada, Salada de lascas de erva-doce, 123
    Salada de alcachofra e lascas de erva-doce, 123
    Salada de batata assada e lascas de erva-doce, 119
    Salada de cuscuz e vegetais ao curry, 140
    Salada de em lascas de erva-doce, 123
    Salada de erva-doce e caqui, 123
    Salada de erva-doce e caqui, 123
    Salmão curado com, 222
    Salmão marinado com erva-doce, alcaparras e crème fraîche no pão pumpernickel, 196
    Strudel de erva-doce e chouriço, 460-461
Ervas. Ver também ervas específicas
Ervilha(s)
    purê de ervilha fresca com hortelã, 78
    Salada jardineira Parson, 107
Escabeche de atum, 459
Especiaria(s). Ver também Mistura de cura; Cura seca;
Espetinhos chineses, 528
Espinafre
    em Spanakopita, 536
    em Terrine de camarão com salada de macarrão, 334-335
    em Terrine de frango poché, 349
    Macarrão de, 653
    Maionese verde (sauce verte), 36
    Salada de espinafre baby, abacate e grapefruit, 111
    Salada quente de folhas, grapefruit e vinagrete de tangerina e abacaxi, 155
    salada de miniespinafre, 246-247
Espuma, 154-155
Estilo asiático
    Camarão enrolado com molho oriental, 539
    Galantine de pato à moda, 360
    Molho asiático para dip, 54
    Peito de pato moulard defumado no chá ao, 232
    Terrine de camarão com salada de macarrão, 334-335
Estragão
    Azeite de manjericão (azeite básico de ervas), 607
    em Molho deusa verde, 38
    Fines herbes, 640
    Salada de lagosta com emulsão de grapefruit e azeite de, 152
Esturjão defumado a quente com aroma cítrico, 227

## F

Fabricação de queijo
    Camembert, 390-391
    Crème fraîche, 389
    Fromage Blanc, 388
    Mascarpone, 390
    Mozarela, 394-395
    Queijo ao estilo alpino, 398-399
    Queijo ao estilo alpino, sabor alcaravia, 399
    Queijo de fazenda envelhecido, 392
    Queijo de fazenda envelhecido, com pimenta-do-reino, 392
    Queijo fresco semilático de leite de cabra, 393
    Queijo tomme, 396-397
    Ricota, 386-387
faisão assado, Terrine de, 348
Falafel em pão sírio, 175
Farinha de rosca, 665
    Procedimento-padrão para empanados, 665
Fattoush, 135

Fava
    Creme de sálvia e fava com tiras de aspargos e limão meyer com ovo crocante, 485-486
    Falafel em pão sírio, 175
Feijão. Ver também Grão-de-bico; Vagem; Lentilha
    Confit de pato e bolinho de feijão branco, com geleia de cebola cipollini, 498-499
    Salada de feijão-branco com manjericão, 133
    Salada de feijão-branco e polvo baby grelhado, 150-151
    Fava, em Falafel em pão sírio, 175
    Creme de sálvia e favas com tiras de aspargos e limão meyer com ovo crocante, 485-486
    Feijão-de-vagem, em Acar jawa (conserva de vegetais javaneses), 598
    Molho de mamão papaia e feijão-preto, 43
    Salada de feijão-preto, 142
    Salada mista de feijões e grãos, 134
    Sopa fria de edamame, 76
    Salada de feijão-vermelho borlotti com alecrim, 133
Feijão-de-vagem. Ver também Vagem
    em Acar jawa (conserva de vegetais javaneses), 598
Feijão-preto
    Molho de mamão papaia e, 43
    Salada de, 142
Feijão-vermelho Borlotti, Salada de, com alecrim, 133
Flor de lavanda desidratada, em Ervas de Provença, 642
Fígado de galinha
    em Smørrebrød leverpostej, 323
    Patê de, 322
    Patê de fígado de galinha, defumado, 322
    Pâté grand-mère, 320
    Terrine de campanha (pâté de campagne), 321
Fígado. Ver também Fígado de galinha; Foie gras
    Braunschweiger, 291
    Kassler liverwurst, 275
Figo
    Bruschetta de figo e nozes, 191
    Canapé de figo e prosciutto, 508
    Queijo de cabra assado com alface, assado, pera e amêndoas torradas, 147
    Triângulos de massa filo de camembert, maçã seca e, 534-535
    Vinagrete de amêndoa e, 35
Fines herbes, 640
Focaccia, 654
    em Muffuletta, 188

Sanduíche de frango grelhado com pancetta e rúcula na, 180
Foie gras
    Barquettes de mousse de foie gras e compota de ruibarbo, 564
    em pudim de pão, 246-247
    Roulade de, 354
    Roulade de foie gras com salada de beterraba assada e peito de pato defumado, 479
    Salsicha de pato e, 295
    Terrine de, 354-355
    Terrine de campanha (pâté de campagne), 321
    Terrine de frango e foie gras em gelatina, 340
    Terrine de moleja e, 357
Folha de uva recheada, 537
Folhas verdes. Ver folhas verdes específicas
Frango
    Caldo de galinha, 643
    Cones de frango quentes e crocantes, 566
    Croque madame, 167
    em Terrine de cogumelo, 347
    Espetinhos chineses, 528
    Galantine de, 363
    Rillettes de frango defumado, 249
    Salada de asa de frango "buffalo wings", 149
    Salada de frango e crème fraîche, 143
    Salada de frango frito à moda do sul, 157
    Salsicha de frango e vegetais, 290
    Sanduíche aberto de salada de frango ao curry, 189
    Sanduíche de frango grelhado com pancetta e rúcula na focaccia, 180
    Terrine de frango e foie gras em gelatina, 340
    Terrine de frango e lagostim, 337
    Terrine de frango poché, 349
Fromage blanc, 388
    em Cervelle de canut, 59
Frutas. Ver também frutas específicas
    Azeite cítrico básico, 607
    Cura seca cítrica, 227
    Hidratando, e verduras secas, 662
    Molho picante de, 178
Frutos do mar. Ver também Peixe; Crustáceos
    Salada de feijão-branco e polvo baby grelhado, 150-151
    Salmoura básica para ave, 214

## G

Galantine
    de frango, 363
    de pato à moda asiática, 360
*Gambas al ajillo* (camarão com alho), 569
Ganso, derretendo gordura, 664
Gaspacho andaluz, 68

Gelée. Ver também Aspic
    Colher de ostra de kumamoto e gelée de maçã e hortelã, 563
    Copo shot com gelée de tomate e lagostim, 555
    Mil-folhas de gelée de melancia, caranguejo e abacate com vinagrete de tomate, 481
    Salada de caranguejo-vermelho com gelée de yuzu, 154-155
    Terrine de frango e foie gras em gelatina, 340
    Vinho do porto Ruby, 67
Geleia de cebola cipollini, 499
    em minipizzas, 520-521
Geleia de cebola roxa, 591
Geleia de laranja
    Cebola cipollini, 499
    Cebola cipollini, em minipizzas, 520-521
    Triângulos de massa filo de camembert, maçã seca e figo, 534-535
Gengibre
    Conserva de, 597
    em Quatre épices, 639
    em Vinagrete de curry, 30
    Molho de conserva de, 46
    Molho de, 334, 335
    Rolinhos de caranguejo com azeite com infusão de pimentão, frito e cogumelos glaceados no tamari, 476
Glace de Viande, 644
Glace de Volaille, 643
gordura, Derretendo, 664
Gougères, 490
Granité
    de aipo, 487
    de limão-siciliano, 489
    de pepino, 487
Grão-de-bico
    em Homus, 60
    em Salada de cuscuz e vegetais ao curry, 140
    em Salada mista de feijões e grãos, 134
Grãos. Ver também grãos específicos
    Cuscuz israelense com arroz e trigo integral, 132
    Salada mista de feijões e, 134
Grapefruit
    Emulsão de, 35
    Molho de, 46
    Salada de espinafre baby, abacate e, 111
    Salada de lagosta com emulsão de grapefruit e azeite de estragão, 152
Grapefruit
    Salada quente de folhas, grapefruit e vinagrete de tangerina e abacaxi, 155
    Vinagrete de, 34
Gravlax, 215
    ao estilo do sudoeste, 215
    Salmão marinado com erva-doce, alcaparras e crème fraîche no pão pumpernickel, 196

Guacamole, 56

## H

Hambúrguer, mini
    Mini-hambúrguer, 164
    Mini-hambúrguer de cogumelo com cebola caramelizada, 166-167
    Mini-hambúrgueres de lentilha e cevada com molho picante de frutas, 178-179
    Mini-hambúrguer de vieira com crosta de bacon, 164-165
Harissa, 593
    em Merguez, 273
Homus, 60
    em Sanduíche de salada mediterrânea, 189
Hors-d'oeuvre de bacon, alface e tomate, 502
Hors-d'Oeuvre. Veja Aperitivos/Hors-d'Oeuvre
Hortelã
    Baba ganoush, 57
    Brochette de cordeiro com pesto de, 516
    Colher de ostra de kumamoto e gelée de maçã e, 563
    em Canapé de figo e prosciutto, 508
    em Canapé de prosciutto e melão, 507
    em Ervas de Provença, 642
    em Tabule, 131
    Pesto de, 52
    Purê de ervilhas frescas com, 78
    Tâmaras enroladas em pancetta e recheadas com queijo manchego e, 511

## I

Inari, 544
Inhame, em Chips sortidos, 601
Iogurte
    em Molho de tahine, 41
    em Molho rancheiro com baixo teor de gordura, 40
    Molho de, e pepino, 41

## J

jerky, Beef, 224-225

## K

Kassler liverwurst, 275
Kebab. Ver Hors-d'Oeuvre no espeto
Ketchup
    de pimentão amarelo, 584
    de tomate, 583
Kielbasa Krakowska, 285
Kombu, em Arroz para sushi, 548

# L

Lagosta
 Azeite com infusão de, 648
 azeite com infusão de, Strudel de frutos do mar com, 462-463
 Colher de ovo de codorna e medalhão de lagosta em emulsão de champanhe, 560
 cozida, descascando, 666
 e alface-de-cordeiro com salada de batata e suco de vegetais, 116-117
 Quesadilla pequena de lagosta tostada, e vegetais, 523
 Salada de lagosta com emulsão de grapefruit e azeite de estragão, 152
 Salada de lagosta e trufas, 478
 Sanduíche de lagosta à moda da Nova Inglaterra, 182
 Sopa fria de batata e ervas com, 75
 Strudel de frutos do mar com azeite com infusão de, 462-463
 Terrine de lagosta e vegetais de verão, 333
Lagostim
 Copo shot com gelée de tomate e, 555
 Strudel de frutos do mar com azeite com infusão de lagosta, 462-463
 Terrine de frango e, 337
Lombo canadense, 235
 Triângulos de massa filo de, maçã seca e figo, 534-535
Landjäger, 278-279
Laranja(s)
 Azeite de (azeite cítrico básico), 607
 em Court bouillon, 560
 em Molho cumberland, 54
 Molho de, 46
 Salada quente de folhas, grapefruit e vinagrete de tangerina e abacaxi, 155
 Vinagrete de (ou grapefruit), 34
 Vinagrete de tangerina e abacaxi, 34
Lentilha
 em Cuscuz israelense com arroz e trigo integral, 132
 em Salada mista de feijões e grãos, 134
 Refogado de barriga de porco crocante com lentilha francesa e vinagre balsâmico envelhecido, 470-471
 Mini-hambúrgueres de lentilha e cevada com molho picante de frutas, 178-179
 Salada de nozes e, 131
 Terrine de camarão defumado e, 325-327Limão
Limão
 Creme de sálvia e favas com tiras de aspargos e limão meyer com ovo crocante, 485-486
 Cuisson, 671
 em Molho cumberland, 54
 Terrine de salmão poché e, 350
 Vinagrete de, 34
 Vinagrete de limão e salsinha, 29
Limão-siciliano
 Granité de, 489
 Gratinado de, 79
 Molho de manga e, 43
Linguiça andouille cajun, 281
Liverwurst, kassler, 275

# M

Macarrão. Ver também Salada de macarrão
 em Salada mista de feijões e grãos, 134
 em Terrine de mozarela, prosciutto e tomate assado, 353
 Salada de pato defumado e macarrão malfatti, 156
Maçãs
 Chips de, 154
 Chutney de, 587
 Colher de ostra de kumamoto e gelée de maçã e hortelã, 563
 Compota de marmelo, 592
 Confit de pato com maça e queijo brie na baguete, 176
 em Pepino, agrião e queijo brie com chutney de damasco em pão de nozes, 199
 Salada de maçã e endívia enrolada em prosciutto, 109
 Salsicha de maçã e sangue, 294
 Triângulos de massa filo de camembert, maçã seca e figo, 534-535
Maionese
 Aïoli de açafrão, 36
 Básica, 36
 em Aïoli, 36
 verde (sauce verte), 36
Maionese verde (sauce verte), 36
Malfatti
 Massa para macarrão, 653
 Salada de pato defumado e, 156
Mamão papaia
 Chutney de, 588
 Molho de mamão papaia e feijão-preto, 43
 Salada de mamão papaia verde, 186
 Salada de papaia verde à tailandesa, 143
manga
 chutney de, 552
 Chutney picante de, 584
 coleslaw de, 566
 Molho de manga e limão-siciliano, 43
 Molho picante de frutas, 178
 Salada de camarão com curry e manga no copo de wonton, 552
Manjericão
 Azeite de manjericao (azeite básico de ervas), 607
 em Pesto de tomate seco, 53
 em Pesto, 52
 em Salada de tomate marinado, 127
 em Tempero para patê, 641
 Salada de feijão-branco com, 133
 Sopa fria de tomate assado e, 72
 Sorbet de tomate e, 489
Manteiga
 de alho e salsinha, 63
 de anchova, 647
 de raiz-forte, 647
 de roquefort, Minissanduíche de, e pera vermelha, 193
Manteiga de anchova, 647
Marinado de vinho tinto, em Carne bovina seca ao estilo romano, 241
Mascarpone, 390
 em Canapé de figo e prosciutto, 508
 em Canapé de prosciutto e melão, 507
massa choux, em Profiteroles, 493
Massa com fermento. Ver também Massa para pão
Massa de pão
 Focaccia, 654
 Pão sírio integral, 657
 para brioche, 656
Massa filo
 Chips de camembert, 533
 Mil-folhas de gelée de melancia, caranguejo e abacate com vinagrete de tomate, 481
 Queijo de cabra com ervas na, 455
 Rolinhos filo de aspargos, prosciutto e parmesão, 495
 Spanakopita, 536
 Strudel de erva-doce e chouriço, 460-461
 Strudel de frutos do mar com azeite com infusão de lagosta, 462-463
 Triângulos de massa filo de camembert, maçã seca e figo, 534-535
Massa folhada blitz, 652-653
 em Palitos de queijo, 492
 em Palmiers de parmesã
Massa para macarrão, 653
 de espinafre, 653
 Malfatti, 653
Massa para patê
 Básica, 649
 de açafrão, 650
 de batata-doce, 651
 de tomate e coentro, 650
 em Barquettes de mousse de salmão defumado, 500
 em Pâté en croûte de peru, 358-359
 em Profiteroles, 493
 em Torta de pato defumado, 469
 Tortinhas de creme de cogumelo selvagem, 501
Massa para torta, 651
Massa. Ver também Massa para pão; Massa para macarrão, Massa para patê
 Biscoitos de gergelim, 603
 Biscoitos de queijo pepper jack e orégano, 602

Filo, Queijo de cabra com ervas na massa, 455
Gougères, 490
Massa folhada blitz, 652
Massa para torta, 651
para empanada, 464, 524
Pissaladière, 522
Pizza, 520
Profiteroles, 493
maytag blue, Molho de queijo, com baixo teor de gordura, 40
Mediterrânea
    Salada de batata, 128
    Salada de batata, com mexilhão, 128
    Sanduíche de salada, 189
    Terrine mediterrânea de frutos do mar, 336
*Mejillones al estilo de laredo* (mexilhão com azeitonas), 568
Mel
    Bacon curado no, 235
    Molho creole de mel e mostarda, 38
Melão
    Canapé de prosciutto e, 507
    Mil-folhas de gelée de melancia, caranguejo e abacate com vinagrete de tomate, 481
    Sopa fria de melão-cantalupo e champanhe, 79
Melão-cantalupo
    Canapé de prosciutto e, 507
    Sopa fria de melão-cantalupo e champanhe, 79
Melão, em Canapé de prosciutto e, 507
Merguez, 273
Mexilhões
    com Salada de Batata, Mediterrânea, 128
    *Mejillones al estilo de laredo* (mexilhão com azeitonas), 568
Mil-folhas de gelée de melancia, caranguejo e abacate com vinagrete de tomate, 481
Milho
    Salada de abacate, tomate e, 148
    Salada de milho assado e tomate, 125
Minihambúrguer de vieira com crosta de bacon, 164
Mini-hambúrgueres de lentilha e cevada com molho picante de frutas, 178-179
Minipopover de queijo stilton, 533
Minissanduíche
    Canapé de camarão defumado, 192
    Canapé de salmão defumado, 192
    de agrião, 194
    de manteiga de roquefort e pera vermelha, 193
    de pepino, 194
    de rabanete melancia, 194
    de salada de ovo, 192
minitatsol, em Salada primavera de ervas, 108

Mistura chinesa de cinco especiarias, 638
Mistura de alface mesclun
    em Queijo de cabra assado com alface, figo assado, pera e amêndoas torradas, 147
    em Salada de abacate, tomate e milho, 148
    em Sanduíche de salada mediterrânea, 189
Mistura de cura. Ver também Cura seca
    Braunschweiger, 291
    Confit de pato, 244-245
    Cura norueguesa de beterraba e raiz-forte, 216
    Gravlax, 215
    Mortadela, 288-289
    Mortadela Bologna, 284
    Salmão curado ao estilo pastrami, 218
    Salsicha Bratwurst suíça fina, 287
    Salsicha de frango e vegetais, 290
    Salsicha francesa de alho, 286
    Salsicha Frankfurt, 283
    Sardinha curada, 242
Mizuna, em Salada primavera de ervas, 108
Molho
    de conserva de gengibre, 46
    de gengibre, 334, 335
    grapefruit, 46
    de laranja, 46
    de mamão papaia e feijão-preto, 43
    de manga e limão-siciliano, 43
    de pimenta poblano defumada, 47
    fresco, 45
    picante de frutas, 178
    Pico de gallo com chipotle, 45
    Salada crua di tonno, 458
    verde, 42
Molho chaud-froid, 67
Molho coquetel, 53
Molho creole de mel e mostarda, 38
Molho cumberland, 54
Molho deusa verde, 38
Molho de huckleberry, 64
Molho de mostarda sueco, 583
Molho mil ilhas, 37
Molho para churrasco
    à moda do sudoeste, 66
    de damasco e de pimenta ancho, 65
    oriental, Camarão enrolado com, 539
Molho para dips
    Almôndegas com molho, de pimenta, 513
    Molho asiático, 54
    Molho de amendoim, 55
Molho picante, 149
Molho rancheiro com baixo teor de gordura, 40
Molho ravigote, 340
Molho rémoulade, 37
    Bolinho de camarão com, 474
    Sanduíche de caranguejo de casca mole, 168
Molho romesco de avelã, 63

Molho russo, 37
Molhos de salada. Ver também Vinagrete
    cremoso de pimenta-do-reino, 39
    de queijo maytag blue com baixo teor de gordura, 40
    deusa verde, 38
    mil ilhas, 37
    rancheiro com baixo teor de gordura, 40
    roquefort, 39
    russo, 37
Molho(s); Ver também Molho para churrasco; Molho para dip; Maionese; Pesto, Salsa
    chaud-froid, 67
    coquetel, 53
    creole de mel e mostarda, 38
    cumberland, 54
    de huckleberry, 64
    de iogurte e pepino, 41
    de mostarda sueco, 583
    de pimenta, 551
    de tahine, 41
    de tomate, 646
    Harissa, 593
    Muhammarra, 62
    picante, 149
    ravigote, 340
    rémoulade, 37
    romesco de avelã, 63
Monte Cristo, 167
Mortadela, 288-289
    em Muffuletta, 188
Mortadela Bologna, 284
    Mortadela Bologna de presunto, 284
Mostarda
    com cerveja e sementes de alcaravia, 582
    com pimenta-verde ao estilo do sudoeste, 580
    de cranberry seca, 582
    de Heywood, 580
    Molho creole de mel e, 38
    Molho de mostarda sueco, 583
    Vinagrete de mostarda e nozes, 30
Mostarda com cerveja e sementes de alcaravia, 582
Mostarda de Heywood, 580
Mousse
    Barquettes de mousse de de salmão defumado, 500
    Barquettes de mousse de foie gras e compota de ruibarbo, 564
    de queijo azul, 512
    de queijo de cabra, 512
    de truta defumada, 512
    Tartare de atum com mousse de abacate e sopa de tomate fria, 556
    Terrine de salmão defumado e mousse de salmão defumado, 329
    Torta de pato defumado, 469
Mozarela, 394-395
    em Spanakopita, 536

Terrine de mozarela, prosciutto e tomate assado, 353
Tomates marinados com, 466
Muffuletta, 188
Muhammarra, 62

# N

Nabo, em Caldo de vegetais, 642
Niçoise, estilo, Peito de pato defumado ao, 467
Nigiri, 546
Nova Inglaterra, Sanduíche de lagosta à moda da, 182
Noz-pecã confeitada, 571
Noz-pecã(s)
    Biscoitos de queijo azul e, 604
    confeitada, 571
    Confit de pato com crosta de noz-pecã com pudim de pão, salada de miniespinafre e vinagrete de chalota e alho, 246-247
    em Salada de frango e crème fraîche, 143
Nozes. Ver também nozes específicas
    Biscoitos amanteigados de cheddar e, 604
    Bruschetta de figos e, 191
    em Muhammarra, 62
    em Pesto de hortelã, 52
    em Salada panzanella de outono, 136
    Mistas, temperadas, 569
    Pepino, agrião e queijo brie com chutney de damasco em pão de, 199
    Salada de nozes e lentilha, 131
    Torrando, sementes e especiarias, 663
    Vagem com nozes e vinagrete de vinho tinto, 122

# O

Óleo(s)
    Azeite de laranja (azeite cítrico básico), 607
    Azeite de pimentão vermelho, 607
    de canela (óleo temperado básico), 608
    de ciboulette, 607
    de estragão, 607
    de tomate, 608
    em Atum com alcaparras e azeite de oliva, 541
    em Azeite com infusão de lagosta, 648
    em Azeite de manjericão (azeite básico de ervas), 607
    em Rolinhos de caranguejo com azeite com infusão de pimentão, gengibre frito e cogumelos glaceados no tamari, 476
    em Salada de lagosta com emulsão de grapefruit e azeite de estragão, 152

em Terrine de cogumelo portobello grelhado, 344-346
Óleo de nozes
    Vinagrete de mostarda e, 30
    Vinagrete de nozes e vinho tinto, 28
Orégano
    Biscoitos de queijo pepper jack e, 602
    Vinagrete de avelã e, 30
ostra de kumamoto, Colher de, e gelée de maçã e hortelã, 563
Ovos de codorna
    em Colher de ovos de codorna e medalhão de lagosta em emulsão de champanhe, 560
    poché, em Salada jardineira Parson, 107

# P

Pães. Ver Bruschetta; Biscoitos; Croutons; Sanduíches
Pão sírio integral. Ver Pão sírio integral
Pastas para espalhar. Ver Dips e pastas para espalhar
patê de carne de porco com canela à moda vietnamita, 186
Peito de pato Moulard defumado no chá ao estilo asiático, 232
Pepino
    *Acar jawa* (conserva de vegetais javaneses), 598
    agrião e queijo brie com chutney de damasco em pão de nozes, 199
    Ceviche de vieira no copo de, 543
    Chips doces de picles, 593
    Conserva de dill, 596
    Conserva de gengibre, 597
    em cuscuz israelense com arroz e trigo integral, 132
    em Fattoush, 135
    em Gaspacho andaluz, 68
    em Salada de asa de frango "buffalo wings", 149
    em Salada de caranguejo-vermelho com gelée de yuzu, 154-155
    em Salada grega com queijo feta e pão sírio integral, 113
    Granité de, 487
    Minissanduíche de, 194
    Molho de iogurte e, 41
    Picles meio azedos, 594
    Sopa fria de pepino com dill, alho-poró e camarão, 69
    Sushi maki – sushi de maguro (atum), 544, 545
Peru
    Caldo de, 643
    Club sandwich de, 181
    Pâté en croûte de, 358-359
    Peito de peru defumado, 230
    Peito de peru defumado com Bourbon, 230
Pimenta ancho

com queijo feta, batido, 344, 345-346
em Molho romesco de avelã, 63
Filé-mignon bovino ou suíno na pasta de, 226
Molho de damasco e de pimenta ancho para churrasco, 65
Pasta de, 226
Pimenta. Ver também Pimenta ancho; Chipotle; Jalapeño; Poblano
Chutney de pimenta vermelha, 585
Curry em pó, 640
em Molho verde, 42
em Salada de papaia verde à tailandesa, 143
Filé-mignon na pasta de, 226
Molho de pimenta, 551
Almôndegas com molho dip de pimenta, 513
Molho picante de frutas, 178
Mostarda com pimenta-verde ao estilo do sudoeste, 580
pasta de, 226
Salsicha de pimenta-verde, 269
Torrando nozes, sementes e especiarias, 663
Pimentão amarelo. Ver também Pimentão
azeite com infusão de, Rolinhos de caranguejo com, gengibre frito e cogumelos glaceados no tamari, 476
em emulsão de champanhe, 560
em Salada de caranguejo e abacate, 144
Entrada de vegetais grelhados com vinagrete balsâmico, 465
Fattoush, 135
Ketchup de, 584
peperonata, Vieiras tostadas com alcachofra e, 477
Peperonato, 50
Pimentão. Ver Pimentão; Pimentão vermelho; Pimentão amarelo
*Pinchon moruno* (shish kebab estilo mouro), 519
polvo baby grelhado, com Salada de feijão-branco e, 150-151
Presunto defumado
    inteiro, 237
    Jarrete de porco, 233
    Terrine de pato e, 324
Presunto. Ver também Prosciutto
    Camarão enrolado em presunto serrano, 503
    em Croque monsieur, 167
    em Croquetes, 550
    em Kielbasa Krakowska, 285
Pudim de pão, 246-247
    Mortadela Bologna, 284
Pudim Yorkshire com ragu de pato, 496-497

# Q

Quatre épices, 639
Queijo azul

ÍNDICE DE RECEITAS **695**

Biscoitos de queijo azul e noz-pecã, 604
Molho de queijo maytag azul com baixo teor de gordura, 40
Mousse de, 512
Uvas enroladas em bleu de bresse, 542
queijo suíço, em Sanduíche reuben, 173
Queijo tomme, 396-397
Queijo. Ver também fabricação de queijo; queijos específicos
Cervelle de canut, 59
com Salsicha italiana doce, 271
Croque madame, 167
Croque monsieur, 167
Croutons simples, 666
em Muffuletta, 188
em Sanduíche reuben, 173
Gougères, 490
Monte Cristo, 167
Palitos de, 492
Quesadillas de camarão e abacate, 473
Quesadillas
de camarão e abacate, 473
pequena de lagosta tostada e vegetais, 523
Queso blanco, em Salada de feijão-preto, 142

## R

Radicchio
Salada primavera de ervas, 108
Salada de maçã e endívia enrolada em prosciutto, 109
Salada jardineira Parson, 107
Salada quente de folhas, grapefruit e vinagrete de tangerina e abacaxi, 155
Relish
de cranberry, 589
de curry de cebola, 590
de damasco seco, 589
Repolho
Coleslaw, 126
Coleslaw de manga, 566
em Caldo de vegetais, 642
em Cuscuz israelense com arroz e trigo integral, 132
em Dim sum com molho de pimenta, 551
em Wonton frito, 526-527
Ricota, 386-387
em Molho de queijo maytag blue com baixo teor de gordura, 40
em Molho rancheiro com baixo teor de gordura, 40
Nhoque de, 471
Ricotta salata, 387
Rillettes
de frango defumado, 249
de pato, 249
de pato em profiteroles, 500
de porco, 249
Risoto
Croquete de, 531
e Bolinhos de risoto e pancetta com pesto de tomate seco, 532
Romana
Caesar salad, 114
Salada grega com queijo feta e pão sírio integral, 113
Roquefort
Minissanduíche de manteiga de roquefort e pera vermelha, 193
Molho, 39
Rouille, 36
Roulade
de foie gras, 354
de foie gras com salada de beterraba assada e peito de pato defumado, 479
de lombo de porco, 361
Rúcula
Salada primavera de ervas, 108
Salada quente de folhas, grapefruit e vinagrete de tangerina e abacaxi, 155
Sanduíche de frango grelhado com pancetta e, na focaccia,180

## S

Sachet d'épices, 496
Salada de amendoim à moda da Geórgia, 110
Salada de asa de frango "buffalo wings", 149
Salada de batata
alemã, 130
assada e lascas de erva-doce, 119
Lagosta e alface-de-cordeiro com salada de batata e suco de vegetais, 116-117
mediterrânea, 128
mediterrânea com mexilhão, 128
mediterrânea, com Peito de pato defumado ao estilo niçoise, 467
Salada de caranguejo-vermelho com gelée de yuzu, 154
Salada de feijão-branco com manjericão, 133
Salada de feijão-branco e polvo baby grelhado, 150-151
Salada de frango frito à moda do sul, 157
Salada de lascas de erva-doce, 123
Salada de maçã e endívia enrolada em prosciutto, 109
Salada de macarrão
Sobá, 139
Terrine de camarão com, 334-335
Salada de macarrão sobá, 139
Salada de pão
Fattoush, 135
Salada de amendoim à moda da Geórgia, 110
Salada panzanella de outono, 136
Salada de papaia verde à tailandesa, 143
Salada grega com queijo feta e pão sírio integral, 113
Salada jardineira Parson, 107

Salada(s). Ver também Salada de batata; Coleslaw
alcachofra, de coração de, 121
caesar salad, 114
Confit de pato com crosta de noz-pecã com pudim de pão, salada de miniespinafre e vinagrete de chalota e alho, 246-247
Cuscuz israelense com arroz e trigo integral, 132
de abacate, tomate e milho, 148
de amendoim à moda da Geórgia, 110
de asa de frango "buffalo wings", 149
de beterraba assada, 118
de camarão com curry e manga no copo de wonton, 552
de caranguejo e abacate, 144
de caranguejo-vermelho com gelée de yuzu, 154-155
de cuscuz e vegetais ao curry, 140
de erva-doce e caqui, 123
de erva-doce grelhada, 123
de espinafre baby, abacate e grapefruit, 111
de feijão-branco com manjericão, 133
de feijão-branco e polvo baby grelhado, 150-151
de feijão-preto, 142
de feijão-vermelho Borlotti com alecrim, 133
de feijões e grãos, mista, 134
de frango e crème fraîche, 143
de frango frito à moda do sul, 157
de lagosta com emulsão de grapefruit e azeite de estragão, 152
de lagosta e trufas, 478
de lascas de erva-doce, 123
de lascas de erva-doce, 123
de maçã e endívia enrolada em prosciutto, 109
de macarrão sobá, 139
de mamão papaia verde, 186
de milho assado e tomate, 125
de nozes e lentilha, 131
de papaia verde à tailandesa, 143
de pato defumado e macarrão malfatti, 156
de pimentão assado marinado, 120
de tomate marinado, 127
e erva-doce, de alcachofra, 123
Fattoush, 135
grega com queijo feta e pão sírio integral, 113
jardineira Parson, 107
Lagosta e alface-de-cordeiro com salada de batata e suco de vegetais,116-117
panzanella de outono, 136
primavera de ervas, 108
Queijo de cabra assado com alface, figo assado, pera e amêndoas torradas, 147

quente de folhas, grapefruit e vinagrete
    de tangerina e abacaxi, 155
  Roulade de foie gras com salada de
    beterraba e peito de pato defumado,
    479
  Sanduíche de salada mediterrânea, 189
  Tabule, 131
  Terrine de camarão com salada de
    macarrão, 334-335
  Tomates marinados com mozarela, 466
  Vagem com nozes e vinagrete de vinho
    tinto, 122
  Vagem com prosciutto e gruyère, 122
Salmão
  Cura norueguesa de beterraba e raiz-
    forte, 216
  curado ao estilo pastrami, 218
  curado com erva-doce, 222
  Gravlax, 215
  Gravlax ao estilo do sudoeste, 215
  marinado com erva-doce, alcaparras e
    crème fraîche no pão pumpernickel,
    196
  Terrine de salmão poché e limão, 350
Salmão defumado
  ao estilo do sudoeste, 223
  Barquettes de mousse de, 500
  cura seca, 220-221
  Minissanduíche de salada de ovo, 192
  Terrine de salmão defumado e mousse
    de, 329
Salmoura
  básica para ave, 214
  básica para carne bovina e suína, 214
  básica para frutos do mar, 214
  básica para peixe, 215
  em picles meio azedos, 594
  em Terrine de camarão defumado e
    lentilha, 325-326
  para pato, 231
  Truta arco-íris defumada a quente, 228
Salmoura básica para ave, 214
Salmoura básica para carne bovina e suína,
    214
Salsão
  em Caldo de vegetais, 642
  em Court bouillon, 560
  granité, 487
Salsicha ao estilo de Szechuan, 274
Salsicha Bratwurst suíça fina, 287
Salsicha de maçã e sangue, 294
Salsicha de verão, 277
Salsicha defumada
  Braunschweiger, 291
  Chouriço colombiano, 282
  Chouriço seco, 297
  de alho, 296
  de cordeiro picante, 276
  de pato, 280
  de verão, 277
  Frankfurt, 283
  Kassler liverwurst, 275

Kielbasa Krakowska, 285
  Landjäger, 278-279
  Linguiça andouille cajun, 281
  Mortadela, 288-289
  Mortadela Bologna, 284
  Mortadela Bologna de presunto, 284
Salsicha francesa de alho, 286
Salsicha Frankfurt, 283
  com gordura reduzida, 283
Salsicha italiana
  com gordura reduzida, 271
  com queijo, 271
  doce, 271
  Mistura picante para, 641
  picante, 271
Salsicha para o café da manhã, 268
Salsicha. Ver também Chouriço; Salsicha
    italiana
  ao estilo de Szechuan, 274
  Bratwurst alemã, 272
  Bratwurst suíça fina, 287
  chinesa, em Strudel de frutos do mar
    com azeite com infusão de lagosta,
    462-463
  Chipolata, 287
  de frango e vegetais, 290
  de frutos do mar, 293
  de maçã e sangue, 294
  de pato, 286
  de pato e foie gras, 295
  de pimenta-verde, 269
  francesa de alho, 286
  Merguez, 273
  Mistura picante para salsicha italiana,
    641
  Mortadela, 288-289
  para o café da manhã, 268
  Salsicha de carne de veado, 270
  Weisswurst, 287
Salsinha
  em Court bouillon, 560, 645
  em Fattoush, 135
  em Molho deusa verde, 38
  em Molho verde, 42
  em Salada de tomate marinado, 127
  em Salada tabule, 131
  Fines herbes, 640
  Manteiga de alho e, 63
  Sachet d'épices, 496
  Salada primavera de ervas, 108
  Vinagrete de limão e, 29
Sálvia
  Creme de sálvia e favas com tiras de
    aspargos e limão meyer com ovo
    crocante, 485-486
  em Ervas de Provença, 642
  em Salada panzanella de outono, 136
  Sachet d'épices, 496
  Sanduíche de rosbife, queijo brie e cebola
    caramelizada, 197
Sanduíche reuben, 173

Sanduíche(s). Ver também Bruschetta;
    Hambúrgueres, mini; Minissanduíche
  Abacate, queijo brie, brotos e bacon
    campestre no croissant, 198
  aberto de salada de frango ao curry, 189
  Bahn Saigon (Saigon subs), 186-187
  Club sandwich de peru, 181
  Confit de pato com maçã e queijo brie na
    baguete, 176
  Croque madame, 167
  Croque monsieur, 167
  de caranguejo de casca mole, 168
  de frango grelhado com pancetta e
    rúcula na focaccia, 180
  de lagosta à moda da Nova Inglaterra,
    182
  de rosbife, queijo brie e cebola
    caramelizada, 197
  de salada mediterrânea, 189
  Falafel em pão sírio, 175
  Hors-d'oeuvre de bacon, alface e
    tomate, 502
  Monte Cristo, 167
  Muffuletta, 188
  Pan bagnat, 185
  Panini de berinjela e prosciutto, 171
  Panini de cogumelos portobello e
    prosciutto, 171
  Pepino, agrião e queijo brie com chutney
    de damasco em pão de nozes, 199
  reuben, 173
  Salmão marinado com erva-doce,
    alcaparras e crème fraîche no pão
    pumpernickel, 196
  Smørrebrød leverpostej, 323
Sardinha curada, 242
sementes e, Torrando nozes, 663
Shish kebab. Ver também Hors-d'Oeuvre no
    espeto
  Pinchon moruno (shish kebab estilo
    mouro), 519
Sobrepaleta suína grelhada à moda da
    Carolina, 239
Sofrito, 51
Sopa fria de cereja morello, 80
Sopa(s). Ver também Caldo
  batata e ervas, fria de, com lagosta, 75
  Bisque de coco e abacaxi à moda do
    Caribe, 81
  Borscht claro e frio, 82
  de tomate fria, com Tartare de atum
    com mousse de abacate, 556
  fria de cenoura, 73
  fria de cereja morello, 80
  fria de edamame, 76
  fria de melão-cantalupo e champanhe,
    79
  fria de pepino com dill, alho-poró e
    camarão, 69
  fria de tomate assado e manjericão, 72
  Gaspacho andaluz, 68
  Purê de ervilha fresca com hortelã, 78

ÍNDICE DE RECEITAS   697

Vichyssoise, 75
Sopressata, em Muffuletta, 188
Sorbet de tomate e manjericão, 489
Spanakopita, 536
Strudel
   de erva-doce e chouriço, 460-461
   de frutos do mar com azeite com infusão de lagosta, 462
Sushi
   Arroz para, 548
   Inari, 544-545
   Nigiri, 546
   Solução de vinagre tezu, 548
   Sushi maki – sushi de maguro (atum), 544, 545
Sushi maki – sushi de maguro (atum), 544, 545

## T

Tabule, 131
Tahine
   Baba ganoush, 57
   Falafel em pão sírio, 175
   Homus, 60
   Molho de, 41
Tâmaras enroladas em pancetta e recheadas com queijo manchego e hortelã, 511
Tapenade, 60
   pato defumado, Peito de, ao estilo niçoise, 467
Tasso (porco defumado ao estilo cajun), 236
Temperos. Ver Erva(s), Com Ervas; Especiaria(s)
Tempura
   de camarão, 530
   de vegetais, 530
Terrine
   ao estilo camponês, 356
   de camarão com salada de macarrão, 334
   de camarão defumado e lentilha, 325-326
   de cogumelo, 347
   de cogumelo portobello grelhado, 344-346
   de cordeiro tostado, alcachofra e cogumelos, 342-343
   de faisão assado, 348
   de foie gras, 354-355
   de frango e foie gras em gelatina, 340
   de frango e lagostim, 337
   de frango poché, 349
   de lagosta e vegetais de verão, 333
   de moleja e foie gras, 357
   de mozarela, prosciutto e tomate assado, 353
   de pato com pistache e cereja desidratada, 330
   de pato e presunto defumado, 324
   de salmão defumado e mousse de salmão defumado, 329
   de salmão poché e limão, 350
   de veado, 339
   de vegetais assados com queijo de cabra, 352
   mediterrânea de frutos do mar, 336
Terrine ao estilo camponês, 356
Terrine de moleja e foie gras, 357
tezu, Solução de vinagre, 548
Tofu, em Inari, 544
Tomate-cereja
   em Salada de abacate, tomate e milho, 148
   em Salada de frango frito à moda do sul, 157
   em Salada grega com queijo feta e pão sírio integral, 113
   Vinagrete de, 32
Tomate seco
   com pesto de, Bolinhos de risoto e pancetta, 532
   em Salada mista de feijões e grãos, 134
   Hors-d'oeuvre de bacon, alface e tomate, 502
   Pesto de, 53
Tomate(s). Ver também Tomate-cereja; Tomate seco
   Água de, 555
   assado no forno, 659
   Azeite de, 608
   Bruschetta com tomates assados no forno e queijo fontina, 190
   Copo shot com gelée de tomate e lagostim, 555
   Coquetel de frutos do mar mexicano, 559
   em Caldo de vegetais, 642
   em Fattoush, 135
   em Gaspacho andaluz, 68
   em molho de gengibre, 334-335
   em Molho fresco, 45
   em Pan bagnat, 185
   em Peito de pato defumado ao estilo niçoise, 467
   em Pico de gallo com chipotle, 45
   em Pissaladière, 522
   em Salada de pimentão assado marinado, 120
   em Sanduíche de salada mediterrânea, 189
   em Tabule, 131
   Entradade vegetais grelhados com vinagrete balsâmico, 465
   Hors-d'oeuvre de bacon, alface e, 502
   Ketchup de, 583
   marinados com mozarela, 466
   Massa de tomate e coentro, 650
   Molho de, 646
   molho ravigote, 340
   óleo de, em Terrine de cogumelo portobello grelhado, 344-346
   Salada de abacate, tomate e milho, 148
   Salada de milho assado e, 125
   Salada de tomate marinado, 127
   seco no forno, 344, 345
   seco no forno, em Minipizzas, 520
   Sofrito, 51
   sopa de tomate fria, em Tartare de atum com mousse de abacate e, 556
   Sopa fria de tomate assado e manjericão, 72
   Sorbet de tomate e manjericão, 489
   Terrine de mozarela, prosciutto e tomate assado, 353
   Terrine de vegetais assados com queijo de cabra, 352
   Vinagrete de tomate tostado no fogo, 33
   Vinagrete de, 33
   vinagrete de, em Mil-folhas de gelée de melancia, caranguejo e abacate com, 481
Tomatilhos
   em Molho de pimenta poblano defumada, 47
   em Molho verde, 42
   em Quesadillas de camarão e abacate, 473
   molho picante de frutas, 178
Tomilho
   desidratado, em Tempero para patê, 641
   em Court bouillon, 645
   em Vinagre de framboesa e (vinagre temperado básico), 609
   Ervas de Provença, 642
   sachet d'épices, 496
Torrando nozes, sementes e especiarias, 663
Torta de pato defumado, 469
Tortillas. Ver também Quesadillas
   Cones de frango quentes e crocantes, 566
Tortinhas
   de creme de cogumelo selvagem, 501
   de tomate seco e queijo de cabra, 504
Trufa(s)
   Chips de parmesão com queijo de cabra trufado, 565
   em Galantine de frango, 363
   Salada de lagosta e, 478
   Vinagrete de, 28
Truta
   arco-íris defumada a quente, 228
   Mousse de trufa defumada, 512

## U

Uva
   Confit de bacon e, 248
   Conserva de uva ou cereja, 595
   em Salada de amendoim à moda da Geórgia, 110
   em Salada de frango e crème fraîche, 143
   enroladas em bleu de bresse, 542

# V

Vagem
  com prosciutto e gruyère, 122
  com nozes e vinagrete de vinho tinto, 122
  em Peito de pato defumado ao estilo niçoise, 467
Veado
  Caldo de, 644
  Salsicha de carne de, 270
  Terrine de, 339
Vegetais. Ver também vegetais específicos
  *Acar jawa* (conserva de vegetais javaneses), 598
  ao curry, Salada de cuscuz e, 140
  Caldo de, 642
  Chips sortidos, 601
  Conserva de, 594
  Entrada de vegetais grelhados com vinagrete balsâmico, 465
  Hidratando frutas e verduras secas, 662
  Lagosta e alface-de-cordeiro com salada de batata e suco de, 116-117
  Quesadilla pequena de lagosta tostada e, 523
  Salsicha de frango e, 290
  Sushi maki – sushi de maguro (atum), 544, 545
  Tempura de, 530
  Terrine de lagosta e vegetais de verão, 333
  Terrine de vegetais assados com queijo de cabra, 352
Vichyssoise, 75
Vieiras
  Ceviche de vieira no copo de pepino, 543
  defumadas, 219
  em Terrine de lagosta e vegetais de verão, 333
  Mini-hambúrguer de vieira com crosta de bacon, 164-165
  Salsicha de frutos do mar, 293
  Strudel de frutos do mar com azeite com infusão de lagosta, 462-463
  Terrine mediterrânea de frutos do mar, 336
  tostadas com alcachofra e peperonata, 477
Vinagre
  Court bouillon de, 645
  de alecrim e alho, 609
  de framboesa e tomilho (vinagre temperado básico), 609
  em molho ravigote, 340
  Refogado de barriga de porco crocante com lentilha francesa e vinagre balsâmico envelhecido, 470-471
  Solução de vinagre tezu, 548
Vinagrete
  balsâmico do Porto, 27
  balsâmico, 27, 344, 345
  básico de vinho tinto, 27
  Confit de pato com alface frisée e vinagrete de chalotas assadas, 468
  Confit de pato com crosta de noz-pecã com pudim de pão, salada de miniespinafre e vinagrete de chalota e alho, 246-247
  de amêndoa e figo, 35
  de avelã e orégano, 30
  de beterraba, 33
  de chalota assada, 32
  de chipotle e xerez, 31
  de chipotle e xerez, em Salada de abacate, tomate e milho, 148
  de curry, 30
  de goiaba e curry, 34
  de laranja (ou grapefruit), 34
  de limão e salsinha, 29
  de limão, 34
  de mostarda e nozes, 30
  de sidra de maçã, 29
  de tangerina e abacaxi, 34
  de tomate tostado no fogo, 33
  de tomate, 33
  de tomate-cereja, 32
  de trufa, 28
  de vinho tinto, em Peito de pato defumado ao estilo niçoise, 467
  em Canapé de aspargo e prosciutto, 505
  em Salada de lagosta e trufas, 478
  Entrada de vegetais grelhados com vinagrete balsâmico, 465
  gourmande, 28
  Mil-folhas de gelée de melancia, caranguejo e abacate com vinagrete de tomate, 481
  Salada quente de folhas, grapefruit e vinagrete de tangerina e abacaxi, 155
  Vagem com nozes e vinagrete de vinho tinto, 122
Vinagrete balsâmico, 27, 344-345
  do Porto, 27
  Entrada de vegetais grelhados com, 465
Vinagrete de chipotle e xerez, 31
  em Salada de abacate, tomate e milho, 148
Vinagrete de goiaba e curry, 34
Vinagrete de sidra de maçã, 29
Vinagrete de tangerina e abacaxi, 34
  Salada quente de folhas, grapefruit e, 155
Vinagrete de vinho tinto
  básico, 27
  em Peito de pato defumado ao estilo niçoise, 467
  nozes e, 28
  Vagem com nozes e, 122
Vitela
  Almôndegas com molho dip de pimenta, 513
  Caldo escuro de, 644
  Chipolata, 287
  Glace de Viande, 644
  Salsicha Bratwurst suíça fina, 287
  Terrine ao estilo camponês, 356
  Terrine de moleja e foie gras, 357
  Weisswurst, 287

# W

Weisswurst, 287
Woton(s)
  frito, 526-527
  no vapor com camarão, 529
  Salada de camarão com curry e manga no copo de, 552

# Y

yuzu, Salada de caranguejo-vermelho com gelée de, 154-155

# ÍNDICE TEMÁTICO

## A

Ácaros de queijo (*Tyroglyphus sira*), 401, 403
Acidificação (pH)
    na conservação de alimentos, 203
    na produção de queijo, 375, 377-378, 379, 382
Açúcar, em alimentos curados, 205
Açúcar, em comidas curadas, 205, 254
Administração de equipe, 12
Administração de tempo, 10-11
Aerador, para mousse, 450, 451, 452
Agar, 453
Agentes de gelificação, 453
Agrião, 89, 90, 91, 92
Aïoli, 20
Albume, em guarnição de farces, 303
Alecrim, 96, 97, 100
Alface-americana, 87, 88
Alface bibb, 88
Alface-de-cordeiro, 87, 89, 90
Alface frisée, 89, 90
Alface lisa, 88
Alface lisa boston, 87, 88
Alface-romana, 87, 88
Alface verde, 87, 88
Alface vermelha, 87, 88
Alfaces-crespas, 88
Alfaces, 87, 88. Ver também Folhas Verdes
Alginato, 453, 454
Alho, em aïoli, 20
Alimentos curados
    aceleradores de cura, 205
    cura seca, 206-207
    em hors-d'oeuvre, 445
    Insta-cure, 204, 209
    nitratos/nitritos em, 204
    nitrosaminas em, 204-205, 209
    Prague Powder II, 254
    salmouras, 207-209
    salsichas, 253-254, 257-259
    temperos/aromatizantes em, 205, 254
Alimentos secados ao ar
    pré-defumação, 210
    salsichas, 257-259
    tipo de, 213
Alimentos secos. Ver Alimentos secados ao ar
Amadurecimento, na fabricação de queijo, 383-384
Amaranto, 94, 102
Amidos, como estabilizador, 16

Amor-perfeito, 99
Amuse-gueule, 160, 444
Aperitivos. Ver também Hors-d'oeuvre
    apresentação de, 449-450
    Ares, 454
    caviar, 454
    chips/crisps, 578-579
    encapsulações, salgadas, 453
    espumas, salgadas, 453-454
    gelatinas, salgadas, 452
    granités, salgadas, 452
    hors-d'ouevres como, 448
    *menus* de degustação, 447-448
    meze, 448
    mousses, salgadas, 450-452
    no menu à la carte, 447
    porções de, 449
    saladas, 449
    seleção/preparo, 448-449
    sorbets, salgados, 452
    tapas, 447-448
    terrines, 310
    um menu de banquete, 44
Apresentação de comida. Ver Estilos de apresentação
Ares, 454
Aroma, na avaliação de queijos, 404-406
Aromatizantes
    em picles, 577
    em salsichas, 254
    óleos/vinagres, infusão, 575-577
Ascorbato de sódio, 205
Atriplex (orach), roxa/rosa, 101, 102
Avaliação de queijo
    aroma, 404-406
    e padrões de estilo, 400
    sabor, 406-407
    textura, 407-408
    visual, 401-403
Aves. Ver também aves específicas
    confit, 213
    defumação, 211
    galantine, 316-318
Azedinha, 95
Azeitonas, 444

## B

Bacon, 204, 209
Ballotines, 316, 317, 318
Bananas, descoloração, prevenção, 105
Banho-maria, para terrines, 310-311
Banquetes. Ver também Bufês

    aperitivos para, 448
    papel do garde manger em, 5-6, 7
Barquette, 445-446, 450
Batatas
    chips, 578-579
    como liga, 302
    saladas, 105
Bens físicos, administração de, 10
Boca-de-leão (flor), 98, 100
Botulismo, 204
*Brevibacterium linens*, 372, 374, 405
Broto de ervilha, 101, 102
Broto de milho de pipoca, 98, 99
Bufê de café da manhã, 613, 620
Bufês
    apresentação de comidas para, 521-622, 626-635
    arrumação da mesa, 624-625
    centro de mesa/*displays*, 634
    conceitos/temas para, 612-613
    configuração de mesa, 624
    desenvolvimento de menu para, 613-615
    *design/layout* para, 622-626, 627
    estação de frutos do mar, 616-620
    estação de massas, 620-621
    estação de omelete, 613, 615, 620
    estações de serviço, 613, 615, 616-621, 623
    fatiamento/sequenciamento de alimentos para, 622
    grosse pièce, 622
    guarnição de pratos/travessas, 626
    hors-d'ouevre em, 444
    lidando com sobras, 625-626
    mise en place para, 620, 621-622
    papel do garde manger em, 612
    porções para, 621
    posicionamento de fila, 623-624
    preços/custo de alimentos, 614-615
    preparação de pratos, 615, 626
    reposição de itens, 633-634
    segurança alimentar em, 616-617, 618, 619, 622
    serviço de queijo, 410-413
    utensílios para servir, 625

## C

Calêndula, 98, 99Camarão, 448, 619
Canapés
    base e recheios para, 446, 450-451
    molhos de revestimento para, 21
    mousse para, 452

rilettes para, 213
Capim-limão, 97
Capuchinha, 99
Caranguejos, 619
Carne bovina
    Broto de beterraba, 101, 102
    corned beef, tempo de salga para, 209
    defumação a frio, 210-211
    defumada, 210
    defumação, 211
    invólucros para salsichas, 262, 264, 265
    secada ao ar, 213
carnes de caça
    confits, 213
    farce, veado, 311
Carnes de cura seca
    como entrada, 449
    mistura de cura, 206-207
    nível de nitrato/nitrito, 204
    tempos de cura, 207
Carnes. Ver também carnes específicas
    assada, terrines, 310
    como recheio de sanduíche, 162
    conservação, história da, 2
    curada, níveis de nitrato/nitrito em, 204
    em farces, 301
    fatiamento/sequenciamento, para bufês, 622
    tempo de cura seca, 207
    tempo de salga para, 209
Carragenina, 453
Caviar, 454
Cebola, confit de cebola roxa, 213
Cebolinha francesa, 96, 100
Centáurea, 98, 99
Centros de mesa, bufê, 634
Cerefólio, 95, 96
Charcutaria, história da, 4
Chaud-froids, 21
Chèvre. Ver Queijo de cabra
Chicória, 88
Chicória crespa, 90
Chicórias, 89, 90
Chips/crisps, 578-579
Churrasco (defumar no forno), 212
Chutney, 21, 575
Cloreto de cálcio, para fabricação de queijo, 371, 372, 379, 382, 384
Club sandwich, 160, 162
Coagulação, na produção de queijo, 378
Coalheira, na fabricação de queijo, 368, 372, 375, 376, 378, 381
Coalheiras animais, para fabricação de queijo, 376
Coalheiras chymosin, na produção de queijo, 376, 378
Coalheiras de pepsina, na produção de queijo, 376, 378
Coalheiras microbianas, 376
Coalheiras vegetais, para fabricação de queijo, 376
Coalho, queijo

    ácido, 375, 379
    corte, 379-380
    cozimento, 379
    estilo lático, 377-378, 380, 383
    forma, 381-382
Coentro fresco e em pó/salsinha chinesa, 95, 96, 101, 102
Colheres, hors-d'oeuvre, 447
Comidas conservadas
    curadas, 204-205, 258
    defumação, 209-212
    efeitos do sal no processo, 202-205
    em gordura, 213
    história da, 2
    salmoura, 207-208
    secadas ao ar, 210
Comidas defumadas
    defumação a frio, 210-211
    defumação a quente, 211
    defumação em assadeira, 210, 211, 212, 213
    defumação no forno, 211
    em hors-d'oeuvre compostos, 445
    em mousse, 450
    em pratos de entrada, 449
    formação de película em, 211, 212
    madeira para, 209-211
    peixe, 211, 449
    salsichas, 252, 254
Competições/concursos, de garde manger, 10
Compota, 21, 575
Condimentos, 575
Confit, 213
Confit de atum, 213
Confit de cebola roxa, 213
Confit de coelho, 213
Conservação de comida. Ver comidas curadas; comidas conservadas
Consommés, gelatinosa, 26
Contaminação cruzada, 254, 622
Contaminação. Ver Segurança alimentar
Copos, em serviço de bufê, 624-625
Cor
    de peças de serviço, 625
    e apresentação de bufê, 631
    em saladas compostas, 106
Corned beef, tempo de salga para, 209
Coulis, 21
Couve, 90
Cravina barbatus, 98, 99
Cravos, 99
Creme de leite
    farce mousseline, 302, 306, 307
    molho para revestir, 21-22
    molhos à base de laticínios, 21
    molhos de salada, 21
    mousses, 450, 452
    sopas, 26
Crème fraîche, 406
Crisps/chips, 578-579
Crudité, 444

Crustáceos
    camarão, 448, 619
    caranguejos, 619
    entradas, 449
    mariscos, 448, 618
    mexilhões, 618
    mousseline, 307
    segurança alimentar, 619
    serviço de estação de frutos do mar, 616-620
    terrine de farce, 310
    vieiras, 210, 307
Cultura mesófila, queijo, 371, 377, 385
Cultura termófila, queijo, 371, 377, 385
Culturas diretas, na fabricação de queijo, 374, 377
Custo de alimentos, para bufês, 614

# D

Defumação a frio, 210-211
Defumação a quente, 211
Defumação em assadeira, 212
    defumadores, 209, 210
Desidratação, em conservação de alimentos, 203
Desnaturação de proteínas, 203, 259
Dextrose, em comidas curadas, 205, 254, 257
Dill, 96, 97
Dips e pastas para espalhar
    à base de laticínios, 21
    como hors-d'oeuvre, 444
    condimentos como, 575
    maionese como, 19
    salsa, 44
Dodines, 316

# E

Educação/treinamento, do garde manger, 7-8, 9
Emulsão
    maionese, 17, 19-20
    molhos, frios, 16-20
    salsichas, 259-261
    vinagrete, 16, 18
Emulsificantes, 16-17, 574
Encapsulações, salgadas, 453-454
Endívia, 89, 90
Endívia belga, 89, 90
Equipamentos e material básico. Ver também Formas
    armazenamento de queijo, 408-409
    conhecimento sobre, 8
    defumadores, 209, 210
    estação de omelete, 620
    fabricação de queijo, 371-372
    manutenção de, 12
    moedor de carne, 254-255
    para estação de frutos do mar, 620

preparação de farces, 303, 304
produção de salsichas, 254-256
salmoura, 207-208
secador de verdura, 103
serviço de bufê, 625-626
Ervas
  como guarnição, 626
  em curas e salmouras, 206
  em saladas de fruta, 105
  em saladas verdes, 95-97
  em salsichas, 254
  em sorbets, salgados, 452
  em vinagretes, 18
  flores, 100
  óleos/vinagres, infusão, 575-577
Eritorbato de sódio, 205
Escarola, 89, 90
Esculturas/recipientes de gelo, 445
Especiarias
  em curas e salmouras, 206
  em farces, 302
  em salsichas, 252, 254
  óleos/vinagres, infusão, 575-577
  quatre épices, 302
Espumas, salgadas, 453-454
Estabilizadores, 16
Estação de crepe, 613
Estação de omelete, 613, 615, 620
Estações de serviço, no serviço de bufê, 613, 615, 616-621, 623
Estações, em serviço de bufê, 613, 615, 616-621, 623
Estilos de apresentação
  bufês, 621-622, 626-635
  caviar, 454
  entradas, 449-450
  hors-d'oeuvre, 444-445
  prato de queijo, 411-413
  sanduíches, 162-163
  terrines, 310

## F

Fabricação de queijo
  culturas, 371, 385
  coalho em. Ver coalho, queijo
  coalheira na, 368, 375, 376, 378, 381
  e composição do leite, 367-368
  equipamentos e material básico, 371-372
  história/desenvolvimento da, 367-371
  microrganismos utilizados na, 368, 374
  passos da, 375
  qualidade/origens do leite na, 372-373, 375
  saneamento na, 370
  temperatura do leite na, 375, 377, 378
  tradição monástica de, 368
Faixa de preço, para bufês, 614
Farce 5-4-3, em salsicha emulsionada, 259-261
Farce básica, 300, 303, 305
Farce de carneiro, 310, 311

Farce de veado, 311
Farce mousseline
  ingredientes para, 300-301, 302
  "mousse quente", 450
  preparo, 306-307
  terrine, 307
Farces
  ballotines, 316, 317, 318
  definição, 300
  dodines, 316
  em salsichas emulsionadas, 259-261
  equipamento/ferramentas, 303, 304
  estilo camponês, 300, 302, 303, 305
  foie gras, 318-319
  galantines, 305, 316-318
  gordura em, 301-302
  gratin, 300, 302, 303, 305-306
  guarnições, 302-303
  ingredientes, principais, 301-302
  ligas, 302, 305
  mousseline, 300-301, 304, 306-307, 450
  pâté en croûte, 313-315
  produção, 302-307
  roulades, 316, 317-318
  simples/básica, 300, 303, 305
  temperos, 302
  terrines, 308-313
  teste, 304
Farces de estilo camponês, 300, 302, 303, 305
Farces gratin, 300, 302, 303, 305-306
Fatiamento/sequenciamento, em serviço de bufê, 622
Fermentação, em conservação de alimentos, 203
Ferramentas de negócio, 9
Flor de mostarda, 100
Flores, comestíveis, 98-100
Fogo de chão (defumação no forno), 211
Minisanduíches, 160, 161, 162
Foie gras
  classes de, 319
  em hors-d'oeuvre compostos, 445
  espumas, 453
  Limpeza/preparo, 318-319
  marinado, 319
  mousse, 319
  terrines, 310, 319
Folha de beterraba 90, 94
Folha de dente-de-leão, 90
Folha de louro, 95
Folhas de alface, 88
Folhas de mostarda, 91, 92, 93, 101, 102
Formação de película, em alimentos defumados, 201, 211, 213
Fôrmas
  na produção de queijo, 371, 382
  para barquettes/tartelettes, 445-446
  para mousse, 452
  para pâté en croûte, 313
  para terrines, 308-310
Fôrmas de massa folhada, 449

Frango
  defumação a frio 210-211
  defumado, 209, 210
  galantines, 316-318
  tempo de salga, 209
Fromage blanc, 401
Frutas
  chips/crisps, 578-579
  chutney, 575
  compota, 575
  coulis, 21
  defumadas, 209, 211
  descoloração, prevenção, 105
  espumas, 453-454
  no serviço de queijo, 413
  óleos/vinagres, infusão, 575-577
  purês, em vinagretes, 19
  saladas, 105
  salsa, 44
  sopas, 26
  sucos, em geleias, salgados, 452

## G

Galantines, 305, 316-318, 449
Ganso. Ver também Foie gras
  Confit, 213
  Dodines, 316
Garde manger
  como empresário, 9, 10-12
  definição, 3
  desenvolvimento profissional do, 9-10
  educação/treinamento para, 7-9
  em apresentação de bufês, 612
  habilidades de comunicação do, 9, 11
  história do, 2
  oportunidades de carreira para, 6
  qualidades pessoais para, 13
  responsabilidades/habilidades de, 5, 6-7
Gelatina
  como espessante, 453
  em chaud-froid, 21
  em folha, 25
  em geleias, salgadas, 452
  em guarnição de farce, 303
  em molhos para revestir, 21-25
  em mousse, 450
  em pó, 24
  em sopas claras, 26
  hidratada, 24, 25, 26, 450
  proporção para aspic, 22
  teste a força, 24
Gelatina em folha, 25
Gelatina em pó, 24
Gelatina hidratada, 24, 25, 26, 450
Geleias, salgadas, 452
*Geotrichum candidum*, 374, 401
Gomas, como espessantes, 453
Gorduras
  confits/rilettes, 213
  em farces, 301-302
  em leite, para queijo, 367

em queijo, 400
em salsichas, 253, 259
forração de forma de terrine, 310
óleos, infusão, 575-576
Granités, salgadas, 452
Grosse pièce, 622
Guarnições
aspic como, 22, 23
caviar como, 454
em serviço de bufê, 626
para canapés, 446
para farces, 302-303
para pratos de entrada, 79
para saladas verdes, 104
para salsichas, 261
para sanduíches, 162
para vinagretes, 18
Guildas, relacionadas a comida, 3-4

## H

Habilidades de administração, do garde manger, 10-12
Habilidades de comunicação, do garde manger, 9, 11
Hissopo anisado, 100
Hors-d'oeuvre compostos, 445-447
Hors-d'oeuvre. Ver também Aperitivos; Canapés
apresentação de, 445
barquettes/tartelettes, 445-446
caviar, 444
colheres, 556-557
composto, 445-447
definição, 445
em pratos de entrada, 448
estações de serviço para, 616
molhos para revestir, 21
mousses para, 445, 450
profiteroles, 447
refeições em pé de, 444
saladas, 445
*versus* entradas, 447
Hortelã, 96

## I

Infusão fria, óleos/vinagres, 577
Infusão morna, óleos/vinagres, 575-577
Inoculação, na produção de queijo, 377-378
Insta-cure, 204, 209
Invólucros de carneiro, 264, 265
Invólucros de porco, 264, 265
Invólucros, salsichas, 261-267

## K

Ketchup, 575

## L

*Lactobacillus bulgaricus*, 374
*Lactococcus helveticus*, 368, 374
*Lactococcus lactis*, 368, 374
Lavanda, 100
Lecitina, 17
Lecitina de soja, 454
Leite
acidificação, 378, 379
composição de, 367
cru, 369, 372, 373
Em pó, como liga, 302
estirpes bacterianas em, 368
na produção de queijo, 368-370, 372-373, 375
pasteurização, 369, 373, 375
Leite de búfala, 367
Leite de cabra, 367
Leite de ovelha, 367
Leite de vaca, na produção de queijo, 367, 370, 372, 379
Lidando com sobras, em serviço de bufê, 625-626
Ligas
Líquidos, salgados, 452
para farces, 302, 305
para mousses, 450-451, 452
verduras amargas, 89, 90

## M

Maçãs, descoloração, prevenção, 105
Madeira, para defumar, 209-211
Maionese
armazenamento, 20
aromatizantes/guarnições, 18, 20
como pasta para canapé, 446
como pasta para sanduíche, 162
desandada, correção, 20
em mousse, 450
processo de emulsão, 16-27, 19-20
Manjericão, 95
Manjericão tailandês, 95
Manjerona, 96, 97
Manteiga
em canapés, 446
em sanduíches, 162
Marinada, para foie gras, 319
Mariscos, 448, 618
Massa
em pratos de entrada, 449
estação, bufê, 620-621
saladas, 105
Massa de confeiteiro. Ver Massa para patê
Massa para patê
Barquettes/tartelettes, 445-446
Massa. Ver Massa para patê
Menu degustação, 447-448
Menus
aperitivos em, 447-448
banquete, 448
degustação, 447-448
desenvolvimento de, 7
Mesas de vapor, em serviço de bufê, 625
Método de infusão por imersão, 577
Mexilhões, 618
Meze, 448
Microrganismos, na produção de queijo, 368, 374
Minifolhas de aipo, 101, 102
Miniverduras, 100-102
Miniverduras de rábano, 101, 102
Mise en place, em serviço de bufê, 620, 621-622
Mistura de salada oriental, 94
Mistura mesclun, 94
Misturas de minissaladas, 94
Mizuna, 91, 92
Moedores de carne
cuidado e uso, 254-257
farces, 303, 305, 306
progressiva, 256
salsichas, emulsão, 259-261
salsichas, moagem básica, 256-257
Moedores. Ver Moedor de carne/moer
Mofo
em queijo, 383, 385, 401, 403, 404, 409
em salsichas secas, 259
Molhos à base de laticínios, 21
Molhos de salada. Ver também Vinagrete
à base de laticínios, 21
mostarda em, 574
óleos e vinagres, aromatizados, 575-576
para saladas de batata, 105
para saladas verdes, 104
Molhos para dip, 25
Molhos para revestir
aspic, 21-24
chaud-froid, 21
maionese, 19
Molhos. Ver também Maionese; Vinagretes
à base de laticínios, 21
coulis/purês, 21
emulsão, 16-20
molhos, 21
na estação de massas, 620-621
para revestir, 22
variados, 25
Mosaicos, para guarnição de farce, 303
Mostarda, 574
Mousse
em barquettes/tartelettes, 445
em profiteroles, 447
enrolar, 452
foie gras, 319
para espalhar em hors-d'oeuvre, 445
preparos, 450-452
quente e fria, 450

## N

Networking, profissional, 9-10

Nitratos/nitritos, em alimentos curados, 204-205, 254
Nitrosaminas, em alimentos curados, 204-205, 206
Nó em bolha, para salsichas, 263, 266, 267
Nozes
    biscoitos, 578
    como guarnição de farce, 302
    como hors-d'oeuvre, 444
    no serviço de queijo, 413

# O

Óleos
    e emulsificação, 16, 18, 19-20
    em maionese, 19-20
    em pasta para sanduíches, 162
    em vinagretes, 17, 18
    infusão, 575-577
Óleos e vinagres com infusão, 575-578
Oportunidades de carreira, garde manger, 5-7
Oportunidades de trabalho, garde manger, 5-7
Orégano, 96, 97, 100
Osmose, na conservação de alimentos, 203
Ostras, 448, 617-618
Overhauling, em cura seca, 207
Ovos
    clara, como aerador de mousse, 452
    claras, como guarnição de farces, 303
    como liga para farces, 302, 305
    cozido, como hors-d'oeuvre, 444
    egg wash, para pâté en croûte, 314
    estação de omelete, 613, 615, 620
    gema, como emulsificante, 17, 19, 20
Oxidação de frutas, prevenção, 105
Óxido nitroso, latas, 453, 454

# P

Pães
    como base para canapés, 446
    em salada verde, 104
    no serviço de queijos, 413
    panadas, 302
    para fazer sanduíches, 161
    torradas, 580
Pães de fôrma branco, 161
Panadas, em farces, 302, 306
Pastas para espalhar. Ver também Dips e pastas para espalhar
    para canapés, 446
    sanduíches, 161-162
Pasteurização, leite, 369, 373, 375
Patê
    de foie gras, 319
    em hors-d'oeuvre compostos, 445
    em pratos de entrada, 449
    en croûte, 4, 305, 313-315, 445
Pâté à choux, em profiteroles, 447

Pato
    confit, 213, 449
    dodines, 316
    moulard, em foie gras, 318
Pato moulard, 318
Pectina, 453
Peixe. Ver também Crustáceos
    armazenação, história de, 2
    defumado, 209, 210, 449
    mousse, 450
    Terrines de farce, 310
*Penicillium candidum*, 374, 383, 385, 401
*Penicillium roqueforti*, 374, 385, 405
Peras, descoloração, prevenção, 105
Peru
    fatiamento, sequenciamento, para bufês, 622
    tempo de salga para, 207, 209
Picles, 577
Porco. Ver também Bacon; Presunto; Salsichas
    certificada, em salsichas, 253, 257
    defumação a frio, 210-211
    defumado, 210
    farces, 300, 310
    gordura, 253, 259
    tempo de cura seca para, 207
    tempo de salga para, 207
Porções, em serviço de bufê, 621
Prague Powder II, 254
Pratos, em serviço de bufê, 624-625
Prensagem, na fabricação de queijo, 382
Preparação de pratos, em serviço de bufê, 615, 626
Presunto
    defumação a frio, 210
    defumação a quente, 211
    secado ao ar, 213
    tempo de cura seca, 207
    tempo de salga para, 209
Processador de alimentos, farces em, 303, 304, 306, 307
Profiteroles, 447
*Propionibacteria freudenreichii*, 374, 403
Proteínas, desnaturação, 203, 259
Proteólise, na fabricação de queijo, 382-384, 405
Purês
    coulis, 21
    em infusão de óleo/vinagre, 576
    em vinagrete, 19
    espumas/encapsulações, 453
    mousses, 450-451
    sopas, 26

# Q

Quark, 401, 407, 414-415
Queijo appenzeller, 407
Queijo azul, 403, 405, 412, 413, 424-425, 428
Queijo azul dinamarquês, 424-425, 428
Queijo beaufort, 406, 407, 438-439

Queijo beyaz peynir, 432-433
Queijo caciocavallo, 406, 430-431
Queijo caerphilly, 379
Queijo camembert, 370, 400, 407, 416-417
Queijo cheddar
    artesanal/de fazenda, 375, 402, 406, 407, 419
    industrializado, 408, 422-423
    inglês, 403, 406, 407, 419, 422-423
    processado, 370, 422-423
    salga, 382
Queijo chimay, 368
Queijo comté, 400, 437, 438-439
Queijo cotija, 406, 426-427, 428
Queijo de fazenda, 375, 414-415
Queijo de leite de cabra (chèvre), 385, 401, 404, 406, 407, 412, 414-415
Queijo de leite de ovelha, 404
Queijo edam, 370
Queijo emmenthal, 368, 403, 406, 437, 438-439
Queijo estilo pasta filata, 367, 406, 429, 430-431
Queijo estilo suíço, 385
Queijo estilo Triple-crème, 418
Queijo feta, 385, 429, 432-433
Queijo fontina, 420-421
Queijo gorgonzola, 404, 406-407, 408, 424-425, 428
Queijo gouda, 370, 402, 403, 408, 411, 412, 434-435, 436
Queijo grana, 407-408
Queijo gruyère, 437, 438-439
Queijo halloumi, 429, 432-433Queijo havarti, 375, 402, 403, 408, 420-421
Queijo hooligan, 403
Queijo mascarpone, 375, 406, 409, 414-415
Queijo Monterey Jack, 419, 420-421
Queijo mozarela, 385, 400, 429, 430-431
Queijo muenster 403, 408, 436, 440-441
Queijo Panela, 426-427
Queijo parmesão (Parmigiano-Reggiano), 403, 407, 434-435, 436
Queijo pecorino, 402, 411, 412, 434-435
Queijo pont l'évêque, 403, 412, 440-441
Queijo processado, 371
Queijo provolone, 429, 430-431
Queijo raclette, 403, 408, 436, 440-441
Queijo reblochon, 403
Queijo ricota, 375, 406, 409
Queijo robiola due latte, 411, 412, 416-417
Queijo roquefort, 403, 406-407, 424-425
Queijo saint-andre, 407
Queijo sbrinz, 434-435
Queijo scamorza, 430-431
Queijo stilton, 403, 406-407, 413, 424-425, 428
Queijo taleggio, 403, 408, 417, 436, 440-441
Queijo teleme, 432
Queijo tetilla, 402
Queijo tomme, 385, 397, 402, 406, 407, 413

Queijo. Ver também Avaliação de queijo; fabricação de queijo; queijos específicos
   amadurecido macio, 383, 391, 407, 416-417, 418
   armazenamento de, 408-409
   artesanal/de fazenda: 371, 402, 408, 413
   biscoitos, 578
   casca encerada, 404
   casca lavada, 403, 405, 406, 408, 436, 440-441
   casca mofada, 391, 401, 404-405, 406
   casca natural, 402-403, 405, 406, 408
   combinações, 413
   como pasta para canapés, 446
   como pasta para sanduíches, 162
   de leite cru, 369
   de salmoura, 382-383, 385, 429, 432-433
   defumado, 209, 211
   derretimento de, 407
   duro, 434-435, 436
   em molhos, à base de laticínios 21
   em mousse, 450
   espumas, 453
   estilo alpino, 386, 399, 406, 407, 413, 437, 438-439
   estilo massa filata, 367, 368, 369, 406
   frescos, 401, 404, 406, 407, 414-415, 418
   hispânico, 426, 428
   mofo azul, 403-404, 407, 409, 424-425, 428
   semimoles, 407
   serviço/*design* de prato, 411-413
   termos descritivos para, 410
   tipos de, 414-441
   tomme, 385, 397, 402, 406, 407, 413
Queijos ao estilo alpino, 368, 399, 406, 407, 413, 437, 438-439
Queijos artesanais americanos, 371, 407, 413
Queijos artesanais/de fazenda, 371, 402, 408, 413
Queijos cabrales, 403-404, 406-407, 408
Queijos de estilo brie, 370, 406, 416-417
Queijos de salmoura, 382-383, 385, 429, 432-433
Queijos do Reino Unido, 412-413
Queijos hispânicos, 426-427, 428
Queijos trapistas cistercienses, 368
Quenelle, 445
Queso blanco, 426-427, 428
Queso para freir, 426-427, 428

# R

Radicchio, 89, 90
   Treviso, 90
Radicchio Treviso, 90
Réchauds, 615, 625, 633
Relish, 21, 162, 575
Repolho-roxo, 101, 102
Restaurantes. Ver também Bufês
   história de, 2
tapas, 447-448
Rillettes, 213
Rosa, 99
Roulades, 316, 317-318, 319
Rúcula, 89, 90, 92, 101, 102

# S

Sabor, em avaliação de queijos, 406-407
Sal
   de farces, 302
   na conservação de alimentos. Ver alimentos curados; alimentos conservados
   na fabricação de queijo, 382-384
   salmoura, 206
Saladas compostas, 106
Saladas de feijão, 105
Saladas de grãos, 105
Saladas de vagem, 104
Saladas verdes, 86-104
Saladas, Ver também Molhos; Vinagrete
   batata, 105
   como entrada, 449
   composta, 106
   ervas para, 95-97
   flores, comestíveis para, 98-100
   frutas, 105
   grãos e massas, 105
   guarnições para, 104
   hors-d'oeuvre, 445
   legumes, 105
   miniverduras, 100-102
   preparação de folhas para, 103
   quentes, 106
   vagem, 104
   verdes, 86-104
Salame, 257
Salitre, 204
Salmão
   defumado, 209, 210
   terrines, 310-311
Salmoura
   para carnes curadas, 207-209
   para picles, 577
   sal, 206
Salsa, 21
Salsicha linguiça, 252
Salsicha Loukanika, 252
Salsichas
   amarrar, 266, 267
   defumadas/secas, 252, 254
   em pratos de entrada, 449
   emulsão, 259-260
   equipamentos/ferramentas, 254-256
   fermentadas, seca/semisseca, 257-259
   fresca, 252
   guarnições, 261
   história das, 252
   ingredientes para, 252-257
   invólucros, enchimento, 266, 267
   invólucros, naturais, 262-263
   invólucros, preparo, 263-265
   mistura de cura, 253-254
   moagem, básica, 256-257
   níveis de nitrito/nitrato em, 204, 254
   solta/em quantidade, 261
   tipos de invólucros, 261-262
Salsichas basilicata, 252
Salsichas fermentadas, secas/semissecas, 257-259
Salsinha, 95, 96
Sálvia, 96, 97, 100
Sanduíches
   canapés, 446
   estilos de apresentação, 162-163
   guarnições, 162
   lenda, 160
   pães para, 161
   pastas para espalhar, 161-162
   recheios, 162
   tipos de, 162
   visão multicultural de, 163
Sanduíches para chá, 160, 162
Secadores de salada, 87, 103
Segurança alimentar
   carne de porco, certificada, 253, 257
   contaminação cruzada, 254, 622
   de comidas curadas, nitrosaminas em, 204-205, 209
   de gemas de ovo, em maionese, 19
   de óleos/vinagres, infusão, 577
   em estação de frutos do mar, 616-617, 619
   em serviço de bufê, 622
   leite, 368, 373
   na preparação de farces, 303
   na produção de queijo, 369-370
   na produção de salsicha, 257
Segurança no local de trabalho, 12
Segurança. Ver também Segurança alimentar
   local de trabalho, 12
   na moagem de carne, 253
Segurelha, 97
Serviço de mesa, em bufê, 624-625
Serviço de raw bar, 619
Sistema de brigada, 4
Smorgasbord, 448
*Softwares*, 9
Sopas, 26
Sopas claras 26
Sopas claras gelificadas, 26
Sorbets, salgados, 452
Soro e coalho, na fabricação de queijo, 378, 379, 381-382
*Streptococcus thermophilus*, 374

# T

Talheres, em serviço de bufê, 624-625
Tamis, 333
Tapas, 447-448
Tapas espanholas, 448

Tartelettes, 445
Tatsoi, 90, 91, 92
Temperos. Ver também Aromatizantes; Ervas; Especiarias
    para comidas curadas, 205, 254
    para farces, 302
    para itens de entrada, 449
    para saladas de grãos/massas, 105
    para salsichas, 253-254
Tempo de floculação, na produção de queijo, 378
Terrines
    apresentação de, 310
    em pratos de entrada, 449
    farce básica em, 305
    farce mousseline em, 306-307
    farces em, 305
    fatiamento/sequenciamento, para bufês, 622
    foie gras, 310, 319
    formas, 308-310
    história das, 2
    não tradicionais, 310
    preparo, 310-312
    revestidas de aspic, 312-313
Textura
    de peças de serviço, 625
    em saladas compostas, 106
    na apresentação de comidas para bufê, 631-632
    na avaliação de queijo, 407-408

Toalhas de mesa, para serviço de bufê, 624
Tomilho, 97, 100
Travessas, em serviço de bufê, 625
Treinamento, equipe, 11
Treinamento para trabalho, garde manger, 7, 9, 11

# U

Utensílios e peças para servir
    caviar, 454
    em serviço de bufê, 625

# V

Vegetais
    aromáticos, em óleo/vinagre, 302
    aromáticos, em salsichas, 254
    chips/crisps, 578-579
    chutney, 575
    como hors-d'oeuvre, 445
    coulis, 21
    defumados, 209, 211
    em pratos de entrada, 449
    espumas, 453-454
    guarnições, para salada verde, 104
    ocos, como recipientes, 625
    óleos/vinagres, infusão, 575-577
    purês, em vinagrete, 19
    saladas, 104-105
    salsa, 44

sopas, 26
sucos, em geleias, salgada, 452
Terrines, 310
verdes, para saladas, 86-94
Velouté, 26, 450
Verduras de salada picantes, 91, 92
Verduras para saladas
    amargas, 89, 90
    cuidado, 103
    guarnições para, 104
    leves, 87
    mini, 100-102
    misturas prontas, 93, 94
    picantes, 91, 92
    tipos de, 104
Vichyssoise, 26
Vieiras, 210, 307
Vinagres, infusão, 575-577
Vinagretes
    básico, preparo, 17
    com teor de gordura reduzido, 19
    emulsificado, 16, 18
    guarnições para, 18
    mostarda em, 574
    óleos/vinagres, infusão, 575-577
    para saladas verdes, 104
Violetas, 100

# Z

Zakuski, 448